世纪中国论坛典藏文库

十年轮回：

从亚洲到全球的金融危机

From Asian to Global Financial Crisis

Andrew Sheng
[马来西亚]沈联涛 著 杨宇光 刘敬国 译

上海遠東出版社

出版说明

出版作为人类思想和智慧的凝结，集聚了发明创造和社会实践的经验与成果，推动了人类文明进步。飞速发展的数字和互联网技术并未削弱出版业的这一功能，反而前所未有地促进了其创新发展。

长期以来，上海世纪出版集团始终以弘扬主旋律、引领学术思潮、关注时代命题为己任，并围绕中国发展的重大事件、重大战略决策和重大理论问题举办“世纪中国论坛”。结合2016年“世纪中国论坛”，上海世纪出版集团融合移动端、语音端等新技术，以纸电一体同步发布的方式隆重推出《世纪中国论坛典藏文库》，实现了出版方式与互联网、新技术、新模式的融合发展，表达了出版人在奉献好书的同时，努力践行社会责任、文化理想的使命追求。

《世纪中国论坛典藏文库》聚焦中国经济的长期增长主题，荟萃了诺贝尔经济学奖得主、熊彼特奖得主和中国经济学杰出贡献奖得主等中外著名经济学家的扛鼎之作，著译并重，经典闪耀。

著名经济史学家安格斯·麦迪森早在1998年出版的《中国经济的长期表现》英文版中就预言，中国可能在2015年成长为世界最大的经济体，从而恢复它在1890年之前所享有的世界经济地位。2014年，在《中国的奇迹：发展战略与经济改革》出版20周年之际，经济学家林毅夫在为图书新版撰写的长篇序言中特别指出："出乎主流经济学界预料之外的是，中国经济在此书出版后20年却基本沿着我们在书中所预测的增长轨迹前进。"

然而，中国经济自2012年增速明显减慢，国内生产总值（GDP）增长率一直处于下行趋势。经济学家们所预言的奇迹或增长赖以产生的基础是否改变？对于未来，我们是否还有足够的信心？

首届中国经济学杰出贡献奖得主吴敬琏在专著《中国增长模式抉择》第一版（2005年）中，就指出了转型、结构调整不能取得成效的很多具体原因，归结到一点，就是存在体制性障碍，核心内容就是政府仍然在资源配置中起决定性的作用，抑制或排除了市场的作用。他在第四版的序言中写道："中国在21世纪面对着两个必须解决的问题，一个是体制改革，一个是发展转型。"

无独有偶，中国经济改革研究的先驱巴里·诺顿在《中国经济：转型与增长》一书中，全面描述和评价了1949年以来的中国经济，并把中国的制度转型放在经济增长的大框架里论述，既突出了转型对中国经济增长的必要性，也突出了转型对中国经济增长的促进作用。

显然，制度转型不可能一蹴而就。诺奖得主道格拉斯·诺思和斯坦福大学教授青木昌彦在各自的经典作品《制度、制度变迁与经济绩效》与《比较制度分析》中，分别从东西方的不同视角阐释了制度的内涵，揭示了制度在经济发展和绩效中的作用。

公共选择理论的奠基者曼瑟·奥尔森的遗著《权力与繁荣》则提出了“强化市场型政府”这一分析经济增长的前沿性概念，为金融危机后的亚洲以及其他发展中国家的治理演变和经济政策提供了有用的分析框架。

对于那场起始于亚洲的金融危机，沈联涛用《十年轮回：从亚洲到全球的金融危机》一书进行了详细的解剖，并警示我们2017年可能发生的另一场全球金融危机。对于可能引发危机的高杠杆问题，瑞典的邓达德等在《新国富论：撬动隐秘的国家公共财富》一书中给出了全新的解决方案，并因此被《经济学人》和《金融时报》推荐为2015年度图书。

根据“十三五”规划的蓝图，中国经济将保持中高速增长，到2020年国内生产总值和城乡居民人均收入比2010年翻一番。2015年11月，习近平总书记提出要着力加强供给侧结构性改革，这是实现收入翻番的必由之路，其目标就是通过消除生产要素供给能力和配置效率以及全要素生产率提高的体制性障碍，消除经济运行中不平衡、不协调、不可持续的因素，一方面挖掘传统增长动能的潜力，另一方面开启新的可持续增长动能，最终实现经济增长方式的转变。正如习近平总书记指出的：“中国共产党人和中国人民完全有信心为人类对更好社会制度的探索提供中国方案。”我们将以出版更多的精品力作传播道路自信、理论自信、制度自信和文化自信，为实现中华民族伟大复兴的中国梦作出贡献。

《世纪中国论坛典藏文库》编委会

2016年7月

十年轮回

从亚洲到全球的金融危机

FROM ASIAN TO GLOBAL FINANCIAL CRISIS

想要理解全球金融危机和作为其先兆的亚洲经济危机，沈联涛博士的这本《十年轮回：从亚洲到全球的金融危机》是十分值得一读的好书。它的分析框架严整可靠：在制度和思想演进的大历史、金融体系的宏观结构和微观组织的具体状况等三个层面上详细剖析，使十年前的亚洲金融危机和当前的全球金融危机之间的关联脉络清晰可见。它的另一个引人入胜之处，是本书作者长期担任多个中央银行和监管机构的高官，交游广阔，非常熟悉金融界的内情。他在书中提出的许多深邃见解，无不是亲身体验和深度观察的结晶。他不时以自己的所见所闻作为佐证，更有助于读者加深对问题的理解。

——吴敬琏，国务院发展研究中心研究员

迄今为止，将当年亚洲金融危机与此次国际金融危机结合起来进行研究的书籍为数不多。沈先生以其在中央银行和银行业、证券业和保险业监管的丰富个人经历，对金融危机进行了系统性的分析，这本书的出版将会对我们深入理解和贯彻科学发展观提供新的启迪。

——刘明康，中国银行业监督管理委员会前主席

在这本精彩的书中，沈联涛先生展现了他在亚洲和全球监管的丰富经验与深入分析和解剖问题的能力。书中对亚洲的经济金融危机的描述引人入胜，不可不读。对读者而言，在本书结论部分，沈联涛对当前金融危机及其结果的洞见也值得一读。这确实是一本好书。

——斯坦利·费希尔，前国际货币基金组织执行董事

在本书激动人心的研究中，沈联涛先生呈现了学养深厚的经济学家、作风强硬的金融监管者与目光敏锐的亚洲政治文化内部观察家的真知灼见。他对亚洲危机进行了广泛的思考，提供了不同一般的见解，发人深省。他就当前经济危机也总结出不少教训。他的研究融合了对经济金融形势的宏观把握与在政治主导的环境中实施监管和金融政策的实际问题的思考。

——安德鲁·克罗克特，前国际清算银行总经理兼金融稳定论坛主席

没有人比沈联涛更适合阐释20世纪90年代的亚洲金融危机及其与当前我们正经历的信贷危机的关系。他对亚洲经济的深入了解与一个内部人对全球金融网络的理解相得益彰。结果是一幅激动人心的全景图,充满真知灼见。

——霍华德·戴维斯爵士,伦敦经济学院

沈联涛对东亚金融事件及制度的了解使他成为一个典型的内部人,但本书的意义远不止于一部1997～1998年亚洲危机到当前全球危机的历史。在他杰出的分析能力背后,是他作为亚洲金融监管者(包括中国香港和中国内地)的长期经历。对于这一时期的分析,没有人比他更具洞见,尤其值得注意的是,他剖析了在受影响的债务国——泰国、印度尼西亚、韩国和马来西亚发生的事件,以及主要债权人——日本的金融不稳定,在很大程度上它们加重了1997～1998年的危机。

——罗纳德·麦金农,斯坦福大学

10年之前,时任香港金管局副总裁的沈联涛,亲身经历了当时的亚洲金融危机,参与了危机解决方案的国际讨论以及危机之后的重建。10年之后,作为中国银监会的首席顾问,他又以一位经济学者的身份,观察并思考着此番席卷全球的又一次金融海啸。更为难得的是,沈联涛用亚洲人的眼睛来看金融危机,有别于西方经济学家的传统看法,为我们提供了一个观察全球经济走势的亚洲视角。

——《文汇报》

作为金融业监管者以及两次危机的亲历者,沈联涛在《十年轮回:从亚洲到全球的金融危机》一书中试图以一种“大历史”的视野勾勒出十年前的亚洲危机和眼下这场危机的联系。

——《第一财经日报》

谨以本书献给

我的母亲全慕贞和妻子林瑄宝，正是她们百般的耐心以及不断的鼓励和支持，才使拙著问世。

第三版自序[①]

这本书名为《十年轮回》。从历史上看，大致每十年，金融危机就会冲击一次世界——1987 年的拉美债务危机、1997 年的亚洲金融危机、2007 年的美国次贷危机、随后的欧债危机，以及在 2017 年可能发生的另一场全球金融危机。

没有人可以精确预测，下一场危机将以何种形式、在什么地方爆发。正如没人曾经预想到，雷曼兄弟的倒闭会产生如此世界性、系统性的影响；也没人认为泰铢的贬值会导致印度尼西亚、马来西亚、中国香港以及随后韩国的区域性危机。与此同时，也没有人会预想到，那些在统计学上可能 400 年不遇的事件，比如 2014 年 10 月的美国国债“闪电崩盘”，会切实发生，且频率更高。

时光飞逝，距离 2008 年 9 月 15 日雷曼倒闭已经过去了 7 年，距本书首版也已经过去了 6 年。这期间发生了太多故事：危机之下，全球领导人认识到世界正向多极化转变，因而在 2008 年聚集在 G20 的旗帜下共同抵御风险。发达国家央行开始执行前所未有的量化宽松政策——利率甚至下降到零。美国采取果断的监管行动阻止危机蔓延，而欧洲一开始还认为这只是美国的问题。2008 年，危机扩散到爱尔兰、西班牙、葡萄牙、希腊，欧洲这才意识到，自身在取得共识、应对危机方面面临更大的困境。

---

① 本文由叶毓蔚翻译，经作者审核确认。

现任欧盟委员会主席让-克洛德·容克(Jean-Claude Juncker)曾就政治和决策坦率地发表过一番惊人之语,令人印象深刻,“我们都知道该怎么做,但是我们这么做后,就不知道该怎么赢得下一次竞选”。政治家们不敢进行痛苦的经济改革,而是依赖央行狂印钞票了事,希冀能以此换取足够的时间。结果却是长期的痛苦,并伴随着时不时涌现的小危机。

2008 年 11 月,中国政府的 4 万亿人民币刺激政策扭转了当时的困境。加上发达市场中史无前例的流动性及零利率,使得资金流向新兴市场以寻求增长与利润。中国市场对于大宗商品的巨大需求,以及对非洲、拉丁美洲、中东市场的直接投资,刺激大宗商品价格复苏,并促进了全球经济增长。

2012 年 7 月,新任欧洲央行主席马里奥·德拉吉(Mario Draghi)誓言将采取量化宽松,宣称“不惜任何代价”维持欧元①,化解主权债务危机。日本在首相安倍晋三的带领下,同样采取了量化宽松政策刺激日本经济。央行资产负债表激增至 22.6 万亿美元,占据了世界金融资产的 8%,而在危机前,该比例仅为 3%。美国、欧洲、日本和中国向全球经济体系注入大量流动性,整个世界正经历着历史上最大的资产泡沫。2015 年上半年,世界最大的资产管理公司贝莱德集团,就声称全球正经历股票市场、债券市场和房地产市场的最大繁荣。

尽管注入了大规模的流动性,发达国家仍然陷于低增长的泥潭。2014 年,中国经济增速也开始走弱,从 2007 年最高峰的 14.2%下降到 2014 年的 7%。中国的经济学家们正试图说服大家:这是中国经济的“新常态”。

实际上,到了 2015 年 6 月,尽管处于低增长、无通胀的局面,但几乎每一个主要市场的证券指数都录得了历史高点记录。上证综指于 6 月 15 日录得危机后的日内峰值——5176 点,然后便开始一路下滑,并导致 7 月 8 日的市场干预——在中国人民银行的流动性支持下,中国证券金融有限公司向 21 家主要证券公司提供 2 600 亿的信用额度,支持其回购股票②。

---

① https://www.ecb.europa.eu/press/key/date/2012/html/sp120726.en.html.

② Polk, Andrew, David Hoffman, Ken Dewoskin & Peter Larson. 2015. “*Beijing's Pyrrhic Victory Over the Equity Rout.*”

8月11日，中国人民银行宣布对人民币每日中间价报价进行技术调整，这一举动使得人民币当日贬值达1.9%。对于中国硬着陆的担忧以及对于美联储的升息预期，使得全球股票及债券市场经历了疯狂的抛盘。截至2015年9月23日，道琼斯工业平均指数较年初下降8.7%，较5月19日的年内高点跌了11.1%。欧元蓝筹50指数以美元计也下降了几乎相同的幅度。新兴市场指数下跌则更为惨烈，在巴西达41.6%，在土耳其则达32.9%。同时，新兴市场经济体的汇率同样遭到重挫。

全球发展状况严重恶化，以至于美联储在9月17日的联邦公开市场委员会会议上作出了延迟加息的决定。

是否正如国际货币基金组织总裁克里斯蒂娜·拉加德(Christine Lagarde)所言，这世界将迎向一个新的长期停滞的平庸现实？又或者，我们将在2017年面临一场新的全球金融危机？

这将是我下一本书的主题，因为在过去的6年里，我从不同的角度对全球金融危机进行了深入研究。

关于经济学的反思

我想坦白一件事。我这一生，都在接受西方经济学体系的培养。但正如读者可从本书中发现的，我开始质疑主流经济学的各种前提假设，尤其是自由市场意识形态。可惜我无法确切指出其错误所在。

本书的主要部分，完成于我在清华大学任教期间。2010年，我应马来西亚总理的邀请加入国家经济咨询理事会，参与建立一个新的经济模型，以帮助马来西亚实现在2020年成为发达国家的目标。这一新经济模型力求达到发达国家的收入水平、更具包容性的社会及提倡更加爱护自然环境——看上去非常像现在所提倡的“中国梦”。我还非常有幸出席了新经济思维研究所(INET)举办的第二次布雷顿森林会议。在那里，我开始从很多深具创意的智囊那里学习如何另辟蹊径，从经济学与非经济学的角度来分析危机与发展。至少有四名诺贝尔经济学奖得主列席会议，从他们以及其他许多学者与政策制定者那里，我学会如何从一个更复杂、系统的角度去看待经济，包括其在研究前沿领域的发展与演变。

2011年,我受冯国经博士的委托,担任香港智库经纶国际经济研究院(Fung Global Institute, FGI)的创始院长。这是一个位于香港,以商业为导向的智囊机构,寻求从亚洲的视角去检验全球化议题。FGI的学术委员会主席是诺贝尔经济学奖得主迈克尔·斯宾塞(Michael Spence),他也曾是增长委员会的前任主席。从这些顶尖头脑及实践者那里,我开始从商业与地缘政治学的角度去思考发展问题。和商业团体的合作使我开始从全球供应链的角度去看待商业世界。发展问题与政治息息相关。我不得不把经济看作一个系统性的整体,而不仅仅是像以前一样,从金融监管者或央行银行家的狭隘角度出发。

在FGI,我与研究总监肖耿博士一起,发展了一个四维的分析框架,来研究世事演变是如何相互联系、相互依存、相互发展的。我们不能仅仅从宏观经济的角度(经济体内更宽泛的关系),或是微观经济的角度(基础层面的经济行为),更要从整合经济学(经济学的经济学,或者经济学背后的思考),以及综观经济学(从制度层面将微观举动与宏观行为连接起来)等多重角度进行分析。

在2009年,我曾经接受了美国电影导演查尔斯·弗格森(Charles Ferguson)关于全球金融危机的一次采访。完全没想到,那部我曾短暂出镜的、名为《监守自盗》的纪录片,后来赢得2012年奥斯卡最佳纪录片奖。这部片子指出,主流经济学家非但没有预警到危机的到来,反而沉迷于华尔街顾问的角色,以至于无法克服贪婪看到迫在眉睫的市场乱象。

自从2009年我在印度演讲之后,我比以往更关注可持续发展的环保议题,气候变化及地理形态对人们行为模式的塑造远远超出主流经济学家们的普遍预期。2014年,我加入联合国环境规划署一个咨询小组,提供关于可持续金融方面的咨询意见。

我所参与的新加坡南洋理工大学帕拉·莱姆斯学院东西方合作项目,也使我对于复杂理论,以及东方思维与西方科学的交会产生了浓厚的兴趣。从与我在该项目共事的哲学家,数学家,技术、生物化学、物理和监管方面的同僚身上,我认识到西方科学是如何开始融合亚洲传统智慧的。不过,这些都将是我下一本书中的内容了。

毫无疑问,主流经济学也在不断演变,但基本模型仍然是对世界的机械化及片面理解。若将世界建立在一些不现实或过于简化的假设基础上，比如说信息完全公开、充分竞争、无交易成本，那么这个可以被理解为一个模型，并由此产生完美的解决方案——自由市场会自动回归平衡。

只要新兴市场一出问题，理论家们便归咎于政策缺陷及监管不力，他们从来不批评糟糕的理论及无脑的政策建议。但是当那些最富裕国度里最强大、最先进、最复杂且处于最专业监管者监督之下的金融市场同样发生问题时，这肯定不只是人的纰漏，而一定是基本理论出了问题。

主流经济学不但没有预测到全球金融危机的发生，他们同样无法对如何走出危机给出有价值的建议。美国金融危机调查委员会 2010 年的报告指出，这场危机本该可以避免。那些央行银行家们，很多是训练有素的经济学家，轻易采纳了那些非常规的货币政策，而这些举措几乎没有任何理论支持。监管当局也在推行复杂无比的监管法案与条例，尽管金融界和理论家都指出了其中的缺陷。

央行银行家们和金融监管者们违背基本常识而做出这样的举动，不是出于经济学的考虑，而是出于政治的考量。如果他们不做点什么来证明银行家是罪魁祸首的话，政客们可能就要拿先职的他们开刀了。量化经济学已经非常精确，逻辑严谨，就好像人类行为也会遵守自然法则一样，却忘了该学科源自政治经济学。他们放弃了事实和常识，只追求华丽精巧的理论。

主流经济学不但无法预测全球金融危机，它们同样无法解释中国的崛起——在过去 40 年里，中国奇迹不仅让该国一半人口脱离贫困，更让其成为世界第二大经济体。其中一个主要原因，在于它们从意识形态上忽略了机构的作用——在中国，主导改革的机构是中国共产党。

具有讽刺意味的是，不同于“华盛顿共识”（关于美国经济学家如何解释经济发展的集体智慧），中国经济学家们并没有构建可被其他新兴国家复制与采纳的关于中国特殊经济增长模式的“北京共识”。华盛顿的经济学家们因此认为，国家主导的中国经济具有某种“特殊性”，意思是说，中国特征是中国独有的，无法在其他发展中国家复制。

也有一部分受人尊重的西方经济学家认为，中国并不独特，其成功亦是遵循了一些关键原则。例如，已故诺贝尔经济学奖得主罗纳德·科斯（Ronald

Coase)，尝试用制度经济学来分析中国[1]。中国的成功应归因于各个层次机构改革的深化，尤其是不同省份、城市之间的竞争，以及国有企业、私营企业与跨国公司之间的竞争。已故斯坦福大学教授罗纳德·麦金农(Ronald McKinnon)[2]认为，由于盯牢美元，严控财政预算，中国在 1998 年到 2007 年之间的改革十分成功。中国必须通过改革提升全要素生产率，因为它不可能通过贬值来刺激出口。

从综合、系统的角度去探究经济和金融的发展

经济发展与金融发展是一个硬币的两面。曾参与中国十二五规划或印度五年计划的人对经济发展的复杂性应当颇有体会：需要协调从乡村到国家一级的发展状况，并需要从多维度思考问题，比如说健康、教育、金融、社会安全、内部安保、国防、环境污染、税收、交通、监管及外交事务等。

金融作为发展的资金来源，不可能脱离现实中发生的一切而独立存在。社会经济体系中不同的方面互相影响，带来复杂的反馈，因而产生的结果往往是动态的、非线性的，难以预测。

传统经济学的问题在于，试图将复杂的人类社会系统简化成单纯的、机械的[3]线性模型。我们都熟悉"混沌理论"的主张：一只蝴蝶在荒野扇动翅膀，结果导致了一场台风。尽管听上去很荒谬，但最近的自然灾难的确显示：大自然和人类活动正直接影响到对方。早在 19 世纪末，英国经济学家杰文斯(William Stanley Jevons)[4]就观察到，经济周期与太阳黑子有关，因为太阳耀斑会影响天气，从而影响农作物收成。这一理论曾被认为是怪异和荒唐可笑的，因而被搁置一旁。但今天我们认识到，叙利亚内战正是由极度干旱引发了内乱，其后不仅蔓延为区域性冲突，还使得超过 200 万的难民像洪水般涌向

---

① Coase, Ronald & Ning Wang. 2013. "*How China Became Capitalist*." UK: Palgrave Macmillan.

② McKinnon, Ronald & Gunther Schnabl. 2008. "*China's Exchange Rate Impasse and the Weak U. S. Dollar.*" Leipzig University Working Paper 73.

③ Roman Frydman and Michael D. Goldberg, *Beyond Mechanical Markets*, Princeton University Press, 2011.

④ Jevons, W. S. 1875. "Influence of the Sun-Spot Period on the Price of Corn". *Nature*, 13,15.

欧洲及其他周边国家。有超过20 000名的外国人为“伊斯兰国”(ISIS)、俄罗斯或北约(NATO)而战，还有人为冲突各方提供资金援助。我们不得不正视这样的风险：某个灾难性气候原因导致的某国内战，很可能升级成为一场全球性的冲突。

简而言之，经济学不能脱离政治、气候变化、地理、技术以及其他因素而独立存在。

不过，发生在一条时间轴上的事件是依赖过去而存在的。过去塑造了现在，过去和现在将塑造未来，但这并不是线性的。

本书部分描写了历史事件，部分用20世纪的理论进行了分析。亚洲金融危机主要是一个地区性危机，但是有着全球性根源。我们需要从21世纪的视角去关注21世纪的问题。在21世纪，亚洲拥有全世界55%的人口，无论是好是坏，对世界的影响力都是巨大的。要观察世界，仅从西方的视角出发远远不够。

本书其实并没有将焦点完全放在中国，因为中国没有在亚洲金融危机中扮演主要角色。然而，我的下一本书将深入讨论中国在下一次全球性金融危机到来时，会扮演什么样的角色以及该如何应对。这是因为在逐渐转变为世界第二大经济体的过程中，中国目前发生的一切将它的未来与世界的未来紧紧地捆绑在一起，密不可分。这是一个漫长而复杂的故事，但是在这篇序言中，非常有必要简要归纳一下要点。

前任美联储主席本·伯南克(Ben Bernanke)作为经济历史学家，深入研究了发生在1930年代的大萧条。他深知，当年因为美联储没有及时放松货币政策介入危机管理，直接导致美国经济深陷大萧条的泥沼，直至1939年二战爆发才得以解脱。

欧文·费希尔(Irving Fisher, 1933)是首先提出“债务—通缩”导致经济萧条的经济学家①。在本书第四章提到，查尔斯·金德尔伯格(Charles Kindleberger, 1978)将这一理论重新赋予了全球性的定义。他指出，在全球范围内缺乏统一协调的货币、财政和监管政策，又没有国际央行来扮演最后

① Fisher, Irving. 1933. "*The Debt-deflation Theory of Great Depressions.*" Digitized for FRASER, Federal Reserve Bank of St. Louis.

借款人的角色，是十分危险的①。日本在1990年代首先尝试了量化宽松的货币政策，但野村研究所的首席经济学家辜朝明（Richard Koo，2011）强调指出，当负债累累的债务人——政府、企业以及家庭专注于减少债务（去杠杆化），重建财务平衡时，会产生“资产负债表衰退”的危险性②。由于日本没有积极消除过剩产能，进行结构性改革，其经济面临低速无通胀的局面，这是“债务—通缩”的典型特征，而劳动人口老龄化更加剧了这种通缩现象。

回头来看，发生在2007～2009年的那场全球性金融危机，根源在于美联储推动的各种刺激措施大大缓解了1997～1998年间的亚洲金融危机，接着又遇到了2000年间的高科技泡沫，这使得美国经济得以享受了很长一段时间的无通胀增长——格林斯潘称之为“大缓和”时期。

2000～2007年间，美国和欧洲的经济发展喜人，美国经常项目下的庞大赤字使得大量美元流入有盈余的经济体，如中国、日本和那些石油输出国。这些美元累积成为高额外汇储备，以美国国债的形式回流到纽约，随后华尔街又以直接投资或证券组合投资的形式重新流回到那些新兴市场经济体。伯南克2005年关于过度储蓄的谈话，实际上是在感叹美联储的货币政策似乎已经失灵，因为那些有盈余的国家持续购买美国国债，尽管美联储试图收紧货币，但长期国债的收益率仍不断下降③。

近年来，以博里奥（Claudio Borio）④、申铉松（Hyun Song Shin）⑤为代表的国际清算银行的经济学家们认为，美国和欧洲银行界在宽松的监管政策、金融创新和交易文化的共同作用下，通过表外、离岸的方式创造了美元和欧元的过量贷款，金融体系的杠杆越来越高，越来越脆弱。

---

① Kindleberger, Charles P. 1978. "*Manias, Panics, and Crashes: A History of Financial Crises.*" U.S.: John Wiley & Sons.

② Koo, Richard C. 2008. "*The Holy Grail of Macroeconomics-Lessons from Japan's Great Recession*," John Wiley & Sons.

③ Bernanke, Ben S. 2005. "*The Global Saving Glut and the U.S. Current Account Deficit.*" Remarks at the Sandridge Lecture, Virginia Association of Economists, Richmond, Virginia.

④ Borio, Claudio & Piti Disyatat. 2011. "*Global imbalances and the financial crisis: Link or no link?*" BIS Working Papers 346.

⑤ Hyun Song Shin. 2011. "*Global Banking Glut and Loan Risk Premium.*" 12th Jacques Polak Annual Research Conference November 10-11, 2011.

像本书第十五章描述的那样，雷曼兄弟公司的破产触发了一场链式反应，高杠杆的投资银行和银行的经纪业务部门面临市场流动性危机，或者失去偿债能力，需要美国和欧洲政府的巨额救援。亚洲的金融体系看起来相对安全，因为亚洲的银行和金融监管机构从亚洲金融危机中吸取了教训，在衍生金融工具市场不能太过于追求创新。

美国和欧洲的监管者倾向于认为，综合运用非传统的货币政策和监管机制改革让金融界摆脱了困境。

这些措施对全球金融系统稳定性有帮助，但真正的冲击波来自 2008 年 11 月中国的 4 万亿人民币（或 6 000 亿美元）的经济复苏政策，这是一个典型的凯恩斯刺激计划，巨额的基础设施投资使中国经济的年增长率超过 10%。此举创造出对钢铁、煤炭、铜和农产品等大宗商品的强劲需求，让新兴经济体享受了一场史无前例的价格暴涨。再加上中国对非洲、拉丁美洲十分强劲的海外投资，这些新兴市场经济体成了世界的主要增长引擎。

中国这一揽子刺激举措的出发点是好的，但是忽视了两个重要方面，为之后的中国以及其他新兴经济体带来了巨大问题。其一，使中国制造业错过了减少过剩产能的机会，使得过剩的商品产能在新兴经济体全面扩散开来。这种战略错误与日本当初在 1990 年代股市崩盘后实施的刺激措施如出一辙。当年日本也没能消除国内的过剩产能而是将产能转移到东亚其他经济体，因而埋下了可能导致亚洲经济危机的许多隐患（见本书第二章）。

其二，中国庞大的基础建设投资是由盲目举债来支撑的，特别是央企和地方政府融资平台。中国的银行系统不但变得更庞大，也通过利息差获取了巨大利润。中国经济在 2014 年开始放缓时，由于银行系统严格管制，借贷需求就只能由高息的、外部的、非官方监管的影子银行（包括 P2P 网络平台）满足。

债务怪圈的终结

托尔斯泰曾经说过，幸福的家庭总是相似的，而不幸的家庭各有各的不幸。在 2007～2014 年间，多亏了全球范围内的量化宽松和宽松货币政策，世界各国过了一段好日子：相对强劲的经济增长，低通胀和低利率水平。但发达国家仍持续面临增长缓慢的问题——尽管各国情况各异：欧洲局部有限复苏，美国复苏强劲，日本几乎无增长。

在此期间，分析全球金融危机成因的书大卖特卖，从黑心银行家、监管不力、漏洞百出的全球货币体系到过度负债，什么都有。罗格夫（Kenneth Rogoff）和莱因哈特（Carmen Reinhart）带头主张，危机来临的最佳信号就是债务的快速增长①。托马斯·皮凯蒂（Thomas Piketty）②则认为贫富不均是我们这个时代的关键社会问题。还有更多的证据表明，量化宽松不但不能帮助经济复苏，而且还使贫富不均的状况更加恶化，对中国的经济学家来说，这是一个严重的问题③。同时还有更多的科学证据表明，过量碳排放导致的全球变暖已经非常严重。随着城市污染日益加重，中国开始认真面对这一问题。

预示另一场危机正在酝酿的首个信号是2013年中，当美联储通过暗示要加息来表示考虑退出量化宽松的时候，市场反应剧烈，所有的金融市场都惊慌失措。资本从新兴经济体撤出，回到美元市场。像巴西这样的新兴经济体经历了资本外流，只好通过贬值来维持稳定。为应对希腊危机与通货紧缩，欧洲央行和日本央行不断释放流动性，欧元和日元对美元快速贬值，只有美元和人民币两个主要货币保持坚挺，而人民币还不能自由兑换。

据麦肯锡全球研究所披露，世界负债水平从未如此沉重，已经达到了全球GDP的286%，接近200万亿美元，比2007年增加了57万亿④。尽管美国家庭多多少少开始去杠杆减债，但总体来看，美国的负债总额仍在增加，尤其是联邦政府债务，只能在利率非常低的情况下才能维持。

大举借债有多个原因。首先，利率从未如此之低，私募市场增长迅速，愿意向新兴经济体国家和崭露头角的公司放款。其次，从税收角度考虑，全球范围内都鼓励债务融资，抑制股权融资，因为债务的利息支出和贷款损失都可以抵税，而红利收入在源头就要征税，资本金损失并不能抵税。第三，尽管

---

① Reinhart, Carmen M. & Kenneth S. Rogoff. 2009. "This Time is Different: *Eight Centuries of Financial Folly*", Princeton University Press.

② Thomas Piketty, 2014, *Capital in the 21st Century*, Belknap Press of Harvard University Press.

③ Liu He, 2014, Overcoming the Great Recession: Lessons from China, John F. Kennedy School of Government Harvard University, Cambridge, Massachusetts.

④ Dobbs, Richard, Susan Lund, Mina Mutafchieva & Jonathan Woetzel. 2015. "*Debt and (Not Much) Deleveraging*." McKinsey Global Institute.

可能导致系统风险上升，公司仍可以通过增加杠杆来改善短期利润。第四，股权融资的成本比通过借款或发债券来筹资的债务融资成本要高得多。即使不考虑监管与广告成本，在主要的股票市场上进行首次公开发行的成本，也可能占总筹资额的3%～7%。

结果就是，公司、政府通过表外、离岸以及伪装成其他工具的债务方式借款，掩盖其真实的负债水平。高盛帮助希腊政府通过衍生工具掩藏债务规模，就是这种错误的典型。

2015年初，全球经济很明显已经到了债务周期的顶峰。国际清算银行已经警告说，各国央行早晚要回到正常的货币政策上来，允许利率上升。

在中国，经济增速变缓，下降到了最高峰时的一半左右。但想要从单纯依赖出口的经济，转型为大量创新、由服务业和消费驱动的新经济，中国任务艰巨，并需要更加精准、复杂地协调货币政策、财政政策、监管改革与国际事务。

在认识到人口老龄化和人口红利（年轻的劳动力）逐步消失的现实后，中共十八届三中全会通过重要决议，决心让改革成为增长的主要动力。同样地，由于地缘政治对手的存在，开放红利（对外贸易与地缘政治环境）即便不能说全部充满敌意，至少也变得越来越错综复杂。美国对于中国的崛起感到不舒服，中国也觉得美国的“转向太平洋”政策是遏制而非善意接近。此外，很多领域的结构化改革都遭到既得利益集团的阻碍。

到了2015年9月，世界主要金融市场都开始认清事实：全球债务周期开始逆转，实体经济陷入停滞，所有国家都增长乏力，没有通货膨胀的迹象。负面情绪开始蔓延，因为新兴市场迅速贬值，消费锐减，商品价格下滑，这些终将会反噬发达国家市场。

全球经济就好比一架喷气飞机，在2007年以前有四台发动机，后来欧洲和日本这两台发动机掉下去了。如果中国和新兴市场经济体也陷入停滞，就只剩下美国这一台发动机了。当中国人民银行宣布人民币汇率报价机制调整，导致汇率急贬1.9%的时候，全球市场都因为害怕货币战争而瑟瑟发抖。如果人民币也贬值，就只剩下美元这一枝独秀的硬储备货币了。

自2013年以来，美元的实际汇率在上升，这是由于增长预期高于欧洲和日本，且美联储暗示可能加息。尽管美国经常账户保持赤字，其国际投资头寸(外国投资者持有的债权)也已稳步上升至7万亿美元,占美国国内生产总值的40.2%。美国的外债触目惊心,总额高达国内生产总值的181.6%。与此同时,像茶党这样的收支平衡派试图限制国内债务,已经几次差点导致法律意义上的技术违约。作为主要的储备货币,美元违约是不可想象的。尽管听起来在政治上太过疯狂,但有时候看起来不可能的事情还是会发生。

一言以蔽之,全球市场之所以神经紧张,是因为他们看不到希望。发达国家市场无法取得政治共识,不愿咬紧牙关、削减债务或压缩产能,不愿停止量化宽松刺激政策(除非通货膨胀走高),并且在短期内无法提供可靠的增长动力。就连技术升级换代也可能对就业产生短期的负面影响,并对过时的行业产生破坏。

不论是在财务意义还是在实体意义上,每次危机都需要承认损失。要么整个体系把货币假象继续下去,假装可以用新的债务解决过度债务问题(尽管新债的利率要更低);要么免除债务或者将债务转为股权,然后决定是否承认损失、重新出发。承认损失,改革才能启动;否认损失,则注定失败。

中国即将到期的当期债务总额达到国内生产总值的282%,债务对股权融资的比例达到6.6∶1,而美国的这一比例是2.2∶1。欧洲的银行和债务市场也过度膨胀,对股权融资的比例,葡萄牙是11.8倍,意大利是11.2倍,德国是4.5倍。

但中国的债务是一个内部问题,因为中国2014年底国际投资净头寸是1.78万亿美元盈余,占国内生产总值的17%。因此,过度负债可以通过内部债务/股权置换来解决,随后展开国有和私有部门的治理改革。

2015年9月,习主席访问美国和联合国归来,确认了中国承担国际责任的承诺,提出了一个新的概念"大国关系"。他还承诺会维持人民币对主要货币稳定,排除了使用货币贬值政策工具的可能性。

因此,中国将要开始啃硬骨头,进行痛苦的短期改革,并将面临来自各种既得利益集团的抵制。如果因为大国不愿分享权力而导致各国在如何改革国际金融体系问题上无法达成共识,大家就只能自求多福了。

中国有能力进行这些艰巨的内部调整,因为国有企业承担了金融系统巨额负债的大部分。但是由于生产力水平不如发达国家,中国经济仍受阻于中等收入陷阱。中国经济存在一个结构性问题,就是在提供价值增量的国内生产总值中，央企仍然占居了高达四分之一的规模。央企再加上地方政府融资平台还占居了银行总信贷的半壁江山。最新一期的中国社科院数据报告中的国民经济平衡表显示，从2000年到2007年，民营经济持续增长，国有经济占比逐步下降。而自2008年开始，又出现了大幅度的国进民退现象。

现在中国政府面临的真正问题是，如何战略性地重新配置资源（包括实体资源和金融资源），提高生产能力，促进社会公平，力求向一个创新、公平、可持续发展并且具有包容能力的经济体目标迈进。中国中央及地方政府持有的净资产总值在2013年底接近93万亿人民币，占国内生产总值的164%。由于央企和地方政府融资平台负债超过银行信贷总额的一半，对国有资产进行合理的债务重组，不仅有利于这些项目的负债偿还，私人或专业管理团队的引入也会提高这些项目的整体收益，从而促进国家生产力水平不断提高。

正如北欧经验①所展示的，国有资产无需伤筋动骨，也能保持好的生产能力，只要它们能得到专业、透明的管理（如将其置于养老金体系中）。

我的下一本书还将深入探讨全球经济如何缓慢趋于波动性更大和更脆弱。发达国家刚刚经历了一场沉重打击，所以他们应对这样的震荡比较有经验。但是新兴市场并非如此，尤其是类似“脆弱五国”这样的经济体——土耳其、巴西、印度、南非和印度尼西亚等国，他们非常依赖于资本流动。委内瑞拉、阿根廷、马来西亚这样的经济体，已经亲眼目睹大量资本流出所导致的汇率大幅下滑的困境。

想从债务通缩中解脱出来，不能依赖更多的借贷和更低的利率。发达国家所经历的一切，证明了在政治可接受的范围内，宽松的货币财政政策下金融工程学已经将它的作用发挥到了极致。我认为那些乐于接受短痛、实行真正的结构性调整的国家将会是真正赢家，而那些只想不干、没有实际行动的国家只能输掉这场战争，而面对外部者投机冲击时，他们会输得更惨。

总而言之，我们现在需要不局限于经济范畴，而从政治学、社会学、环境学以及认识论等视角来看待即将到来的全球性危机。这些要素都存在内在联系，因为如果像盲人摸象一样视角狭隘便不可能看到系统性的危机。我的

---

① Detter, Dag & Stefan Fölster. 2015. "*The Public Wealth of Nations: How Management of Public Assets Can Boost or Bust Economic Growth*." UK: Palgrave Macmillan.

下一本书将尝试系统性探讨——不仅仅从宏观历史的角度，还要从经济学的四个层面：整合、宏观、微观和综观经济学角度分别阐述。我将会引入最新的西方经济学观点，也会使用中国经济学家和历史学家的最新论点来说明中国经济的走向。

中国的经济学家、哲学家和历史学家们，如吴敬琏①、钱穆②、吴晓波③和易中天④等人，正深入研究中国古老文化，并将传统与西方历史规律相结合，以前所未有的角度重新审视中国文化传统。他们的作品没有全部被翻译成英文，不过想了解中国人如何看待全球发展问题，他们的观点是有价值的。

在全球文化发展史上，正在发生一场惊人的革命。传统的世界文明由西欧文明（基本由希腊/犹太人、欧洲，加上美洲的科技力量占支配地位）、印度文明、中国文明、阿拉伯/伊斯兰、俄国和其他文明等构成。互联网革命让每一个世界公民比历史上任何一个时期都能更便捷、高效而又深入地了解新知识。

当超过 4 亿中国人在学习英语时，西方科学技术也渗入了中国文化和历史，这不但影响中国，也将影响全球的文明进程。中国是世界的重要组成部分，不单单因为它的规模庞大，还因为它是留存至今最古老的人类文明之一。对于外人来讲，中国也许并不完全透明，也不一定合乎普世规律，但解决全球危机的办法也许就会从中国找到，或者干脆由中国解决。

历史演变并不是线性运动的，但是混乱和秩序的轮回宿命般交替出现。每一次轮回并不完全一样，我们只能准备好等待它的到来。

于马来西亚槟榔屿

2015 年 10 月 3 日

---

① Wu Jinglian, 2005, *Understanding and Interpreting Chinese Economic Reform*, Thomson/Southwestern.

② Qian Mu, Chinese Economic History, recorded and edited by Ye Long, Beijing United Publishing Co. Ltd, 2013.

③ Wu Xiaobo, Historical, Zhejiang University Press, 2014.

④ Yi Zhongtian, *Chinese Intelligence*.

参考文献

Bernanke, Ben S. 2005. "The Global Saving Glut and the U. S. Current Account Deficit." Remarks by Governor Ben S. Bernanke at the Sandridge Lecture, Virginia Association of Economists, Richmond, Virginia. Retrieved from http://www.federalreserve.gov/boarddocs/speeches/2005/200503102/.

Borio, Claudio & Piti Disyatat. 2011. "Global imbalances and the financial crisis: Link or no link?" BIS Working Papers 346. Retrieved from http://www.bis.org/publ/work346.pdf.

Coase, Ronald & Ning Wang. 2013. "*How China Became Capitalist*." UK: Palgrave Macmillan.

Detter, Dag & Stefan Fölster. 2015. "The Public Wealth of Nations: How Management of Public Assets Can Boost or Bust Economic Growth." UK: Palgrave Macmillan.

Dobbs, Richard, Susan Lund, Mina Mutafchieva & Jonathan Woetzel. 2015. "Debt and (Not Much) Deleveraging." McKinsey Global Institute. Retrieved from http://www.mckinsey.com/insights/economic_studies/debt_and_not_much_deleveraging.

Fisher, Irving. 1933. "The Debt-deflation Theory of Great Depressions." Digitized for FRASER, Federal Reserve Bank of St. Louis. Retrieved from https://fraser.stlouisfed.org/docs/meltzer/fisdeb33.pdf.

Hyun Song Shin. 2011. "Global Banking Glut and Loan Risk Premium." 12th Jacques Polak Annual Research Conference November 10-11, 2011. Retrieved from https://www.imf.org/external/np/res/seminars/2011/arc/pdf/hss.pdf.

Jevons, W.S. 1875. "Influence of the Sun-Spot Period on the Price of Corn." *Nature*, 13, 15.

Kindleberger, Charles P. 1978. "*Manias, Panics, and Crashes: A History of Financial Crises*." U.S.: John Wiley & Sons.

Koo, Richard C. 2011. "The World in Balance Sheet Recession: Causes, Cure, and Politics." Real-World Economics Review, Issue 58. Retrieved from http://www.paecon.net/PAEReview/issue58/Koo58.pdf.

McKinnon, Ronald & Gunther Schnabl. 2008. "China's Exchange Rate Impasse and the Weak U.S. Dollar." Leipzig University Working Paper 73. Retrieved from http://www.wifa.uni-leipzig.de/fileadmin/user_upload/AP/UL-WiFa_AP73_McKinnon_Schnabl.pdf.

Polk, Andrew, David Hoffman, Ken Dewoskin & Peter Larson. 2015. "Beijing's Pyrrhic Victory Over the Equity Rout." Retrieved from https://www.conference-board.org/retrievefile.cfm?filename=TCBCC-QN-A-shares_July-2015vf1RP.pdf&type=subsite.

Reinhart, Carmen M. & Kenneth S. Rogoff. 2011. "A Decade of Debt." Policy Analyses in International Economics 95. Washington DC: Peterson Institute for International Economics. Retrieved from http://www.confindustria.it/ADM/EvenNew.nsf/4A1753667934085AC1257910004370E9/$File/Saggio%20Reinhart.pdf.

Weinland, Don. 2015, August 2. "China's Addiction to Bank Lending Just Got Worse." *SCMP*. Retrieved from http://www.scmp.com/business/china-business/article/1845872/chinas-addiction-bank-lending-just-got-worse.

第二版自序

出版社向我提出重印我的这本《十年轮回——从亚洲到全球的金融危机》，我才发觉距离 2008 年 9 月雷曼兄弟破产已经快 5 年了。

这 5 年里，什么东西变了？

什么都变了。

当个“事后诸葛”，现在我们知道雷曼事件标志着一个重要的转折点：旧的自由市场被新的后工业化社会所取代，而对于这个新的社会，我们还没真正开始理解。

我的这本书写于 2006～2009 年，试图阐释 1997～1999 亚洲金融危机的原因以及危机与 2007 年 8 月开始的大萧条之间的关系。这本书尝试越过主流经济学理论，把金融危机看作系统失灵的一部分，用网络和系统思维来理清其演变过程。亚洲金融危机是更广义的日本危机和亚洲全球供应链危机的一部分，而那次危机的因素和错误在美国次贷危机和欧洲债务危机中又再次重演。

当然，由于客观形势是极其不同的，每次危机也是不同的。直接原因往往非常明显，但是重要而复杂的结构性反馈机制却是不明显的。

过去的 5 年里，诸如《美国金融危机调查报告》《联合国金融危机报告》(斯蒂格利茨报告)等主要评论都想弄清是哪里出了问题，更有不计其数的欧洲研究在讨论货币、银行和财政联盟的必要性。有的归咎于全球失衡，有的指出新兴市场储蓄过剩导致了全球过度储蓄，还有的说是因为中国的崛起、气候变暖、颠覆性的技术、城市化、日益严重的社会不平等。更有人把这看作是资本主义危机、自由市场的灭亡和中央集权的兴起。

近些年，我离任香港证监会，加入中国银监会，兼任清华大学客座教授，2011 年 8 月后就任经纶国际经济研究院(Fung Global Institute)院长。关于不断爆发的危机，我阅读了很多，也思考了很多。或许永远都不会有一个完整的答案，但我最终意识到，要用更宽广的视角、更深入的剖析和更长的篇幅才能一步一步把故事讲清。

首先，我们创建的世界是按照我们思考的方式来塑造的。如果不改变我们思考的方式，就无法改变世界。亚洲人和西方人对危机的看法非常不同，这是意料之中的。因此，我们需要融合东方和西方的思路，综合出更加完整的思想，来解释危机的根本原因及其影响。

其次，我在金融行业里摸爬滚打了 40 多年，如今才认识到，东方和西方对金融的理解都有很大缺陷。脚下的这条金融化之路，人人都以为会通往繁荣，结果却成了享受免费午餐的指望，这是错误的。西方科技，包括金融科技，让我们傲慢自大，以为任何困境都能解决，任何问题都有答案。

但是显而易见，这是不正确的。虽然过去可以指导未来，但是真正的未来是未知的。就算在社会关系中，我们都无法预测每个人会对他人的行为作出什么反应。而在社会互动的未知性之外，人类已经为大自然的不确定性挣扎了几千年：干旱、海啸、地震，甚至还有陨星雨。今天，人口增长到了 70 亿，气候变暖的科学现实已在警告我们，再这样继续制造碳排放、消耗自然资源，我们将会承担严重的环境后果，甚至可能导致人类毁灭。

换句话说，为了获得秩序和可持续性，我们必须回到基本的中国理念：已身不正，焉能正人？但要做到这一点，却是一个严峻的考验。

我们要面对现实，人类必须在自然的限制内生存，而我们这一代所消耗的已经远远超过地球所能持续供给的。要达到天人合一，我们必须回馈多于索取。我们要回到亚洲的根本，回到我们集体智慧的源泉，避免愚蠢的傲慢。

故事的第三部分是中国的崛起。有一点是无疑的，中国正在转变我们思考世界的方式，中国的振兴变革了当前地缘政治的平衡。那些谈起中国就恐惧的西方人忽略了，在20世纪两次世界战争是由两个国家（德国和日本）的崛起引起的，那两个国家每个只有6 000万～7 000万人口。

21世纪，至少有四股人口洪流达到了中产阶层消费水平，每股洪流都在10亿人以上：13亿中国人、12亿印度人、11亿阿拉伯人，这还仅是在亚洲；到这个世纪末，还有几十亿的非洲人、拉丁美洲人和中亚人将利用互联网获取知识，竞争自然资源。世界其他地区还能负荷如此的竞争，而不爆发军事冲突吗？

我在《财经》和其他媒体的专栏读者会理解到，以上框架体系实在应该再写一本书。这也是为什么我没有借这次重印的机会更新这本书。

我并不想在第二版变更，因为从1997年亚洲金融危机到当前的欧债危机，这本书很大程度上是限定于这15年来的危机，这里并没有什么事实或观点是我想更改的。这些没有错，但是不完整。要再写一本书，不仅要从三万英尺高度俯瞰全景，还要溯源而上，回望历史长河。

这是因为西方的历史学家是从他们自己的视角看待西方的崛起和力量。不足为奇，中国的历史学家也倾向于更多地通过中国的根源来研究中国的历史。很少有历史学家试过将这两部历史融会贯通，检视中国与西方是如何相互影响的，这种相互影响实际上又如何极大地决定了我们何以至此，又何去何从。

因此，这个自序只是我下一本书的前奏。我希望下一本书可以试着从另一个视角切入，地理、贸易、投资、军事、技术、金融以及阶级斗争等都是影响世界地缘政治演化方式的力量。

在这本书中，亚洲金融危机的主角是日本而非中国。日本对“失去的十年”的抗争也是全球金融危机的一部分。

下一本书中我们将会看到，在21世纪，已是中央王国的中国将会如何成为核心，世界又将如何展现新貌。

于香港槟城

2013年2月25日

目 录

图表目录

致 谢

本书得以写就付梓，我要衷心感谢过去和现在的所有朋友、同事和老师，他们人太多了，无法在此一一提及。我在马来西亚国家银行(Bank Negara Malaysia)、世界银行、香港金融管理局(简称“香港金管局”)、香港证券及期货事务监察委员会(简称“香港证监会”)、国际证监会组织(IOSCO)和中国银行业监督管理委员会(简称“中国银监会”)的经历，使我形成了自己的观点，并且加强了我的分析能力。我特别感谢马来西亚国家银行已故的敦依斯迈莫阿里(Tun Ismail Mohd Ali)，旦斯里·阿兹斯·德哈(Tan Sri Aziz Taha)和旦斯里·林思源(Tan Sri Lin See Yan)，旦斯里遮蒂·阿兹斯(Tan Sri Zeti Aziz)，世界银行的米勒德·朗(Millard Long)和艾伦·盖尔布(Alan Gelb)，香港的曾荫权特首、许仕仁、任志刚和简达恒以及中国银监会主席刘明康与他的同事们的指导和支持。我要感谢国际清算银行的马尔科姆·奈特(Malcom Knight)及其同事，因为我于2005年冬天曾与他们一起度假，为写作本书开展研究。在学术界，我获得了敦依斯迈莫阿里教授席位，因此有机会到马来西亚国家银行赞助的马来亚大学，与经济和行政管理学院的教师共事。我还有幸与清华大学经济管理学院的同事们合作，而且也在伦敦经济学院和斯坦福大学国际发展研究中心度过美好的时光。查尔斯·古德哈特(Charles Goodhart)的真知灼见更使我获益匪浅。

莎弥拉·莎玛(Sharmila Sharma)女士愉快地承担了本书的研究工作,干练且一丝不苟,尽管我的日程安排很满,她总是耐心地埋头处理我的草稿、数据和分析。我在中文《财经》杂志上发表过一系列论述1997～1998年亚洲危机和当前危机的文章,首次对本书的论点作了检验。那些文章是我在清华大学时能干的助手成九雁翻译并由中国银监会同事苏薪茗精心润饰的。我尤其要感谢陈玉蕊女士和迈克尔·波默里诺(Michael Pomerleano),他们最早对本书各章的初稿提出了意见。

在剑桥大学出版社,斯科特·帕里斯(Scott Parris)、亚当·莱文(Adam Levine)和三位不署名的读者都对本书稿作出了深刻的评论和贡献,帮助本书杀青。而在本书中文版的出版过程中,译者杨宇光与刘敬国用最短的时间提供了高质量的译文,我在中国银监会的同事蔡敏男也做了大量工作。上海远东出版社为保证本书的顺利出版提供了全方位的支持。对于各位的襄助,我永远铭感在心。他们应当得到称颂,而我个人应为本书的任何错误、疏漏和受到的批评承担责任。

导论

1929年的经济繁荣和崩溃这个史实本身就值得阐述。当时发生了不少明显反常的重大事件。但是我们回忆历史还有一个更加严肃的目的。思故忆旧有助于防止产生金融幻觉或失常，比法律要好得多。如果我们对1929年灾难的记忆淡薄了，法律条例就不再够用了。为了保护人们免受别人和他们自己的贪婪的伤害，历史的经验是极具实用价值的。

——约翰·肯尼斯·加尔布雷思①(John Kenneth Galbraith)，《1929年大崩盘》1975年版序言

2008年12月，我在手机上收到一则短信，想必这则短信已经被转发了一百万次："一年前，苏格兰皇家银行花1 000亿美元收购了荷兰银行。如今同样的金额可以在收购花旗银行(225亿美元)、摩根士丹利(105亿美元)、高盛(210亿美元)、美林(123亿美元)、德意志银行(130亿美元)和巴克莱银行(127亿美元)之后，还剩下80亿美元……用这笔零钱你可以收购通用汽车、福特汽车、克莱斯勒汽车和本田F1车队。"如果六个月前我对别人说，当前的危机可能导致政府持有西方银行系统四分之一的资本，大多数人会以为我发了疯。

① 约翰·肯尼斯·加尔布雷思(1908～2006)，美国经济学家，新制度学派主要代表人物。1954年获得美国加利福尼亚大学博士学位，曾任教于哈佛大学和普林斯顿大学。主要著作有：《美国资本主义——抗衡力量的概念》(1951)《丰裕社会》(1958)和《1929年大崩盘》(1975)等。——译注

有朋友问我：为什么再要写一本关于亚洲和全球金融危机的书？我说了四个理由。第一，1993～1998年，我担任过香港金融管理局（HKMA）负责对外事务和储备金管理的副总裁一职，亲眼目睹了亚洲的危机。我出席过一些有关政策和国际金融体系设计的重要讨论。参与讨论的大多数关键人物都是我的朋友或同事，是我早年在马来西亚国家银行当首席经济学家和（负责银行和保险业监管的）助理行长期间逐渐深交的中央银行家和决策者。像拉里·萨默斯（Larry Summers）①、斯坦利·费希尔（Stanley Fischer）②和乔·斯蒂格利茨（Joe Stigliz）③等重量级人物，我也在1989～1993年间借调至世界银行时与他们一起共事。其他人，例如前纽约联邦储备银行行长、现在奥巴马政府中担任财政部长的蒂姆·盖特纳（Tim Geithner）④、“日元先生”神原英姿（Eisuke Sakakibara）⑤和河合正弘（Mashiro Kawai）⑥，是我在亚洲危机中结识的，我们一同在波澜壮阔的危机中经受了煎熬，所以金融危机尽管已被人说过多遍，但还是有些内容值得我们再说说。

应当记住，在亚洲金融危机和2000年网络泡沫之后，世界各国在会计、公司治理、管理条例和本国金融结构等方面进行了自20世纪30年代以来最彻底的改革。我在担任香港证监会主席时，积极地参与了金融体系改革的设计，我是在新兴市场工作过的少数几个亚洲代表之一。我与英格兰银行行长（当时任副行长）默文·金（Mervyn King）联合主持了关于透明度和问责制工作小组会议，这个小组是1998年由G22建立的。1999年，我主持了金融稳定论坛关于规范实施问题特别工作组的活动。从2003年到2005年，作为证券条例国际标准的制订机构——国际证监会组织（IOSCO）技术委员会的主席，

---

① 拉里·萨默斯（1954～　），美国经济学家，曾任美国财政部长，哈佛大学校长。——译注

② 斯坦利·费希尔（1943～　），国际货币基金组织前任常务副执行董事，现任以色列银行总裁。——译注

③ 乔·斯蒂格利茨（1943～　），即约瑟夫（Joseph）·斯蒂格利兹，美国经济学家，哥伦比亚大学教授，前世界银行首席经济学家和高级副总裁，2001年诺贝尔经济学奖获得者。——译注

④ 蒂姆·盖特纳（1961～　），美国经济学家。曾就读于美国达特茅斯大学和约翰·霍普金斯大学，获国际经济和东亚研究硕士学位。克林顿政府时期曾任财政部副部长，处理过20世纪90年代国际货币市场危机和华尔街危机。2003年至2008年担任纽约联邦储备银行行长、美国联邦储备委员会委员。2009年起任美国财政部长。——译注

⑤ 神原英姿（1941～　），出生于日本神奈川，1965年毕业于东京大学，1995年任大藏省国际金融局局长，1997年升任财务省次官。因为主管利率、汇率等货币金融政策，被称为“日元先生”，当年在国际金融界影响力不亚于格林斯潘，拥有极高的学术声誉。1993年退职，担任日本庆应大学教授，并担任大藏省顾问。——译注

⑥ 河合正弘（1947～　），亚洲开发银行地区经济一体化办公室主任。——译注

我与一些专家共事，例如前美国证券交易委员会主席阿瑟·利维特（Arthur Levitt）、前荷兰金融市场监管局主席兼欧洲证券监管委员会主席阿瑟·多克托斯·范勒恩（Arthur Docters Van Leeuwen）、前国际清算银行总经理兼金融稳定论坛主席安德鲁·克罗克特（Andrew Crockett）、前英国金融服务监管局（FSA）主席霍华德·戴维斯爵士（Sir Howard Davies）、前法国证券监管局主席、国际证监会组织技术委员会主席兼执行委员会主席米歇尔·普拉达（Michel Prade）以及其他许多权威人士，一起推动了会计和证券管理规范方面的改革。然而，这些工作都不足以阻挡当前危机的发生。有些工作也许反而促进了这次危机。我个人也需要认错。

一个亚洲人的观点

第二，危机时期，在亚洲官场高层身居要职的人几乎毫无关于危机的著述，也许我们既没有时间，也没有想到要按自己的观点和经历来著书立说。由于我们没有完善的理论来解释亚洲经济奇迹的成因，我们就更不会想到去解释亚洲危机的来龙去脉了。但是为了我们的子孙后代着想，亚洲人对事件的看法，是值得一说的。

首先我要强调，尽管我是以一个亚洲人的身份讲述对金融危机的观点，但我并不是亚洲价值观的辩护者，因为我确信勤劳、节俭、忠诚和社会良知这些公认的价值观念是普遍存在的，并非亚洲独有。在金融危机时，弗朗西斯·福山（Francis Fukuyama）①曾全面阐述过亚洲人的价值观，并说“当前的危机是由专断、腐败和裙带资本主义的统治者拙劣的商务决策造成的。只有民主改革，才能避免将来重蹈覆辙。”②唉，如今我们不仅没能稳操胜券，而且金融危机在专制社会和民主社会都发生了，它们都遭受到不同形式的裙带资本主义之害。

狂妄总会变成虚伪而告终。下面的事实极好地证明了这个道理的普适性：为了对付当前危机而正在采取的所有措施，正是在亚洲金融危机时华盛顿共识告诉我们不能做的。他们说过不能做的事情有：干预市场，提供全面

---

① 弗朗西斯·福山（1952～ ），日裔美国学者，曾任美国霍普金斯大学国际关系学院院长，著有《历史的终结》等。——译注

② Fukuyama (1998)。（本书脚注中的文献统一采用作者加年份标注，具体可参见本书参考文献。——编注）

存款担保，降低利率，放松财政管制，允许银行破产来扼制道德风险，停止卖空交易和谴责操纵市场行为。

仅仅说“我早就告诉过你会这样”是无济于事的，我率先指出过，如果亚洲在某些方面不采取集体行动，也许它在今后十年左右将会遭到另一场危机。我们应当明白，我们都容易犯错误，都很脆弱，并且是在同一条船上。

眼下，美国金融危机的全球性质可以从以下背景中看出。在2007年底，美国国内生产总值（GDP）达13.8万亿美元，而日本是4.4万亿美元，中国是3.2万亿美元。美国总外债和净外债分别是16.3万亿美元和2.5万亿美元（根据2006年底的数据）。① 另一方面，到2007年7月底，日本和中国共持有美国政府财政债券总数的一半②。到2007年6月底，外国人拥有可转让美国政府财政债券的56.9%，公司债券和其他债券的24%，美国政府机构票据的21.4%，美国股票市值总额的11.3%③。

换句话说，不管美国遭受了什么样的痛苦，世界其他国家都会感觉到。没有人可以幸灾乐祸。

就我个人而言，本书是我揭示金融危机“罗生门”（Rashomon）④的一次尝试。20世纪60年代我当学生时，第一次观看了日本电影导演黑泽明（Akira Kurosawa）的这部电影，认识到对同一件事情可以有很多解释。该影片讲述了一个贵族和他的妻子在偏僻的森林里遭到强盗的袭击，但是在审判过程中，对事实真相会有不同的诠释，每种诠释（包括某家媒体关于受害者情节的描述）都证明了事实真相到底怎么样取决于目击者用什么样的眼光去看待。在本书每一章中，我力求从发生金融危机的国家以及从解决危机的主要参与者的视角来阐述情景和事件，只要有可能，尽量引用来自不同的个人、官方和公开信息的原话。

死灰复燃

第三个理由无非是最近金融危机的爆发。2007年夏天，就在我最后润饰

---

① 数据来源于 www. bea. gov。

② 数据来源于 www. ustreas. gov/tic/mfh. txt。

③ 数据来源于 www. ustreas. gov/tic/shl2007r. pdf。

④ 罗生门是日本著名电影导演黑泽明（1910～1998）用芥川龙之介（Ryunosuke Akutagawa，1892～1927）小说《罗生门》作片名，但根据他的另一部小说情节改编的影片。罗生门原指日本京都的一个残破荒芜的城门，后来黑泽明的这部电影引发人们用罗生门这个词比喻对同一件事情因立场不同而众说纷纭的情况。——译注

本书的时候，我惊恐地回忆起1996年夏天的情景。当时的形势看上去好得令人难以置信。证券市场和房地产价格创造了最好的纪录，全世界的流动性充足，风险溢价降到有史以来的最低点。沾沾自喜的情绪有过之而无不及。于是，我又一次想起威廉·巴特勒·叶芝(William Butler Yeats)[①]的诗歌《死灰复燃》(The Second Coming)：

万物崩溃，人心已无法承受，
唯有混乱在世界上蔓延无止境；
血色朦胧的潮水汹涌奔流，到处在
将纯真的礼仪淹没殆尽；
善良的人失去了所有信念，而歹徒恶棍
却充满疯狂的激情。

1996年，危机悄悄地降临东亚，开始影响这个十多年来处处呈现高增长和低通胀的繁荣景象的地区。几乎每个人都把大量资本的输入和风险溢价的降低看作是别人投给他们国家的信任票，而不是灾难的预兆。1997年7月，泰国让泰铢汇率自由浮动；到了10月，马来西亚、印度尼西亚和中国香港已经陷入危机；12月，经合组织成员韩国不得不向国际货币基金组织求助。东亚一些创造经济奇迹的国家受到了猛烈的打击，一个又一个国家不断传出坏消息。1998年8月，中国香港出手干预证券市场，马来西亚采取汇率管制，俄罗斯违约停止还债。长期资本管理公司(LTCM)的破产以及紧接着9月份美联储的降低利率，都是美国这个经济中心开始把亚洲这场危机认真地看作全球性危机一部分的信号。

由于美国经济——全球经济增长的中心和主要引擎——在1998年时基本上还强劲，所以亚洲国家的经济得到了复苏。十年以后，形势却大相径庭。亚洲，包括中东产油国在内，总的来说成为美国的主要债权国。相比之下，美国经济面临着两位数的赤字。因为自2004年以来，美国的经常账户赤字一直超过GDP的5%，同时由于伊拉克战争开支、减税和社会保障需求的增加，财政赤字也已上升。从2005年起，按实际汇率计算，美元开始贬值20%以上。起初，这对世界其他国家没有明显的影响，但是随着黄金、商品、食品和能源

---

① 威廉·巴特勒·叶芝(1865～1939)，爱尔兰诗人、剧作家。由于他在诗歌创作上的突出成就，1923年获得了诺贝尔文学奖。代表作有《钟楼》《幻景》《盘旋的楼梯》等。——译注

的价格出于各种原因开始上涨，世界就从大稳定(Great Moderation)的十年走向大动荡时期。

就像亚洲先前的那次危机一样，美国的次贷危机也几乎是悄无声息地慢慢引起全球关注的。即使投资银行贝尔斯登投资于次级抵押贷款的两个对冲基金在2007年2月宣布破产，人们仍然没有认识到金融恶化的速度和烈度。2007年夏天，以美国房价下跌起始的次贷危机已经像脱缰之马。8月，欧洲中央银行和美联储向银行同业拆借市场注入3 000多亿美元，以期缓和流动性压力。英格兰银行担忧道德风险的危害，起初不大愿意仿效，但是到了9月，它不得不干预人们对北岩银行的挤兑风潮。北岩银行是189年来在英国遭到挤兑的第一家银行，现在被全额存款担保弄得动弹不得。美联储则以降低利率来应付次贷危机。

正如1997年下半年的情况一样，2008年夏天如同火山突然爆发，每个月发生的事情，其规模和强度都在不断升级。3月，摩根大通从美联储获得290亿美元资金支持后，接管了美国第五大投资银行贝尔斯登。7月，美国财政部不得不出手援救房利美和房地美，这是两家由政府资助的资产抵押公司，共拥有逾5万亿美元的抵押资产。在7月的第一周，石油飙升到每桶147美元的顶峰，引起人们对金融可能崩溃时发生全球性通货膨胀的担忧。9月7日，美国财政部临时把房利美和房地美两家公司收归国有，把它们保护起来。在尔后的两周中，正如我们已经了解的，整个世界变了样。

当其余四家投资银行承受到压力时，美林在9月14日这个周末同意由美国银行接管，总算找到了避风港。第二天，雷曼兄弟公司由于逾6 130亿美元的债务缠身而破产。同日，世界最大的保险公司美国国际集团(AIG)从美联储获得了850亿美元贷款支持，而美联储获得了该公司79.9%的股权。该公司曾提供4 460亿美元信用违约掉期，因为规模搞得太大，结果陷入困境。9月17日，货币市场基金面临大批机构撤出，迫使美国财政部宣布为它们提供500亿美元担保。如果这些基金也倒下的话，那么超过3.4万亿美元的资金就会岌岌可危。

现在已经很清楚，零敲碎打的办法解决不了信任危机。在9月20日这个周末，美国财政部长汉克·保尔森(Hank Paulson)①宣布了7 000亿美元的营救方案，以便收购有毒抵押资产，并且为营救方案的实施扫除障碍。9月23日，

① 汉克·保尔森(1946～)，出生于美国佛罗里达州，毕业于美国达特茅斯大学和哈佛大学商学院。尼克松政府时期曾任总统幕僚助理和白宫内务委员会成员。1999年出任高盛集团董事长兼首席执行官。2006年至2008年任美国财政部长。——译注

美联储同意高盛和摩根士丹利这最后剩下的两家投资银行成为金融控股公司。

9月24日，星期三，布什总统承认美国处于金融危机之中，他努力争取国会和参议院通过救市方案。使市场震惊的是，美国国会否决了救市方案，这反映出中产阶级对华尔街已怒火冲天。

在2008年底，全球金融市场的崩溃显然已经严重冲击到实体经济。美国在2007年12月正式宣布陷入衰退，而世界其他国家准备面临最糟的局面。人人猜想2009年及其后可能出现自大萧条时期以来最严峻的经济状况。

到底出了什么漏子？亚洲危机的教训和尔后的改革难道还不够？尽管在理论上，在各机构和市场的认识上都有了巨大的进步，但我们是否还有所疏忽？

分析的框架

因此，撰写本书的第四个理由就是要确立一个框架，以便研究金融监管在金融稳定和危机时的作用。

没有一次金融危机是完全相同的，但是它们有着共同的因素，有望帮助我们发现并且缓和下一次危机。所有的危机都从流动性过剩开始，接着出现投机热，最终形成泡沫，尔后发生崩溃。历史充斥着这样的泡沫和崩溃，但是学术界关于泡沫和崩溃的原因及解决办法仍在争论不休。如果按照前国际货币基金组织总裁米歇尔·康德苏(Michel Camdessus)①的名言，1994年墨西哥危机是“21世纪第一次金融危机”，那么1997～1998年亚洲危机就是当前危机的先兆。

阐述亚洲危机及当前危机的关键是，人们不能将其看作一种按国别进行的静态分析，而要看成对一些亚洲国家(包括日本在内)与他们最大顾客和贸易伙伴美国之间复杂的互动关系的动态分析。亚洲危机是一次在亚洲的全球供应链上发生的结构性危机，该供应链不是以一种货币标准，而是以两种货币(即美元和日元)标准，逐渐进入到一个收支越来越不平衡的全球化世界中的，伴随着巨大的资本流动。潜在的不稳定突然爆发成一场危机。谁也没有预料到危机会蔓延得这么快。

十年后，即经过一段低通胀的全球大繁荣时期之后，发达国家也发生经

---

① 米歇尔·康德苏(1933～　)，生于法国，毕业于巴黎大学，获巴黎政治研究学院和国家行政学院的经济学硕士学位，1980～1984年任法国财政部长。1980～1984年任欧洲共同体货币委员会主席。1984年任法兰西银行行长。1987～2000年任国际货币基金组织总裁。现任由英国前首相布莱尔发起成立的非洲委员会委员、正义与和平委员会委员及非洲进步专家咨询组成员等职。——译注

济滑坡，陷入了危机。人们再一次对大量的资本流动、不适当的汇率、过度的流动性和杠杆作用、贪婪的银行家、对冲基金和不充分的监管提出质疑。颇具影响力的《金融时报》专栏作家马丁·沃尔夫(Martin Wolf)①在2007年6月一篇颇有先见之明的论述资本主义如何变异的文章中创造了一个短语，叫“无拘无束的金融”，他说：“无拘无束的金融新世界既有很多支持者，也有很多反对者，但是他们全都担心金融出现严重不稳定的可能性。”②

然而，尽管带来了种种不幸，亚洲金融危机仍不过是发生在世界经济外围的一场危机，因为其时的世界经济中心是强大的。而今，我们看到在世界经济中心发生了金融危机，它对金融业和实体经济的剧烈震荡像海啸一样波及全世界。

结果，亚洲金融危机和当前美国金融危机在表现上的差异不只是在规模方面，更重要的是在复杂性方面。由于这次危机的复杂性，我们必须把多维度的根源与原因尽量简化，只研究比较简单、容易理解的一些因素。我们将从制度及演进的视角③，在三个层面——历史的、宏观的和微观的层面上考察这两次金融危机。

前美国纽约联邦储备银行行长杰里·科里根(Jerry Corrigan)④可能是当今全球金融市场中最思维敏捷、才华横溢和分析深刻的思想家和实践家之一。他教我要从3万英尺⑤高度去看问题，先调焦至地面，然后慢慢地上升到300或3 000英尺，直到更加清晰地看出问题为止。

在3万英尺高度时，你可以全面看到事情的始末和相关问题，在3 000英尺高度时，你对问题的范围会有比较清楚的宏观视角，但是具体情况究竟怎么样，也许你只有在地面上才能观察到。因此人们应当从微观组织结构的层面去把握导致危机的复杂问题。

本书首先假设市场是社会制度的必要组成部分，与政府有共生关系。我们

---

① 马丁·沃尔夫(1946～)，1987年起担任英国《金融时报》首席经济评论撰稿人，1996年起任该报首席经济评论员。2000年获大英帝国勋爵章。目前兼任牛津大学纳菲尔德学院客座教授及诺丁汉大学特约教授。——译注

② Wolf (2007a)。

③ 关于复杂性经济学的概述，参见Beinhocker (2005)。

④ 杰里·科里根(1941～)，即杰拉尔德·科里根(Gerald Corrigan)，美国人，经济学博士。1968～1993年在美国联邦储备系统中工作了25年。1985～1993年间担任纽约联邦储备银行行长，联邦公开市场委员会副主席、常任委员。1991年起担任巴塞尔协会银行监管委员会主席。1996年起担任高盛公司执行董事，兼公司风险管理委员会、全球合规与控制委员会联席主席，公司承诺委员会成员。现今担任高盛公司新成立的银行控股公司董事长，同时兼任中国银监会国际咨询委员会委员。——译注

⑤ 英尺为非国标单位，为尊重原著，不做修改，下同。——编注

要仔细考察市场和政府间复杂的互动关系，以便研究金融危机是如何出现的。

为了应对这种研究的复杂性，我们必须在方法上不拘一格，博采众长，但是在应用方法时要有重点突出的指导思想。市场是社会学家曼纽尔·卡斯特(Manuel Castells)[①]所说的网络社会的一部分[②]。市场的功能就是进行贸易，交换想法、商品和服务。成功的市场都具有三大特性——保护产权、降低交易成本和提高透明度。金融市场是交易货币、产权、证券和金融衍生产品的紧密相扣的网络。

然而，网络越发展，就会变得越复杂，以致一个中心遭到的冲击或失败很容易通过扩散传播到网络的其他部分去。一连串组织结构的失败相当于网络的失败，如果不想让网络其他部分受到损害，各中心（这里应读作投资银行）就不得不倒闭。冲击波的扩散像疾病的病毒传染一样。你必须迅速对受感染者进行检疫隔离，这样网络的其他部分才会保持健康。从这个意义上说，危机仅仅是市场的一个发展阶段。

但另一层次的历史（即经济思想史）比叙述事件的历史更有力量。自1989年柏林墙倒塌后，自由市场原教旨主义的力量一直与日俱增。具有讽刺意味的是，自由市场原教旨主义者认为亚洲金融危机证明了政府想约束金融市场是徒劳的，因为许多事件说明，亚洲各国政府在全球市场力量面前无能为力。

自由市场哲学有力地促进了金融创新，特别是金融衍生产品的创新，开辟了新的利润来源，据说还改善了风险管理。21世纪金融衍生产品市场的兴盛的确是一个令人惊叹的奇迹。从2001年到2007年，全球GDP增长75.8%，从31万亿美元增加到54.5万亿美元[③]。同期，全球债券、股权资本和银行资产增长53.1%，从150万亿美元增加到229.7万亿美元。相比之下，全球金融衍生产品场外交易（OTC）尚未清偿的合同金额估计增长了536.5%，从111.1万亿美元增加到596万亿美元。换句话说，金融衍生产品账面值比传统金融资产的增长快10.1倍；比实体经济的增长快7.1倍。

不幸的是，正如最近金融危机所表明的那样，不受约束的金融也会导致不稳定和破坏，并非都具创造性。美国财政部长汉克·保尔森于2008年9月解释为什么提供救援计划时作了精彩的概括，他说“蒙昧资本主义是一条死胡同。”[④]

---

① 曼纽尔·卡斯特(1942～　)，美国加利福尼亚大学伯克利分校社会学教授和城市规划学教授，也是巴塞罗那坎塔洛尼亚远程大学互联网交叉学科学院教授。以专著《信息时代》(三部曲)而闻名。——译注

② Castells (2000)。

③ 《全球金融稳定报告》(*Global Financial Stability Report*)(2003,2008)。

④ Paulson (2008)。

学术界的另一派——制度经济学家认为，国家对市场的干预是解决分配公平问题和保护产权的必要手段。这基本上属于亚洲人的发展观。问题在于，这种观点被专制独裁者利用时，过度监管和国家干预也会带来灾难。

亚洲哲学的“中庸”是对复杂现实的一种诠释，即处于模糊混沌的中间地带的某个点上，在市场中因创新而产生的混乱以及国家行政体系所要求的严格秩序之间，以及在个人自由和社会责任感之间，一种动态的、复杂的相互影响和相互依存。现实的情况是，虽然各国政府过去在本国成功地管理了经济发展，但是这不意味着它们也能成功地管理来自没有国界、不受约束的金融世界的剧烈震荡。

不受约束的全球化也受到人们的指责，说它造成了社会不稳定和为了眼前利益肆意破坏环境。正如丹尼·罗德里克(Dani Rodrik)①和其他发展经济学家所指出的，我们千万不要陷入市场原教旨主义“只要让市场发挥作用”和制度原教旨主义“只要管理得当”之间信口开河的争论中去②。“让市场发挥作用”的观点基本上是正确的，但并不是始终正确。另一方面，制度学派“管理得当”的观点是必要的，但是不全面，因为有很多次危机都是政策不当和管理薄弱造成的。诺贝尔经济学奖得主迈克尔·斯宾塞(Michael Spence)③在最近出版的《经济增长委员会报告》(*Growth Commission Report*)中也强调，不存在任何成功地发展经济或管理经济的通用性公式④。

全球化的缺点就在这里。今天我们有了资本流动几乎不受限制的全球金融体系，而宏观经济政策和管理都在各国自己境内实行。我们常常忽视本国政策对世界其他国家的外溢效应。一国的危机与国内市场、政策和制度的失败相关，而全球危机则与在网络化世界中通过各国经济相互依存而传导的失败有关。一国的决策者和监管者不仅过分低估了全球性流动和各国相互依存的规模和性质，而且低估了我们进行协调并作出恰当反应的能力。

换句话说，我们一直未能及时察觉危机的出现，因为我们在社会行为准则、政策制定及实施上，在思想、法律和行政体系上有太多的条条框框在起作

---

① 丹尼·罗德里克(1957～)，出生于土耳其伊斯坦布尔，是土耳其经济学家，国际政治经济学领域的代表人物之一。1981年和1985年在普林斯顿大学先后获得硕士学位和博士学位，现为哈佛大学肯尼迪政府学院的国际政治经济学教授。——译注

② Rodrik (2008)。

③ 迈克尔·斯宾塞(1948～)，生于美国新泽西州，1972年在美国哈佛大学获博士学位，现任哈佛和斯坦福两所大学教授。2001年因对“不对称信息市场”理论作出贡献，与斯蒂格利茨分享诺贝尔经济学奖。——译注

④ Spence (2008)。

用,每一方面都有盲点。如果这在一个国家里是很糟糕的事,那么它在全球范围中就是灾难性的。

亚洲和全球的金融危机简史

伦敦商学院教授约翰·凯(John Kay)一针见血地指出,市场是自我组织并有路径依赖的社会制度。谁也没有专门设计过市场经济,但是市场的主要参与者之一是政府,政府是产权的所有者、监管者和保护者(在有的情况下还是掠夺者)①。这种路径依赖正是我们需要回顾历史的原因,但愿历史的回顾能提醒我们看到自己的愚蠢。

历史是人类生生不息的活动的年表。繁荣和破产,有序和无序,记忆和失忆,周而复始,循环不已。没有一次危机与前一次相同,但是有一些可以应用的普遍原则,忘记这一点就会自担风险。

危机是一个事件,但是正如诺贝尔经济学奖得主道格拉斯·诺思(Douglass North)②指出的,其发展是一个过程③。人类所有活动都是人类不断控制环境的过程。反之亦然。因此,一个国家经济成败与否,归根到底不是看它的自然资源或地理位置是否得天独厚,而要看它的管理是否得法。

如果从比较长期的大历史(macro-history)④视角来看,亚洲危机正处于亚洲经历了将近两个世纪的衰落之后重新崛起过程中的一个关键性时刻。在1820年鼎盛时,从购买力来说,亚洲占全球GDP的57%,但是其过时的封建制度⑤竞争不过前进中的西方市场和技术。到1950年,亚洲在全球GDP中的份额下降为18%。把路径依赖分析法应用于经济变革之中,亚洲经济从奇迹走向危机的历程可以归结为日本在从农业封建社会到工业强国的过程中如何从思想和制度上率先转型。在二战后,日本又引领亚洲走出衰败困境,进入强劲增长的时期。在1998年,亚洲在世界GDP中的份额已回升到37%,到2030年,估计可增长到53%,而西欧、美国和西方其他国家下降

---

① Kay (2004)。

② 道格拉斯·诺思(1920～),当代著名美国经济学家。1952年在加利福尼亚大学伯克利分校获经济学博士学位。1993年因用路径依赖理论成功阐述了经济制度的演进而荣获诺贝尔经济学奖。——译注

③ North (2005b)。

④ 参见 Huang (1998),黄仁宇首先使用这个词。

⑤ 此处用“亚细亚生产方式”一词似乎更确切。——译注

为 33%[1]。

但是亚洲如果没有经过市场和危机的考验，在世界治理中就不能上升到它应有的地位。这个观点也可从世界货币史角度来阐述。货币学家十分清楚，坚持采用金本位制是多么错误，因为这种坚持造成了通货紧缩，最终导致 20 世纪 30 年代的大萧条。从历史上看，我们现在正处于从单一主导的储备货币（美元）转向两种货币或多种货币储备模式的时代，如同 19 世纪从两种金属货币（黄金和白银）本位转向金本位一样。我们都知道这种巨变会伴生海啸一般严重的金融危机。货币安排的变动方向是与全球金融力量的变动方向一致的。

日本经济史学家曾把亚洲经济增长过程用大雁理论来描述。按照这种理论，领头雁日本成功地实现了工业化，然后把劳动密集工业剥离出来，给四小龙（韩国、中国台湾、中国香港和新加坡），尔后给四小虎（印度尼西亚、马来西亚、菲律宾和泰国），最后是中国。这些国家和地区在亚洲共同形成了全球供应链，商品和服务适合供应西方的市场，基本上以美元作为基准货币。

但是日本模式有一个根本性缺陷。它基本上仍旧走双轨增长的道路，受到保护的金融及服务业部门很弱，而制造业和出口部门很强。这好像身体强壮精干，但是心脏——金融系统——并不同样健康有力一样。

这种双轨增长的道路很快受到严峻的考验。20 世纪 80 年代末日本崛起成为世界第二大经济体，造成了日元可能对美元提出挑战的形势。美日贸易争端导致 1985 年双方签订了广场协议[2]，结果日元大幅升值，日本国际收支随后出现泡沫，尔后发生数年的衰退。

为了同泡沫破裂后的通货紧缩作斗争，日本向东亚输出更多的资本，并且把生产转移到东亚，努力在东亚建立日元区。零利率政策产生了日元利差交易。事后回过头来看，大量流动性流入东亚只是在较小范围内复制了日本的泡沫而已。

亚洲国家的决策者没有充分认识到这种资本流入带来的影响。他们本以为鱼和熊掌可以兼得——即使在维持本国货币与美元软挂钩的情况下，也可以既获得资本的流入，又享受无限的繁荣。但亚洲的金融体系虽以美元为

---

① Maddison (2007)。

② 1985 年 9 月 22 日，五国集团（法、德、日、美、英）的代表在美国纽约广场饭店（The Plaza Hotel）签订协议，决定用政府干预货币市场的手段降低美元兑日元与马克的汇率。广场协议因此得名。——译注

基础，却没有最后的美元贷款者，因为美联储和国际货币基金组织都无法或者不愿承担这样的角色。

因此，在1994年爆发墨西哥金融危机，拉美各国通货贬值后，就轮到东亚感受到估值过高的汇率、经常账户赤字、脆弱的金融体系、疲软的公司财务状况和资本流出等方面的压力，最终发生亚洲金融危机了。

当日本经济于1996年进一步实行通货紧缩，日本的金融系统也第一次出现破产事件时，亚洲局势更加恶化。日元和美元之间关系的动荡、日本银行收回对亚洲的贷款以及利差交易的逆转，都是日本和遭受危机的亚洲国家之间复杂的相互关系的一部分。

大多数西方人不能理解，1997～1998年间，自豪的亚洲人把他们好不容易获得的主权有条件地转让给国际货币基金组织时，感到多么大的痛苦和羞愧。当美联储主席艾伦·格林斯潘(Alan Greenspan)①在1999年说"东亚没有备用轮胎"②时，他的意思就是亚洲经济尽管多年强劲增长，但银行制度很薄弱，没有足够的外汇储备和强大的资本市场来承受冲击。

1997～1998年亚洲危机和当前的全球危机之间的关系现在可以看清楚了。由于亚洲市场不足以调节他们过剩的储蓄，所以他们不断积累的储蓄和外汇储备这些"备用轮胎"基本上都投放到美国市场上去了。他们之所以乐于这么做，是因为美国是世界经济增长的发动机。杜利-加伯-福克茨学派(Dooley-Garber-Folkerts)认为③，这种安排对双方都有益，是亚洲和美国之间的一种"总收益股权互换"，亚洲向美国提供廉价资金，换取本国劳动力就业的机会。

正如古林蔡斯(Gourinchas)和雷(Rey)论述的，美国已从世界的商业银行家变成投资银行家了④。美国从亚洲盈余国借入廉价资金，拿到亚洲和其他地方重新投资，在举债经营的基础上获取较高的收益。1952年时，美国是净债权国，债权占GDP 10%，到2004年，却成为净债务国，债务占GDP 22%。美国之所以能承受这么多的债务，因为它是储备货币国和"世界银行家"，拥有"大得离谱的特权"。此外，它与不能印发货币去偿还外债的东亚不一样，美国大部分外债都是用美元标价的，所以通过美元贬值，就可把调整的负担

---

① 艾伦·格林斯潘(1926～　)，出生于美国纽约市，经济学博士。1988年至2005年担任美联储主席。——译注

② Greenspan (1999)。

③ Dooley et al (2004)。

④ Gourinchas & Rey (2005)。

转嫁给这些债权的持有国。

但是这种情况是不可持续的。由于消费水平进一步提高，国民储蓄率下降，所以美国变得越来越靠举债度日。在2007年，美国非金融部门债务增加到占GDP 226%，而10年前占183%。金融部门债务差不多翻了一番，从占GDP 64%上升到114%。储蓄率的下降反映在经常项目出现大笔赤字上，2006年经常账户赤字已增加到8 570亿美元(占GDP 6.5%)。

形势已经转变，现在应当在世界经济中心作出调整了。不过，由于亚洲是一个大债权人，它还是逃不脱背负美国政府那些负担的大部分。

宏观的经历——大稳定造就大得意

从30 000英尺下降到如3 000英尺的高度，我们就可以宏观地来看问题了。

自由市场思想在1989年登峰造极，这一年日本经济出现了大泡沫，柏林墙倒塌了，在全球市场上有了30亿新工人和消费者[①]。来自中国、印度和前计划经济国家的新劳工使供应学派感到不快，加上贸易自由化，技术生产率的提高和企业经营方式的改进，创造了一个被称为大稳定的高增长、低通胀时期。许多中央银行家把这一点归功于货币政策工具的改进和金融自由化模式的成功。但是正如美国前财政部长罗伯特·鲁宾(Robert Rubin)[②]所说的："几乎谁都没有看到多种因素汇集的结果在某种程度上可以说掀起了一场完美风暴：压低利率、疯狂逐利、大量应用金融工程以及某些次贷证券被认定为AAA级。"[③]但是像鲁宾这样的领导人应当看到，低利率引发过度的杠杆作用，造成20世纪80年代末日本出现过的房地产市场泡沫几乎故态复萌。

从2001年起，美国联邦储备银行基金年利率始终低于1%，到2007年末，美国家庭和公司的房地产价值增加了14.5万亿美元，达到31.3万亿美元，相当于GDP的226.4%，而2001年末时为GDP的163.5%。这期间房地产增值86.4%，但是在同期，美国家庭债务增加6.1万亿美元。这表明由于财富效应，消费正在大幅度增长。

在美联储于2005～2006年实施紧缩银根的政策之后，房地产价格开始下

---

① Prestowitz (2005)。

② 罗伯特·鲁宾(1938～)是美国银行家，在克林顿政府时期担任第70任财政部长。1966年至1992年在高盛工作，1999年10月至2009年1月在花旗集团工作，曾任花旗集团董事长。——译注

③ Rubin (2008)。

降，现在我们都知道，在2007年，次级房地产抵押贷款已经显示出违约迹象。欠债不还开始严重影响资产担保证券(asset-backed securities，ABS)市场的流动性，这一市场本是银行系统流动性的主要来源。完全出乎意料的是，风险并没有通过证券化传导给长期风险持有者(如保险公司和养老基金)，这些投资者反过来把资产担保证券卖给市场，以规避信用风险，由此引发证券价格急剧下跌，使现代批发银行业务的命根子——银行间同业拆借市场失灵。流动性不足迫使银行划减资产的账面价值，呼吁注资，动摇了金融市场的信心。

从2007年到2008年中期，各银行共注销5 000多亿美元不良资产，资产损失不断上升。2008年4月，国际货币基金组织估计全球银行亏损9 450亿美元，但是到了9月，亏损额增加到1.4万亿美元。一个月后，英格兰银行把估计数翻了一番，增加到了2.8万亿美元。另一方面，努里埃尔·鲁比尼(Nouriel Roubini)①宣称，单是美国银行系统的损失就高达3.6万亿美元，一笔勾销了美国银行系统1.5万亿美元的总资本。显然，损失不仅仅是某种经济损失，更是由蔓延到实体经济的信贷紧缩导致的信贷损失。

美国银行系统如何会陷入这样一种不堪一击的境地呢？我们应当明白，这种形势是全球高度流动性、宽松的货币政策、随意的金融监管和金融工程等因素混合造成的，结果出现了更高级别的金融衍生品危机。正如亚洲危机的根源在于杠杆作用过度和监管套利，如今的危机根源在于形成了缺乏监管的"影子银行系统"，这个词是太平洋资产管理有限公司(PIMCO)②首席执行官比尔·格罗斯③(Bill Gross)创造的④。

影子银行系统是由对冲基金、投资银行和证券交易所等动态交易实体构成的，它在金融工程缺乏监管的环境中兴盛起来。由于会计和监管标准允许金融衍生产品通过结构性投资工具(SIVs)列在资产负债表外，所以真正的市场杠杆对投资者或监管者来说并不清晰。正如约翰·普兰德(John Plender)

---

① 努里埃尔·鲁比尼(1958～)，生于土耳其伊斯坦布尔，1988年获哈佛大学国际经济学博士学位，现为纽约大学斯特恩商学院的教授。他精确预言了本次金融危机。——译注

② 太平洋资产管理有限公司(The Pacific Investment Management Company, Ltc. 缩写为PIMCO)是1971年在美国加利福尼亚州成立的一家投资公司，资产仅1 200万美元，现已成为总部设在德国慕尼黑的一家全球性保险公司。2008年6月，该公司资产达8 295亿美元，员工1 000多名。比尔·格罗斯是该公司创始人之一。前美联储主席艾伦·格林斯潘现在是该公司的特别顾问。——译注

③ 比尔·格罗斯是世界上最大债券权威德盛安联资产管理集团旗下的太平洋资产管理有限公司缔造者和战略制定者，从事债券投资30多年，在华尔街有债券之王的美誉，《福布斯》杂志评他为最具有影响力的25位美国企业界人士之一。——译注

④ Gross (2008)。

形象地解释的那样："如果允许投资银行的杠杆作用可以达到 30∶1，那么就像俄罗斯的轮盘赌中那样，六盘中有五盘是背运的。"①

影子银行系统的惊人之处是，它由一系列不可靠的假设支撑着。信用评级机构给新的债务抵押凭证（CDOs）评出 AAA 级，加上由资本不足的单一险种保险人担保的票据，再加上信用违约掉期（CDS）承担的信用风险，全都使投资者产生投资评级可靠的幻觉，结果却大受其害。当人人争先恐后地想撤出市场时，我们看到了一片惊慌不安，最终在 2008 年下半年变成全球性金融崩盘。

微观组织机构的混乱

既然我们已研究了历史和导致目前我们处境的大背景，那么现在我们如何辨别许多复杂和相互矛盾的具体事实呢？

寻求轰动效应的人喜欢把危机说成是阴谋。在危机展开的过程中，我常常问自己，本来是否能够做更多的工作，去阻止亚洲危机中一系列事件的发生。但是我越深入地研究市场，越认识到市场中发生的事件是自发性质的。并不是只有一个策划者——相反也许有许多人密谋策划，用这种或那种方式去影响金融风暴，有的人是蓄意的，有的人是精心算计的，还有的人是恣意而为的，他们的相互作用造成亚洲危机像海啸一样出现。无论世界上最杰出的人才，还是世界上经济规模最大的国家，都无法阻止危机的爆发，因为这些危机已经不仅是经济性质的，而且是政治性质的了。

我在世界上自由市场经济水平最高的香港工作了逾 12 年之后，决定出任中国银监会首席顾问，致力于中国的金融监管理论和实践。在这里，我开始体会到在既古老又生气勃勃的中国实行经济体制改革的复杂性。为了更好地与我在清华大学的学生们进行思想交流，我回到中国古代关于治理问题的经典著作，并且把它们与现代监管理论进行比较研究。

早在 2 200 年前，中国法家韩非子②已经把当代那些关于治理的分析都概括过了。国家治理或帝王统治之策只有两个杠杆——奖励和惩罚，这就是**激励机制**。所有治理的主要问题是统治者的利益和官员的利益不一致，这是构

---

① Plender（2008）。

② 韩非子（约公元前 280 年～公元前 233 年），中国战国时期著名哲学家，法家学说集大成者，著有《韩非子》。——译注

成**委托-代理问题**的最早表现。最大的问题在于**透明度**,或古代贤哲所理解的形式和实质上。为了确定适量的奖励和惩罚,统治者需要度量绩效、区分形式和实质的明确**标准**。

韩非子观点之清晰是令人惊叹的。治理要靠三个因素:法、术、势,即法律、实施程序以及个人意志。法律和程序在付诸实施前不过停留在理论上而已,最终决定是否实施或推行某种政策仍取决于个人的意志。就治理而言,如果领导人不愿意克服重重障碍(包括拥有既得利益的官僚的顽固反对),去推行并非皆大欢喜的改革,那么再好的政策也无用。例如,日本花了七年多时间才就对银行亏损要采取措施这一点达成社会共识。而美国依靠领导人的意志和实用主义,能在发生经济问题时采取迅速和务实得多的行动。毕竟,面临泡沫或恐慌时,最终得由领导人的个人勇气和意志来决定采取他们认为是正确的政策,不管重重反对如何左右命运的进程。

古人的这些高见,加上诺贝尔经济学奖得主道格拉斯·诺思、斯蒂格利茨等人新制度经济学的方法,使我得以在一个包含政策和制度因素的思想框架中分析复杂的问题。

概括地说,如果发展和变革是一种过程,包括了政策和制度演进的许多步骤,那么我们需要一种能管理这些复杂步骤的程序,就好像我们需要视窗(Windows)操作系统管理不同软件程序一样。而经济和社会各不相同,并且十分复杂,所以我们无法找到一种万能的解决方案。然而,通过共同的搜索和浏览信息的过程,可以得出共同的原则、共同的目标和合意的结果。

所有机构(或人类组织)都有八个共同的组成要素,它们一直在不断变革和演进。这些要素包括:**价值观**、**信息**、**激励手段**、**标准**、**结构**、**流程**、**规则**和**产权**。我们可以用一幅生命树的图来加以描述,价值观是这棵树的根(图 A)。人类怀着共同的价值观加入组织,保护他们的产权,减少风险和交易成本。信息交换和产权交易是组织机构的

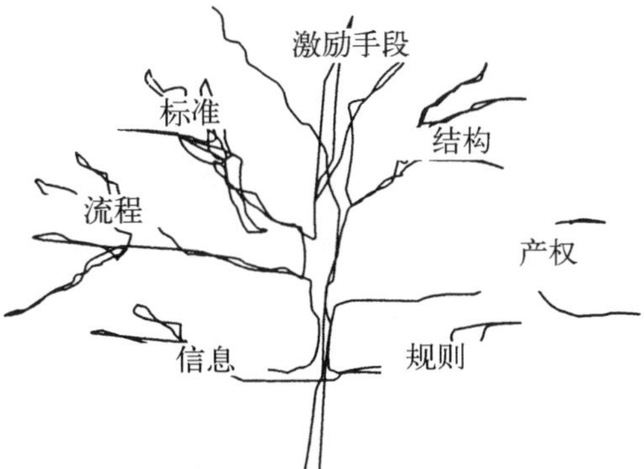

图 A 组织机构生命树

命脉。透明度一直是人类组织机构的重要元素，因为唯有透明，才能够获取信息和知识，判断制度是否公平、有效和进步。如果信息不透明，产权有可能被盗窃或滥用，导致不公平、无知及最终的社会停滞、不平等和脆弱。在树生长时，必须有结构、流程和规则，使用标准、知识和激励手段。但是我们必须明白，每棵组织机构树都在自己的环境中生长，同时与其他组织机构树争夺空气、水和养料。

这种以达尔文进化论对待危机和机构生存的观点表明，在出乱子时，例如金融危机中发生的那种情况，正是组织机构树的这些组成部分的缺陷，即人们之间、机构之间或者机构与市场之间复杂的相互影响造成了混乱无序。我们必须在市场和机构的整个（网络）背景中考察它们。美联储主席本·伯南克（Ben Bernanke）[①] 在 2008 年 8 月杰克逊荷尔会议（Jackson Hole Conference）上，呼吁整个金融体系一齐来解决监管疏忽问题时，承认存在盲点[②]。

所有这一切与亚洲危机和眼下正在持续的全球性信用危机有何联系呢？

亚洲危机是一个饶有趣味的话题，因为亚洲某种程度上已成为没有国界的地区，大量资本流进流出，并且受到复杂的金融衍生产品和不断变化的世界秩序的影响；危机是对亚洲治理水平的一次考验。这场危机暴露出政策制定者和金融监管者的毫无防备，他们被困在国界正日益模糊的思维定势中。但是危机使亚洲从净借贷者转变为净储蓄者，同时日本率先实行了零利率。筹资成本近于零的流动性充溢，大大激发了金融衍生产品创新和杠杆的涌现，而这种情况只有在货币政策执行不严和金融监管缺失时才会产生。

从这个背景来看，目前这场从次贷问题开始的危机，也是对全球治理水平的一次考验。各国中央银行和监管当局正在努力应对他们觉得匪夷所思的全球资本的流动和冲击。我的看法是，美联储可能没有认识到，它不只是世界上最强大国家的货币——美元——的中央银行，它在道义上还负有为世界上其他国家稳定基本局势的责任。

如果美国打算持续地获得外国为其经常账户赤字提供资金的好处，它就应当保证本国的银行和金融系统健全可靠。但是美国允许其金融系统通过复杂的金融创新来实现高度杠杆化，又进一步允许采取过低的利率，造成美国资产

① 本·伯南克（1953～ ），出生于美国佐治亚州，1975 年获得哈佛大学经济学学士学位；1979 年获得麻省理工学院博士学位。2002 年至 2006 年担任美联储理事。2006 年 2 月起就任美联储主席。——译注

② Bernanke (2008)。

泡沫,并导致过度消费。美国没有及时处置资产泡沫,犯了与20世纪90年代日本和亚洲其他国家几乎同样的错误。于是,自20世纪30年代大萧条以来最严重的金融危机不期而至。值得指出的是,香港在1994～1997年间也出现过类似的泡沫,但在银行与香港金管局的共同努力下,银行体系得以保全,他们降低了贷款价值比率(loan-to-value ratio),使银行在资产泡沫中获得缓冲,尽管这遭到了地产开发商的强烈反对。而美国并没有用同样的方法限制房地产商的投机性融资,也没有为银行的潜在损失提供足额拨备,这是令人奇怪的。

本书结构

本书由以下三部分组成。**第一章**按时间顺序快速回顾了亚洲危机。**第二章**研究日本在东亚危机中的角色,因为作为亚洲经济规模最大的国家和全球供应链的主要环节,日本发挥的作用是不能也不该忽视的。日本是第一个努力防止通货紧缩的经济体,也是第一个实行零利率的国家。这引发了日元利差交易,对金融衍生产品的创新、杠杆作用和资本流动产生巨大的影响。

第三章研究东亚人的思维定势如何逐渐在变,他们原来是不明白全球游戏规则已经发生变化这一点的。**第四章**研究东亚各国经济网络中最薄弱的环节——银行体系。**第五章**思考华盛顿共识和国际货币基金组织在解决危机中的作用。

第六到十一章较仔细地研究国家(或地区)个案,从泰国开始到新兴大国——中国结束。这几章较详尽地研究每个遭遇经济危机的国家在背景上的细微差异如何导致各自的危机,并因而作出不同反应。**第十二章**研究危机造成的损失和为实现地区一体化而作出的努力。

第十三到十六章研究当前危机发生的原因。**第十三章**探讨金融创新工程的新世界以及现代银行体系如何会发展到目前的地步。**第十四章**批评金融监管如何放纵危机的发生。**第十五章**把亚洲危机与眼下的全球危机进行对比。**第十六章**是结论,总结亚洲的主要教训,特别是治理结构方面的教训。附录中大事年表则帮助读者查找重要日期和事件。

在《1929年大崩盘》这本书的结尾,已故的约翰·肯尼斯·加尔布雷思(John Kenneth Galbraith)说了一些几十年后仍扣人心弦的话①:

---

① 英文原文参见Galbraith (1954) 第194～202和210页。以下中译文参考了该书中译本《1929年大崩盘》(沈国华译,上海财经大学出版社2006年版)第125～130页。

> 1929年，似乎出了一点问题，改变了一种著名的论调：经济的基本面是健康的。这可是第一重要的环境条件。许多情况都很不妙，不过以下五方面的问题与随后发生的灾难有着特别密切的关系。它们是：
>
> 1. 收入分配不均。
> 2. 公司结构不合理……会发生大量非法侵占公司财产的状况。
> 3. 银行结构不合理。
> 4. 成问题的对外收支状况。
> 5. 经济知识贫乏……当时的经济顾问既观点一致又拥有权威，迫使共和党、民主党两党领袖拒不采取制止通货紧缩和萧条的有效措施。这本身就是一个显著的"成就"——教条战胜了思想。其影响意义深远……

所有这一切出现很大变化了吗？难道我们都因为贪婪、骄傲、既得利益或监管受约束而看不到什么地方出差错了吗？

在辩论7 000亿美元救市计划时，众议院民主党发言人南希·佩洛西(Nancy Pelosi)说："我们已经告诉华尔街，宴会结束了。"

在这方面，我持老派中央银行家的观点，如果任命你当中央银行家，你的工作就是要逆风而立，或者如前美联储主席威廉·麦克切斯尼·马丁(William McChesney Martin)以前常说的那样，你的职责是要在聚会渐入佳境的时候，端走宾治盆。

中国人有句老话，叫"第一代人创造财富，第二代人守住财富，第三代人挥霍财富。"以前尼古拉·康德拉捷夫(Nikolai D. Kondratieff)①的一个周期大约长60年，而我们自从1929年大崩盘以来已有78年了，婴儿潮②出生的一代——我就属于这一代——平均预期寿命也是78岁左右，这可能并非巧合。我们已经放纵玩乐过，现在必须为此付出代价。要找出谁该挨批，我们只有自己照照镜子。

于北京、槟城和乌布德

2008年12月

---

① 尼古拉·康德拉捷夫(1892～1938)，苏联学者，他提出在资本主义经济生活中存在着45～60年的长期波动。这种长期波动被人们称为康德拉季耶夫周期。——译注

② 婴儿潮是指第二次世界大战后，1947～1961年间西方出现的生育高峰。——译注。

第一章
分崩离析

萧条的唯一原因就是繁荣。
——克莱门特·贾格拉(Clement Juglar)

1997 年 6 月 30 日快近子夜时分,当我到达崭新的香港会展中心新侧厅时,无情的雨水把我淋得浑身湿透了。在那里,我们观看穿着得体的白色制服的中国人民解放军战士升起鲜红的中国国旗。在会展中心外面,英国皇家快艇不列颠号载着查尔斯王子和最后一任港督彭定康,顶着阵阵大风和滔滔波浪,驶离维多利亚港。

第二天,庆祝活动在出奇的宁静中举行,因为香港居民开始适应香港经过 156 年英国殖民统治后回归中国的形势。三天前,即在 6 月 27 日,香港股票市场上恒生指数上涨到 15196 点的高峰。中国内地公司的股票在港市称为红筹股或 H 股,已被普遍看好,引领香港股市止跌回升。房价也蹿涨,打破了纪录。即使最乐观的预测都未预见到,香港回归中国激发出这么愉快和信心百倍的情绪。诚如中国承诺过的那样,“这里的明天会更好”。

然而,世界在悄无声息地分崩离析。

1997 年 7 月 2 日,星期三

1997 年 7 月 2 日星期三早晨 4:30 左右,泰国银行(BoT,即泰国中央银行)开始打电话向当地和外国银行高管发出重要通告:允许与美元挂钩的泰铢汇率浮动。十多年来,泰铢与美元比价一直是 25 比 1。到这天结束时,泰

铢币值在在岸交易中大约损失 14%，在离岸交易中损失 19%，于是泰国银行要求国际货币基金组织提供临时援助。

泰铢与美元脱钩的重要性很快凸显出来。我首先想到的是泰铢汇率浮动将对亚洲其他货币带来的压力。我预测港元将成为主要的受冲击目标，其时港元与美元按 7.80 港元兑换 1 美元挂钩。作为香港金管局(HKMA)——实际上相当于中央银行——的副总裁，我负责储备金管理和对外事务。当时我正忙于准备国际货币基金组织和世界银行第 52 届联合年会，这次年会定于 1997 年 9 月 17 日至 25 日在香港举行。会议期间，全球金融界精英分子将在香港会展中心济济一堂，庆祝香港和平回归中国。这种场合是不能出任何差错的。我想起前美国国务卿亨利·基辛格说过一句俏皮话："危机不会发生——因为我的日程表已经排满了。"然而，我们已经处于金融海啸之中，它将首先席卷亚洲，然后全世界。

就在六个星期前，即 1997 年 5 月 24 日，我在曼谷参加了一个重要会议，讨论在 1997 年 7 月前已露端倪的泰铢危机。泰国银行邀请"东亚太平洋地区中央银行主管会议"(EMEAP)①这个机构里的中央银行和货币管理当局的主要官员来就市场投机和保卫本国货币的方略交换意见。我在泰国银行里的以副行长贾雅瓦·维布瓦迪(Chaiyawat Wibulswadi)为首的那些好朋友向与会者扼要介绍了泰铢情况。贾雅瓦是一个性格文静、办事高效的经济学家，在美国麻省理工学院(MIT)受的教育，他用泰文写过几本著作，论述像"小熊维尼"一样家喻户晓的公众热门经济话题，因此享有盛名。会议开得非常严肃，很像作战室里汇报战况和传达指示的会议。

1997 年 5 月初，高盛的一份研究报告已经预测到泰铢为了帮助本国提高出口竞争力而可能贬值。5 月 8 日，伦敦广泛谣传 5 月 13 日之后，泰铢汇率浮动幅度将会扩大。事实上，5 月 13 日到 15 日之间，在伦敦和纽约市场上，人们大量抛售泰铢，使泰铢受到了投机性的巨大打击。泰国银行呼吁地区中央银行给予干预性援助，它还通过禁止当地银行向外国公司提供泰铢，谋求在境外市场实现流动性紧缩。借贷给外国人的泰铢隔夜拆借利率飚升到 1 000%～1 500%，据说结果使对冲基金遭到了高达 3 亿美元的亏损。5 月 22 日《华尔街日报》②指出，乔治·索罗斯(George Soros)的主要助手斯坦·德鲁

---

① EMEAP 是 Executives' Meeting of East Asia-Pacific Central Banks 的缩写。1997 年 7 月，东亚太平洋地区中央银行主管会议由澳大利亚、中国、中国香港、印度尼西亚、日本、马来西亚、新西兰、菲律宾、新加坡、韩国和泰国的中央银行与货币管理当局组成。

② Sesit & Jereski (1997)。

肯米勒(Stan Druckenmiller)、朱利安·罗伯逊(Julian Robertson)、布鲁斯·科夫纳(Bruce Kovner)和李·库柏曼(Lee Cooperman)管理的对冲基金是主要炒家,巴克莱(BZW)、JP 摩根、花旗和高盛这些经纪商的交易活动也很活跃。谣传说,这些对冲基金的目标在于让泰铢大约贬值 20%～25%,即使保护他们的短期头寸要花 3%的成本,也阻止不了他们想使泰铢贬值的行动。

泰铢投机者借进日元为自己融资,在 20 世纪 90 年代初,每年付出的贷款利率为 3%,而他们以泰铢存款形式投资,靠隔夜拆借银行利率获得的年化收益率大约 17%,他们从事的这种业务就是利差交易(carry trade)。然而,自 1997 年 5 月 1 日以后,日元兑美元升值 12%,这就增加了投机者进行利差交易的融资成本。5 月 22 日《华尔街日报》有篇文章说,“在泰国的泰铢战斗中,利差交易者如坐针毡”,但是,这已是自 1995 年 1 月墨西哥危机产生外溢效应以来,第三次对泰铢的重大投机性打击,前两次发生在 1996 年 7 月和 1997 年 1～2 月。

5 月 24 日会议开得这么紧张,反映出各中央银行家对市场心神不安。我们这些十分谨慎地监管着市场(例如中国香港和新加坡)的人都明白,利差交易对市场动荡起了重要的作用。特别是美元对日元汇率的波动对亚洲市场影响很大。泰国最担心日元利差交易的风吹草动,因为泰国外债大约有 55%是用日元结算的。自从 1996 年中期以来,日本中央银行和大藏省的朋友们已经明显示意,亚洲各中央银行应当放弃与美元的固定汇率,改用一篮子货币汇率,弦外之音是应当增加日元权重。由于美元是亚洲大多数货币的顶梁柱,几乎没有一个人,包括我在内,对日本朋友的示意给予认真的关注。

为什么我们对危机都毫无防备? 1992 年欧洲货币体系和 1994～1995 年墨西哥比索的垮台使我们对国内经济基础和估价过高的汇率相脱节的危险性仍记忆犹新①。在 1993 年我回到香港金管局之后,我竭力想搞清楚投机者攻击盯住美元的汇率体制可能产生的危害,特别是在越来越多地使用金融衍生工具时。我们发觉,在像乔治·索罗斯这样声名狼藉的一些基金经理领导下,对冲基金甚至早在 1992 年就轻而易举地把英格兰银行打败了。我们与墨西哥中央银行家开过几次地区性会议,了解到对冲基金在比索上的投机是如何策划的。我们普遍得出的结论是,经济基础对保卫货币是至关重要的。以前保卫货币挂钩汇率的失败是由于经济基础很薄弱。我们认为,现在亚洲的

① Krugman (2000)。

经济基础是强大的，但是我们大大低估了市场的威力和经济潜在的脆弱性。

受伤的老虎

海啸和地震往往发生在最薄弱的地壳断层，冲击波传播的范围逐渐扩大，但是震级会逐渐降低。1997 年 5 月 14 日，高盛发表了一篇题为《马来西亚和菲律宾会重蹈泰国覆辙吗》的研究报告。在泰铢动荡不定之后，投机者的注意力转向菲律宾比索和马来西亚林吉特。

在 7 月 2 日泰铢汇率允许浮动的同一天，菲律宾比索已遭到投机者猛烈攻击，迫使菲律宾中央银行拿出 5.43 亿美元保卫比索。根据菲律宾中央银行行长加比・辛森（Gabby Singson）在 1997 年 7 月中旬会见《亚洲周刊》记者时的说法，菲律宾中央银行仅仅在 7 月头十天中就花掉了 15.8 亿美元，将近其国际货币储备的八分之一①。7 月 11 日，菲律宾中央银行迫于无奈，允许比索汇率浮动。在几个小时里，比索对美元汇率暴跌逾 10%，跌到 29.45 比索兑 1 美元。菲律宾请求国际货币基金组织救援，后者在 7 月 18 日答应给予 10 亿美元财政支持。此外，在同一天，印度尼西亚的中央银行——印度尼西亚银行，为了预防对本国卢比的攻击，自动扩大了官方干预的幅度，从 8 个百分点增加到 12 个百分点。

马来西亚的林吉特于 7 月 8 日遭到攻击。大约一周后，即在 7 月 14 日，马来西亚中央银行——马来西亚国家银行——宁愿允许林吉特对美元贬值，也没有向国际货币基金组织要求救援。

中央银行家知道市场情绪很敏感，所以向公众发表的言论往往讳莫如深。然而在 7 月 24 日，当时的马来西亚总理马哈蒂尔・穆哈默德（Mahathir Mohamad）却在马来西亚举行的第 30 届东盟②部长级会议上气愤地说：

> 现在我们看到有人精心策划，通过扰乱货币稳定来破坏东盟所有国家的经济。虽然我们的经济基础是健全的，但是拥有几十亿美元的人能够破坏我们已经取得的所有进展。他们对我们说必须开放，贸易和商业必须完全自由。要对谁自由呢？对无赖的投机者，对无政府主义者——他们竭力

---

① Saludo & Lopez (1997)。

② 东盟是东南亚国家联盟的简称。1997 年 7 月，东盟成员国有文莱、印度尼西亚、老挝、马来西亚、缅甸、菲律宾、新加坡、泰国和越南。

鼓吹社会开放，企图破坏弱国的发展，迫使我们屈服于国际经济操纵者的颐指气使。我们乐于接受打破国界，但是我们仍需要保护自己免受一心谋私的骗子和国际歹徒之害。

他的话是向一大群投机者打出的第一炮，可是立即产生的反应是，投机者对东盟所有国家的货币施加更大的压力。

地区中央银行家会晤

在很大程度上，市场是按照弱肉强食的法则来运行的。市场无情地对付弱者，有选择地伤害那些对弱肉强食的残酷法则没有警惕的弱者。投机者故意欺负一群人中最软弱、最不堪一击者，尽管芸芸众生的领袖怒吼不平，但最弱者到头来还是落到掠夺者手中。这使适者生存的法则得到有效的实施。请国际货币基金组织这样备受尊重的看守来抵挡恶狼，不一定能保护好羊群。

1997 年 7 月 25 日，亚洲货币的看守——中央银行的行长们——在上海召开第二届东亚太平洋地区中央银行主管会议。主席是中国人民银行行长戴相龙。行长们明白这次会议的重要性，因为全世界正关注着他们会对金融市场的动荡作出什么反应。他们将联合反对金融市场上的弱肉强食，还是请出游戏规则的监督者？

中央银行家完全明白经济基础对货币市场的重要性。在 30 多年强劲增长之后，亚洲经济基础基本状况良好，增长率和储蓄率都高。但是有迹象表明资产价格过热。有的国家，例如泰国，在 1995 年出现的经常账户赤字约占 GDP 的 80%，不过财政盈余在 1995～1996 年度约占 GDP 的 2%。当时估计外债约占 GDP 的 50%①，这与欧洲马斯特里赫特标准(Maastricht standards)中债务上限占 GDP 60%已无多大的差距。大多数分析家没有充分认识到泰国金融系统的脆弱性。1997 年 3 月，瑞银华宝的报告有先见之明，提出警告说："泰国经济像汽油桶，金融系统像定时炸弹。"

在动荡的外汇市场上，中央银行可用的工具有限。即使亚洲总的外汇储备不小(在 1997 年 6 月大约有 7 000 亿美元)，但是没有正式的机制把这些储

---

① 然而，事后证实，泰国外债在 1995～1996 年度占 GDP 的百分比高达 60%左右。

备集中起来使用。1977年8月5日参加东盟①货币互换协议(ASAs)的五个创始会员国之间虽有一种互惠外汇信贷安排，但当时只有2亿美元资金，数额太小，无法使市场相信足以保卫本国不受投机者的攻击。如果索罗斯单枪匹马就能用据说超过11亿美元的投机利润挫败原先威风凛凛的英格兰银行，那么规模较小的亚洲国家中央银行可能面临怎样的一劫呢?

我曾根据金融市场人士提供的信息估计，泰国银行为保卫泰铢花费了80亿～110亿美元。后来，关于泰铢危机的调查报告②披露了1997年5月1日至14日泰国银行的储备净额实际减少217亿美元。

如果采用另一个手段——提高利率以保卫汇率——鉴于亚洲金融体系的脆弱，必然事与愿违。即使调动财政手段，也不大管用。如果出现很小的财政赤字——大约只占GDP 0.3%(如同1996/1997年度泰国的情况)就会恐惧紧张，那么必须有多少财政盈余才能使市场相信经济基础是健全的呢? 显然市场现在如惊弓之鸟，稍有风吹草动，就会发生抛售。

因此，1977年7月参加东亚太平洋地区中央银行主管会议的中央银行家们还有什么别的招呢? 即使我们同意把储备集中起来使用并在机构方面作出安排，但是哪个机构能够承担必要的监管和支出责任? 我们说上海会议很重要，因为所有中央银行行长都知道，他们必须在逆境面前显示出团结一致。我几乎彻夜在幕后工作，努力想促成某种协议。许多行长私下会见了泰国银行行长伦猜(Rerngchai)，尽量把局势弄清楚。到了午夜时分，几乎所有中央银行和货币管理当局已同意把一些资金放到按照国际货币基金组织“新的借贷协定”(NAB)运作的机构中去。我们把这个安排称之为“亚洲借贷协定”。大家还同意，一个副行长级别的研究小组得赶快开会研究该协定运作和执行的具体事宜。

这是一个真正体现亚洲各国中央银行团结精神的重要协定，但又有中央银行典型的谦和及低调。已发表的公报措词极为平和沉稳，只示意出参加东亚太平洋地区中央银行主管会议的银行家想要做的事。公报说：“(他们)欢迎关于通过‘新的借贷协定’来加强这种基金的金融地位的任何建议，并且敦促新的借贷协定尽早实施。”

鉴于公报沉稳的低调，毫不令人惊讶的是，市场上有人得出结论，认为这次会议没有找到什么建设性的措施，市场波动将会继续下去。

---

① 东盟创始国是印度尼西亚、马来西亚、菲律宾、新加坡和泰国。

② 该报告的题目为《努库尔委员会报告：对泰国经济危机背后的事实分析和评估》。

就在参加东亚太平洋地区中央银行主管会议的各国行长会面的同一天，泰国和马来西亚寻求日本帮助建立地区性救市基金。但是当市场的压力变得越来越大时，1997 年 7 月 28 日，泰国只好向国际货币基金组织求助。在不满两个星期的时间里，泰国接受国际货币基金组织救市方案提出的一些政策建议，推出一项节俭计划，并且完善金融部门的改组。在 1997 年 8 月，泰国银行又暂停 42 家泰国金融公司的营业。这样一来，暂停营业的泰国金融公司总数增加到 58 家。

初次尝试解释亚洲危机

回到香港后，我拼命工作，对亚洲市场的现状进行大量的研究，准备应付即将来临的金融海啸，我还忙着筹备将于 9 月召开的国际货币基金组织和世界银行联合年会。

碰巧我先前已答应母亲——她住在位于婆罗洲东海岸的马来西亚沙巴的山打根市——在当地中文学校发表演讲。因此，国际货币基金组织和日本大藏省决定在 1997 年 8 月 11 日在东京讨论泰国局势的会议，我不能出席了。香港金管局总裁任志刚代我率领香港代表团前去。

8 月 10 日，在中文学校发表演讲时，我初次尝试分析正在展现的亚洲货币动荡[①]。我的观点简述如下：

对亚洲货币动荡形成讽刺的事实是，全球经济正享受着良好发展的时光。美国经济正处在连续增长的第六个年头，日本经济在 1996 年恢复到 3.5%的增长率，世界贸易量估计在 1997 年仍增长 7.3%，而中国经济每年正按 9.5%～10%的速度高歌猛进。

在亚洲发生的大量资本流动，是对亚洲货币动荡的明显怀疑。20 世纪 90 年代初，私人资本净流入新兴市场达 460 亿美元，这个数字在六年中增加四倍，在 1996 年达到 2 390 亿美元。在这笔总数中，40%以上流向亚洲，其中大约一半采用对外直接投资方式，另外五分之一是证券投资方式。

与普遍的观点相反，亚洲人事实上没有花掉流入的全部外资。流入外资的 70%成为储备金积累了起来。盖杜蒂-格林斯潘法则（The Guidotti-Greenspan rule）认为，所有国家都应持有相当于一年到期外债额的流动储备

---

① 沈联涛(1997a)。

金。在面临1997/1998年亚洲危机时，亚洲各国中央银行共持有大约40%的世界外汇储备。事实上，到1996年底，世界上六个最大外汇持有国或地区中，有五个在亚洲，日本、中国、中国香港、中国台湾和新加坡合起来大约持有6 000亿美元储备金。

但是亚洲金融脆弱性的原因也是很清楚的。遭受危机影响的韩国和东盟四个经济体[①]的经常账户赤字总额在1993年到1996年之间累计增加到1 281亿美元，其中1 115亿美元(即87%的累计赤字)靠外国银行贷款融资，主要采用短期信贷的方式。可惜该地区几家中央银行没有完全执行盖杜蒂-格林斯潘法则，部分原因是这些国家没有认识到他们的公司在离岸市场的短期债务越积越多，韩国就是一个例子。

回头来看，我忽略了当时金融脆弱性的实际程度。尽管我们知道泰国银行陷入了困境，但还没有把注意力放到印度尼西亚、韩国以及日本的金融问题上来。

当时我几乎一点没有预见到，在年底整个东亚会被卷进危机中。

1997年时争论的一个问题是，金融动荡是否反映了亚洲货币与美元的脱钩，意味着日元集团的形成[②]。这里有四个彼此相关的问题。第一，每当美国或日本的利率或汇率扬言要提高时，利差交易的逆转会影响到资本迅速撤离亚洲。第二，全球的高流动性导致信贷范围迅速压缩。第三，亚洲证券发行者也利用这些有利条件借入外币，使自己直接面对外汇和期限错配，以及资本流动逆转的风险。第四，在1994年墨西哥危机之后，拉丁美洲货币的急剧贬值使他们的贸易出现顺差，亚洲国家开始出现经常项目赤字。

我认为，亚洲贸易差额的恶化也部分地反映了日元对美元的比价自1995年中期以来急剧贬值的滞后影响。从1995年4月到1997年7月，日元对美元贬值30%以上，在此期间，汇率从80日元兑1美元变为118日元兑换1美元。在脱钩后的一个月中，亚洲货币流动相对较小，从新加坡元对美元大约贬值3%到泰铢对美元贬值25%，贬幅不等。因此我觉得亚洲货币动荡反映出大波浪(即美元和日元的流动)推动了小波浪，这与1994年墨西哥危机时不一样，在1994年12月和1995年3月，比索与美元的比价跌掉了大约50%。

事后来看，我的思路是正确的，但对波浪冲击度的判断是错误的。金融海啸掀起来了，连国际货币基金组织也阻止不了。

---

① 印度尼西亚、马来西亚、菲律宾和泰国。

② 例证可参见Kwan (1997)的著作。

对泰国的救市方案

在国际货币基金组织于 8 月 11 日在东京召开会议之后，8 月 20 日，国际货币基金组织宣布了总额为 170 亿美元的对泰国救市方案，国际货币基金组织（提供 40 亿美元）和其他多边或双边机构都提供了援助。非同凡响的是亚洲的团结程度：澳大利亚、中国、中国香港、马来西亚和新加坡都保证各自向集合储备金斥资 10 亿美元，日本捐助 40 亿美元，是最大的一笔钱，而印度尼西亚和韩国分别承诺 5 亿美元。令人注目的是，美国和欧洲竟毫无救援，仍然一味坚持透明度原则，要求泰国银行必须披露它的远期外汇合约。对比之下，1995 年国际货币基金组织救援墨西哥的一揽子方案总计约 500 亿美元，而美国保证另行提供 200 亿美元的财政援助。

在山打根，由于还没有互联网和黑莓接收器①，我得不到国际货币基金组织救市方案的消息。回到香港后，我很快了解到国际货币基金组织已经顺利地获得地区性帮助来集合资金，因为在上海会议时就做好了大量的准备工作。但结果非常不好，以当时日本大藏省负责国际事务的副大臣神原英姿博士和当时美国财政部副部长蒂姆·盖特纳为首的西方财政部长们控制了这次磋商，亚洲中央银行家被排除在核心之外。讨论亚洲借贷协定的希望最终落空。

迅速看一下东京会议作出的一揽子计划，就会发现该计划有一个致命的弱点，即计划中没有要求银行暂停营业，而这是拉美危机期间拉美国家共同采取的措施。根据市场应当尽可能长时间保持对外开放的原则，外国银行对泰国贷款的部门没接到“暂停放贷业务”的指示，就是说，没有要求立即偿还贷款或中止与泰国的联系。我打电话给好友贾雅瓦博士（他于 7 月 31 日担任泰国银行行长），问他为什么外国银行不暂停放贷，他回答说，银行不能暂停放贷是实施这个一揽子计划的条件之一。我在电话里向他指出这个一揽子计划的矛盾之处。该计划承诺的救援总额大约为 170 亿美元，但是美国财政部坚持提高透明度，要求泰国银行披露远期和掉期合约，在 1997 年 6 月这两

① 所谓“黑莓”（Blackberry），指的是一种移动电子邮件系统终端，使用这种接收器，可以随时与电脑互发电子邮件。由于小小的标准英文黑色键盘挤在接收器上，看起来像是草莓表面一粒粒种子，于是研发者加拿大 RIM 公司给它起了“黑莓”这个名称。——译注

种合约最高曾达到290亿美元左右①,可是这没有促使精英分子想到这一揽子计划完全不够满足泰国的外汇需求,特别是由于银行没有暂停放贷。直接面临泰国金融风险的人作出了尽可能快地逃离市场的反应,而国际货币基金组织的资金只帮助了那些能最快得到外汇的人。

我决定打电话给以"日元先生"而名闻天下的神原英姿博士,先前我多次访日就与他结交。他答复我说,G7(七国集团)②部长级会议的决定是,国际货币基金组织应当把责任担当起来,日本银行应当暂停对泰国的放贷业务,但他无法说服欧洲银行或美国银行暂停放贷。接着我打电话给斯坦利·费希尔,他不仅是贾雅瓦在麻省理工学院的老师,而且是我于1989~1993年间在世界银行工作时的上司,其时他任首席经济学家。他解释道,国际货币基金组织在磋商银行暂停业务方面没有自己的合法立场。显然大国认为,国际货币基金组织的可靠性,加上亚洲充当泰国的后盾,这就足够扼制亏损了。

于是我突然明白,我们亚洲人真的碰上大麻烦了。

风生水起

国际货币基金组织在东京主持召开会议的一周中,在8月13日那一天,印度尼西亚卢比降到历史低谷,即2 682卢比兑1美元,迫使印度尼西亚银行第二天放弃保卫卢比的战斗,允许卢比浮动。当时人们如何低估了危机传导的规模,从以下事实就能作出判断:当国际货币基金组织在8月20日宣布按一揽子计划向泰国支付救市款项时,据传,当时的国际货币基金组织总裁米歇尔·康德苏第二天就说:"这场危机最糟糕的时刻已经过去了。"其实倒应该说:"我死之后,将会洪水滔天。"③

这是一个酷热的夏天。8月28日,吉隆坡证交所(KLSE)④明令禁止在

---

① 到1997年底,泰国银行仍承担掉期合约责任总额达180亿美元,同时由于1997年底泰铢汇率是47.25泰铢兑1美元,所以掉期合约总额变成2 419.2亿泰铢,即大约等于51.2亿美元,使泰国银行蒙受了损失。参见负责提出改善泰国金融体系效率和管理方面建议的委员会报告(1998)第236段。

② G7由加拿大、法国、德国、英国、意大利、日本和美国组成。

③ 这句话(*Aprés moi, le deluge*)是法国国王路易十五(1710~1774)的情妇兼政治顾问蓬巴杜夫人说过的著名预言。1757年11月,法奥联军在与普鲁士军队作战中惨败,法国国内资产阶级启蒙运动正在发展,绝对王权受到质疑,自由平等博爱理念开始传播。蓬巴杜夫人目睹内忧外患,无奈地对路易十五作出了这个预言。1789年法国大革命果然如洪水汹涌而至。——译注

④ 现在马来西亚吉隆坡证交所执行2004年的证券交易非互利化规定。

马来西亚进行指数证券卖空交易，这只限于马来西亚证券市场的基准指数——吉隆坡综合指数（KLCI）证券，结果这个证券在不到一周内价格下泻12%。于是马来西亚、印度尼西亚和菲律宾都无可奈何地削减财政支出和投资，制止市场上人们信心的丧失，但是亏损还在继续。

在整个夏天，七国集团成员国忙于争论如何订出正确的战略来控制亚洲危机的蔓延。显而易见，美国不会尽力斥资救市，主要因为美国国会不可能允许美国财政部在帮助墨西哥摆脱困境之后再去拯救其他任何国家。在亚洲危机期间担任美国财政部长的罗伯特·鲁宾在他的回忆录中证实①，在墨西哥危机之后，美国国会实际上禁止政府利用外汇平准基金进行国际救市。从政治上说，这意味着美联储不可能充当美元的最后贷款者，而且国际货币基金组织显然同样既不想也不愿扮演这样的角色。当然是该组织的主要股东不希望它扮演这样的角色。

与此同时，国际货币基金组织和世界银行将举行联合年会，这在金融业日历上十分引人注目，因为香港金管局在香港承办这次年会，从组织工作上说，会议开得很完美。但是形势已是山雨欲来风满楼了。具有讽刺意味的是，1997 年的联合年会本应是认可资本账户自由化运动的一次里程碑式会议，本应是华盛顿共识——当时这还没有成为一句流行口号——的一块奠基石。然而，人们记住这次联合年会却是因为两桩独立的引人注目的事件。

论战

7 月 26 日，马哈蒂尔总理谴责管理量子对冲基金的乔治·索罗斯是一个要对领导向东南亚货币发起攻击负责的人，但索罗斯立即加以否认，马哈蒂尔总理尔后说索罗斯是个“蠢货”。世界银行已经邀请马哈蒂尔到与联合年会一起组织的论坛上发表关于“亚洲是个机会”的主旨演说。组织者没有预料到人们将会听到激烈的言论。

作为联合年会的组织者和马来西亚人，我一定要把马哈蒂尔总理及其随行人员妥善地陪送到演讲厅。我得知这位总理到达香港会展中心时，曾问起沈联涛在哪里。20 世纪 80 年代，我为马哈蒂尔医生的内兄敦依斯迈莫阿里，这位马来西亚国家银行的传奇式行长工作过。事实上，我还在马哈蒂尔医生担任副总理以及后来任总理时陪他多次出过国。当我担任本土民族

① Rubin & Weisberg (2003)。

(Bumiputra)基金会工作小组秘书时，他是该基金会主席，这个工作小组负责制定战略，把从日益发展的证券市场得来的财富分配给本土民族。这种分配是通过全国互助基金完成的，而全国互助基金从会员人数来说，今天仍是世界上最大的基金之一。出于对马哈蒂尔的了解，我不认为这次演讲会异乎寻常。

9月20日傍晚，我站在听众爆满的大厅后面，专心地聆听马哈蒂尔总理向银行家、基金经理、外交家和货币交易人的演讲：

> 我们一直欢迎外国投资，包括做投机买卖……但是当大基金利用自己广泛的影响推动股价的涨跌，并通过操纵获取高额利润时，还希望我们能欢迎他们，这就太过分了……我知道我说这番话冒着很大的风险，但是我要说，货币交易是不必要、事与愿违和不道德的，应当停止下来，并明文规定为非法。我们不需要货币交易。只有当我们要为实体贸易融资时，才需要购买货币。否则，我们就不该像买卖商品一样交易货币。①

我看着老朋友旦斯里·诺丁·索比博士(Tan Sri Dr. Noordin Sopiee，现已故世)，他曾是马哈蒂尔总理的主要顾问和发言稿撰写者之一。他对我眨眨眼表示回应。我立即知道他已认为马哈蒂尔博士的演讲发自肺腑。第二天，乔治·索罗斯反驳说："马哈蒂尔建议禁止货币交易。这种想法根本不恰当，不值得认真考虑。在目前这种时候干预资本的可兑换性是一种会造成灾难的做法。马哈蒂尔是一个威胁他本国利益的人。"②

2006年12月，当索罗斯到马来西亚推销他的著作《不完美的年代》(*The Age of Fallibility*)时，这两个对手公开较劲了。

亚洲货币基金

在联合年会上，另一件博得一片掌声的事情是，日本大藏省提出了关于在香港举行的七国集团和国际货币基金组织会议上建立亚洲货币基金的建议。1997年8月，消息传到香港金管局，说神原英姿博士已经到印度尼西亚、马来西亚和泰国游说，征求对这个建议的支持。然而小道消息说，美国财政部和欧洲

---

① Mohamad (1997b)。

② *International Herald Tribune*(1997)。

人持怀疑态度。显然,这样的基金可能对国际货币基金组织的地位提出挑战。

再回过头来说 1997 年 6 月,神原英姿博士和黑田东彦(Haruhiko Kuroda)①分别被提升为大藏省主管国际事务的副大臣和国际金融局长官。他们开始劝说大家接受建立亚洲货币基金的想法,这个想法也许早在 1996 年底或 1997 年初已经由国际货币事务研究所提出过,该所所长是另一位前日本大藏省副大臣行天丰雄(Toyoo Gyohten)。如果此说属实,这说明日本人已隐约感觉到一场危机正在临近,但是我们从中得到的信息主要是放弃与美元挂钩以及政策要更加灵活。

到 1997 年 8 月底,亚洲货币基金设想拥有 1 000 亿美元基金,由亚洲 10 个国家或地区组成——澳大利亚、中国、中国香港、印度尼西亚、日本、马来西亚、菲律宾、新加坡、韩国和泰国。提议成立的这个基金不包括美国和欧洲,因为他们没有为援救泰国作出过贡献。根据神原英姿的回忆录②(只有日文版)所说,当时美国财政部副部长拉里·萨默斯在午夜打电话到他的住宅,对亚洲货币基金表示抗议,因为既没有与美国商量,又没有邀请美国参加,所以美国很生气。而且,亚洲货币基金可能产生道德风险以及与国际货币基金组织竞争。

虽然可能从亚洲货币基金获得援助的国家欢迎有一个替代性的基金来源,可是亚洲其他国家却不那么放心。首先,关于该基金如何运作尚无足够的信息。它将作为一种补充基金通过国际货币基金组织来运作,还是它的基金支付事宜由日本来决定?其次,日本人显然认为,如果 1997 年 8 月 11 日在东京制订的援救泰铢的一揽子计划获得成功,他们就可以达成亚洲共识。

日本没有意识到,建立亚洲货币基金的建议会在政治上引起很多弦外之音。如果中国台湾愿意向亚洲货币基金注资,中国将会做出怎样的反应?香港在 1997 年 7 月后也将面临一系列新问题。香港新的立法会将更可能向新的香港特别行政区政府提问,它是否有权对地区性救市行动进行资助。基本上出于同样的政治原因,美国未能出手援救泰铢。

由于争论还在继续,印度尼西亚在卢比自 7 月下跌逾 30%之后,决定于 1997 年 10 月 8 日向国际货币基金组织求助。10 月 24 日,泰国建立了泰国金融重建局(Financial Sector Restructuring Authority,又译为金融部门重整

---

① 黑田东彦(Haruhiko Kuroda,1944～),1967 年毕业于东京大学法律系。1997～2003 年担任日本大藏省国际事务次官和国际金融局局长。2005 年 2 月出任亚洲开发银行行长。他是自由汇率制度的提倡者,有"货币教父"之称。——译注

② 引自 Lipsey (2003)第 95 和 96 页。神原英姿的回忆录的书名是《震撼日本和世界的日子》。

局)，负责审查暂停营业的58家金融公司的复兴计划。接着，建立了一家资产管理公司，充当金融公司亏损资产的最后竞拍者。然而，当总理差瓦立·永猜裕(Chavalit Yongchaiyudh)的联合政府开始四分五裂时，一场政治危机迫在眉睫。从1997年7月起到1997年10月底，印度尼西亚、马来西亚、菲律宾、新加坡和泰国的货币对美元的汇率已经下跌，从新加坡元贬值9%到泰铢贬值40%，幅度不等。此时，货币恐慌的中心开始向全亚洲扩大。

混乱中的龙

中国香港、韩国和中国台湾这三条龙的经济很快将被汹涌澎湃的金融海啸吞噬，这个示警迹象在1997年8月已出现。在这个月里，新台币受到投机者的攻击。8月15日(星期五)，香港金管局大幅度提高短期利率，以抵御投机者对港元的攻击。恒生指数从8月7日收盘时16673点高峰到8月17日跌至15477点。在韩国，越来越多的迹象表明，该国银行业已受到一大批公司倒闭的严重影响。

台湾“中央银行”在1997年8月到10月间，估计动用了70亿美元储备金来保卫新台币，1997年10月17日(星期五)，它宣布允许新台币汇率浮动。近十年里，新台币的平均汇率是26～27台币兑1美元。允许浮动标志着亚洲危机进入了第二阶段。这一宣布击倒了市场，因为台湾经济“拥有巨额外汇储备，并且几乎毫无证据表明它正承受着沉重的市场压力。由于台湾当局采取了这样的行动，亚洲局势的发展呈现竞相贬值的态势，可能贬值的程度深不可测。”①

不久，港元受到强大的压力。香港的货币发行局制度是一种自动调节机制。如果发生资本外流，利率就会提高，港元的供求将围绕汇率调整。换句话说，汇率是固定的，实体经济围绕汇率调整。

由于人们担忧港元承受强大压力而提高利率，所以香港证交所连续4天遭受重创。《亚洲周刊》报道说，10月21日，当时的香港总商会会长田北俊呼吁在两个月内重新考虑港元与美元挂钩问题②，也许这还不是引起公众紧张不安的最精明的公开评论。

在10月23日“黑色星期四”，局势像炸开了锅。隔夜香港银行同业拆借利率在几个小时里一下子上升了280%，恒生指数报收10426点，下跌了1211

---

① Lipsey (1998)。

② 《亚洲周刊》(1998)。

点，即10%以上。这是恒生指数当时在一天内最大幅度的下挫①。同一天，香港最大的银行——汇丰银行采取非同寻常的措施，即动用它限制提前兑付定期存款的权利。在10个交易日内，即从1997年10月17日到28日间，恒生指数下跌逾33%，即跌去4541点，10月28日以9060点收盘。

到此时，美国市场才开始清醒地看到亚洲危机的深度。10月27日，道琼斯工业平均指数(DJIA)下跌554点，跌幅超过7%，在7161点收盘。这是道琼斯指数历史上单日最大跌幅之一。幸而，美国经济仍旧是强劲的。这一周，我到曼谷去作讲座时，我注意到原本困扰泰国首都的交通拥堵问题已不复存在。相反，到处弥漫着悲观失望的气氛，我的朋友们都忙着对付不断发展中的经济和政治危机。在这次讲座中，我解释清楚了如今人人都知道在亚洲十分重要的"双重错配"：

银行系统冒着用短期存款为长期资本融资的风险(即期限错配)，同时私人部门借入外汇，并用本国货币为投资提供资金(即外汇错配)。只不过，外汇储备或流动性不足以满足兑付的要求②。

一场政治危机

当秋天快来时，事件发展的步伐开始加快，好像好莱坞动作片中失控的火车一样。

1997年11月3日，泰国总理差瓦立宣布，他将在街头群众抗议和军方已经不耐烦了的谣传中辞职。软弱的差瓦立联合政府由民主党领袖川立派(Chuan Leekpai)领导的另一个联合政府取代。

1997年11月5日，国际货币基金组织宣布向印度尼西亚提供230亿美元的一揽子金融援助，其中100亿美元来自国际货币基金组织，余下130亿美元将来自世界银行、亚洲开发银行(ADB)、亚洲各国、美国以及印度尼西亚自己的国外资产。

印度尼西亚得到国际货币基金组织的资金是附有一些严厉的改革条件的，包括关闭16家被认为不可能再独立生存下去的私营银行，苏哈托总统的近亲拥有其中三家银行的部分股权。印度尼西亚的技术官员和国际货币基金组织都对即将进行的改革可能遭到的抵制严重判断失误。

---

① 2007年11月5日，恒生指数下跌1526点。
② 沈联涛(1997d)。

韩国正在准备定于1997年12月举行的总统大选。由于人们第一次对执政党满腹牢骚，因而在韩国反对党领袖上台当总统真有可能梦想成真。

亚洲巨人绊倒了

当韩国大选临近时，全球注意力开始转向首尔。1997年10月，美联储有位资深副总裁途经香港进行地区性巡视工作。在新加坡，他第一次听说韩国是下一个要破产的亚洲经济体。他听了之后露出怀疑的神色。韩国是在日本之后于1996年加入发达国家俱乐部——经合组织的第二个亚洲工业国。韩国外债占GDP的比率低于GDP的30%，收支差额和财政状况也绝没有像亚洲其他遭受危机的经济体那么严重。

途经香港时，他征求我们的意见。我对他说，在危机逐渐扩散和市场紧张不安时期，任何事情都可能发生。问题是韩国公司比亚洲其他国家公司具有更强的清偿能力。韩国发展模式是仿效日本的，不过韩国在发展中肯冒更大的风险。韩国30家顶尖的主要工业集团的平均债务与资本比率超过500%。当日元贬值时，韩国出口商首当其冲，因为韩元对美元的汇率是稳定的，在过去十年中，平均750～800韩元兑换1美元。

制造业生产能力过剩、贸易状况恶化和资产市场有点恶性膨胀都为韩国经济泡沫的破灭创造了条件。韩国投资银行和商业银行决定通过他们在新加坡和日本的支行在国外寻求流动性，利用银行间拆借筹资。当亚洲危机在1997年10月到11月变得更加深重时，外国银行拒绝韩国金融机构延期偿还短期债务，迫使他们只得出售韩元，以便用外汇偿还债务。

1997年11月初，至少有八家接受银行巨额贷款的企业已经四面楚歌。有鉴于此，国际信用评级机构标准普尔和穆迪分别调低韩国的长期主权债务等级和韩国四家大银行的信用等级。在11月5日到8日之间，韩国证券市场的基准指数——韩国综合证券价格指数（KOSPI）在连续三天遭受重挫之后才略有反弹。该指数报收为496点，骤降10%以上，这比差不多两年前该指数最高为1100多点时低了55%。

当韩国银行外汇储备越来越少，消耗得非常快的时候，他们悄悄地接触了来自日本、美国和国际货币基金组织的官员，冀求获得紧急融资。11月16日，米歇尔·康德苏应邀秘密访问首尔，讨论如何应对局势①。

---

① Independent Evaluation Office(2003)第36页。

使局势雪上加霜的是，有一家叫三洋证券（Sanyo Seurities）的日本中型证券公司于11月3日宣布破产。11月17日，日本北海道拓殖银行破产，这是日本大银行中第一家在不良贷款的压力下倒闭的。经过将近七年通货紧缩之后，日本金融机构的软肋终于暴露无遗了。日本政府现在不是能够帮助其他亚洲国家渡过难关，而是连自己也面临人民对本国金融体系的信任危机了。

在现实生活中，政治事件和经济事件往往交织在一起，形成一种危机气氛。韩国当时陷入了不知所措的境地，因为1997年要举行大选，现政府想在新政府掌门之前，尽量不让金融大坝决堤。

1997年11月18日，在工会的强烈抗议声中，韩国国会拒绝通过一系列金融改革法案。在这重要的几天里，韩国金融和经济部长官康库熙（Kang Kyong Shik）以及总统的首席经济秘书金英霍（Kim In Ho）提出辞职。接着，韩国要求日本和国际货币基金组织的金融援助。11月24日（星期一）是“首尔的黑色星期一”：韩元继续走弱，与美元的汇率下降2.3%，跌到大约1 085韩元兑1美元，韩国综合证券价格指数跌掉7.2%，报收十年内最低的451点。

马尼拉框架

当事件像一出悲剧一幕幕展现时，日本政府继续为创建亚洲货币基金作最后的努力，不顾美国和欧洲要它放弃这个主意而施加的压力。我向在东南亚、中国台湾和韩国的中央银行里工作的朋友们进行过非正式的民意调查，了解到他们倾向于支持亚洲货币基金，但中国的态度是不表态。

11月23～24日，当东亚太平洋地区中央银行主管会议组织、欧盟和美国的中央银行及财政部的代表们一起在大马尼拉饭店——这个饭店因住过二战前任菲律宾陆军总司令的麦克阿瑟将军而闻名——开会时，局势已到紧要关头，需要当机立断了。

当我们聚在一起享用餐前酒时，我的老朋友们像往常一样，在走廊里开起了秘密会议，他们聊着天，相互交换看法。拉里·萨默斯走了进来，神原英姿也走了进来。我把他们介绍给马来西亚国家银行副行长方温朴（Fong Weng Phak）以及几个来自东盟的朋友。在惴惴不安且枯燥的闲聊中，我们自然地把话题转向神原英姿，请他来谈谈亚洲货币基金的进展状况，因为人们普遍认为他是该基金的主要设计者。我们又听说日本经济发展速度的放缓比我们预料的要快得多，日本国会担忧在本国银行自身难保的情况下是否还有能力筹集600亿～1 000亿美元去帮助亚洲其他国家。神原英姿勉强地承认了日本也许无法提供资助。他的话无疑对设立亚洲货币基金这个主意是致命的一击。

从此时起，唯一可供选择的是以美国为首的西方提出的解决方案，简称为马尼拉框架。就第一道防线来说，国际货币基金组织是任何救援计划的核心，所有的援助都是有条件地与国际货币基金组织联系在一起的。马尼拉框架属于第二道防线，是面向遭受危机的经济体的一种双边融资安排，更主要的是一种地区性经济监督和合作的论坛。马尼拉框架中有14个经济体，三个来自G7，其中有美国和日本，五个来自遭受危机打击最严重的经济体——印度尼西亚、马来西亚、韩国、菲律宾和泰国，此外有澳大利亚、文莱、中国、中国香港、新西兰和新加坡，再加上国际货币基金组织。作为一个论坛，这个框架是管用的，但是它的双边资金安排从来没有起过作用。

与此同时，11月24日，日本第三大证券公司——山一证券公司(Yamaichi Securities)宣布倒闭。由于日本金融体系越来越不堪一击，日本银行不得不宣布它将延长给山一证券公司特别信用贷款，以保护该公司客户的资产。第二天，日元跌到127.45日元兑1美元，日本股票市场的基准指数——日经225指数报收15868点，下跌5%多一点。

然后，在11月26日，第二家日本银行——德阳城市银行(Tokuyo City Bank)破产。由于储户在被怀疑濒临破产的银行前排成长队挤提存款，日本大藏大臣三冢博(Hiroshi Mitsuzuka)和日本银行行长松下康雄(Yasuo Matsushita)不得不在当天晚些时候非同寻常地发表联合声明，呼吁保持冷静。曾领导一个团队来处理日本金融危机的日本银行官员中曾弘志(Hiroshi Nakaso)回忆道："当时金融体系似乎开始瓦解……也许在这一天，日本金融体系最接近于全盘崩溃了。"①

令人注目的1997年底

遗憾的是，1997年11月仅仅是紧张纷乱的12月的前奏，因为在12月，韩元、印尼卢比、泰铢和林吉特对美元的汇率全部空前暴跌到最低纪录。

12月2日，韩国有九家实际上已无偿债能力的商人银行宣布破产。12月3日，韩国政府官员同国际货币基金组织签署了一份意向书(LOI)②，同意韩

---

① Nakaso (2001)，第11页。

② 意向书是国际货币基金组织阐明政策的文件术语，这些政策是一个国家在向国际货币基金组织请求给予金融援助时打算加以执行的，意向书实际上是该国政府和国际货币基金组织谈判的结果。

国将执行国际货币基金组织提议的有关条件和政策，以便取得该组织的金融支持。许多韩国人认为，这一天是韩国的“第二个全国蒙耻日”，第一个蒙耻日是指该国遭到日本殖民统治的那一天。第二天，即12月4日，国际货币基金组织宣布对韩国的一揽子金融救援计划，金额大约为550亿美元，是该组织有史以来作出的数额最大的一揽子计划之一。国际货币基金组织提供210亿美元援助，世界银行和亚洲开发银行贷款140亿美元，其余款项来自双边安排。

然而，尽管国际货币基金组织订出了一揽子救援计划，可是对韩国来说，时间已经不多了。国际货币基金组织独立评估办公室(IEO)后来披露说：

> 1997年11月下旬在韩国开始谈判时，这里的工作人员估计韩国在1998年到1999年间的金融缺口将达250亿美元，其中第一年就占200亿美元……原本根本没有预见到1997年有融资的需要。国际货币基金组织的工作班子一到韩国，就不得不彻底修改原来的估计……他们发现，韩国可动用的储备，即官方储备，减掉已经存入海外分支银行以便支付短期债务的金额后，大约为110亿美元，储备减少得很快……相反，债务额却比原先预计的大得多……(银行和非银行的)短期外债在1997年9月底估计为860亿美元左右，其中银行欠了620亿美元。正是这个因素触发了危机。①

12月9日，5家韩国商人银行宣告破产。韩国政府在两家主要银行——韩国第一银行(Korea First Bank)和首尔银行(Seoul Bank)——买下大量股份，努力遏制他们的亏损。12月11日，穆迪投资服务公司不仅降低了韩国的主权债务等级，而且降低了31家韩国证券发行机构的信用等级。

这一系列事件的后果是很明显的。韩元保不住了，在12月16日，韩国转而采用自由浮动汇率制。

东南亚的情况同样令人沮丧。在印度尼西亚，12月初，谣言开始流传苏哈托总统病重，卢比一落千丈，跌到4 000卢比兑1美元以下，仅仅是六个月前与美元比价的一半。12月12日，跌到5 000卢比兑1美元的地步。

日本的情况也不妙。12月17日，日本首相桥本龙太郎(Ryutaro Hashimoto)宣布专门减征2万亿日元(约合157亿美元)个人所得税，希望这么做能缓和日本经济的衰退。两天后，日本人目睹了战后日本最大的一次破

---

① Indepedent Evaluation Office(2003)，第187～189页。

产事件——食品商东照营(Toshoku)公司的倒闭。1998 年 4 月,日本首相桥本龙太郎还将宣布 16 万亿日元(约合 1 200 亿美元)一揽子旨在恢复经济的财政刺激计划。

再回到首尔。12 月 18 日,金大中事实上赢得了总统大选。他的上台标志着韩国历史上执政党第一次和平地把权力转移给民主当选的反对党获胜者。尽管还不能肯定新总统是否遵循传统的政策,但是他重申恪守与国际货币基金组织签订的协议。

但是 12 月 22 日,标准普尔和穆迪同时把韩国长期主权债务等级降到投资级以下,使市场人士目瞪口呆。12 月 23 日,韩元对美元比价跌穿 2 000 : 1 的心理大关,韩国综合股价指数报收于 366 点,比上一日收盘低 7%以上,而市场利率飙升达 40%。必须采取措施了。

不安的圣诞节

当正要动身去过圣诞节时(我十分需要休息一下),圣诞夜我接到了当时美联储国际金融署主任特德·杜鲁门(Ted Truman)的电话,问我香港能否参与对韩国的资助。我拿着手机走到外面花园里,漫步在夜晚清新的空气中,免得打扰宴会东道主。我在电话里解释说,香港立法会不会支持对韩国的进一步援助,毕竟韩国是比中国香港强得多的经合组织成员国。

就在那个圣诞夜,韩国、国际货币基金组织和 G7 之间达成了一项关于 100 亿美元紧急融资计划的协议,其中包括协调私营部门延长债务偿还时间。在亚洲危机中,大国第一次承认仅仅官方援助是不够的,世界主要银行都应"拉一把",他们应当延长韩国大约 1 000 亿美元的短期债务偿还期,其中有 150 亿美元在 12 月 31 日到期,另外 150 亿美元在 1998 年 1 月到期。

最后,大国逐渐认识到,在经济发生恐慌时,人人都应出来拉一把,因为在此之前,任何官方援助仅仅是使银行和其他投资者渡过难关而已。正如一流的战略分析家戴维·海尔(David Hale)敏锐地指出的,美国必定会出面努力帮助驻有美军的国家(以前它帮过遭受危机的土耳其),在韩国还有35 000 名美军守卫在曾经发生过朝鲜战争的三八线上。

我记得这次从圣诞夜到元旦之间是一段让人坐立不安的假期。到 1997 年 12 月底,遭受危机打击的亚洲经济体的货币价值已经损失了 15%到 55%之间,而他们的股票市场自从 1997 年 7 月泰铢汇率浮动以来大跌了 10%到 50%(图 1.1)。

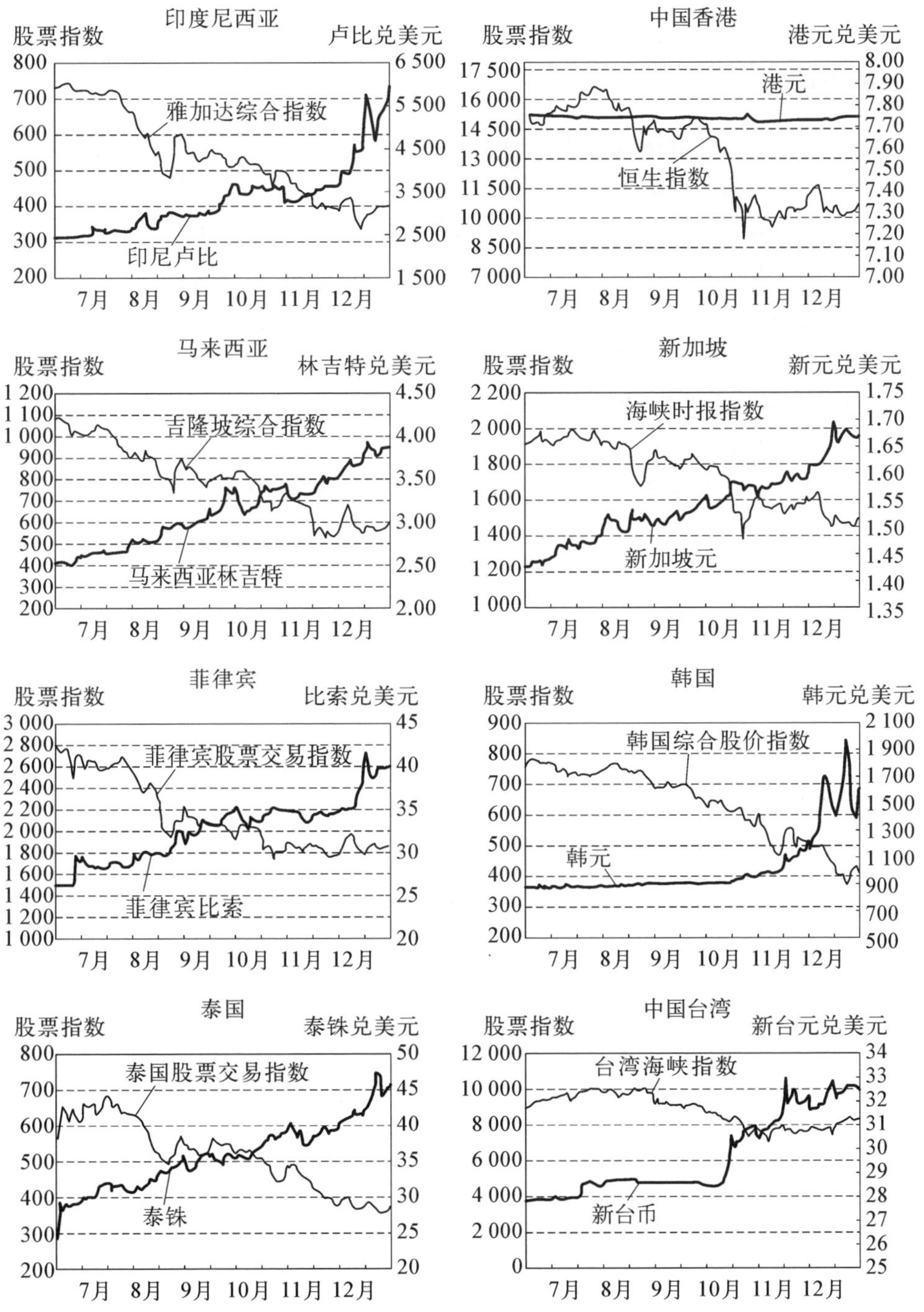

图 1.1 亚洲四小虎和四小龙货币和股票指数(1997 年 7～12 月)

资料来源：彭博资讯

追本穷源

亚洲怎么会弄得这么一团糟的呢？要了解亚洲的挫折，我们必须从源头上深入探究亚洲成功的原因，以及在亚洲呈现奇迹的岁月里被忘却的弱点。

1996年，我在一次出访日本参加区域性会议时，有位杰出的日本学者以与日本大藏大臣过从甚密著称，他在聊天时问我，如果日元与美元比价为150∶1的话，港元会不会与美元脱钩。我知道这个问题的重要性，但当时我还没有领悟到它有多么的重要。1995年4月曾经达到80日元兑1美元的高峰，当回落到大约115～200日元兑1美元的水平时，日本经济就小有起色了。

凭经验我知道，亚洲的繁荣是与日本以及日元与美元汇率的变动有着密切联系的。所以下一章我们就来分析日本在亚洲经济危机中的角色。

第二章

日本和亚洲危机

百折不挠，才能成功。

——本田汽车公司创始人本田庄一郎

(Soichiro Honda)

中国清朝政治家和哲学家曾国藩说过："天下事当于大处着眼，小处着手。"若要全面了解1997～1998年的亚洲金融危机，就一定要先了解日本，因为日本一国的GDP和金融总资产在亚洲危机开始前一年，即1996年，已等于亚洲其他国家GDP总和的两倍左右①。事实上，亚洲经济的命运与日本经济的命运是息息相关的，因为日本是亚洲第一个进入工业国行列的经济体。这个亚洲最大的经济体是世界第二经济大国，仅次于美国，把欧盟这个欧洲国家共同体撇在后面。

关于亚洲金融危机，普遍存在两种评论，注意力一般都集中在印度尼西亚、马来西亚、韩国和泰国这四个受到危机打击最严重的经济体上。第一种评论认为，咎由受害国自取，因为他们自己犯了风险管理不当和裙带资本主义的错误。显然，这种意见在华盛顿特别是亚洲危机开始时期是占上风的。第二种评论认为，危机根源在于亚洲遭遇了金融恐慌。这两种观点均有一定的正确性，但是我们需要回顾历史，看看大的方面与具体细节是否一致，如何能够自圆其说。

① 本章中提到的亚洲通常指原来的"四小龙"(中国香港、新加坡、韩国和中国台湾)、"四小虎"(印度尼西亚、马来西亚、菲律宾和泰国)和中国。

日本：亚洲最大的经济体

1995年《经济学家》对日本展开年度调查时，称日本是"一个谜，笼罩在遭受过痛苦经历、神秘重重的气氛中。特别是对外界的人来说，日本一直是深不可测的。"①今天，人们常常会忘记日本在20世纪60年代和70年代中期经济曾经快速增长；尽管中国和印度的经济也在起飞，但是日本至今仍然在亚洲和全球经济中发挥着令人惊叹的作用。其实，20世纪90年代亚洲经济奇迹的来龙去脉都离不开日本。它是亚洲第一个获得工业国地位的经济体，差不多比其亚洲近邻韩国早20年。1986年春天，哈佛大学教授傅高义（Ezra Vogel）在《外交》杂志上撰写了题为《日本主导的世界秩序》这篇有影响的文章，提出了他对日本成长为头号强国的忧虑②。1990年有一段时期，日本股票市场超过美国，从市值来说，成为世界上最大的股票市场。但是它的股市行情行将暴跌，一蹶不振，标志着日本经济将进入几乎持续17年的通货紧缩时期。

西方对亚洲经济奇迹的流行阐述，往往主要把重点放在第二次世界大战以后时期亚洲各国开始实行工业化和经济快速增长上。但是，其实亚洲人摆脱殖民主义后的兴起是从1868年明治维新时期开始的，即从美国海军上将珀利（Perry）迫使日本向外国贸易开放港口后15年开始的。当中国仍被鸦片战争和太平军造反带来的破坏搞得晕头转向时，日本开始了重大的体制改革和产业改革，使它变成军事大国，1894年靠海军打败了中国，在1904年又打败了俄国。

日本的长期发展具有三大特征③。第一，日本积极引进外国技术来提升自己的工业生产能力，最初侧重于进口替代，最后转向出口。第二，二战以前时期主要靠国内储蓄为经济发展提供资金，有限地依赖外国资本，尽管中国历史学家一直没有忘记，1894年中国战败赔款达1.38亿日元，相当于1899年日本GDP 6%，超过1885年到1899年间为收支逆差进行的融资额。第三，通过农作物生产和技术的改进，农业得到发展，剩余农业劳动力可以用来促进工业化。

---

① *Economist*（1995）。

② Vogel（1986）。

③ Teramish & Kosai（1993）。

但是日本现在的经济和金融结构还与所谓20世纪40年代的经济体制十分相关，这个体制是1937年到1945年间为积蓄战争力量而建立的①。战争需要在主银行制和终生雇佣制的支持下，把经过挑选的综合性大企业组织成卡特尔。由于卡特尔获得保护，可以免受国际竞争，所以能够投资于重型武器和造船工业，增强日本军事实力。像伊东(Itoh)和丸红(Marubeni)这样的株式会社是专业的进出口商，他们扩大了日本必需品进口和出口市场的销售网络。战后时期，工业康拜因变成了经连会(Keiretsu)，例如三菱(Mitsubishi)、住友(Sumitomo)和三井(Mitsui)等集团在法律上有松散的联系，但通过以一家大银行或保险公司为中心交叉持股的方式紧密结合在一起。

日本人制定出以制造业出口为主导的发展模式，得到对技术和出口抱友好态度的官员的支持，并能得到金融系统按低利率提供的融资。事实证明，日本通产省率先采用的"挑选赢家"(picking winners)的方法以及主办银行制都是十分成功的②，所以韩国、中国台湾和亚洲其他国家或地区努力效法，均取得了不同程度的成功。

雁行方式：亚洲转变成为世界制造业中心

按V字形飞行的雁阵模式是日本经济学家赤松要(Kanane Akamatsu)和其他人一起设计出来的，用来描述模仿、学习、生产和出口的一种发展模式。赤松要关于雁行方式的想法经历了三个转变时期。20世纪30年代是第一个时期，涉及从进口替代向为出口而生产转变的过程。后来在第二个时期，他用这个模式描述产业之间通过比较优势的转移实现一体化。第三个也是最后一个时期在20世纪80年代，赤松要阐述亚洲发展的各个阶段，说明亚洲国家如何在发展道路上追随日本，大来佐武郎(Saburo Okita)等人在20世纪80年代曾对这个观点做了广泛宣传③。

在我看来，雁行方式直观形象并生动地描绘了亚洲在世界制造业中形成强势的途径。1970年，亚洲制造业产出仅占世界16%。经过迅速

① Hartcher (1998b)引用战时模式来分析野口之夫(Yukio Noguchi)和神原英姿在1977年作出的研究报告，该报告后来成为野口之夫用日文写的一本书的一部分，该书书名是《1940年时的制度》(*1940-nen Taisei*)，在东京由东洋经济新报社出版。

② Vittas & Wang (1991)。

③ Akamatsu (1961)。

的发展，大约 40 年后，到了 2006 年，该地区制造业产出已占世界 36％了。

雁行方式从两个层面上说明了，亚洲经济如何从劳动密集型农业和制造业改造成技术最先进的制造业和服务业。

第一，从宏观层面上说，雁行方式形象地描述了亚洲的经济增长先是仿效成功的领导者，最后形成亚洲的全球供应链。在 V 字形飞行模式中，领头雁是日本，后面紧跟的是中国香港、中国台湾、新加坡和韩国这“四小龙”经济体，再后面是东盟的印度尼西亚、马来西亚、菲律宾和泰国“四小虎”经济体，最后一批是中国和越南，中国昂首阔步，成为仅落后于日本的一只领头雁。维系 V 字形雁阵的主要纽带是，鉴于生产成本上涨、土地匮乏、污染代价高昂和开拓市场份额的愿望，经济上领头的国家乐于支持把生产转移到跟随国去。

第二，从微观层面上说，雁行方式也形象地说明了亚洲的全球供应链发生着演变，当领头国提升了增值链时，它就把附加值低的产业放手给跟随国，当后者变得比较先进和繁荣时，又把附加值低的产业往下传。

技术进步已经完全改变了全球供应链。首先，产品与零部件的生产和工艺标准化，使日本工程师能够通过降低交易成本、适时控制库存和凭订单生产交货来提高规模经济效益。其次，由于互联网的问世，产品可外包给生产效率最高的厂家去进行。这样就形成了一条全球供应链，基本上位于亚洲，但是原料供应、思想和设计来源于全球范围，并且受日本和美国跨国公司的主宰。通过分公司、子公司和相关公司彼此相联的网络开展运营，并与地区性合伙者和供应商合作，日美跨国公司也许在全球贸易中占 45％左右的份额。

全球网络的问世对国际贸易产生了巨大的影响。1970 年到 2007 年间，世界贸易值显著增加，从大约 6 500 亿美元增加到 28 万亿美元左右。世界贸易平均年增长率已是世界 GDP 的两倍左右。与此同时，亚洲内部贸易也翻了一番，从 1970 年占该地区全部贸易四分之一到 2006 年占二分之一左右，贸易一体化的发展超越了东盟的范围。中国还成为亚洲对西方贸易和产品向西方再出口的总汇。2007 年，中国对美国的贸易顺差净额为1 632 亿美元，与欧盟的贸易顺差净额为 1 320 亿美元，但是它与以下几个国家的贸易都有逆差：韩国(净逆差为 479 亿美元)、日本(净逆差为 318 亿美元)、东盟(净逆差为 141 亿美元)、澳大利亚(净逆差为 78 亿美元)。

一条供应链，两种货币标准

1999年，日本最著名的财经领域思想家之一、前大藏省副大臣行天丰雄从东亚危机中得出两条重要的教训："第一，我们需要一个应急融资机制来对付金融危机的发生。第二，我们需要在更大程度上保持主要交易货币汇率的稳定。"①

行天丰雄看得很清楚：

> 1985年到1995年10年间美元（主要对日元汇率）的走弱，给遭受影响的国家带来了意外的贸易顺差。尔后从1995年开始的急剧逆转，消除了他们过度的价格优势，并削弱了他们的经常项目账户的地位，接着又破坏了市场的信心，为危机的发生埋下了祸根。换句话说，实质上危机不应当归咎于盯住美元的汇率制度。应当承担责任的倒是被忽略的那些国家经济发展基本面的不平衡，以及美元对日元汇率的急剧波动。②

本章接下来要论证东亚各经济体如何全然不明白日元对美元汇率的不稳定可能毁了他们。东亚各经济体基本上都采用盯住美元的做法，因为美元是全球的主导货币以及最后购买者，没有明显的信用风险。他们在1985年广场协议到1995年日元价值达到顶峰之间的日元走强中，从两方面得益；一方面是贸易转移，另一方面是来自日本的大量资本流动。

他们不理解，当日元开始疲软时，竟会碰到双重的麻烦。贸易账户突然出现赤字，资产负债表已经不起折腾。新兴市场不得不听命于双重错配，短期借入债务，长期投资外汇以及借外汇来投资本国货币。大量资本的流入造成股票市场和房地产市场的繁荣，国内银行的贷款也是这种繁荣的催化剂。1995年资本流向的逆转使金融系统资金日益干枯，并破坏了本国货币与美元的软挂钩。脆弱的金融系统崩溃了，亚洲这些经济体陷入一片混乱。这是一场没有最后贷款者的金融危机和货币危机。美元对日元先升值尔后迅速贬值时，供应链急剧扩张，终至断裂。

日本经济增长模式在本质上是双重经济结构。2000年，麦肯锡咨询公司对

---

① Gyohten (1999)。

② 同上。

日本经济的一份研究报告表明①，日本的最佳产业——汽车、钢铁、机床和消费类电子产品只占 GDP 10%，但是其生产率比全球竞争者高 20%。对比之下，日本国内生产和服务的非出口部门的贡献率占 GDP 90%，但是这些部门的生产率却比美国低 63%。

1997～1998 年的亚洲危机突出地显示了随同亚洲全球供应链一起应运而生的网络经济如同一把锋利的双刃剑。虽然在亚洲全球供应链中运作的网络促使亚洲地区成长并繁荣起来，但是这种结构的背后隐藏着一个根本性的缺陷——一条供应链有美元和日元两种货币标准。工程师就懂得，如果采用两种相互矛盾的标准，工程系统是无法很好运转的。事实上，亚洲全球供应链的基本弱点过去在于，而今在某些方面仍然在于它按两种对立的标准在运营。

因此我们说，1997～1998 年的亚洲危机不能再孤立地加以阐述了。确切地说，我们必须从国际金融资产负债表和贸易流动的更大视角，去研究该地区网络中各个国家之间的相互关系。复杂的相互关系正是当前危机的先导。在本章其余部分，我将努力利用最近获得的国际收支差额数据和贸易统计数字，阐明亚洲地区发生的事件以及它们如何与日本相互发生联系。所用的数据来源于日本大藏省、国际清算银行及莱恩和米莱西-弗雷蒂的著作②。

后广场协议：日本与亚洲联系的加强

太平洋把世界上国民经济规模最大的两个国家——美国和日本——分隔在两边，而这两个国家的经济关系至少曾经相当不稳定。在中国和中东产油国崛起之前，美国是最大的逆差国和债务国，日本是最大的顺差国和债权国。正如彼得森国际经济研究所的 C·弗雷德·伯格斯坦(C. Fred Bergsten)指出的，在导致亚洲危机的过程中，日元和美元的关系经历了激烈的动荡："从不久前 1971 年的 360∶1 到 1995 年初的 80∶1，然后(到 1998 年 6 月)再次走弱到大约130∶1。"③在亚洲危机期间和之后，美国一直努力促使日本通货再膨胀，因为它觉得，日本增长若不恢复，东亚危机不可能得到解决，而日元的弱势也会恶化贸易不平衡。

---

① Kondo, Lewis, Palmade & Yokohama (2000)。

② Lane & Milesi-Ferretti(2006)。

③ Bergsten (1998)。关于 20 世纪 80 年代日本汇率问题的进一步阐述，参见 Eichengreen (2007)。

1997～1998 年亚洲危机的主要特点是资本跨国界流动具有破坏力，以及扩散效应迅速从一个国家传导到另一个国家。亚洲各经济体通过贸易和金融在全球供应链结成网络后的相互联系，既给这些经济体带来了福，也带来了祸。

我们在着手阐述亚洲危机时，必须把美日关系记在心里。日本在亚洲是领头雁，而美国不只是亚洲的主要贸易伙伴，它还向该地区提供军事安全保障，并且是该地区外国直接投资和外国证券投资的重要来源。由于美国过去是、现在仍然是世界上最大的经济体，跨太平洋的大部分贸易和金融流动是用美元的，这就毫不足怪了。

从图 2.1 可以看到，日本在战后时期开始了令人瞩目的工业化，采用的是 360 日元兑 1 美元的汇率。这个汇率一直用到 1971 年美元脱离金本位制为止。从此之后，在 1979 年美联储大幅提高利率以对付国内通货膨胀，从而造成美元走强和过剩之前，日元几乎不断地对美元升值。由于 20 世纪 80 年代以来日本持续贸易顺差，平均每年盈余超过 500 亿美元，所以日元兑美元的汇率在两国双边关系中始终是一个心病。为了阻止美元在 20 世纪 80 年代中期恢复并过分走强，日本同意遵照 1985 年 9 月签订的广场协议，允许日元对美元急剧升值。在不到两年半时间里，汇率从 1985 年 9 月大约以 240 日元兑 1 美元，到 1987 年 12 月变为 120 日元兑 1 美元。

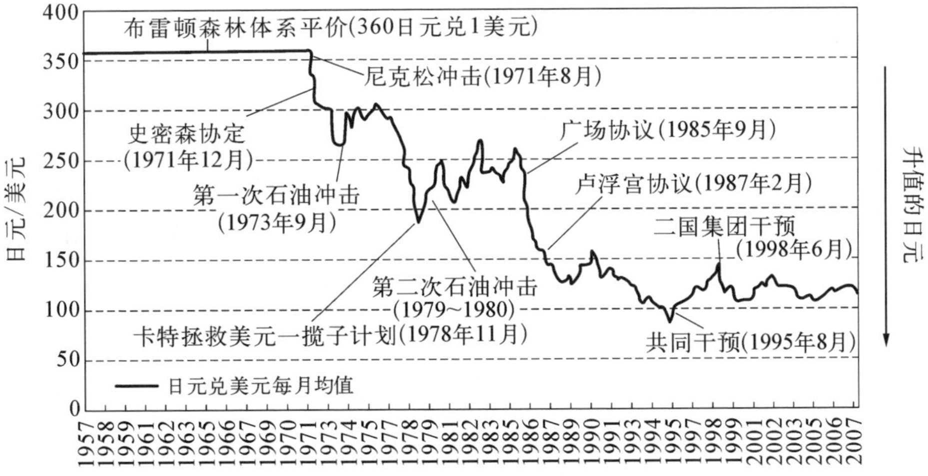

图 2.1　日元对美元汇率每月平均波动(1957～2007)

资料来源：国际货币基金组织国际金融统计数据、Mckinnon & Ohno(2005)

广场协议的冲击不仅对日本国内经济产生相当大的影响，而且对它的整个产业政策，特别是它对亚洲邻国的产业政策产生相当大的影响。

第一，日元翻番地升值——人们称之为“日元币值高企时期”——所造成的最初冲击对日本出口商产生很大的压力，导致日本经济增长率下降，从1985年5.1%下降到1986年3.0%。日本银行的对策是1986年到1987年初共五次降低利率。到1987年2月，日本官方贴现率达到战后低谷，每年下降2.5%。

第二，为了在日元强势的情况下保住自己在全球市场的份额，日本作出更加大胆的决定：提高本国生产率，同时把生产转移到欢迎日本对外直接投资也具有廉价土地和劳动力的国家去。从几方面看，趁日元坚挺时把生产转移到国外去的好处是明显的。首先，在日本把生产转移到邻国之后，与美国的双边贸易顺差可以减少，从而减轻贸易保护主义者对日本的压力。其次，通过资本输出，日元升值的压力得以减轻 。第三个好处是，扩大其在亚洲邻国中的政治影响。因此紧接在广场协议签订后的那段时期里，日本和亚洲其他国家在经济和金融上的联系开始加强。日本对亚洲的直接投资增加了近六倍，从1985年14亿美元到1989年增加为81亿美元。这个时期日本对外直接投资的主要东道国是“四小龙”，其次是“四小虎”（图2.2、表2.1）。

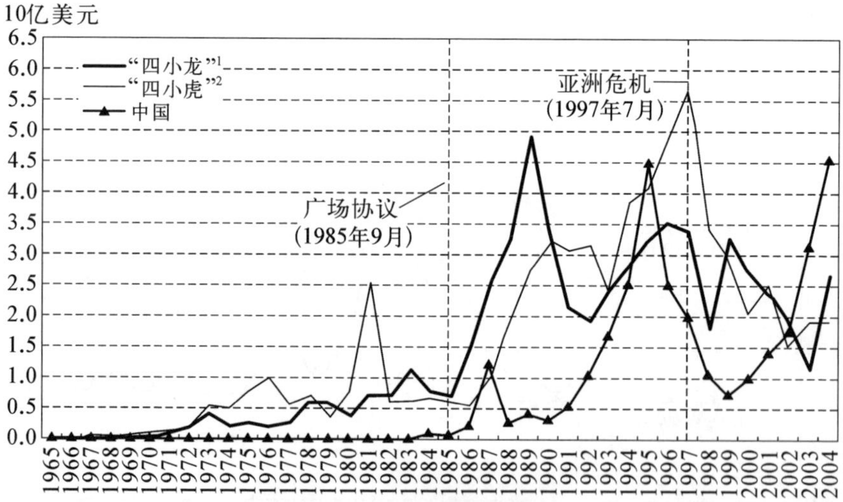

图 2.2 日本向亚洲的直接投资（1965～2004）

注：1. “四小龙”是中国香港、新加坡、韩国和中国台湾

2. “四小虎”是印尼、马来西亚、菲律宾和泰国

本图数字据报告和通报算出

资料来源：日本贸易振兴会基于日本大藏省的数据编制的资料以及作者的估计

表 2.1　日本向亚洲的直接投资(1965～2004)[1]　　　　(10 亿美元)

	1965～1984 平均数	1985～1992 平均数	1993～1997 平均数	1998	1999	2000	2001	2002	2003	2004
"四小龙"	0.3	2.6	3.1	1.8	3.3	2.7	2.4	2.0	1.2	2.7
"四小虎"	0.5	2.1	4.2	3.4	3.0	2.0	2.6	1.5	1.9	1.9
中　国	0.0	0.5	2.6	1.1	0.8	1.0	1.5	1.8	3.1	4.6
总　计	0.9	5.2	10.0	6.3	7.0	5.8	6.4	5.2	6.2	9.2

注：1. 本表数据及资料来源同图 2.2,"四小龙"与"四小虎"所指亦同

日本大规模直接投资于亚洲其他国家,使该地区变成日本的一体化生产基地。到 20 世纪 80 年代末,日本成为亚洲新兴的迅速发展的经济体中唯一最大的对外直接投资来源国。当 1993～1997 年间日本对亚洲直接投资出现又一轮高潮时,这种倾向特别明显,在这个时期,日本对外直接投资几乎增加两倍,从 65 亿美元增加到 111 亿美元。这一次,日本对亚洲直接投资的主要东道国变成"四小虎"(图 2.2)。例如,泰国成了"亚洲的底特律",因为日本汽车制造商和零部件供应商都聚集到泰国建立地区性汽车生产中心。在 1997～1998 年亚洲危机之后,日本对亚洲的直接投资模式再次改变,从 2003 年起,中国成了日本在亚洲的直接投资中最大的东道国(图 2.2、表 2.1)。

在"日元币值高企"(endaka)的十年里,除了输出到亚洲的日本私人资本增加外,图 2.3 显示了软贷款形式的日本官方援助和市场贷款、出口信贷及以

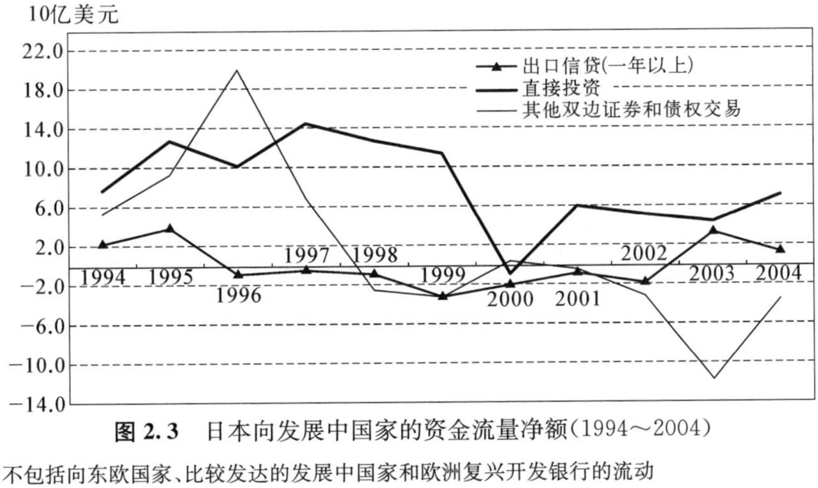

图 2.3　日本向发展中国家的资金流量净额(1994～2004)

注：不包括向东欧国家、比较发达的发展中国家和欧洲复兴开发银行的流动
资料来源：日本大藏省

日元标价的债务也在1997年前这段时期显著增加。例如，1994～1997年间，官方记载的日本向新兴经济体的净资本流量平均每年达350亿美元，大约比目前流量多四倍。

表2.2 日本向发展中国家的资金流量净额(1994～2004)[1] (10亿美元)

	1994	1995	1996	1997	1998	1999	2000	2001	2002	2003	2004
出口信贷(一年以上)	2.3	4.0	−0.8	−0.4	−0.8	−3.1	−2.0	−0.8	−1.6	3.5	1.5
直接投资	7.9	12.9	10.1	14.5	12.8	11.4	−0.8	6.0	5.2	4.6	7.3
其他双边证券和债权交易	5.6	9.5	20.0	6.8	−2.4	−3.1	0.7	−0.4	−3.1	−11.8	−3.4

注：1. 本表数据口径与资料来源同图2.3。——译注

第三，日本与亚洲的贸易增长是与它在海外投资流动增加并驾齐驱的。日本对亚洲的出口大大增加，从1985年约占日本总出口的26.4%，到1989年占30.1%，这主要源于基建设备出口的增加；而日本从亚洲的进口从1985年占日本总进口大约28.7%，到1989年增加为占31.0%，这是因为零部件进口和原料采购增加了。当日本对亚洲直接投资在1993年到1997年期间再次激增时，日本对亚洲的出口也急剧增加，从占日本总出口的37.7%增加到占42.1%，而日本从亚洲的进口从占日本总进口的34.7%增加到37.2%。在2007年，日本对亚洲的出口占日本总出口的48.2%，而日本从亚洲的进口占日本总进口的43.3%。

因此，虽然1985年到1995年日元币值高企的十年给日本国内经济招来了麻烦，但它对亚洲其他国家却是一个兴旺时期，因为这些国家成为日本大量直接投资的接受国，亚洲得以迅速发展。像罗纳德·麦金农(Ronald McKinnon)①这样的敏锐观察家指出，日元越坚挺，亚洲越繁荣这种模式显然已经出现(图2.4)。从飞雁阵势来看，领头雁展翅高飞的能力越强，追随飞行的其余大雁上升幅度也越大。日元越坚挺，日本把生产转移给成本低廉的邻国以及在亚洲地区贷款或投资以防止日元进一步升值就越多。流动性越大，流入的投资越多，亚洲各经济体就越兴旺，因为他们都是与美元软挂钩的。

① Mckinnon & Schnabl (2005)。

另一方面,如果日元贬值,形势就会逆转。

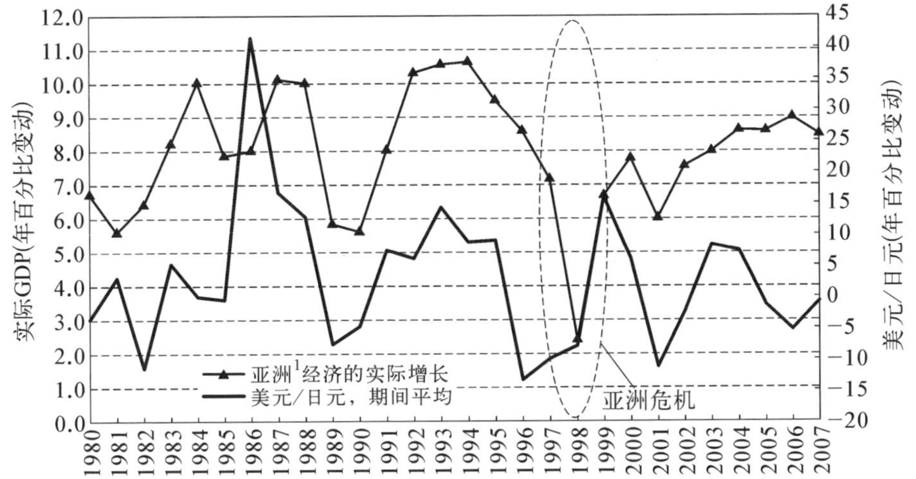

图 2.4 亚洲经济增长率和日元对美元汇率的变动(1980～2007)

注:1. 本图所指的亚洲包括中国、中国香港、印度尼西亚、马来西亚、菲律宾、新加坡、韩国、中国台湾和泰国

资料来源:国际货币基金组织和作者根据 McKinnon & Schnabl(2005)的资料作出的估计数

1987～1990 年:日本泡沫经济播下了亚洲危机的种子

在 1987～1988 年期间,日本经济复苏,增长率达 6.8%。然而,起初日本央行很不情愿把利率提高到日元升值前的水平,一部分原因是美国迫使日本在 1987 年 10 月 19 日纽约股市暴跌之后充当全球经济增长的火车头,另一部分原因是国内低通胀误导日本政府"沿着错误的方向"①前进。而且,在高增长时期提高利率只会吸引更多的资本流入,从而推动汇率升高。因此日本央行直到 1989 年才开始提高利率,在 1989 年 5 月到 1990 年 8 月五次提高利率之后,1990 年 8 月官方贴现率达到 6%的高峰。但是事后来看,日本中央银行起初不情愿提高利率是大大地打错了算盘。

在广场协议签订后,日本长期低利率的环境形成了世界上最大的一个国内资产泡沫。正如野村综合研究所首席顾问铃木善郎(Yoshio Suzuki)解释的那样:

① Kuroda (2002)。

> 日本资产市场泡沫的产生和破灭既不是金融改革造成的，也不是放松金融监管造成的。那是20世纪80年代后半期执行的国际政策协调导致的。由于1987年2月卢浮宫协议①决定要协调一致地削减利率，日本的官方贴现率下降到2.5%这个历史低点……因此按照卢浮宫协议，日本有责任继续执行放松银根政策，在1989年5月前一直把利率维持在最低水平上。结果，1988年到1989年间日本市场上盛传日本不可能提高利率以免产生美元危机的错误看法。以为能长期维持低利率是人们对市场看好的主因，从而促使资产价格上涨到超过经济基础允许的合理水平，形成资产泡沫。②

股票市场和房地产市场的定价高得令人难以置信。1989年日本房地产市价大约为24万亿美元，这是美国房地产市价的四倍，尽管日本人口只有美国的一半，GDP只有美国的60%③。1989年12月，日经225指数达到了38 916点的高峰，市盈率约为80，而美国约为15。在牛市兴奋冲天的时候，东京证券交易所股票市值占世界股票市场市值的42%，日本房地产价值约占全球全部土地价值的50%，而日本国土面积不到全球土地总面积的3%。有谣言说，东京帝国大厦的占地面积价值超过了整个加利福尼亚州的土地价值④。

1988年，我应邀到东京参加一个地区性保险监管者会议，至今仍记忆犹新。在东京，全体与会者参观了世界上最高的美术馆，它位于新宿用玻璃和钢铁建成的安田火灾海上保险公司(Yasuda Marine and Fire Insurance)大楼里。我们惊叹地观赏了美术馆收藏的精品——凡高的《向日葵》⑤，安田火灾海上保险公司为收购这幅画付出了4 000万美元的天价。该公司一位员工自豪地告诉我，安田公司总经理奉命到欧洲投标收购这幅画，志在必得，决不放弃。我不知道这么做是出于狂热还是十足的愚蠢。

---

① 卢浮宫协议：1987年2月，西方七国集团国家财长和中央银行行长在法国巴黎卢浮宫达成协议，一致同意在国内宏观政策和外汇市场干预两方面加强“紧密协调合作”，采取措施制止美元的跌势，保持美元汇率在当时水平上的稳定。——译注

② Suzuki (1994)。

③ Hartcher (1998)第70页。

④ Krugman (2000)第64页。

⑤ 文森特·凡高(Vincent Van Gogh，1853～1890)，荷兰印象派画家。所作的风景画和肖像画具有丰富的情感和独特的意境。一生画了800幅油画和700幅素描，但在生前并不出名，只售出过一幅。到20世纪初叶才声誉日增。《向日葵》是他的著名作品之一。——译注

日本的资产泡沫与其他国家的资产泡沫基本上都是信用膨胀的结果，从这个意义上来说，它们是相同的。银行凭已升值的抵押品把钱借给杠杆作用很强（即清偿能力很高）的开发商去购买地产，从而促使泡沫进一步扩大。资产价格同资本收益没有实际关系，尤其是因为筹款成本特别低。当信贷供给中止时，资产泡沫开始瘪下来，主要受害者是银行自己。

为什么通常一本正经和保守的日本银行家过分热衷于资产泡沫呢？通常有两个解释。

第一，日本金融市场的自由化也许在其速度和范围方面管理不当。尽管总的来说，日本对信贷管理得较好，但由于银行在市场长期稳定（包括价格稳定）的环境中运作，对市场风险的管理却比较弱。规章条例跟不上市场的变化。会计和信息披露标准落后于欧洲和美国，日本人甚至积极为《1988 年巴塞尔资本协议》①设计二级资本充足率，这种充足率最终对银行系统产生可怕的后果。② 日本经济在 1990 年前繁荣时期流动性充溢，银行积极地在利率下降的环境里竞相提供贷款，并向风险更大的贷款扩张。③

第二，日本银行缺乏企业责任感的行为让自己成了受害者。它们作为银行、保险公司和工贸集团之间交叉持股的经连会制度的核心，感到有义务向濒临破产的会员公司提供贷款。从一开始，除了交叉持股的投资者外，占少数股权的股东在运用公司治理权方面几乎没有话语权④。事实上，外国投资者觉得，特别高的市盈率是防御别国收购兼并的强大手段。日本银行缺乏企业责任感，又缺乏应对市场和国际风险的经验，这对于它们作为日本经济实力支柱的地位几乎构成致命的威胁。

对于像我这样一个新兴市场的银行监管者来说，我很钦佩日本崛起成为超级大国，但觉得日本出现资产泡沫是一个当时还未找到令人满意解答的

---

① 《巴塞尔协议》是国际清算银行巴塞尔银行监管委员会自 1975 年至今所制订发布的一系列原则、协议、标准和建议的统称，在 20 世纪 90 年代成为国际金融界准则，100 多个国家将其应用于本国的银行系统。《1988 年资本协议》是其中文件之一，该协议对国际银行资本衡量标准和资本水平的规定，有助于减少各成员国银行资本数量差异，消除银行间不公平竞争，而对资本充足率的规定直接影响各跨国银行的偿债能力，可以加强对商业银行资本及风险资产的监管，也对衍生工具市场的监管有了量的标准。——译注

② 以后我将阐述这个具体问题。

③ 参见 Ueda (1999)和 Kawai (2003)。使银行面临困境的政策有：允许小型信贷公司涉足新的业务领域，特别是日本住房金融公司(Jusen)和其他房地产投资公司；取消利率控制；取消对非银行贷款的限制等。

④ 参见 Ito (1996)，Ueda (1999)，Krugman (2000)，Kanaya & Woo (2000)和 Kawai (2003)。

谜。经合组织中的一个发达国家、世界第二富国日本，怎么会陷入这样一种金融混乱中去的呢？按理说经合组织不乏对银行的监管，日本银行家总的来说非常诚实并富有献身精神，不该发生这种情况的啊！

日本银行家在自己的业务领域都训练有素，知道本行业有什么风险。他们的信息来源和对专门业务的了解程度都远远胜过亚洲其他国家的银行家。我是在亚洲以前的一个主要木材生产中心——马来西亚的沙巴长大的，当时我认识的一些日本银行家就对木材行业情况了如指掌。他们总是聚在一块，晚上与木材经销商一起喝酒至夜深，而且在确认信用证之前，他们还会直接跑到伐木场或森林里去亲自考察情况。有一次，我在马来西亚的一个船坞与日本银行家一起讨论投资项目，了解到他们在调查和核实项目计划书和全部业务细节之前做了大量的准备工作，这使我受益匪浅。日本银行家感到自豪的是，他们在日本和国外敢于使各种失败的工业项目起死回生。

2002年，我恰巧有机会访问东京，于是决定亲自去寻找关于资产泡沫问题的答案。我与老朋友交谈，并且收集了一些资料，终于弄清了日本资产泡沫的某些来龙去脉，揭开了其不为人知的一面。我不敢妄称获得了全部事实真相，但是我的探索研究足以使自己可以解释清楚，为什么不只是政策差错、政治失误和银行管理不当要对资产泡沫问题负责。

退休挂职制与"老伙计俱乐部"

日本跃身为工业强国的基础之一是精英分子，特别是主要集中在日本大藏省、日本银行和通产省的那些官员，所表现出来的凝聚力、决心和正直。这批精英分子大多通过一系列极其严格的考试后才进入东京大学或日本其他同样顶尖的大学里接受教育。这使我们想起伊顿公学和牛津、剑桥大学的毕业生也在英国政府官员中占主导地位。日本政府官员频繁地在许多不同岗位轮流任职，包括到驻外国大使馆担任经济专员或者短期调任到国际组织（例如国际货币基金组织和经合组织）去工作，让他们得到全面的锻炼。他们当中许多人在外国名牌大学里，例如巴黎索邦大学、哈佛大学和伦敦经济学院，获得了硕士学位，有些官员（例如神原英姿）还获得了博士学位。我碰到过的日本官员都见多识广，聪明老成，能讲流利的英语或法语，对西方美术、古典音乐或法国波尔多葡萄酒具有高雅的品位。

但是与英国官员相比，日本官员有一个至关重要的差异。听说由于每级政府官员都是从精英分子中提拔的，在一批官员中最有成就者要负责为同伙中不得不中途退出政坛者找到一份工作，因为精英分子不断在官阶上晋升，高级职务显得很稀缺，有的人必须让出政府里的位置。日本大藏省高级官员如能下放到金融机构去任职，人们称之为"退休挂职"(amakudari)，或官员空降①。

让一些官员在政府机构中留用和晋升，同时负责把他们原来的同事"安置"或下放到银行去任职，这样就形成一种互惠互利的权力关系。仍然留在政府里的官员通过原同事的"退休挂职"，可以对金融系统施加巨大的影响，这是政府影响企业的非官方渠道。退出政府官职的原同事既享受权力又获得好处，因为他在金融部门的新雇主要借助这个非官方渠道接近政府最高层，也许可以获得其他没有官员空降关系的人所得不到的政府准许和支持。从 2001 年到 2006 年担任日本首相的小泉纯一郎(Junichiro Koizumi)在公众舆论尖锐批评退休挂职制是腐败的根源之后，于 2002 年废除了这个制度。1993 年广泛流传的承包丑闻和 1995～1996 年日本住房金融公司(即抵押银行)的丑闻，都与退休挂职制有关。人们发现日本住房金融公司大约有 6.41 万亿日元(约合 630 亿美元)坏账②。

退休挂职制确实是有害的，因为官员下放进入金融部门与日本投机高手向上进入到房地产业交织在一起。日本导演伊丹十三(Juzo Itami)③的黑色电影④影迷们还记得影片中投机高手成为横施淫威的铁腕人物，为开发房地产赶走了擅自占地者和添乱的佃户。影迷们很快看到，房地产开发商要依赖银行家向其开发项目提供资金。房地产交易一旦被横行不法的歹徒把持，政府官员几乎无法对问题银行采取行动，因为银行高官也许正是通过退休挂职制进入银行的政府官员原同事。根据日本警方打击有组织犯罪部门前负责人的说法，"如今的关键问题在于，大量现有的不良贷款单靠银行已无法收回，因为原来的贷款都牵连到政客、银行家和投机

① Suzuki (2001)。

② 按 1996～1998 年间平均汇率 101.45 日元兑 1 美元计算。

③ 伊丹十三(1933～1997)本名池内岳彦。1983 年因《细雪》这部影片获男配角奖。1984 年首次执导《葬礼》，获日本电影金像奖最佳影片奖。1997 年 12 月 20 日自杀身亡。——译注

④ 黑色电影指的是美国好莱坞 20 世纪 40 年代出产的一种黑白影片类型，故事往往涉及谋杀案，但其中不乏侦探与金发女郎的浪漫感情纠葛。——译注

高手。”①

投机高手与银行家及官员勾结所产生的后果是令人沉痛的。日本银行一位名叫本麻忠世(Tadayo Honma)的官员同我有私交,他于2000年担任日本信贷银行总经理后不久就自杀了。我认识他时,他是日本银行一位能干的经理,1997年12月处理过山一证券公司破产事件,后来又在1998年日本信贷银行破产时帮助把它收归国有。可悲的是,谣传说日本信贷银行卷入了对奸佞贷款的丑闻②。

1991～1995年:日元利差交易在亚洲兴起

亚洲金融危机是日本资产泡沫后遗症引起的。在1991年后,日本对泡沫破灭后的通货紧缩主要作出了三个根本性的政策反应。

第一,增加政府对基础设施建设的投资。1990年日本在经合组织各国中财政状况是最健康的,但是后来由于减税和财政支出每年存在着几乎相当于GDP 6％～7％的赤字,致使2007年公共债务总额高达GDP的195％。

第二,宽松的货币政策辅以宽松的财政政策。在1991年7月到1995年9月间,日本银行逐步把利率降到0.5％,1999年时更是执行零利率政策,从而出现了进行利差交易的良机,关于这种交易,我们后面加以阐述。

第三,日本想在恢复刺激本国经济的同时,避免日元估值过高,于是在1985年后大量进行对外直接投资、证券投资、银行贷款和官方援助。1990年4月,日元汇率触及160日元兑1美元的底部,此后日元不断升值,到1995年4月,日元汇率达到80日元左右兑1美元的峰值。正是日本银行贷款、对外直接投资和证券投资为亚洲出现经济泡沫以及随后1997～1998年的经济危机创造了条件。

亚洲的经济发展有一个显著的特点,那就是亚洲人往往自然而然地致力于在解决问题的过程中谋求发展。因此日本在1990年经济泡沫消失后,国内过剩的生产能力并未明显削减,而是有意识地采取向亚洲扩张的政策,使亚洲地区形成以日本为中心的格局。采取这种政策的部分原因是应对日本经

① Kattoulas (2002)。

② Chemko (2002)。

济遭到重创或美国对日本施加在全球事务中发挥更大作用(包括分担安全和其他事务的责任)的压力。日本单独为1991年第一次伊拉克战争承担了130亿美元的费用，同时开始资助一系列关于日本发展模式的调查研究，包括著名的1993年世界银行“亚洲经济奇迹”课题的研究，那时候我正好在世界银行任职，因此也有幸参与了这项研究。

当日本经济放慢，日本各银行之间的业务竞争加剧时，日本银行迫切地跟随他们的制造业客户走进日本以外的亚洲其他国家(图2.5)。在20世纪80年代下半叶和90年代中叶之间，部分归因于向在该地区经营的日本子公司融资，日本银行在亚洲成了主要贷款者，在中国香港、新加坡和亚洲其他国家的首都开设了分行。从1985年到1997年，在全部未偿还的国际银行贷款中，日本银行向整个亚洲以及印度尼西亚、马来西亚、菲律宾、韩国和泰国这五个遭受危机的国家提供的贷款占40%以上。在此期间，日本银行给亚洲的未偿还国际银行贷款于1995年6月达到了3 830亿美元高峰，而1997年6月日本银行向遭受危机的五国提供的未偿还国际银行贷款也高达1 030亿美元。

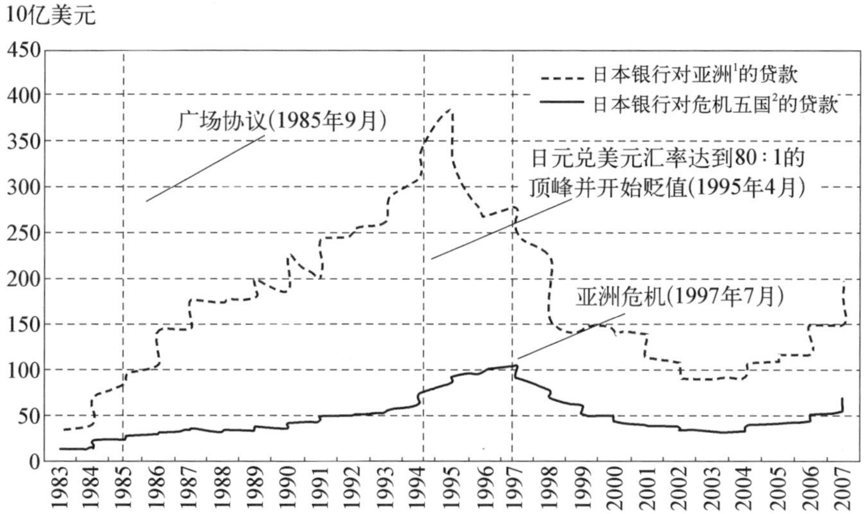

图2.5 日本银行对亚洲各经济体的综合债权(1983～2007)

注：1. 这里的亚洲包括中国、中国香港、印度尼西亚、马来西亚、菲律宾、新加坡、韩国、中国台湾和泰国

2. 危机五国是印度尼西亚、马来西亚、菲律宾、韩国和泰国

资料来源：国际清算银行和作者的估计

表 2.3 日本银行对亚洲各经济体的综合债权(1983～2007) (10 亿美元)

	1983～1984 平均数	1985～1992 平均数	1993～1997 平均数	1998～2001 平均数	2002	2003	2004	2005	2006	2007
危机五国	17.7	38.6	82.8	51.4	34.9	34.2	39.8	43.9	52.9	69.1
亚 洲	52.4	188.2	293.8	140.6	90.9	90.8	107.7	116.4	149.9	195.3

注：表中数字根据期末数据

日本银行以日元或外币计值的贷款大量增加，造成了全球资本大规模流动。由于日元利率仍比较低，所以形成了现在通常所谓的日元利差交易。这种套利交易基本上是人们蓄意而为的——按很低的利率借入日元，然后投资购买美元或泰铢之类具有较高利息回报的货币，就可获得美元或泰铢的收益同借入的日元成本之间的利差——利差交易就是因此而得名的。如果日元对美元贬值，那么就能获得双重收益——既有利差收益，又有汇兑收益。

为了防止日本通货紧缩，日本银行奉行低利率政策，这对于所有想从事利差交易的人来说，无疑是天赐良机。1995 年 4 月日元汇率达到 80 日元兑 1 美元峰值，1998 年 8 月触及 147 日元兑 1 美元低谷，在此期间，从事日元利差交易的对冲基金和职业投资者赚到了丰厚的利润。

根据国际清算银行的数据，国际上以日元计值的银行贷款①在导致亚洲危机的过程中经历了两个重要的阶段。第一个阶段从 1985 年 9 月到 1990 年 9 月，未偿还的日元总贷款相当于从 1 000 亿美元增加到大约 5 800 亿美元，多半是贷给发达市场。在日元利率达到自 1990 年 8 月广场协议签订以来的峰值 6%之后，日元国际贷款总额最多，之后在 1993 年中期下降到 4 000 亿美元。此后，尽管 1985 年 4 月日元升值为 80 日元兑 1 美元，但 1998 年 3 月以日元计值的未偿还国际银行贷款仍上升到 9 200 亿美元，增加了 5 200 亿美元。这一次，相当多贷款给了亚洲。据粗略的估计，这个时期利差交易额达 2 000 亿～3 500 亿美元②。

由于这些年里美国联邦基金目标利率和日本银行官方贴现率之间利差约为 5%，仅从日元利差交易平均增长中获得的平均收益，每年就达 130 亿美

① 这是指以日元计值的国际银行贷款，汇率估值已经过调整，不包括日本国内贷款，为的是把国内对日元的需求问题分离出去。

② 尽管是粗略的估计，这个数字接近于纽约和东京主要市场参与者引述的规模，即他们认为在 1998 年中期这种交易的峰值在2 000～3 000亿美元之间，参见 de Brouwer(2001)第 42 页。

元(利差交易平均额2 600亿美元的5%利差),即三年中可获得390亿美元利差。然而日元在1995年4月到1998年8月间大约贬值了一半,偿还日元债务时的平均汇兑收益就有1 300亿美元。换句话说,这三年利差交易的"恩赐"保守地算也有1 690亿美元(1 300亿美元汇兑收益加上390亿美元利差收益)。在此期间,从事这种交易的人发了大财。对冲基金通过在利差交易中增加借贷次数赚得盆满钵溢,同时在新兴市场中也承担了很大的预计风险,特别是在像泰国这样高利率,并且与美元软挂钩的国家里。

这些巨大的金额说明活络的投资者利用利差交易把资本从日本和其他发达国家推向新兴市场是多么有利可图。来自发达市场的投资者从新兴市场证券多样化和日本泡沫消失后通货紧缩的政策错误中得到了好处。因此资本从日本流向其亚洲邻国,与这些国家发展中的市场魅力结合起来,导致亚洲也产生经济泡沫。当然,如果亚洲市场对"双重错配"不犯根本性的风险管理错误,那么这种泡沫就不会产生。换句话说,亚洲市场是日元利差交易的另一种局面——既有"短期借入,长期投资"的错配,也有"借外汇(美元或日元),投资本国货币"的错配。有坏的贷款人,也有坏的借款人。

1995～1999年:日本银行在国内碰到了大麻烦

尽管对冲基金因为投机而受到责备,但是大笔资金从亚洲地区流出却是日本银行鉴于充分的理由从亚洲撤资的结果。日本银行主要因为国内不良贷款而焦头烂额。

正如大多数危机事例表明的那样,问题不一定发生在中心机构,而是发生在周边组织。以日本情况来说,其银行系统的问题早在1994年12月已经呈现,当时有两个总部设在东京的信用合作社因坏账约10亿美元而倒闭①,其中大部分是给房地产公司的贷款拖欠未还。日本银行历来赞成比西方同行少持有核心资本,而日本公司的杠杆作用又比西方同行大。这是主办银行制传下来的做法。在主办银行制下,日本银行支持日本商社和制造商利用便宜的国内贷款进行投资和向国外出口商品。充当护航队领袖的主办银行得到地区银行支持,后者则得到相关的信用合作社支持。地区银行和信用合作社面对房地产公司违约不还贷款不堪一击。当地区银行和信用合作社倒闭

---

① Bruell (1994)。

时，主办银行也开始遭殃。

1995 年，又有两件大事打击了日本人的信心——1 月 17 日神户大地震和 4 月 19 日日元升值为 80 日元兑 1 美元，后来又开始贬值。由于日元贬值，出口受到刺激，日本经济于 1996 年略有复苏。1996 年实体经济增长 2.6%，比上一年 1.9%稍有上升。但是，尽管日本实体经济有了起色，日本银行却越来越虚弱，因为国内不良贷款继续增加，随着房地产价格走弱，达到了再也无法掩盖的地步。接着，在日本银行继续险象环生时，日本对经济复苏的现状作出了错误的判断，把增值税从 3%提高到 5%，导致脆弱的日本经济在 1999 年之前一蹶不振。1997 年 11 月，随着北海道拓殖银行的垮台，第一起严重的日本银行破产事件发生了。

在这一系列国内事件使日本金融系统遭受严重损失的同时，日本银行在对外战线上也严重受挫。第一，1995 年大和(Daiwa)银行在纽约的丑闻提高了日本银行在国外融资的外汇贴水率。第二，也许更加重要的是，出于历史的巧合，1996 年到 1997 年间日元对美元比价的下降，也开始对日本银行产生毁灭性影响。由于日本没有格拉斯-斯蒂格尔法禁止日本银行在非金融公司拥有股份，所以多年下来，日本银行积累了大量公司股份，但在他们的账面上却不明显。日本银行的贷款额之所以比竞争对手欧洲和美国多，就因为他们把未实现价值的股票投资组合也列作为资本，使得金融头寸看上去很雄厚。正由于此，在 1988 年谈判巴塞尔资本协议时，日本政府竭力争取把二级资本列入协议，这样可以允许银行把股票投资组合的部分未实现利润也算作为银行资本。

这意味着日本银行系统的资本基础与股票市场的涨跌有着“人质效应”，正如十年后欧洲和美国的银行资本与按非流通市场定价的金融衍生产品的逐日结算制度具有“人质效应”一样。

这种技术处理意味着日本银行受到两股强大的通缩压力。第一，1996～1997 年全部股价下跌，因为日本经济放慢，外国人在日元走弱的形势下，从日本股票交易市场撤走资金。当虚弱的银行由于要注销越来越多的不良贷款，不得不抛售手中的股票，以支撑自己的资本基础时，股价同样下跌。股价越低，二级资本额也越低。

第二，在当疲软的日元增加了日元对日本银行外币贷款的比价时，低迷的股价会引起资本基础的衰弱。

这双重压力造成的最终影响是降低了日本银行满足国际清算银行 8%最低资本充足率的能力。如果日本银行能认识到通货紧缩的糟糕后果，这样的情况本不会发生。房地产价格暴跌意味着他们贷款的大部分担保品价值缩水了。股票市场不景气意味着通过增发股票筹资的成本可能很高。满足资本充足率的唯一办法是减少银行在国外的外汇贷款。事实上，当日元继续对美元贬值，慢慢地朝 1998 年 8 月 150 日元兑 1 美元的方向走去时，野村综合研究所估计，如果要维持 140 日元兑 1 美元的水平，股票市场要维持在 15000 点上，日本银行必须减少贷款 56 万亿日元(约合 4 000 亿美元)，相当于日本 GDP 减少 11%①。

结果，到 1995 年中期日元对美元贬值之后，日本银行家开始扪心自问，哪些地方可以减少贷款，显然他们必须减少对亚洲其他经济体承担的责任，包括他们在中国香港和新加坡的银行同业往来。因此在 1995 年 6 月和 1997 年 6 月之间，即刚好在泰铢于 1997 年 7 月 2 日贬值之前，日本银行对亚洲贷款普遍减少 27%左右，从 1995 年 6 月 3 830 亿美元峰值下降到 2 780 亿美元。但是日本仍向遭受危机的五个经济体贷款，日本银行对这些经济体的贷款从 1995 年 6 月 864 亿美元增加到 1997 年 6 月 1 033 亿美元高峰(图 2.5)。

然而，随着泰铢的突然贬值，日元利差交易开始匆促无序地回落了②。日本银行也加速从亚洲撤退。这一次他们也从遭受危机的五个经济体撤退了(图 2.5)。因此，由于日元利差交易在泰铢贬值之后回落，加上日本银行大量撤贷，亚洲发生了挤兑银行的风潮，而国内中央银行没有足够的外汇储备满足客户对外汇的挤兑。

日本银行的撤贷规模大得惊人，从 1997 年 6 月高峰到 1999 年期间，日本银行从遭受危机的五个经济体撤资 512 亿美元，约占 GDP 的 6%，而自 1995 年 6 月高峰到 1999 年从整个亚洲总共撤资 2 352 亿美元，大多数是从新加坡和中国香港撤出的。这个数目几乎占这个时期亚洲 GDP 的 10%。即使经济最健康的国家也抵挡不住这样规模的流动性冲击。

因此，弱不禁风的银行体系使日本发生的经济衰退，外国短期资本(包括短期银行贷款)支撑的资产价格泡沫出现时亚洲经济的快速膨胀，都为 1997 年 7 月金融决堤准备了爆发的条件。大多数经济学家不是把注意力集中在日本以外的亚洲，就是只专注日本一国。很少有人把两个经济疑团

---

① Koo (1998)第 9 页。

② 虽然多数人认为大规模日元利差交易的回落是 1997～1998 年亚洲发生许多事件的主要导火索，但其影响决不局限于亚洲。

放到一起来研究，而从事利差交易的某些对冲基金经理倒已经察觉到一个巨大的机会。

不稳定的日元：亚洲的主要软肋

外汇炒家常说："日元对美元汇率上升走楼梯，下跌乘电梯。"①为什么日元对美元的汇率总是有这么大的波动呢？毕竟自日本对美国贸易持续出现顺差以来，人们本以为日元对美元会逐渐升值，而不会突然升值后又贬值。

1996年，我在东京一次学术讨论会上曾尝试向在亚洲各国中央银行工作的同行及日本大藏省官员解答这个问题②。我把日元的波动归咎于四个因素。

第一，由于经常项目账户上持续有盈余，日本成为主要债权国。根据2006年国际货币基金组织最新公布的关于会员国国际收支差额的数据③，现在我们有可能确定在20世纪90年代日本债权有多大。到1995年末，日本的国外资产总额达2.6万亿美元，国际投资净额（即对外金融资产和负债的差额）为8 160亿美元，相当于1995年GDP的15.5%左右。拥有国外净资产即意味着，一旦日元升值就会造成外汇损失。

第二，日本也是主要的资本输出国，特别是以日元计值的官方和私人的债券，所以它有大批日元债务人。世界银行关于外债的数据显示，在1995年末，发展中国家欠下了相当于2 650亿美元的以日元标价的债务，占他们以日元标价总债务的12.8%，而东亚和太平洋地区欠下了相当于1 111亿美元的以日元标价的债务，占他们以日元标价总债务的30.2%。如果日元汇率升值25%，他们的债务就可能增加将近280亿美元的负担。

发展中国家的美元债务一般不用担心美元波动，因为他们大部分收入都是用美元的。然而反过来，发展中国家中的日元债务国无法对冲他们的日元债务。甚至在日元升值时期，日本出口商往往在出口商品时收取日元，进口商品时用美元支付，这样，例如在日本对东南亚的贸易中，以日元标价的贸易占1993年出口额52.5%，而在进口额中仅占25.7%。

---

① Breedon (2001)。

② 沈联涛(1996)。

③ Lane & Milesi-Ferretti (2006)。

这意味着，日元债务国不得不购买日元用于进口商品和服务，以及支付日元债务的利息。

第三，日本出口商还买进远期日元，即通过卖出美元和同时买进日元，把从出口获得的美元收入换成日元，进行套期保值。与此同时，对冲合约的另一方金融机构也积极地进行套期交易，但是未必能完全对冲。

第四，正如职业风险经理人常说的那样，“十分完美的对冲只有日本人获得”。如果市场上货币供求大致平衡，套期保值战略才会奏效。除非日本不断输出资本，市场上始终是美元过剩，日元短缺，日元的任何突然升值都会造成套期保值交易的巨幅增加，因为市场参与者急于支付日元债务。

所有这些因素导致日元的巨大波动。另一方面，日元也可能过剩，因为借入日元者可以从日元贬值中获益，所以不想进行对冲，而那些从事利差交易者不仅从正利差中获益，而且从日元升值中获得汇兑利益。利差交易鼓励了资本流出，但是付出了货币剧烈波动的代价。这说明了为什么近年来日元不断对美元贬值，尽管日本经常项目一直有盈余(自 1985 年订立广场协议以来，每年盈余占 GDP 2.8%)。

1997～1998 年的亚洲危机突出地显示了日元同美元的不稳定关系对亚洲贸易、金融，最后对整个实体经济的不利影响。不幸的是，只要日本利率与其他主要货币的利率有较大差异，日元对美元汇率的波动就将持续存在。汇率变动的方向不取决于贸易流动，而取决于利差交易引起的资本流动。日元币值之所以波动，是因为从根本上说，存在贸易和资本项下的不平衡。除非结构上加以调整，否则由于利差交易突然逆转而可能发生的日元波动，仍将是亚洲全球供应链的主要弱点。

结论：从国际收支差额的视角

国际货币基金组织于 2006 年首次发表的会员国国际收支差额数据①特别发人深省，因为这些数据提供了只看贸易和资本流动情况不容易得到的宝贵见解，而且还提供了投资者、决策者和银行家以前拿不到的收支平衡表。如果在 20 世纪初期到中期能够广泛提供这种决算数据，显然有几个国家就可

① Lane & Milesi-Ferretti (2006)。该论文全面地更新和扩大了作者最初在这个领域的著述内容，包括对 67 个国家在 1970～1998 年期间对外有价证券投资的估计数字(参见 Lane & Milesi-Ferretti，2001)。

能会打算保护极容易受到汇率冲击的外汇收入差额了。

表 2.4 显示，国际投资净额为负（即对外国的金融债务超过在外国的资产）且超过 GDP 50％的经济体陷入了危机。中国不在其列，因为中国有汇率管制的保护。韩国虽然国际投资净额负值只占 GDP 9％，但也陷入困境。显而易见，这是一次严重的流动性危机，韩国银行没有足够的外汇储备来应付本国在 1997 年底经历金融恐慌时发生的资金大量流出。

表 2.4　部分亚洲经济体：国际投资净额

	1996 年国际投资净额[1]（10 亿美元）	1996 年国际投资净额（占 GDP％）	1997～1998 年名义 GDP[2]（变动率％）	1997～1998 年汇率[3]（变动率％）	备　注
日　本	+890.0	+19.0	−9.2	−7.6	
中　国	−122.9	−14.4	+7.0	+0.1	受到汇率管制的保护
中国香港	+69.2	+43.5	−5.3	+0.0	货币发行局制度
印度尼西亚	−127.4	−50.8	−55.8	−70.9	
马来西亚	−55.9	−55.4	−27.9	−28.3	
菲律宾	−41.6	−49.2	−20.5	−27.9	1997 年已列入国际货币基金组织计划
新加坡	+80.2	+87.0	−14.0	−11.3	传染扩散效应
韩　国	−50.2	−9.0	−33.9	−32.1	挤兑银行造成外汇超出
中国台湾	+172.2	+59.5	−8.1	−14.2	
泰　国	−101.8	−55.9	−25.9	−24.2	

注：1. “＋”代表资产净额；“－”代表债务净额
　　2. 以美元计算的名义 GDP
　　3. 一国货币兑美元，期间平均数
资料来源：国际货币基金组织、Lane & Milesi-Ferretti（2006）以及作者的估计

表 2.4 还显示了 1997～1998 年期间大多数亚洲国家以美元计值的 GDP 的急剧下降，可从各国货币对美元的汇率急剧贬值中找到解释。由于新加坡和日本有大量国际投资净额盈余以及经常账户盈余，令人惊奇的是，他们的货币也贬值了。新加坡元可以说是受到其邻国影响的结果，但是日元对美元的贬值显然是危机蔓延的重要因素。

值得注意的是，在导致亚洲危机的这段时期里所发生的激烈变化，从

有关国家国际收支差额中可以得到明确的总结。正如图 2.6 和图 2.7 所示，日本对外直接投资和债权总额(包括贷款和贸易信贷)在 1985 年后急骤增加，这明显地反映在亚洲其他国家外国直接投资和债权的增加上，突出地说明了该地区各国的相互联系以及日本在这种相互联系中发挥的关键作用。

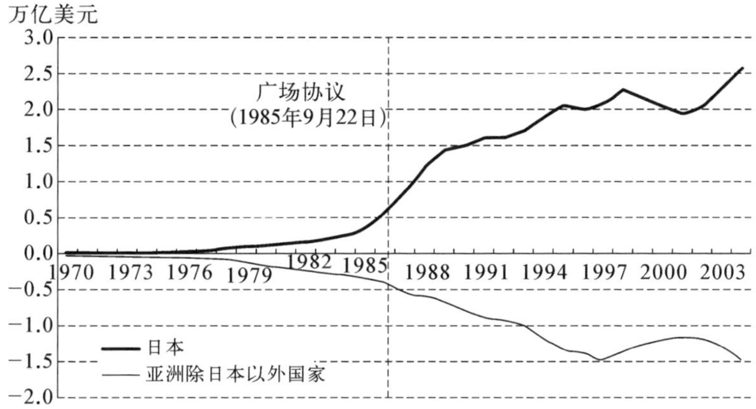

图 2.6 日本债权资产与亚洲其他国家的债务负担

注：债务以负值标示
资料来源：Lane & Milesi-Ferretti (2006)

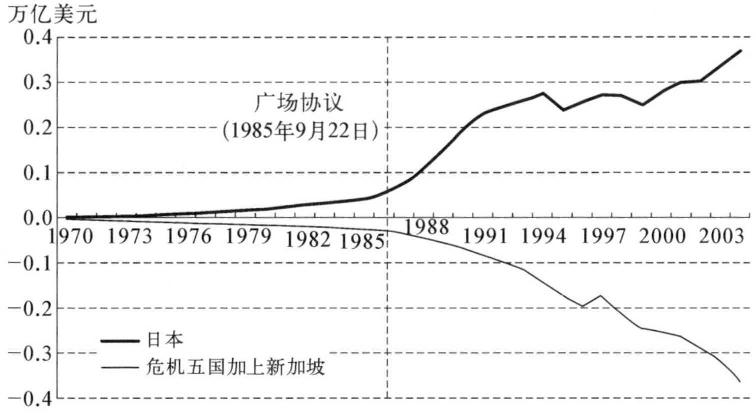

图 2.7 日本对外直接投资资产与危机五国加上新加坡的外国直接投资债务

注：债务以负值标示
资料来源：同图 2.6

总而言之，要研究亚洲危机，就必须研究日本问题。日本银行出于自身的问题从该地区撤资，使得亚洲危机雪上加霜。虽然这次危机不是蓄意造成的，但是其后果确实是灾难性的。接下来，我们研究一下如何看待在危机面前把软肋暴露无遗的世界。

第三章

仁者见仁　智者见智

人的思想像一把伞——打开时最能出真知灼见。

——德国建筑师瓦尔特·格罗皮乌斯(Walter Gropius)

马来人有句老话:“大象打架时,马来鼷鹿遭到踩踏。”这话类似于非洲的一个谚语:“大象争斗,小草遭殃。”但是爱挑剔挖苦的人还会说,大象做爱时,小草同样挨踩遭压。

常驻香港的著名市场分析家马克·费伯(Marc Faber)非常形象地解释过宏观经济状况、货币和金融市场①,他认为不妨把世界货币看作盛在一只半球形大缸(如同一个没有底座的饭碗)里的水,这只缸放在代表世界市场的场地上。世界储蓄就在这只缸里,中央银行控制着让流动性(货币储蓄)流出的阀门。世界投资者像大象一样推动着水缸的不同侧面。如果水缸倾斜了,水流了出来;在水流到的地方,市场行情看涨,而在水流不到的地方,地面是干的,市场行情看跌。如果许多水溅落到一个地方,这个地方就可能产生泡沫。如果有一天,投资者跑到其他地方去挣钱,那么其他地方市场行情看涨,旧的泡沫将因缺乏流动性而破灭。

庞大的政府机构、跨国企业、银行和基金经理像大象推缸一样,始终从各个方向推动市场,小市场和小投资者像小草或马来鼷鹿受大象影响一样,随全球流动性流入或流出而繁荣或衰退。全球市场也是食物链。当最大的象掉进或踩进水塘时,对大象来说不过激起小小的波浪,可是对于在水塘附近

① Faber (2002)。

觅食的小动物来说，这波浪就成为海啸了。

讲究实际的人……

在我深入研究亚洲金融危机的内容和原因之前，也许花点时间来研究经济思想对实干家的影响是有益的。为什么对全球金融稳定承担责任的亚洲人以及在国际货币基金组织、世界银行和其他国际金融机构里的出类拔萃者，对迎面而来的金融海啸或者对疾驰过来的火车耀眼头灯会像动物一样吓得束手无策？这场危机原本是可以避免的吗？

在20世纪30年代改变了经济理论和政策全貌的名著《就业、利息和货币通论》中，英国经济学家凯恩斯勋爵说："经济学家和政治学家的思想，不管是对是错，其影响力之大总是超过常人的理解。事实上，统治世界的就是这些思想。讲求实际的人自以为不受任何思想理论的影响，实际上往往都是某个已故经济学家的奴隶。"①

亚洲金融危机和当前的危机终于证明了，现在大部分经济学理论因为有各种局限性而帮不上我们什么忙。我接受过的就是那种传统的教育，所以我承认在分析和判断上犯了同样的错误。下面我要阐述在危机出现后，我们对危机的解读出了什么差错。

……与新古典经济学的缺陷

所谓主流经济理论是指"人们在大学教科书里找得到，在新闻传媒中常常讨论，在企业和政府会议室里耳熟能详的经济学"。② 主流经济理论宣扬，为让市场蓬勃发展，政府不应插手企业。企业越自由，市场就越能进入稳定平衡状态。这种理论天真地说，造成危机和动荡的正是由于信息不充分所致的市场不完善、道德风险或政府干预。让市场自由化，繁荣就会随同稳定一起出现。

瑞典经济学家、诺贝尔经济学奖得主冈纳·缪尔达尔(Gunnar Myrdal)③在他论述20世纪60年代南亚经济发展的力作《亚洲纪实》(又译《亚洲的戏

① Keynes (1942) [1936年初版]第383页。

② Beinhocker (2006)。

③ 冈纳·缪尔达尔(1898～1987)，瑞典经济学家，瑞典学派(又称北欧学派或斯德哥尔摩学派)的领军人物，新制度经济学代表，发展经济学主要先驱。1974年因在货币理论和经济波动理论上的贡献以及对经济、社会、制度之间相互联系的深入研究而获得诺贝尔经济学奖。——译注

剧——南亚国家贫困问题研究》)中说了一段关于经济学家的话:“与其他社会科学家相比,经济学家长期以来一直更倾向于得出一般性的命题,然后假定这些命题对任何时间、任何地方和任何文明都有效。”①换句话说,经济学说的结论几乎是与其假设一样的。如果假设谬误,结论也谬误。缪尔达尔指出,我们每个人都是仁者见仁,智者见智,通过有色眼镜来看世界。我们只看自己乐于看的或者先哲教导我们去看的东西,却对最重要的具体事件视而不见。

已经发生的情况是,计量经济学的兴起使得经济学这门学科沿着忽视经济生活基本制度的路线发展。到了 20 世纪 70 年代中期,诸如米尔顿·弗里德曼(Milton Friedman)这样的自由市场货币经济学家的观点逐渐排斥掉凯恩斯关于政府能够解决经济问题的见解。哈耶克(Hayek)的自由市场思想更具影响力,英国首相玛格丽特·撒切尔和美国总统罗纳德·里根的政策就贯彻了他的思想。哈耶克反对政府干预,替市场歌功颂德。

当然关于自由市场的理想最早可追溯到 18 世纪苏格兰哲学家和经济学家亚当·斯密,他曾阐述说,企业家“总想使自己的产品具有最大的价值,他只考虑自己的利益,而他会被一只无形的手牵引(在许多其他情况下,也是如此),最终的结果根本不是他最初所想的”②。换句话说,资本主义深信,全部市场参与者的个人贪婪行为最终为所有人创造最大的利益。

在柏林墙拆除后,前苏联各经济体接受了这种有关资本主义和自由市场的天真说法。正如诺贝尔经济学奖得主米尔顿·弗里德曼承认这是一种灾难时所说的:“为了成为市场经济体,这些前共产党国家应该做什么呢? 我过去常说,‘你可用三个词来描述: 私有化、私有化,私有化’。但是我错了。这么说还不够。俄罗斯的例子说明了……法治也许比私有化更重要。”③苏联的崩溃和恶性通货膨胀证明了自由市场教条在缺乏经验的决策者及其顾问那里是不负责任和危险的,因为他们忘记了仅仅在体制有效的情况下,政策才能奏效。政府起着核心作用,如果市场要运作好,政府必须运作得好,政府和市场确实应当声应气求,相得益彰。

具有讽刺意味的是,亚洲奇迹的产生恰恰是因为政府大量介入到经济中来,并且帮助还没有市场的地方建立市场。

很奇怪,擅长于发展的东亚国家却不擅长于解释他们成功的原因。到

---

① Myrdal (1968)第 17 页。

② Smith (1976) [1776 年初版]第 454 页。

③ Friedman (1998)。

目前为止，得到过诺贝尔经济学奖的亚洲人只有印度的阿马蒂亚·森(Amartya Sen)[①]。因此，虽然所谓经济出现奇迹的国家大多数在东亚这个地区，可是还没有一个东亚人能够获得诺贝尔经济学奖，尽管东亚的经济学家已经成功地使本国摆脱了贫困。

这并不意味着亚洲人特别是东亚人不善思考[②]，或者不会开展有效的理论研究，东亚许多经济学家都在西方最好的大学受过教育。马克思主义学说主导着中国、越南和朝鲜，费边社[③]社会主义在英国前殖民地国家有很大影响。这个事实证明了西方思想的威力。事实上，美国培养出来的学者后来当上了官员，是促使韩国、中国台湾和印度尼西亚经济成功的主要力量。

然而，东方和西方的世界观天悬地殊。西方经济学家基本上采用推理演绎法，通过基本原则的推理和提出基本的假设，努力构建一种关于现实世界的理论。

另一方面，东亚人在处理现实世界问题时，往往更多地采用归纳法。也许他们经历了具有漫长历史记载的文明，因此不相信拙劣的意识形态和拙劣的治理。东亚人通常只相信已被证明有效的事情。的确，东亚人推行的工业政策往往很大胆，但财政金融政策出奇保守。总的来说，他们愿仿效确能奏效的做法，往往拒绝未经检验的好主意或大胆的见解，他们宁可让别人先尝试。

我在经济发展中的个人历程

把我个人对经济发展的观点的变化过程拿出来与大家分享，也许有点意义。我出生于一个中国移民家庭，在当时英属北婆罗洲长大，这个地方是马来西亚最美丽的一个州，紧挨着东南亚最高的基纳巴卢山，现在的州名叫沙巴，拥有一些世界上最茂密的热带森林和最好的珊瑚礁。沙巴现在的首府哥打基纳巴卢(Kota Kinabalu)当时称为亚比(Jesselton)，我们移民到那里时只有一万居民，是一座宁静的城市，每周只有一班船从新加坡运送冰淇淋过来。我在第一批可与教会学校媲美的一所公办中学读书，这个学校率先开设自然

---

① 阿马蒂亚·森，1933年出生于印度孟加拉邦桑蒂尼克坦。1998年因对福利经济学的几个重大问题作出了贡献而获得诺贝尔经济学奖。——译注

② Mahbubani (1998)。

③ 费边社是1884年英国一批知识分子组成的社会主义团体，以古罗马统帅费边·马克西姆的名字来命名，主要领导人是韦伯和萧伯纳，他们反对无产阶级革命，广泛散布改良主义思想。——译注

科学课程和化学实验室。一位英国人当校长，几位印度人教化学，还有在美国受过教育的中国人老师，中国人到婆罗洲来教书，仅仅因为他们想在世界上安静的一隅寻求庇护。我的父母亲这一代有一种失落感，因为他们不仅遭遇了第二次世界大战，而且又碰上了中国革命。由于受教育是东亚人摆脱贫困的传统道路，所以他们尽力要让年轻人学到大量知识。

我班级里 24 个同学中有 19 个是到国外去深造的，其中许多人获得英联邦科伦坡计划①奖学金的资助，进了吉隆坡、新加坡、澳大利亚、新西兰、加拿大和英国的一些大学。少数人自费到美国去求学。后来，他们成了当地举足轻重的政治家、官员或在海外成为一流专家。

1965 年我去英国，第一次经历了思想界的混乱不安局势。那时候英国丢掉了作为主要殖民国的地位，拼命想挽回自己工业强国的影响，但是无奈总不如冉冉上升的日本和德国。我们属于婴儿潮时候出生、1968 年正在上大学的这一代，也是喜欢披头士②流行歌曲的嬉皮士③这一代和动辄抗议核军备及越南战争的“权力归花儿”④这一代。虽然我对赫伯特·马尔库塞(Herbert Marcuse)⑤和诺姆·乔姆斯基(Noam Chomsky)⑥的思想很好奇，他们的思想在我获得第一个学位的布里斯托大学十分流行，但我还是像来自亚洲的 90%的同辈一样，情愿去学习当律师、会计、工程师或医生，到伦敦经济学院进一步深造。1969 年我依靠从布里斯托大学得到的一笔小额奖学金，欣然赴伦敦安达信会计师事务所(Arthur Andersen & Co.)接受注册会计师培训。这家公司在当时是最声名显赫的会计师公司，它非同凡响地为初学者在巴黎提供六周培训。这个诱惑是难以抵挡的。实用主义战胜了理想主义。

---

① 全称《南亚和东南亚合作经济发展科伦坡计划》，是澳大利亚外长斯宾德在 1950 年 1 月于锡兰(今斯里兰卡)首都科伦坡举行的英联邦外长会议上提出的。该计划实际上是双边援助和多边机构的混合体，从 1951 年实施到 1981 年。除英联邦国家外，美国、日本等也相继加入，成员国最多时达 27 个。——译注

② 披头士(又译甲壳虫)指约翰·列侬等四人组成的摇滚乐队，成员都来自英国利物浦。乐队于 1970 年解散，但创造了流行音乐和摇滚音乐演出的票房纪录。——译注

③ 嬉皮士指 20 世纪 60 年代美国青年颓废派，长发异服，吃迷幻药，信奉非暴力或神秘主义，反对越南战争，不满社会现实。——译注

④ “权力归花儿”是 20 世纪 60 年代美国嬉皮士的口号，主张通过爱情和非暴力实现社会改革。——译注

⑤ 赫伯特·马尔库塞(1889～1979)，德裔美籍哲学家，社会理论家，法兰克福学派左翼的主要代表，在西方以“新左派哲学家”著称。——译注

⑥ 诺姆·乔姆斯基(1928～　)是美国语言学家、哲学家和政论家。曾任美国麻省理工学院语言学教授。他创立的“转换生成语法”是 20 世纪理论语言学研究上最重要的贡献，而且在心理学、哲学、逻辑学等领域受到普遍重视。政论犀利，有美国的“牛虻”之称。——译注

但是要为祖国建设效劳的想法没有从我心头消失。在取得注册会计师资格证书，并于1972年回到马来西亚以后，我选择离开报酬丰厚但枯燥乏味的审计工作，转而去马来西亚中央银行——马来西亚国家银行担任高级经济学家。该银行杰出非凡的行长敦依斯迈莫阿里鼓励我参加公共服务。他是在剑桥大学接受过教育的律师和经济学家，在凯恩斯手下从事过研究，由于正直和敬业精神而受到普遍的尊重。他单枪匹马地建立起一个强大的金融机构，在自己身边集结了一批当年这一代人中最优秀的专业人员。他派遣一位最能干的经济学家旦斯里·林思源到哈佛大学攻读博士学位，以便将来充实制定经济政策和货币政策的力量。在马来西亚国家银行中，我的这位前领导一直在马来西亚充当主要机构的缔造者，除了担任银行家和其他职务外，他先后当过全国石油公司(Petronas)及全国抵押公司卡格麦斯(Cagamas)第一任总裁，退休之后又当过国民投资公司(Permodalan Nasional Berhad)的第一任董事长。这家国家投资公司今天仍管理着新兴市场上一个最大的互助基金。

已故的敦依斯迈不仅热心于祖国建设，而且致力于地区合作。通过他与东盟各中央银行行长的友谊，促成签订了第一个东盟货币互换协议，并在吉隆坡建立起东南亚中央银行(SEACEN)培训中心。

经过该培训中心的指导，我获得了在新兴市场制定政策的第一手经验。在战后独立的马来西亚杰出的第一代文官领导下工作，他们不仅具备全国性的眼光，而且能很好理解工业国家对于像马来西亚这样出口导向型小国的影响。这些文官拥有集体荣誉感，因为他们不仅致力于国家建设，而且要向前殖民国证明他们也能把本国管理好，虽然还比不上前殖民国管理得那么好，现在他们毕竟当家作主了。

人们几乎可以说，20世纪70年代和80年代是亚洲发展中国家的黄金时代，不仅因为快速增长和经济成就，而且因为当时是发展中国家同国际货币基金组织、世界银行和其他第一世界的机构(例如国际清算银行)进行对话的良机。每年敦依斯迈到华盛顿参加国际货币基金组织和世界银行的联合年会、英国英格兰银行主办的英联邦中央银行行长会议，以及在巴塞尔举行的国际清算银行年会，以便保证他能了解全球正在发生的变化。在地区事务方面，通过东南亚中央银行培训中心的活动，我与东南亚各中央银行的同行们有了极好的默契。1981年，在担任马来西亚国家银行首席经济学家时，因为与东南亚各中央银行的研究部主任经常会面，我对货币政策和金融机构的知识不断长进。他们当中许多人升任为行长，成为杰出的银行家，甚至财政部长，有的在亚洲危机时期发挥了举足轻重的作用。

踏着敦依斯迈的足印，在他的后任——两位优秀的注册会计师——旦斯里·阿兹斯·德哈和旦斯里·贾法·侯赛因（Tan Sri Jaffar Hussein）的领导下工作，我也成了银行的监管者，全力投入处理马来西亚第一次严重的金融危机——1986 年 24 家储蓄合作社倒闭，导致客户向某些金融公司和银行挤兑。正是贤明的旦斯里·阿兹斯·德哈告诉我，既然由我负责设计银根紧缩政策，使经济从 1981～1982 年繁荣过热中放慢速度，我的工作就是在银行系统受到宏观经济调整的影响之前处理该系统的一些问题。他的远见使银行系统免遭很大的不幸，因为我们及时地修订了银行法，出现金融恐慌时让中央银行出来干预，防止银行倒闭。

在处置倒闭的储蓄合作社时，我有幸与马来西亚国家银行中富有奉献精神的同事和专家、与会计专业部门、警察局和检察院人员一起工作。我们主动建立了一个“作战室”，迅速果断地处理挤兑银行和拥有 50 万储户的那些合作社的倒闭等等问题。那些合作社的破产基本上是管理不善所致，因为有些贪婪的企业家控制了合作社的活动，利用合作社资源谋私利。这次事件中让人印象深刻的事在今天被称作糟糕的公司治理，“永远别让猴子看管香蕉”。合作社破产后，针对损失分摊进行的政治谈判，让我至今记忆犹新。

接着命运对我作出新安排，世界银行的米勒德·朗邀请我于 1989 年到世界银行去度学术假，对发展中国家银行破产问题进行研究。米勒德由典型学者转为负责发展业务的银行家。他对开发性金融很有兴趣。他惊讶地发现“为发展而融资”的正统观念在发展中国家都失灵了。他在世界银行的金融政策与制度部中，把一批以后很有影响的学者、银行家、银行监管者、资本市场与养老基金专家聚集在他的身边，研究银行倒闭的教训。这个团队在“为发展而融资”的领域造就了一批权威人物，例如艾伦·盖尔布、杰里·卡普里奥（Jerry Caprio）、罗斯·莱文（Ross Levine）、帕特里克·霍诺安（Patrick Honohan）、尤吉乔（Yoon Je Cho）、迪米特里·维塔斯（Dimitri Vittas）、阿里斯托比洛·德·胡安（Aristobulo de Juan）和阿斯里·德米古克-肯特（Asli Demirgüç-Kunt）。

我对这项研究作出的贡献，就是写了一本名叫《20 世纪 80 年代银行重组》（*Bank Restructuring in the 1980s*）的书，这是我在从阿根廷到匈牙利走了逾 24 个国家，调查他们应对金融危机和执行调整计划之后的最终研究成果。在米勒德出任世界银行金融政策与制度部主任之后，我参加了由约翰·佩奇（John Page）领导的关于著名的亚洲奇迹问题的研讨，也参加了关于从匈牙利到俄罗斯这些经济转型国家的金融改革的辩论。能与发展经济学和金融学中的高手共事，使我思想上获益匪浅，因为当时斯坦利·费希尔、拉里·萨默斯和乔·斯蒂格利茨都在世界银行担任首席经济学家。斯坦后来调到国际货币基金组织当副总裁，现在是以色列银行行长，而拉里先后担任美国财政部部长、哈佛大学校长、现任奥巴马总统经济顾问。乔·斯蒂格利茨继续在世界银行工作，后来获得了诺贝尔经济学奖。

1993年，命运又把我安排到香港，当时那里刚成立香港金管局，创建该局的局长任志刚聘我当他的副手。金管局在香港相当于中央银行，负责1997年香港主权回归中国时，监管香港金融市场棘手但重要的过渡。这是一个十分有效的班子——任志刚当总裁，来自英格兰银行的简达恒①负责银行监管，而且该班子得到担任财政司长的第一位港人曾荫权的充分支持，后者于2005年成为香港特别行政区第二任特首。

在华盛顿度过四年半之后，我很高兴能重返亚洲，又可积极地参与亚洲各中央银行的事务，在东亚太平洋地区中央银行主管会议论坛上与日本银行的同事密切合作，而且还能与东盟各中央银行、澳大利亚和新西兰储备银行的朋友们重续旧情。

在香港金管局，我奉命负责管理香港的外部储备。于是我对中央银行经营管理的知识更加完整，而且通过这个经历，认识了很多基金经理，明白了利用金融衍生产品去对冲风险的必要，尤其是我体会到了市场力量有多么强大。在担任香港市场实践委员会主席后，我经常与银行专家和外汇专家一起研究外汇市场的风云变幻，探讨从外汇交易、汇划结算到市场规则和行为的重要性等等很多错综复杂的问题。从任志刚和其他在香港的朋友那里，我领教到了自由市场的优点和威力，也了解了自由市场的残酷无情和不可预测。

在1997年以前的这段时期里，日本积极敦促亚洲各中央银行使本国(地区)货币对美元的汇率更有弹性。这是一个不易读懂的信息。第一，日本是亚洲最大的经济体，从地缘政治的角度来看，第二次世界大战期间备受战乱之苦的人们十分警惕日本通过日元区建立自己的霸权。第二，亚洲人懂得，他们最大的贸易伙伴归根到底还是美国，不管用什么方法计算一篮子货币，美元仍然是贸易和投资的最重要国际货币。第三，人们不大愿意改变过去已

---

① 简达恒在1991～1993年任香港银行业专员，负责银行监管。1993～2003年9月任香港金管局副总裁，也负责银行监管事务。现任英国泽西岛金融服务委员会总裁，中国银监会国际咨询委员会委员。——译注

经运作得很好的体制。

从需要承担风险这个角度来看，也很难说出外汇市场可能会有怎样的波动，尽管1994年墨西哥金融危机已经警示资本流动性的危险。我忙于研究香港市场问题，准备应付香港回归中国这个冲击可能引起的市场动荡。关于金融衍生产品交易策略的出现及其对外汇市场的影响举行过大量研讨会。鉴于香港有扎实的经济基础，我满怀信心地认为，香港经得住将来的任何金融风暴。

通过东亚太平洋地区中央银行主管会议网络，我与各中央银行里的老朋友切磋交谈，感到某些国家比较脆弱，但我相信这些20多年来与我一样为中央银行工作的朋友们的判断和处理问题的能力。然而我没有看透1993年后经济泡沫背后隐藏的弱点，也没有清醒地理解日本和亚洲之间的相互关联。

当1998年10月我被委任为香港证监会主席后，我进入了一个以前我完全不熟悉的新天地。尽管我直接参与了银行和保险的监管工作，而且也与储蓄合作社经理——其中有一些已涉嫌犯罪——打过交道，可是我没有认识到应付世界上最活跃的金融市场有多么复杂。

香港的证券交易是由600多家券商经营和控制的，其中有仍旧积极从事小额股票交易的小家族企业，也有世界上最大的几家投资银行。这些金融中介的后盾是上市公司，他们由受人尊敬的蓝筹股经理、白手起家的金融巨头或者不大正派但显赫一时的人物所经营着。一小撮人肆无忌惮地操纵他们所控制的公司的股票。正如我的澳大利亚同事生动地描述的那样，他们当中有一些是资本市场的卑鄙小人。我要走进公司治理的现实世界。我觉得很幸运被命运安排生活在这有趣的时代。

这个时期特别吸引人，因为我们目睹了中国和印度的崛起，这两个国家约占世界人口40%，他们竭尽全力使自己摆脱了贫困①。在1979年中国开始走向市场经济之前，发展中世界被冷战和铁幕一分为二：一个是中央计划经济、比较封闭的世界，另一个世界则受美国主宰，贸易、投资和传媒使美国价值观迅速全球化。

当中国和前中央计划经济国家决定参与全球贸易后，整个局面才有了改观。与此同时，技术、金融活动的设计和管理、信息科学和人口统计学的结合应用，改变了金融市场的形势和地缘政治的经济秩序。在香港这个有着自由市场和自由传媒的重要国际金融中心，我有幸亲眼目睹地缘政治的变化。难的是首先要承认这种变化，然后只有改变个人的思维定势，才能适应这种变化。

---

① Prestowitz (2005)，他作出了精彩的概括。

理论和实践

也许天生的保守，加上对市场的不信任，使得大多数亚洲人不承认局面已经改观。这倒不是唯独亚洲人如此。甚至在像世界银行——我于 1989 年正好在柏林墙拆除时进入该行工作——这样一个全球性机构里，谁想挑战它的正统观念也是非常困难的事。

世界银行由一万多名专业人员组成(包括专职顾问在内)，既有经济学家、工程师和社会学家，也有项目策划师、前政治家和资深官员。他们是世界上最杰出的才俊，拥有在国家级层面工作过的丰富经验。在世界银行里，我总是能找到在某个领域——从十分冷僻的领域到非常深奥的领域——具有专长的人，所以我学到了很多东西。世界银行基本上是一个民主的组织，一个具有学术倾向的经济发展机构，因为行长总是美国人担任，所以该行鼓励思想自由辩论。辩论能活跃思路，碰撞火花，但是在起草关于会员国报告时，想通过温文儒雅的辩论，把极不相同的观点统一起来，就搞得草稿要反复修改。妥协和建议涉及世界上大量的问题，许多具体的建议在理想的条件下有可能做到，但在多数情况下，即使不是不可能实现，在官僚和政治层面上执行起来也往往很难。思想中的完美主义变成做好事的障碍。还有很多方案只是如意算盘而已，对于各个阶段实际可以执行的事情很少按轻重缓急作出安排。大部分宏观经济的建议通常没有把实际情况考虑进去，其部分原因是，几乎不可能把基本经济现实与官僚政治协调一致。最后的方案不一定切合实际，而经过各种不同观点妥协起草出来的会员国报告，到头来对许多发展中国家来说过于复杂，难以完全执行。

作为一个经济发展机构，世界银行的怪现象之一是它反常地宣扬自由市场，但是在前沿阵地上几乎看不到具有金融市场丰富经验的专家。这不是说该行缺乏实力雄厚的市场专家，来管理世界银行自己的流动性和投资，而是说这些专家并不处于主导世界银行制定政策的理论家核心圈内。他们向会员国中央银行提供关于外汇储备和债务管理方面很好的技术支持，但这已是他们政策建议的极限。在金融领域，当时的国际货币基金组织受到宏观经济学家的左右，他们甚至更加缺乏金融市场经验，这个问题直到亚洲危机后该组织建立了资本市场研究小组才得到解决。

对我来说，令人气馁的事情是，在这些组织机构工作的大多数人都是很有奉献精神的专家，他们十分关心发展问题，并一生致力于同不平等和贫困作斗争。许多人乐于在自己的专业领域埋头工作，而不愿在华盛顿同官僚政治去较劲。但我总是惊讶他们这样或那样的努力似乎常常会相互抵消，结果美好的理想实施起来软弱无力，甚至惰性很大。

世界银行整体力量不够强的简单原因在于，大批官员带着一种总是很难改变的正统观念去工作。由于世界银行包含150多个会员国，所以几乎不可能制定出一种大家都适用的解决方案，但是在金融动荡时期，官员们所依靠的新古典经济学理论成为广泛流行的正统观念。自由市场、小政府和健全的宏观政策就像“母亲亲手做的馅饼总归好”一样是不言自明的真理，成为别人很难按逻辑来反驳他们的法宝。

遗憾的是，世界银行在其历史上的某个时候已经决定，由于政治太敏感，不好对付，所以它的工作就是为发展提供贷款，私营部门和国营部门实际的治理问题往往被忽视或被认为应由联合国和别的组织去关注，世界银行的工作重点是贷款。最初世界银行通过它在世界各地的办事机构贷款，世界各地的开发银行按照与它相同的方式建立起来，如果发展中国家要建设新机场，必须求助于它们。这种情况持续了近30年，直到20世纪80年代末米勒德·朗实地进行调查，发现不仅发展中国家大多数开发银行因为不良贷款而破产了，而且许多国家商业银行系统也四面楚歌。

1989年，当我抵达布宜诺斯艾利斯，作为世界银行团队的一员考察阿根廷危机时，即使我不会说西班牙语，不久我也弄明白那里的银行系统处于水深火热之中。基本的原因是通货膨胀已经成为公认的减少人们实际债务的生活方式。如果关于通货膨胀的想法不从人们的心里抹除，建立健全的银行就很难。同样，1990年我在肯尼亚银行系统工作时，很快得出一个结论：我们实际上不仅是在对付一场金融危机，而且是在对付一场政治危机。由于以前的肯雅塔(Kenyatta)①政权向它的支持者大量发放银行营业执照，后者把银行当作自己的自动取款机，为他们的政治活动筹资，随着时间的推移，这些银行一一垮台，谁都不会为此而感到吃惊。有趣的是，我在内罗毕工作时得便见到了当时世界银行在内罗毕办事处的常驻主任彼得·艾根(Peter Eigen)，他后来离开世界银行，创建了“透明国际”(Transparency International)②。他成功地建

① 约莫·肯雅塔(Jomo Kenyatta，1891～1978)，肯尼亚共和国总统(1964～1978)，民族主义运动领袖。1974年当选肯尼亚非洲联盟终身主席，享有肯尼亚“国父”称号。任内强调扶植非洲私人资本，鼓励非洲人经办实业和农场，促进经济增长。——译注

② “透明国际”1993年由彼得·艾根创立，是唯一专门致力于打击贪污腐败的国际性非政府组织，在世界上100多个国家设立了办事处，在全球反贪腐运动中发挥了重要作用。2002年该组织荣获“卡尔·贝塔斯曼奖”。——译注

立了一个非政府组织来处理发展中国家的治理和腐败问题，而这些问题正是世界银行无法公开应对的。

我不久就意识到，在华盛顿的世界银行或国际货币基金组织中，大多数专家也有“寻找捷径”的思维定势，就是说，他们会无意识地积极寻找简练的方案，以解决现实世界复杂又纷乱的问题。国际货币基金组织的技术专家虽然都是极其了不起的技术人才，可是他们的世界观是狭隘的，总以“双缺口”模型（“two-gap”model）看问题，要么在财政缺口（政府开支过多），要么在收支余额缺口（经常账户赤字）上找毛病。矫正方案很简单：削减政府开支，增加税收，贬值，提高利率或提供短期借贷。世界银行不能在国际货币基金组织的业务范围内与他们争辩什么，只能把精力放在基础设施项目或能使世界银行完成贷款指标的项目上。然而，这未能有效避免这些机构在许多国别计划上的内讧。

布雷顿森林组织（国际货币基金组织和世界银行）在本质上都是贷款机构。1946 年它们的成立是出于直觉认为正确但又极为简单的想法：发展中国家缺少资金，因此它们的基本手段是运用贷款或撤资的权力。第二次世界大战刚结束时，许多国家备受外汇短缺的煎熬，当时资金差距肯定是存在的。但是经济发展理论不能无视这样的事实：世界上许多发展中国家确实自然资源丰富，人才济济，机会多多。它们也从不缺乏金钱或储蓄，而是治理无方，这一点正是穷国有别于富国之处。韩国也许是治国有效，使该国由穷变富的范例，而缅甸却从 20 世纪 50 年代亚洲最富裕、教育水平也很高的国家落魄为该地区最穷国之一。

坦率地说，我终于认识到，新古典经济学理论框架是布雷顿森林组织官员把精力集中到设计国家战略和宏观经济政策上去的极好借口，因为在舒舒服服的空调环境中议论政策当然轻松得多。但外面的现实世界却千头万绪，错综复杂。当发展中国家的技术官员仍然在尽力应对经济发展所带来的挑战，解决工资低下、财力不足等日常琐事，并且一直在同既得利益集团作斗争的时候，布雷顿森林组织给予他们的只是知识上的安慰和常理。事实上，经济发展的体制环境是令人为难和不能满意的，即使不说在这种环境下事情很难办。如此评论并非要否认布雷顿森林组织的许多官员是具有奉献精神的理想主义者，他们对发展的关注是事必躬亲和充满热情的。

因此，布雷顿森林组织的激励机制使许多经济学家把政策看作为目的本身，他们花费大量时间琢磨制定正确的政策，忘记了实际上行得通的政策才是最好的政策。而且，由于没有正确的体制框架，许多理想的政策根本是一纸空文，或者至少执行的结果是可悲的。

体制结构的改革不容易，因为谁都不喜欢裁员，更遑论官员间的内部争斗、腐败的消除以及同强大的既得利益集团对抗。不愿处置治理和政治这种棘手的问题，就像精神分析医生喜欢"避而不谈某些话题"一样。我们总是喜欢先解决容易的事，而不愿迎难而上，去啃硬骨头。值得赞扬的是，前世界银行行长沃尔芬森(Jim Wolfensohn)[①]高明地指出了腐败是世界银行和发展所面临的真正问题，但是他未能说服手下官员，如何从体制上解决治理糟糕的问题。

幸而，最近行为经济学和制度研究正在进行大量切合实际得多的探讨。由于诺贝尔经济学奖得主道格拉斯·诺思和其他学者的开拓性研究，现在新的制度经济学开始把物理学和社会科学等各种学科整合起来，努力解释复杂的系统及其行为问题。

诺贝尔经济学奖得主肯尼思·阿罗(Kenneth Arrow)[②]曾为新古典经济学理论提供了大量理论基础，但他开始转向对组织的逻辑和议程展开研究，这一课题到最近才受到重视[③]。阿罗还认识到，信息或知识好像固定资本投资，是会贬值的。一旦人们接受了准则或知识，要他们转变、接受另一种准则或制度程序(或系统)时，得付出很大的代价。这就是制度结构内在保守性的原因。

正如诺思在他的著作《理解经济变革的过程》(*Understanding the Process of Economic Change*)中所阐述的："正是大量的知识、制度和人口结构变化因素的相互影响决定了经济变革的过程"[④]，"而了解经济变革过程的关键取决于参与者实施制度变革的意向和他们对问题的理解。"[⑤]

仁者见仁，智者见智

概括地说，亚洲危机是一场也许不可避免的悲剧。不仅发生危机的具体条件已经成熟，而且亚洲人、他们在华盛顿的顾问以及市场参与者对危机作

---

① 吉姆·沃尔芬森，1933年生于澳大利亚，获悉尼大学学士学位和法学士学位。后移居美国，获哈佛大学商学院工商管理硕士学位。1995年6月至2005年5月，连续两届任世界银行行长。——译注

② 肯尼思·阿罗(1921～　)，1951年获哥伦比亚大学哲学博士学位。此后曾在芝加哥大学、斯坦福大学和哈佛大学任经济学教授，因对福利经济学和一般经济均衡理论的贡献而闻名。1972年和J·R·希克斯共同获得诺贝尔经济学奖金。主要著作有《社会选择和个人价值》等。——译注

③ Arrow (1974)。

④ North (2005b)，第78页。

⑤ 同上，第3页。

出的反应主要取决于他们的观念和对策，以及相互之间作用与反作用的"本能"。人们的观念，即人们的见解，受到个人和集体所受的教育和经历的影响。如果我们错误地理解了形势，我们既不能防止危机的发生，也不能减轻危机的程度。事实上，我们的错误见解只会加重危机。

必须处理日常问题的政府官员由于相信市场这只无形之手的作用，往往制定出内在消极的战略。如果市场真能自动调节，达到某种稳定的均衡，那我们就不需要采取行动(此处应读作"干预")了。新古典经济学理论的最大风险在于相信市场从长期来看始终是正确的。凯恩斯勋爵嘲弄得好，他调侃地说："长期而言，我们都将一命呜呼(In the long run, we are all dead.)。"

现代教育和技术培训存在另一个问题，那就是我们造就出一大批专家，但他们都囿于各自的专业和狭隘的观点相互辩论。也许我们还应追溯历史和亚里士多德与孔子时代传授的哲学，对全球和本地发生的事件和出现的趋势，对人类及其制度的过失有更加全面的看法。

亚洲人取得了成就后，对发展形成了自己的一套见解，妨碍了他们看清自己在通往全球化道路上存在的隐患。他们坚持采用经过考验的方法，对从前奏效的政府干预和不平衡增长模式仍抱着还可能起作用的希望。

在这方面，没有哪个国家比日本表现得更突出。即使像"日元先生"神原英姿那样坚定支持新古典经济学的人也已对亚洲人的惰性不免气馁，他说亚洲"不仅宏观政策和金融监管无助于经济的运行，而且整个结构或制度也运行不正常了"①。

东亚的历史一直是兴衰交替地循环的。中国历史学家仍记忆犹新：庞大的中央王国的困境不是内部腐败导致，就是外部侵略造成的。对制度弊端深有感触的官员明白，内部意见分歧形成的僵局只有在面临外部威胁时才能解决。但是当亚洲人日益富裕起来时，既得利益者越来越要求维持现状。遗憾的是，技术的进展和全球性竞争的展开意味着现状不再能继续维持下去。和往常一样，思想的封闭成为对改革的最大威胁。

如果不明白这一点，到头来将付出高昂的代价，特别是在金融系统，下一章我们接着进行讨论。

---

① Sakakibara (2003)。

第四章

银行业：最薄弱的环节

有一件事情是确定无疑的，那就是在特定的时期，大量的傻瓜拥有大量的傻钱……有时，出于同现时目的无关的原因，这些人的钱——我们称作某国的盲目资本——特别多，特别贪婪；这些钱在寻求能够吞掉它们的人，于是出现了“过剩”；接着，这个人找到了，于是出现了“投机”；然后，钱被吞掉了，于是出现了“恐慌”。

——沃尔特·白芝浩(Walter Bagehot)，
“论爱德华·吉本”

亚洲危机是经典的货币危机还是银行危机？货币危机是指国内和国外资本的出逃，其原因是中央银行没有足够的外汇来维护本币的汇率。麻省理工学院的保罗·克鲁格曼(Paul Krugman)教授是最早对亚洲奇迹提出质疑的学者之一，他认为亚洲的增长依托的不是智慧，而是血汗。早在1998年1月①，他就指出，任何关于亚洲危机的分析“都必须关注两个通常在货币危机分析中被忽略的问题：金融中介的角色(及其糟糕的管理可能引发的道德风险)，以及诸如资本和土地等资产的价格”。换句话说，亚洲危机不止是货币危机，更是银行危机；在这场危机中，资产泡沫和道德风险扮演了重要角色。当前的危机也是如此。

---

① Krugman (1998a)。

狂热、恐慌和崩溃

亚洲危机印证了查尔斯·金德尔伯格(Charles Kindleberger)的名言①:金融危机是反复出现、永不消亡的东西。金德尔伯格关于狂热、恐慌和崩溃的经典著作,是全部金融学101门课程的推荐读物;这本书在19世纪上半叶就注意到了危机爆发的10年间隔期(1816,1826,1837,1847,1857,1866)。20世纪末到21世纪初,我们亲眼目睹了10年一次的三场危机——1987年的股市崩盘,1997年的亚洲危机,以及迄今仍未结束的2007～2008年的次贷危机。

历史经常上演相同的一幕,尽管形式会有不同。20世纪上半叶的金融危机不仅源于大西洋两岸的银行问题,也源于逐渐取代黄金和英镑从而成为全球主要货币的美元。诚如金德尔伯格所言,金融危机都是有国际根源和国际利益瓜葛的,这是有先见之明的说法,由此我们不难推断亚洲危机就是美元这一傲视群雄的主权货币发生更大危机的先兆。不过,我们将在后面的章节再对这一假设进行具体分析。

亚洲危机的表现符合明斯基-金德尔伯格(Minsky-Kindleberger)金融危机模型。依照该模型,金融危机通常要经历五个阶段——替代、货币扩张、过度交易、资金抽回及信用丧失②。第一阶段,也就是替代,是对宏观经济体系的外部冲击。经济前景发生了变化,盈利机会增加,于是繁荣来临。当经济景气和乐观情绪传导到银行系统时,银行就开始放贷。信贷扩张不仅仅通过银行系统,还通过金融创新;后者鼓励杠杆的使用,从而加大收益和风险。接着,第二阶段的货币扩张让位给第三阶段,即借贷者开始投机、"狂热"开始出现的过度交易阶段。

明斯基界定了三种债务融资——对冲、投机和庞氏融资。对冲融资是指一家公司凭借相对可靠的现金流借钱。这种方式属于自我融资,一般来说是稳妥的。投机融资是指在现金流不确定的情况下借贷,且公司的生存系于旧债续借或找到新的贷款人。这使得风险增大,但在正常情况下尚属可控。庞氏融资是指这样一种情形:"公司只有在资产价格上升后实现销售才能偿还债务。"③这就

---

① Kindleberger (1996) [1978年初版]。

② 同上,第17页。

③ Minsky (1982)。

带有诈骗和疯狂的味道了，且往往会以失败收场。具有讽刺意味的是，在繁荣到达或接近顶点之时，非理性的狂躁和贪婪无以复加，以至于当庞氏融资行为出现时，没有人对这种行为提出质疑。

庞氏融资值得进行更多研究，因为它是在金字塔型的群体行为基础上发生的。这是一种动量交易，早期的参与者被贪婪所驱使，直到设局者无法维持才结束，因为他发现越来越难找到新的受害者，或者人们开始意识到上当了，而他必须在此之前退出。

在第四阶段，市场开始向下走，精明的投资人开始兑现离场，会出现一段“金融困境”的时期。投资者和债权人开始不安起来，担心一些过度交易的公司或金融机构会破产，而一旦破产真的发生，所有人都竞相出逃。价格下跌，资金抽逃，流动性迅速消失。随着诈骗和违法事件的涌现，所谓的蓝筹机构也开始丧失信誉，于是信用危机出现了。在第五也就是最后一个阶段，会出现自我强化的恐慌，除非价格下降到足以激发购买行为的程度，或某个最终贷款人向市场保证会提供满足正常现金流的流动性，形势才会恢复正常。

敏锐的读者会注意到，繁荣-崩溃周期总是始于泡沫，金德尔伯格将泡沫定义为长期上行然后破裂的价格走势。在亚洲危机中，东亚泡沫肇始于1989～1990年的日本泡沫。在目前的次贷危机中，2000年的全球互联网泡沫先于2003～2006年的房地产泡沫出现。在每一次的泡沫中，银行的信贷扩张都起到了重要作用。

但是20世纪80年代催生日本泡沫的是什么呢？有些人认为是日元自1985年9月签署著名的广场协议后过度升值。另一些人则认为是长期的繁荣和低利率让日本人把传统的谨慎节俭抛诸脑后而挥金如土。过度的行为固可煊赫一时，但其失败也最为悲惨不过。

因此，我们能看到，宽松的货币政策、全球过剩的流动性和低利率是如何产生泡沫的。但处于金融泡沫核心的还是银行系统。

亚洲银行业简史

虽然中国早在公元九世纪即发明了纸币，但现代银行业却非亚洲之发明。事实上，商业银行是伴随着西方的贸易和殖民主义来到亚洲的。

如欲理解亚洲的银行业，我们必须明白，亚洲人基本上将银行视为服务于国民经济发展的工具。早期的亚洲改革家视银行为鼓励民众储蓄的机构，同时，为确保稀缺资金能够用于工业化并促进出口，需要对银行进行控制、指导甚至国有化。亚洲的精英们理解银行对于政治和商业的重要性，因此银行执照一直是很难获得并受到保护的。很多亚洲财团在起家时，都将银行当作私人提款机，在融资方面严重依赖银行系统。

然而，随着时间的推移，一些聪明的富豪开始明白，拥有银行恰是其公司的软肋。比如说，香港最有钱的人几乎都没有银行，因为他们在20世纪80年代就得出教训，知道在金融危机期间，银行将成为负债，而非资产。他们明白如果他们欠银行数十亿巨资，提心吊胆的将是银行，而不是作为借款人的他们。

不过，即使在亚洲经济完成工业化之后，银行——不管是私有的还是上市的——在亚洲仍被视作最有价值的商业机构。这种思维模式的代价就是严重失衡的发展模式。长期投资的融资不是来自长期资本市场，而是来自依赖短期存款的银行系统。银行融资成本低廉，手续方便，在银行由精英控制时尤其如此，但这种模式是有缺陷的。

商业银行是在西欧发展起来的，在政府认清其优点和缺点之前，经历了许多次危机。以前，西方资本主义国家知道高效的银行业或金融系统能够支持发展，但银行健康与否最终还是要看实体经济健康与否。当实体经济出现问题时，银行很难自保，而且，正如亚洲危机所显示的，银行还会放大实体经济的问题。

银行有三个结构性特征。首先，银行经营的是存款、信贷和支付系统，在这一网络中，问题具有传染性，因而银行很容易受到影响。银行提供的是关键公共物品或设施，因此一旦运转失灵，就会产生系统性或灾难性的后果。其次，银行的主要资产是提供给不同借贷者的贷款，且需要对存贷信息保密，因而银行的信息都是极不透明的。再次，银行面临根本性的期限错配，通常的情形是存短贷长。

这三个特点使银行存在挤兑的风险。通常，存款人对银行的大额亏空缺少足够的信息，因此一旦有银行可能倒闭的风吹草动，他们就会取出存款。从19世纪至20世纪30年代，大范围的银行挤兑导致了大规模的银行倒闭。之后，作为最后贷款人的中央银行产生，加之严格的银行监管规则和储蓄保险，银行系统才得以稳定下来。

亚洲银行的形态取决于三种主要银行集团之间的竞争，它们是：外资银行、国内本土或家族银行以及政府所有或控制的银行①。

在战前的殖民时代，亚洲银行业的面貌主要有以下三点。第一，最初执

① Goodstadt (2007)。

金融业牛耳的外资银行主要服务于国际贸易而不是国内的金融需求。这些银行是殖民贸易体系的一环，在这一体系下，殖民地向其“宗主国”提供商品，而后者又将制成品返销给殖民地，而银行则在这一体系中提供循环的流动性。如果殖民地出现国际收支盈余，银行就会将这些盈余以金边证券或债券的形式重新投资于伦敦、巴黎或纽约的资本市场。之后，该流动性又会以长期债券、殖民地贷款及外国投资的方式回流到亚洲的制造领域、农业、矿业和贸易公司。流动资产主要投资于白银、黄金、英镑债券或存放在其他的外资银行。

这样，诸如汇丰银行和渣打银行等英国银行就与殖民地贸易相伴，在中东、印度和上海等地开设分支机构。法国银行在印度支那称霸，荷兰银行则在印尼唯我独尊。花旗银行在亚洲的历史已经超过了一百年，在主要的贸易港口和曾作为美国殖民地的菲律宾都拥有分支机构。

第二，在 1950 年之前，同外资银行相比，国内的本土银行缺少竞争所需的资本和外汇，因而其规模也较外资银行为小。比如在中国，在 19 世纪时，民营钱庄曾遍地开花，但在 20 世纪初，随着国有银行的出现，这些店就无影无踪了。日本的银行是随着家族集团的发展而发展的，这些大集团包括三菱、住友、三井等，它们得到日本政府的支持，尤其在外贸融资和工业投资借款方面。

最后，在本土和外资银行之间存在着残酷的竞争。本土银行虽然对当地情况更为熟悉，但却竞争不过外资银行，因为后者有资本、市场信息和技能等方面的优势。这种竞争在 20 世纪 30 年代即已存在，其时外资银行在贸易和票据交换业务领域举足轻重。在 1934～1935 年，白银仍是中国的法定货币，由于银价飞涨，爆发了通货紧缩。外资银行在那场危机中的角色，以及本土银行的倒闭，都使人们对外资银行产生负面的看法①。

战后，亚洲银行主要在以下三个方面逐渐发生了变化。首先，民族银行业兴起，奉行民族利益至上的原则。在缅甸、印度、中国、印度尼西亚和越南，许多外资银行和家族银行被国有化。马来西亚、新加坡和泰国则成立了国有银行，对金融资源实施国家控制，以实施“国家发展追赶计划（planned catching-up development）”的国策。

其次，虽然这些亚洲国家没有刻意模仿日本模式的政策，但多数亚洲银行都追随日本的重商主义模式。这种模式的运行基础是“温和的金融管制”，即要求国内银行系统为从事竞争性外贸制造行业的国内公司提供补贴性或

---

① 关于此点，笔者曾参照他人意见，在此鸣谢。有关白银危机的历史，参阅 Einzig (1935)。

低成本的融资①。银行支付正的实际存款利率，但是可以从外汇业务中获益。中国和越南效法苏联的一元化银行模式，其基础是单一的中央银行或商业银行加上一家外贸银行。

总体而言，由于仿效日本的金融模式，整个东亚的金融系统都是由银行主导的(表 4.1)。银行系统高度集中，全部资源由少数几家大银行掌控。1997 年，9 家城市银行、1 家邮局银行和 129 家地区银行占整个日本银行资产的 85%。日本银行系统的独特性还在于它的运作模式是“主银行制”(我们在第二章已有描述)。

表 4.1 部分亚洲经济体：金融结构 (占 GDP%)

	银行资产[1]		股票市场[2]		债券市场[3]		保险市场[4]	
	1990	2006	1990	2007	1990	2005	1990	2005
日本	226.8	154.7	122.6	106.4	86.4	191.5	8.5	10.6
中国	100.3	165.1	2.4[6]	137.8	5.9	34.1	0.8	2.7
中国香港	145.6[5]	156.1	105.2	1 284.1	1.5	27.7	3.0[6]	9.9
印度尼西亚	41.9	32.9	4.5	48.9	0.1[5]	20.3	0.9	1.5
马来西亚	103.0	117.4	100.7	174.4	69.9	90.5	3.0	5.6
菲律宾	23.4	40.3	20.6	71.5	25.8	38.9	2.0	1.5
新加坡	89.0	114.8	95.9	334.2	27.7	57.8	3.0	8.8
韩国	50.7	101.6	48.2	117.3	44.3	102.0	11.0	10.5
中国台湾	—	236.4	104.6	173.2	16.6	55.9	—	14.2
泰国	84.6	99.0	29.2	80.2	9.8	41.3	1.7	3.6
参照项：								
德国	109.6[6]	133.2	21.2	63.4	50.4	75.7	5.7	7.1
美国	62.3	62.8	57.5	143.9	121.7	160.8	8.3	9.2

注：1. 银行货币存款资产
2. 股票市值
3. 公债及私债市值
4. 寿险及非寿险总额
5. 1991 年数据
6. 1992 年数据

— 指数据空缺。

资料来源：台湾“中央银行”，世界证券交易所联合会，Beck, Demirgüç-Kunt & Levine (2000)(2007 年 8 月 13 日修订)，以及作者的估计

① World Bank(世界银行)(1993)。

第三，家族或私人银行皆由当地富豪建立或脱胎于遍布亚洲的家族商业网络。因为融资的稀缺性，早期的企业家都寻求在其商业网络中建立银行，以支持其企业发展。不幸的是，在正式的银行监管出现之前，没有法律限制银行家自身的借贷行为。所有优秀的银行家都有其不道德的一面，在借贷方面尤其如此。

正如前菲律宾央行行长格瑞加利奥·里卡洛斯(Gregario Licaros)在20世纪70年代所言，“菲律宾的银行家从事银行业务，图的不是银行利润，他的银行是服务于多重目的的。”①此话的确道出了个中端倪。虽然多数人都认为银行是低廉的融资渠道，但贪婪的本地银行家却靠盘剥时运不济的借贷者大发其财。经济萧条时期，银行家通常凭借银行的融资廉价收购优质资产，从中渔利。有关亚洲富豪如何发家、如何从当地及外资银行那里融资以及他们同政治的牵扯，乔·斯塔德维尔(Joe Studwell)②在其新作中已有描述，在此不重复。

并非所有的家族银行都行径恶劣。其中一些任用外部的专业人才并成为国内的大银行，但它们很少能达到地区或国际级银行的规模。另外一些银行，由于负责银行运作的家族成员不能胜任，在决策上出现失误，则或倒闭，或被更大的机构兼并。亚洲危机之后，家族银行被更大的银行兼并的趋势更加明显。如在马来西亚，在20世纪70年代曾有近40家华人银行或金融公司，如今则只有两家家族银行还在运作。

第四，国有或国家控制的银行同家族和外资银行争抢业务。不过国有银行的记录并不好。新加坡政府扶持的星展银行(DBS)(前新加坡发展银行)一直以来颇为成功。但是，这与其说是主流，不如说是一个特例。实际情况是，在过去的20年中，不少东南亚的国有银行多次濒临倒闭，不得不靠政府拯救。国有银行更容易受政治的影响，而且因为其经理人的报酬过低，管理通常都很糟糕。

事实上，从20世纪70年代到80年代中期，很多亚洲银行，尤其是国有或国家控制的银行，仍然从事优先贷款即政策导向性信贷业务，将资金投放于工业化、贸易融资和社会发展领域。举例说，在20世纪80年代私有化运动之前，韩国的银行体系是国家控制的，消费者存款主要用来为几家实业集团(相

---

① 转引自Studwell (2007)第103页，原文出自《远东商业评论》(*Far Eastern Economic Review*)(1978)。

② Studwell (2007)。

当于日本的财阀)的工业项目提供融资服务。这些银行的贷款对象主要为60家机构,其中30家为家族所有的财团,另外的30家则是公共设施或基建领域的国有大型企业。当时在韩国,八家大银行占到了整个银行贷款业务的75%。

直到20世纪80年代中期中产阶级出现之后,许多银行才师法花旗银行,转向消费信贷业务。一些国有银行成了重要的住宅和基础设施金融机构。“计划者”通常倾向于对银行信贷进行控制,而不是将发展资本市场作为经济增长的引擎,这样,政策导向的信贷会阻碍股票和债券市场的发展。事实上,在亚洲,债券融资并非首选项,因为新兴的亚洲拥有年轻的人口,不断增长的家庭储蓄,并且财政在总体上有盈余。养老基金多是国有的,考虑到人口的年轻化,这些基金通常用来为财政需求提供资金。保险业主要是国有和外资公司。证券市场投机色彩严重,这更强化了精英统治阶层的所有权和控制。

今天,尽管有些进步,但亚洲仍然主要依靠银行进行融资(表4.1)。这种状况能够持续下去吗?我个人的观点是,在全球化的环境下,亚洲目前不均衡的发展和融资策略越来越不具有可持续性。坦白地说,亚洲危机标志着“金融为发展或增长服务”策略的失败。

变化中的亚洲人口禀赋

如果想了解为什么银行主导的系统必须要改变,需要先了解东亚经济正在发生的结构变化。最初,亚洲经济体有许多优势:低工资,富余劳动力,稳定的政治环境,受过良好教育的精英阶层,高储蓄率,审慎的财政管理,友好的国际环境以及不断降低的国际贸易壁垒(这给东亚提供了巨大的出口机会)等。不过大多数经济分析师都忽视了二战后年轻劳动力这一重要的人口禀赋(图4.1)。

亚洲在二战中失去了大量人口,但战后人口出生率高涨,因此从1945年到1980年,出现了所谓的“青年人口负担”时期,其时亚洲基础设施开发需求巨大,需要大量引进国外的机器设备和技术。随着劳动力的成熟,生产力大幅提升,而对外贸易及投资的开放,意味着亚洲国家得以利用廉价的劳动力来获得现代技术和管理技能。稳定的政府、审慎的财政政策、对教育的重视以及良好的社会基础设施,意味着亚洲经济体开始了高增长、高储蓄的阶段。

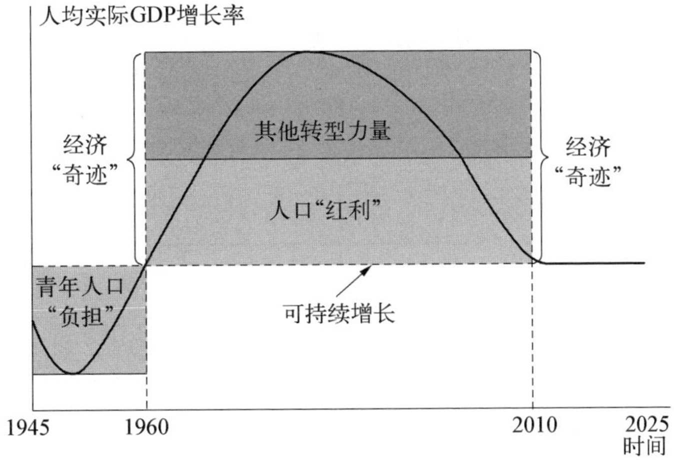

图 4.1 东亚经济发展与人口变迁模型(1945～2025)

资料来源：Bloom & Williamson (1998)，图 6，第 430 页

我在第二章说过，由受到保护的服务部门为高效的出口部门融资，这一二元的重商主义模式是有缺陷的。在发展的早期阶段，由于资金短缺，这些亚洲国家有一种根深蒂固的"鱼栅"思维模式：它们欢迎资本的流入(FDI 和 FPI)，但是限制或延缓资本的流出，使用的手段是资本控制或非常缓慢地放松对本国居民资本账户交易的限制。

在这一发展模式下，银行成为融资的主要渠道受到关注，而对资本市场管理公司及投资者风险的能力未能给予足够重视。不幸的是，如果银行系统有缺陷，由此导致的问题将让后代付出高昂的代价。

我们现在就来看看亚洲银行系统内在的缺点，这同它们的核心功能息息相关。

金融系统的功能

金融系统有四大主要功能——资源配置、价格发现、风险管理和公司治理。在亚洲市场，这四项功能的发挥不尽如人意，这在亚洲危机中表现得最明显不过。

总体而言，大多数发展中国家的金融系统都是由银行主导的，但是随着这些国家的经济日趋成熟，为满足现代经济的需要，它们将需要完整的货币、股权、债务和衍生品市场，以及完备的机构和金融服务。一般而言，除了中国香港和新加坡(作为国际金融中心,这两个城市同伦敦和纽约相比较还很小),亚洲的金融中心都是国内的金融中心。

表4.2列举了1997年危机中五个受害程度最深的国家的银行业状况。

表4.2 部分亚洲经济体:银行业在危机前的状况(1997年)

项 目	印度尼西亚	马来西亚	菲律宾	韩 国	泰 国
主要金融机构(1997年初)	228家银行 10家外资银行	35家银行 39家金融公司 7家贴现银行 13家外资银行	53家商业银行 117家互助储蓄银行	26家商业银行 30家商人银行 52家外资银行	15家银行 91家金融公司 14家外资银行
资本充足率	目标8% 87%的银行符合要求	目标8% 实际平均水平为11.4%	目标10% 实际平均水平为16.0%	8% 实际平均水平为7.3%	目标8.5% 实际平均水平为9.8%
银行业利润率(1996)	1.2% ROA[3] 16.3% ROE[4]	1.2% ROA 18.4% ROE	2.1% ROA 16.3% ROE	0.2% ROA 4.5% ROE	1.1% ROA 12.9% ROE
利息差[1]	1.8%	1.8%	6.1%	1.1%	3.1%
NPL[2](占总贷款%)(1997年末)	7.2%	4.1%	4.7%	6.0%	22.6%
银行外债(占总负债%)	15.0%	7.4%	31.5%	55.2%	27.4%
贷款(占GDP%)	60.0%	152.0%	65.0%	87.3%	150.0%
公司债(1998)	1 180亿美元	1 202亿美元	475亿美元	4 440亿美元	1 957亿美元
破产法	过期,1908年	现代	过期	现代	过期,1940年
储蓄保险(担保)	无 (1998年1月,明确规定无限制)	无 (1998年1月,无条件,无限制)	有	有 (1997年11月,明确规定无限制,无条件)	无 (1997年8月,明确规定无限制)

注:1. 利息差 = 贷款利率-存款利率
2. NPL—不良贷款
3. ROA—资产收益率
4. ROE—股权收益率

资料来源:世界银行,亚洲开发银行(2000),Kawai(2002),Delhaise(1998)

资源配置

亚洲"金融为增长服务"的政策意味着长期以来资源配置都是"政策或国家导向的",而银行系统则是根据这一政策将资源配置到"优先行业",如出口、工业化和基础设施。举例来说,根据张春[①]的研究,在二十世纪六七十年代的韩国,作为出口工业化政策工具的家族财团享受实际上的负利率,或低于场外市场利率 40 个百分点。财团的结构高度多元化,包括彼此不相关的行业。唯利是图的分支机构向其他亏损的分支机构贷款,以维持整个集团的运转。利润归个人,损失归社会,因为国家会拯救银行或直接拯救财团。这是国家、银行和财团间的一种默契而又有效的三角关系。

因为银行是主要的资金来源,因此它们成了"受控制的资源",并产生了负面但互相强化的结果。首先,银行为大型借款人提供的信贷越多,他们就越丧失对项目质量客观评估的能力。债务人"太大了,不可能倒闭",因此银行丧失了发展健康、独立的信贷文化的动力。他们和糟糕的项目、糟糕的公司同甘共苦,结果产生了大量的不良贷款。在韩国经受危机之前,30 家大财团之中 5 家的坏账已经占到韩国商业银行全部资本的三分之二[②]。

"金融为发展服务"政策的实质是将企业利益凌驾于储户利益之上。但经济租金产生的既得利益是很难根除的。

其次,因为银行是最重要的公共储蓄来源,因而从公共政策的角度来看,银行自己也是"太大了,不可能倒闭"。在亚洲金融危机之前,在五个受冲击最大的亚洲国家里面,只有菲律宾和韩国有明确的储蓄保险机制。

不过,政府隐身在银行背后支持的道德风险意味着银行承担了本来可以避免的风险。所有权产生责任感这个观点是有道理的。在 20 世纪 80 年代,香港政府的哲学就是自由放任,因而不大会对香港的银行提供支持[③]。作为香港主要的清算银行和货币发行银行,汇丰银行类似于中央银行,有着非常审慎的信贷和流动性标准,因为汇丰意识到它崇高的地位意味着在金融动荡

---

① 张春(2000)。

② Lee (2000)。

③ 关于香港银行的历史,参阅 Goodstadt (2007)。该书堪称这一领域的佳作。

时期负有额外的责任。没有明确储蓄保险的私有银行很清楚，要想在危机中存活下来，他们要比那些国有银行的经理们更加谨慎，因为后者总是可以指望政府将他们从错误中挽救出来。

亚洲糟糕的资源配置的代价是惨重的。例如，菲律宾为解决不良贷款而产生的财政成本是 13.2%，而在印度尼西亚，这一数字高达 56.8%（表 4.3）。这造成了国民储蓄的巨大浪费。最终，这些损失都是由储户承担，体现的形式是公债负担、未来的税收、更高的通货膨胀率或者更低的利率。换句话说，是储户和纳税人最终为政策失误以及公司的畸高债务埋单。

表 4.3　部分亚洲经济体：20 世纪 90 年代的危机损失

经济体	系统性银行危机（开始日期）	不良贷款[1]（占总贷款%）	危机的财政总成本[2]（占GDP%）	危机期间实际GDP的最低增长率（%）	估算的产出损失[3]（占GDP%）
日本	1997	35.0	24.0	−2.0	17.6
中国	1998	20.0	18.0	+7.6	36.8
中国香港	1997	5.3	非系统性银行危机 某大型投资银行 在 1998 年倒闭	−5.5	—
印度尼西亚	1997	32.5	56.8	−13.1	67.9
马来西亚	1997	30.0	16.4	−7.4	50.0
菲律宾	1997	20.0	13.2	−0.6	—
韩国	1997	35.0	31.2	−6.9	50.1
泰国	1997	33.0	43.8	−10.5	97.7
参照项：					
美国	1988	4.1	3.7	−0.2	4.1
瑞典	1991	13.0	3.6	−1.2	30.6

注：1. 峰值
2. 财政成本指政府因向储户或其他借款人支付款项或因债务国有化及银行资本调整而产生的成本
3. 国际货币基金组织的定义
— 指数据空缺

资料来源：Laevan and Valencia (2008)，HKMA

价格发现

一般而言，亚洲对贸易持开放态度，因而其货物的价格水平能够在全球范围内具有竞争力。因此，亚洲通常很少有消费领域的通胀。但是资本管制、供应扭曲连同借贷及定价规则都会使主要的金融价格发生扭曲。于是，举例来说，债券和股票价格常常不能反映真实的市场供求力量，这部分是因为相对需求而言优质的资产十分稀缺，部分是因为外汇管制（限制境外投资）或对养老金和其他类型基金投资组合的限制（这妨碍了资产的多样化）①。

低估金融资产风险的代价就是很多亚洲国家仍然将巨额资金投在固定投资及房地产领域，而这些投资的回报率都是很低的。比如说，在坏账率达到或高于10%的情况下，亚洲银行的息差②在1.5%到2%之间，这意味着很多银行对风险的评估是不充分的。而且，债券息差也已经恢复到亚洲危机前的水平甚至更低，主要原因就是过高的储蓄率（图4.2、表4.4）。

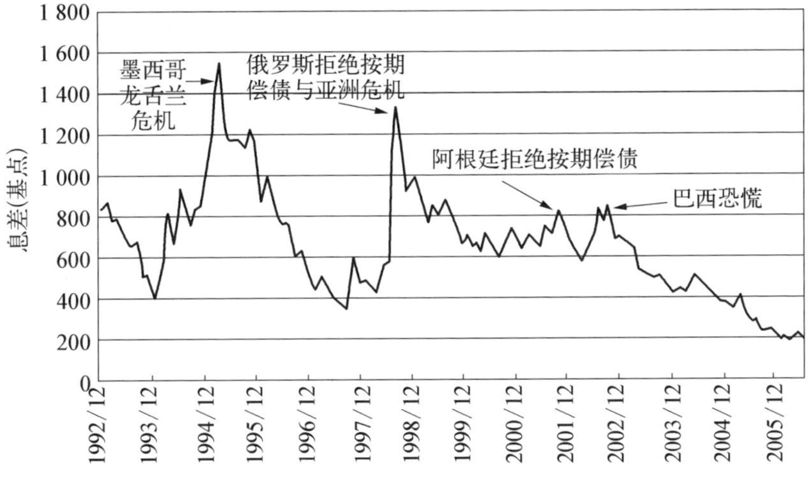

图4.2 新兴市场信贷息差（1992～2005）

资料来源：Sargen(2006)，基于JP摩根新兴市场债券指数(EMBI)信息：1997年EMBI息差；其后的EMBI全球数据

① Cabellero (2006)。

② 在计提坏账之前，平均贷款利息减去存款利息再减去管理成本。

表 4.4　新兴市场信贷息差(1990～2006)　　(基点)

	1990	1991	1992	1993	1994	1995	1996	1997	1998	1999	2000	2001	2002	2003	2004	2005	2006
EMBI+息差[1]	1 111	631	831	396	1 039	1 044	537	510	1 151	824	756	731	765	418	351	244	171

注：1. 为期末数

资料来源：IMF；1996 年 EMBI 息差；1999 年 EMBI＋息差；其后的 EMBI 全球数据。对于从事新兴市场债券交易的经理人来说，JP 摩根的新兴市场债券指数(Emerging Market Bond Indices，EMBI)是非常受欢迎的标杆

在股票市场，价格扭曲体现在相比全球标准高企的市盈率上。许多亚洲市场的一个结构性特点是流通股数量少，这是推高股价的内在因素。例如，在 2000～2001 年，中国股市的平均市盈率最高达到了 63 倍，其原因是在 2006 年的改革之前，股票市场近三分之二的股份是不能交易的国有股或法人股。在其他的亚洲市场，上市公司的大部分股票或者在家族手中，或者在政府手中。然而最近，随着本地和外国投资者对 2007～2008 年美国次贷危机的影响有了更为清楚的认识，以及影响公司利润的通胀压力，大多数亚洲证券市场的市盈率都下降到了更为理性的水平(表 4.5)。

表 4.5　部分亚洲经济体：市值及股票市场交易量(2008 年 7 月)

	市值(10 亿美元)	过去 12 个月的波动(%)	市场交易量[1](10 亿美元)	过去 12 个月的波动(%)	市值(占 2007 年 GDP 的%)	市盈率
日本	3 925.6[2]	−16.0	3 685.6	−6.4	89.5	16.6
中国	2 658.2[3]	0.9	2 744.7	−23.4	81.8	22.5
中国香港	2 121.8	−4.8	1 089.0	18.1	1 026.5	13.2
印度	1 117.4[4]	0.0	728.5	51.7	101.7	14.4
印度尼西亚	198.1	10.4	83.4	45.8	45.7	16.1
马来西亚	262.2	−13.4	69.0	−37.5	140.6	12.7
菲律宾	73.3	−22.1	11.0	−36.4	50.8	11.6
新加坡	468.5	−8.7	179.3	−15.6	290.3	10.4
韩国	875.7	−24.4	947.7	−11.1	91.5	12.4
中国台湾	582.7	−16.8	604.1	7.6	152.0	11.4

续表

	市值（10亿美元）	过去12个月的波动（%）	市场交易量[1]（10亿美元）	过去12个月的波动（%）	市值（占2007年GDP的%）	市盈率
泰国	159.8	−18.6	80.1	25.4	65.0	10.5
参照项：						
欧洲证券交易所	3 358.2	−17.8	2 920.2	−9.1	83.8	10.4
德国	1 764.2	−7.3	2 548.8	1.3	53.1	12.7
英国	3 173.5	−19.5	4 565.7	−30.1	114.5	10.5
美国（纽交所）	13 418.2	−18.3	20 545.8	30.4	96.9	14.0

注：1. 本年度截至统计日止
2. 东京证券交易所
3. 上海及深圳证券交易所
4. 孟买证券交易所
— 指数据空缺
资料来源：世界证券交易所联合会，彭博资讯，作者估算

高企的市盈率表明亚洲公司的融资成本很低，且昂贵的价格可以阻止恶意收购。因为流通股比例小，亚洲上市股票的流动性很差，这对那些想投资亚洲市场的国际基金经理们也起到了阻碍作用。

风险管理

银行应该帮助其储户和借款人分散风险。但是亚洲危机表明，因为亚洲国家的储蓄集中在银行系统，且政府不鼓励居民持有境外资产，因此这些国家并没有做到风险分散。近期的资本账户自由化意味着，散户和机构投资者既无能力也无经验去进行境外投资以分散国内风险。汇率的波动也使得散户投资者不敢到海外进行组合投资。而且，在亚洲国家，一方面银行的自有资本率很低，另一方面又通过显性或隐性的储蓄保险规定使不良资产不断增加，由此而导致的较高的道德风险也使情况更为恶化。

按照定义，不平衡的发展意味着薄弱的风险管理。由银行主导的金融系统已经说明风险是集中在银行的。因为银行的服务对象主要是“优先行业”，因此政策制定者们从来没有开发出一种国家风险管理策略，以评估风险的集

中度，分散融资和发展渠道，构建应对境内外冲击的能力。然而，人们不应该将鸡蛋都放在一个篮子(即国内经济)里。

公司治理

在很多情况下，银行在发现公司治理中的问题上做得并不好。如果机构投资者及贷款人不履行它们作为债权人及所有人的权利，那么公司的行为是不会改进的。如果在所有权或政治影响方面银行受到诸多掣肘，那么银行是不会对公司行为施加限制的。作为金融界和商界的领袖，银行在强化信贷文化及构建产权基础设施方面是可以大有作为的。

将借款人和贷款人隔离开来是再重要不过的。我曾多次目睹因为关联贷款而导致的银行或金融公司倒闭。不仅仅是信贷决策会受到关联贷款的损害，而且这种不审慎的风气会蔓延到整个系统。20世纪80年代中期我在马来西亚清理倒闭的金融公司的时候，发现一些企业通过其控制的金融公司互相贷款。这比那种借新债偿旧债以掩饰不良贷款的“常青树”伎俩要高明些。监管者是反对向股东贷款的，但向看似无关的企业家贷款则很难被识破。唯一的迹象是这些贷款在即将成为不良贷款之前总是能够得到偿还，而贷款通常来自企业家控制的另外一家金融公司。我们很快为这种行为划上了句号。

中国香港和新加坡得以免受亚洲金融危机的冲击，一个主要原因是这两个地方的银行资本化程度高，管理专业，而且不断有来自市场的压力促使其改善信贷文化和银行环境。信贷监督是良好的公司治理的保障。不幸的是，在亚洲的很多地方，对法律及会计等行业本国利益的保护，以及对外国金融机构准入的限制，都阻延了公司治理的改善。如今，人们越来越清楚地认识到，在防止糟糕的公司治理方面，规范的会计、审计和信息披露标准与做法是非常重要的稽核和制衡力量。

亚洲银行业路在何方?

有不少研究认为，自亚洲危机以来，亚洲的银行业已经取得了长足的进步①。麦肯锡公司合伙人多米尼克·巴顿(Dominic Barton)认为进步主要体现在五个方面：外部政策、财政和货币管理、公司治理和杠杆化、银行的健康和盈利

① Barton (2007)。

性(包括监管),以及到目前为止对资产泡沫的防止。菲利普·特纳(Philip Turner)[①]、拉蒙·莫里诺(Ramon Moreno)[②]以及国际清算银行(BIS)的马杜苏丹·莫汉迪(Madhusudan Mohanty)[③]也在调研资料的基础上,提出了亚洲银行的这些优点。

特别值得一提的是,巴顿和其他人都认为,危机后的亚洲银行在实力和适应力方面都有显著提升,且其资产回报率已经超过了世界平均标准——1%。国家对银行资产的控制大幅降低,外资的介入显著增加,在韩国和印度尼西亚尤其如此。此外,同以前相比,亚洲银行系统更加集中,资本充足率得到改善,银行的管理更加专业,风险管理体制也更加先进。中国、中国香港、马来西亚、新加坡、韩国和中国台湾的四大银行的市场占有率如今都超过了50%。

和市场集中相应的是信贷和风险管理技能的提高。如今,东亚银行的资本充足率几乎都达到了两位数的水平[④],远远超出了8%的底线。不良贷款比例下降,部分是因为信贷管理和评估技术的改进,部分是因为公司利润的恢复以及杠杆比例的下降。印度尼西亚、菲律宾和泰国的不良贷款比例维持在两位数的水平[⑤],因为某些公司借款人的坏账处理仍是一个问题。虽然成立了信贷管理部门,但其效率一直不稳定。在信贷风险评估中评级机构的更广泛使用,以及全球范围内信贷风险资讯的更容易获得,都使银行和监管者对信贷质量的评估更易操作。

毫无疑问,自危机以来,银行监管的质量得到了提高,其主要原因之一是全球范围内的改革,这一点我们将在下一章阐述。

金融行业的另一项改革是更好地发展资本市场以减少对银行的依赖。此项改革的效果仍有争议。我将在第十二章讨论这一改革。随着资本市场和债券融资准入的改进,亚洲企业的杠杆比率已经下降。以前,印尼、韩国和泰国的公司杠杆比例超过200%,这几年都降到了100%以下[⑥]。

一个得到显著改善的领域是金融基础设施,这部分是由于商业化基础上的技术改进,部分是由于向通用标准的靠拢。比如说,在亚洲,实时支付结算系统(real time gross settlement, RTGS)已得到普遍应用,而各证券交易所

---

① Turner (2007)。
② Moreno (2006)。
③ Mohanty (2006)。
④ 同上书,表1。
⑤ 同上。
⑥ Pomerleano (2007)。

使用的交易和清算系统一体化程度越来越高，且能够和其他的交易及支付系统联用。G30 以及支付和清算系统委员会(Committee on Payment and Settlement Systems，CPSS)的工作也使运营能力和稳健性更为标准化。

作为金融服务应用技术领域的后来者，亚洲经济体在改进其宽带服务(如信用卡和电子支付系统)方面也发展得最快。有几个国家还就移动电话技术在银行服务中的运用进行改革和试验。在这些方面，亚洲的银行服务可以走在发达国家的前面。

尽管有这些改进，但是为了防止下一次的危机，亚洲银行系统还需要在哪些领域进行改革以提升自己的能力呢?

对亚洲公司治理有深刻洞见的迈克尔·贝克曼(Michael Backman)①认为，亚洲银行需要在以下几个方面进行大刀阔斧的改革：

- 向公务员支付高薪；
- 推行破产法；
- 改革银行所有制；
- 改革会计和审计制度；
- 更好地保护少数股股东；
- 禁止高级官员到企业任职；
- 改革媒体所有制。

贝克曼寻求的是盎格鲁-撒克逊模式，即系统内有更多的制衡，包括更大的透明度。他的书出版后，日本政府已经禁止了高级官员到企业任职。另外，整个亚洲都在不同程度上改革破产法、会计和审计标准以及少数股股东保护措施。此外，亚洲的许多国家如今都更为重视公务员报酬、银行和媒体所有权问题以及政治和司法体系的改革。不过，由于多种原因，公司治理改革仍是一项艰巨的任务。

迫使改革加快的是外部压力。金融部门评估计划(FSAP)②的实施，使国内系统处于更严格的审查之下并导致最终的信息公开。随着中国、印度以及越南在制造业和吸引外国直接投资领域竞争力的增强，其他的亚洲国家压力巨大，迫使它们提高竞争力。

不过，我认为，随着外资银行、基金经理和金融服务供应商的到来，世界

---

① Backman (2001)。

② FSAP 的全称是 Financial Sector Assessment Program，1999 年由国际货币基金组织和世界银行共同发起，旨在帮助成员国找出金融体系的薄弱环节并进行必要的改革。——译注

贸易组织要求各国开放的压力也会带来全方位的变化。首先，就对外竞争力而言，同拉丁美洲相比较，亚洲仍然任重道远。比如说，在2005年，拉美的外资银行比例平均达到了38%，而在亚洲和大洋洲这一比例仅有6%。尽管亚洲金融危机使许多外资银行在印尼、韩国和泰国获得了当地银行的股份，但外资银行的市场份额在1995年之后仅增加了1个百分点①。一项针对亚太地区最大的90家银行跨境交易的调查表明，亚太银行的本土化倾向最明显，它们86%的资产都在本国，而在北美和欧洲这一比例分别是77%和55%。

其次，亚洲银行业务中家庭信贷比例较高。在2005年底，新兴市场平均家庭信贷GDP占比是18%，其中亚洲新兴市场比例最高，为GDP的27.5%，其后是欧洲新兴市场(12.1%)和拉丁美洲(9.2%)②。尽管这一比例仍低于成熟市场58%的平均比例，但亚洲银行的信用卡业务仍损失惨重，如中国香港在2002～2003年，韩国在2003～2004年，以及中国台湾在最近的2006～2007年③。

引入外国机构投资者及中介的好处在于，它们通过对国内机构施加压力迫使它们更加遵守规则。2005～2006年，中国四大银行之中的三家在香港首发上市时，允许公众及外资部分持股，其政策用意显然在此。

允许外资进入还有个好处，就是能引入金融产品和风险管理的全球技能，以及帮助本地人掌握这些技能的培训。例如，一些亚洲最优秀的银行专业人士来自花旗银行和JP摩根，因为这些外资银行为当地员工提供了高质量的培训。

在像中国这样的大市场中，银行业的雇员就超过200万，如果只靠国内的机构，很难在银行、证券和资产管理领域开发深度管理技能。中国在世界贸易组织框架下的开放将加速在商业运营领域引入市场规则，从而促进各家机构基础设施的改进，而这对产权的保护是必需的。中国若想保持发展，必须将观念转变到真正的市场经济上来。这句话对整个亚洲而言都是适用的。

一个紧迫的问题是亚洲银行在人口结构的快速变化中扮演的角色。亚洲面临老龄化问题，但亚洲各国在制定有效的养老规划方面明显准备不足。东亚各国正在老龄化，且发展正在放缓，因此这些国家的养老基金需要切实的回报和现金流。比如，麦肯锡公司的调研表明，到2051年日本的退休人数将和成年劳动力人口持平，而在2001年日本是四个成年劳动力养活一个退休人员，到2021年这一比例将达到2∶1。这意味着日本人口将从2000年的1.25亿

---

① IMF(2007a)，表3.2。

② IMF(2006b)，图2.1。

③ 参阅Kang & Ma (2007)。

下降到2020年的不到1.15亿。因此，预计日本的养老和健康保险系统加起来将达到3 000亿美元的年度赤字，这比2002年政府赤字总额还高出一倍多①。

日本的雇员养老基金平均只够支付实际所需养老金的62%，而在美国和英国这一比例分别是103%和98%②。如果银行和养老基金的低息回报持续下去的话，恐怕亚洲过多的储蓄就要到境外去获取高回报了。

在亚洲甚至在全球范围内银行还面临另一项挑战，就是它们对客户的利益保护不够，尤其在私人理财领域，而这会导致信誉风险。有足够的证据表明，银行的高层管理者及金融监管人员疏于投资者教育，对理财业务中的财务计划建议及控制措施也未予足够的重视。结果就是向那些对风险了解甚少的客户错误地卖出了一些高风险的金融产品。

对亚洲发展战略的再思考

我们需要对"金融为发展服务"这一模式带来的利益和损失进行再思考。对新兴市场而言，在"追赶阶段"将储蓄者的资源用来支持经济发展和基础建设也许是合适的，但若让消费者和储户继续这种不平衡的发展战略则是不公平的。

在我看来，亚洲经济体已经到达了"中级发展"阶段，在这一阶段，它们必须采用均衡的发展战略。批发式的银行业务模式（在第十三章有详细描述）的失败，意味着亚洲的银行家在照搬西方银行模式的时候，必须考虑这种模式容易引发的风险。银行系统不仅要应对老龄化人口及财富日益增长的中产阶级的财产保护问题，还必须满足不断变化的亚洲实体经济的需求。

依我之见，亚洲的经济结构不应该只是一条供应链，而是要有实质性的变化，要让国内消费和均衡、可持续的增长模式发挥更大的作用。要做到这一点，亚洲的金融系统在未来必须也要有实质性的变化。

在目前的金融危机面前，今天的银行家需要记住美国前证券交易委员会主席阿瑟·利维特对所有投资者的言简意深的警告："要了解你的风险，了解你的对手，了解你的市场，了解你的合同。"③

接下来，我们要讨论"华盛顿共识"扮演的角色。

---

① Bowers, Gibb & Wong (2003)，图1.4，第38页。

② Greenwich Associates，转引自Jopson (2003)。

③ 转引自沈联涛(1999d)，第420页。

第五章

华盛顿共识和国际货币基金组织

所谓共识者，即无共识也。

——佚名

如果我们想看看亚洲金融危机舞台上的一众演员，那么日本是不容忽视的。但在全球舞台上，真正的超级巨星无疑是美国。1996年，美国的GDP是7.8万亿美元，比日本高出近60%，是中国的10倍。美国是亚洲最大的贸易伙伴，亚洲的沉浮同美国息息相关。有人曾说，如果美国打喷嚏，日本就会感冒，而亚洲其他国家则会患上肺炎。由此可见亚洲对美国依赖之深。

1997年亚洲遇到麻烦的时候，美国经济依然强大、繁荣，这对世界来说可谓幸事。1950年，美国占世界GDP的比例超过27%，占全球外贸总额的38%。战后，美国经济和军事实力独步全球，在全球贸易中美元结算比例超过55%。以前有个说法是"条条大路通罗马"，此时则是条条大路通华盛顿：美联储、世界银行和国际货币基金组织的总部都在这里。二战后签署的布雷顿森林协议开创了国际金融新秩序：依照这一协议，1944年成立了世界银行和国际货币基金组织。美国是布雷顿森林组织的最大股东，拥有超过16%的表决权。

华盛顿共识

在20世纪90年代，出现了所谓的"华盛顿共识"。世界银行前官员约翰·威廉姆森(John Williamson)①在1987～1988年提出了这一说法。他把针对全球经济管理的一系列观点或建议当作国际货币基金组织、世界银行和美国财政部这些总部设在华盛顿的机构的共识。核心的建议总共有十条(颇类似于摩西十诫),其中包括对发展中国家的忠告:

1. 维持审慎的财政政策;

2. 取消补贴,将公共开支集中于社会基础建设,如教育、医疗和基础设施需求;

3. 改革税收制度,使其更公平,给企业家回报;

4. 保持基于市场的实际正利率;

5. 将汇率交给市场来决定;

6. 取消贸易保护措施,降低关税壁垒,让贸易自由化;

7. 让资本流动尤其是境外直接投资自由化;

8. 将国有企业私有化,政府应尽量少参与商业活动;

9. 除了对金融机构的审慎监管之外,总体上减少监管,让市场力量发挥作用;

10. 对私有财产给予法律保护。

我于1989～1993年在华盛顿的世界银行工作,得以亲历华盛顿共识的演化。与其说华盛顿共识是一项战略,不如说它是一种观察世界的方法。詹姆斯·费娄斯(James Fallows)在其有关美国的名著《凝视太阳》(*Looking at the Sun*,太阳喻指亚洲)②中说,西方人看待世界其他地方有三种心态——让他们改信西方价值观的愿望、优越感以及对科学尤其是经济学的过度信仰。

从哲学上说,华盛顿共识是建立在新自由主义市场模式上的。这一观点是通过经济合作与发展组织、世界贸易组织、国际货币基金组织和世界银行这些全球机构强加给其他国家的。这一观点的传播渠道还包括盎格鲁-撒克逊世界的大学,因为发展中国家的许多精英都在这里接受教育。然而,正如诺贝尔奖得主、前世界银行首席经济学家斯蒂格利茨所指出的:“东亚最成功的国家并没有遵循这一战略;相反,它们的政府不仅在教育、储蓄和收入分配领域,而且在促进技术革新方面,都发挥了积极的作用。”③

为华盛顿共识提供经验支持的,与其说是它本身的成功,毋宁说是中央

---

① Williamson (2002) [1990年初版]。

② Fallows (1995)。

③ Stiglitz (2003),第230页。

计划和政府过度参与的失败。在20世纪80年代后期，贸易、投资、资本、信息和专有技术的自由化在全世界蔓延。具有讽刺意味的是，同期，在戈尔巴乔夫总统的领导下，幼稚的苏联经济学家在他们的国家进行了自由市场经济的试验。尽管苏联从西方得到了可观的援助和技术协助，但试验还是一败涂地。

20世纪80年代初期，正当市场原教旨主义如日中天之时，日本人为世界银行的一项针对亚洲奇迹的研究提供资助，由此发动了一场智力上的攻击。作为世界银行金融政策与支付部的主任，我参与了这项研究的评估。日本政府寻求的是进一步巩固日本的发展模式，而这一模式的成功在于政府对市场的强力干预。世界银行夹在自己的主流哲学和最大捐款国之一之间，只好含糊其辞地作出结论，说亚洲政府的成功在于基本原则正确，模拟市场价格，以及在教育、公共医疗和社会基础建设等应该干预的领域进行了有选择的干预。双方都不是特别满意，但至少政府在发展中的角色得到了承认。然而，在布雷顿森林组织内部，自由化的动力仍是强大的。时至1997年，在香港举办的国际货币基金组织年会上，人们仍在讨论全球的资本账户是否应该进一步放松管制。

对华盛顿共识的再思考

在亚洲危机发生时，主要有两种解释。以克鲁格曼为首的经济学家认为，亚洲糟糕的政策导致了道德风险和泡沫，再加上金融机构缺少监管，于是导致了危机。这一派（包括国际货币基金组织）将危机主要归咎于发生危机的国家本身。另外一派以哈佛大学教授杰弗里·萨克斯（Jeffrey Sachs）为首，认为银行业的恐慌甚至可以将健全的经济体拖垮。接下来，世界银行首席经济学家斯蒂格利茨进一步认为，国际货币基金组织的政策——加强财政紧缩、提高利率——恶化了危机。这反映了世界银行内部的观点，即国际货币基金组织没有考虑到亚洲企业和金融部门资产负债表的脆弱性，但是国际货币基金组织是危机中的领导机构，它没怎么把世界银行的观点当回事儿。

罗伯特·鲁宾[1]在其传记中透露说，在1994年的墨西哥危机中，美国的干预遭到了国会的激烈反对，结果在亚洲经济危机中美国政府显得缩手缩

---

① Rubin & Weisberg (2003)。

脚。美国的民主程序意味着美国政府的国际援助资金必须得到国会的批准。参众两院议员的意见势力很大，即使他们认同美国政府的政策方向，他们仍可以设置政策实施的条件，而这些条件对受援国而言可能是无法接受的。当然，在华盛顿，认为亚洲危机是进一步走向民主化和自由市场的机会的观点仍大行其道。

因为美国在布雷顿森林组织内拥有最大份额的表决权，美国可以对这些组织贷款给某个具体国家的条件施加很大影响。于是，华盛顿共识的基本哲学就体现在布雷顿森林组织设计的援助计划之中。在危机中，针对国家援助计划以及附加条件的谈判变得非常复杂，这不仅因为主要成员国（如欧洲国家）之间的观点需要彼此妥协，而且布雷顿森林组织、美国财政部和国会之间的观点也需要达成一致。日本政府虽然努力想代表亚洲的观点，但往往得不到足够的支持票，因此不得不接受多数派的意见。正如我在第二章解释过的，日本经济在本阶段的走弱也降低了日本的谈判地位。因此，尽管泰国在越战期间是美国的重要盟友，但是基于国内政治上的原因，在亚洲危机初期美国还是未能向泰国提供金融援助。后来的金融援助都是通过布雷顿森林组织或双边援助计划来实施的。

对亚洲各国来说，美国拒绝双边援助表明美国的友谊是有局限的。美国拒绝直接帮助一个主要使用美元的地区。美联储断然拒绝扮演最终的美元贷款人的角色，而国际货币基金组织又不具备扮演这一角色的条件。在 20 世纪 80 年代的拉美危机中，国际货币基金组织扮演了积极的角色，“拖住”了贷款银行，但这次不同了，因为整套的自由化政策使国际货币基金组织在同银行打交道时要采取“不干涉”的方式。“拖住”意味着冻结，即贷款银行不能撤出其资金，从而给危机的解决留出时间。美国和欧洲的贷款银行信守强烈的市场原教旨主义，加之尽早出局对其有利，因此这些银行不大可能在没有强烈政治压力的情况下同意被冻结。人们担心的是，国际货币基金组织对私有部门的“拖住”式干预会产生道德风险，而这是华盛顿共识绝不允许的。结果，没有一家银行在泰国的贷款被冻结，投资者和贷款银行纷纷从泰国和印度尼西亚撤出。

如果认为凭借国际货币基金组织的名号就能让投资者和贷款人有留下来的信心，就未免有些幼稚了。银行家懂得，如果没有冻结协议，最安全的路线就是携款跑掉，而不是等待国际货币基金组织开药方。这样一来，随着利率提高和财政支出缩减使通货紧缩更加恶化，危机从泰国传到了印度尼西亚和马来西亚，接着又传到了韩国。同时，美国和欧洲否决了日本设立亚洲货币基金的提议，因为它们不希望出现同国际货币基金组织竞争的机构。直到很晚的时候，它们才为韩国安排了银行冻结计划，因为此时大家(尤其是美国和欧洲的贷款银行自己)都已清楚，如果不在韩国阻止住危机的扩散，包括美国和欧洲贷款银行在内的全球经济都会受到更大冲击。然而，冲击已经造成了。

1998年6月，日元跌至1美元兑150日元，对亚洲其他国家的货币构成巨大压力。美联储出手干预了，因为它清楚，如果中国也让自己的货币随同日元一起贬值，全球经济就会走向一场汇率战争。到了8月，马来西亚抛开华盛顿共识，实行汇率管制。事实证明，如果政策正确，这一着是可以阻止危机的。

我在读了鲁宾的传记后，对阿克顿爵士(Lord Acton)的名言"没有永恒的朋友，只有永恒的利益"深感认同。每个国家都应该在危机夺走主权之前照顾好自己的利益并实施改革。前中国财政部副部长楼继伟曾就华盛顿共识发表了最深刻的评论——它将完美结局同达成完美结局的路径混为一谈[①]。每个国家都想要健全的宏观经济政策，更自由的贸易和金融，良好的公司治理，以及健全的、没有扭曲的监管。这无可厚非。但是考虑到各个国家远非完美的历史、文化、社会、政治和体制结构，它们到达这一目标的路径是什么？发展的过程并不简单，我们都会犯错误。事实上，对大多数国家而言，在没有危机的情况下改革成功或取得进步是不可能的。一分耕耘，一分收获。诚哉斯言！

国际货币基金组织的角色

国际货币基金组织为自己在危机中扮演的角色已作过多次辩解。作为危机中协调援助的首要国际机构，国际货币基金组织应印尼、韩国和泰国的要求，向这几个国家提供了技术援助、建议及大约360亿美元的直接贷款，占大约1 000亿美元国际援助总额的近三分之一。危机爆发时，国际货币基金组织对菲律宾的援助计划已经在实施中，而马来西亚则拒绝了国际货币基金组织的资金援助。

国际货币基金组织下属的一家知名杂志《金融与发展》(*Finance & Development*)在1998年6月刊登了一篇文章，这可能是对亚洲危机中国际货

① 楼继伟(2006)。

币基金组织的角色所作解释中流传最广的一个。十年后重读此文，让人不仅了解到国际货币基金组织的优点，对它的缺点也有了更深的认识。时任国际货币基金组织总干事的斯坦利·费希尔在为该组织在危机中的角色进行辩护时，认为国际货币基金组织的角色是不断变换的，但通过扮演监管角色及为有需要的成员国提供贷款，国际货币基金组织确实是促进国际合作、国际贸易和国际汇率稳定的重要机构。"通常的情形是，只有在危机发生时，国际货币基金组织才被要求提供援助，而危机的发生通常是此前政府不愿采取行动的结果。"[①]换言之，危机的发生是成员国自己的错。

有必要总结一下国际货币基金组织专家对危机和治疗方案的观点。在国际货币基金组织专家看来，导致亚洲危机的原因既有国内因素，也有外部因素[②]：

- 经济过热压力的累积，主要表现在巨额外债以及资产价格和股票市值的膨胀；
- 盯住汇率的长期维系，在有些国家已难以为继……
- 对金融机构未能实行审慎原则，监管不力，同时，政府主导的贷款行为使银行贷款组合的质量急剧下降；
- 因信息不充分及缺少透明度而导致的问题……
- 国家治理及政治不稳定的问题，这加剧了信心危机……
- 当欧洲和日本的投资机会看上去少利可图时，国际投资者在寻求更高收益时低估了风险……
- 好几个东亚国家的货币都是盯住美元的，因此美元/日元汇率的宽幅波动造成其国际竞争力的变动并证明其竞争力不可持续，从而深化了危机……
- 同寻求外汇套期保值的国内投资者一道，国际投资者——主要是商业银行和投资银行——在有些情况下可能加重货币的下行压力。

请注意，上面的清单里遗漏了不同经济体之间的互动及危机传播的渠道。同时，恢复信心的基本药方无非是些常规策略[③]：

- 货币政策必须足够强硬，以防止货币的过度贬值……
- 金融部门的虚弱是亚洲危机的根源，需要引起特别注意……

---

① Fischer (1998b)，第 4 页。

② IMF Staff (1998)，第 18～19 页。

③ 同上，第 19～20 页。

- 公共部门和公司必须改进治理，增加透明度和可靠性……
- 财政政策需要重点关注减少对境外资金的依赖，要考虑银行系统重组和资本调整的成本。

最有启发性的观点也许来自国际货币基金组织现任副总干事约翰·利普斯基（John Lipsky）。他是在1998年担任大通曼哈顿银行（Chase Manhattan Bank）首席经济学家时表述这些观点的。他的观点包括如下几点（有几点我是同意的，并在下面划了线）：

- 危机的强度及在亚洲传播的速度是人们事先没有预料到的，这表明人们没有充分认识到之前存在的地区间联系的重要性；
- 危机导致的经济损失和金融混乱并非不可避免，但被严重打击投资者信心的政策失误恶化了；
- 人们夸大了固定或盯住汇率在货币危机深化中的作用。危机国家致命的失败在于政策不连贯——尽管是在恶劣的形势下——因而不断丧失信用；
- 人们过高估计了外部资本流动在危机中的诱发作用——从本质上说，是将问题严重化的征兆当作问题本身。与此同时，人们低估了资本从危机国家外逃的严重影响；
- 危机国家不愿意紧缩其货币政策以阻止资本外逃，且试图使国内公司及财富所有者免受市场规则的冲击，事后证明，这些都是自拆台脚的；
- 各个国家面临的经济和金融挑战都是不同的。日本在整个20世纪90年代的经济停滞，中国经济的转型，东盟（ASEAN）经济的逐渐成熟——这些都是相关但却有明显区别的问题，需要度身订制有针对性的解决方法；
- 针对持续发展中的危机的任何解决方案，都必须依赖私人资本。

值得特别注意的是，在目前这场危机中，大量的公共资金已经是危机解决方案的一部分。

经济学家杰弗里·萨克斯是当下经济学界的翘楚，亚洲及国际金融机构（IFI）中许多最优秀的经济学家都出自他的门下。萨克斯曾说过："过去，当国际货币基金组织的某个计划因为社会动乱及经济困境而失败时，它总是将其归咎于政府的意志薄弱和无能。如今，终于有所改变了。"①

---

① Sachs（2005）。

国际货币基金组织的信誉危机

曾任国际货币基金组织总干事的罗德里戈·拉托(Rodrigo de Rato)(他于2007年10月卸任)在亚洲危机发生10年后,对危机进行了经验总结①。他认为经验主要有三条。首先,各国都学会了要预防资本市场分崩离析。亚洲国家都走向了浮动汇率,强化了宏观经济政策。国际货币基金组织引入了新的工具,增加了应对未来危机的金融资源,且认识到了资本流动引发的风险。

其次,危机的蔓延可能十分迅速,具有破坏力,因而必须考虑不同部门和不同国家之间的内部联系。国际货币基金组织在其监督工作中正式采纳了资产负债表分析,且作为补充,还要对国家的脆弱性按金融部门评估计划(FSAP)作评估。1999年召开的金融稳定论坛通过了全球标准和规范,而这些标准和规范的采纳使针对脆弱性的判断有了统一的标准和可资比较的一致的基础。

最后,国际货币基金组织终于承认,它需要多听取成员国的意见,以拥有基金项目的所有权和优先权,并有效执行。它认识到要同文明社会打交道,以及社会稳定是宏观经济稳定和增长的基础。金融仅仅是危机解决方案的一个层面。

国际货币基金组织能够承认这些,对纠正其角色,防止未来危机的发生是很重要的。为了做到更透明、更可信,国际货币基金组织在2001年成立了独立评估办公室,对其工作进行更客观的检查。2003年,独立评估办公室对国际货币基金组织在应对印尼、韩国和巴西资本账户危机中的表现发表了坦诚的分析报告②。

针对印尼,报告的结论是国际货币基金组织的确认识到了银行部门的脆弱性,但低估了其严重性及可能导致的宏观经济风险。特别是,当时并没有拟定一个全面的银行重组战略。

事实上,国际货币基金组织在印尼危机中最具争议性的行为是其对正在出现的银行危机的处理。独立评估办公室在这方面的评论是小心翼翼的:"报告考虑到了这一问题,即在1997年11月是否应该引入一个全面的担保计

① de Rato (2007)。

② Independent Evaluation Office (2003)。

划，而不是事实上提供的部分担保。报告的结论是，在11月的时候，危机还没有系统化，因此部分担保是合适的。银行重组中的问题主要是最初没有一个完整的、沟通充分的策略，而不是担保的性质①。”报告没有提及世界银行和国际货币基金组织之间存在的严重分歧。在危机爆发之前，世界银行一直向印尼提供银行监管方面的技术支持，而国际货币基金组织的专家们则在危机爆发之后，很快就被要求提供完整的支持计划。有关关闭印尼银行是否有处理不当之处的争论，我们将在第九章深入讨论。

独立评估办公室的报告认为，除了低估印尼银行危机的严重性以外，国际货币基金组织还“误判了最高政治层的所有权程度，低估了既得利益对改革可能形成的阻力。”②这些都源于此前对腐败和裙带关系的影响认识不足，因而监督不力。简而言之，国际货币基金组织对危机和改革的政治层面未能给予足够的重视。

在韩国，“对于资本账户自由化的不均衡发展及银行部门脆弱程度所可能导致的风险，国际货币基金组织的监管未能充分认识，原因在于它采用了重点关注宏观经济变量的传统方法。要做全面评估，信息还不够，尽管有关短期债务和金融市场指标的信息未能得到充分利用……直到最后时刻，国际货币基金组织都是乐观的。”③

独立评估办公室的报告很有启发性。它总结说：“即使已认识到某个国家的最薄弱环节，国际货币基金组织作为极受信任的顾问的角色在说服其进行政策调整方面，也不十分有效，”④“对于潜在的脆弱性，尤其是同治理问题相关的脆弱性，监督报告不够坦诚。”⑤换言之，国际货币基金组织的监督角色对政策的实际影响微乎其微。除非迫不得已，各国总是对基金组织的监督报告置之不理。

针对国际货币基金组织的另一贴药方，报告的结论是“这三个国家在货币政策方面的经验各不相同，因此在高利率能够在多大程度上稳定汇率这一问题上并没有一成不变的答案”⑥。这印证了斯蒂格利茨的观点，即在高杠杆的情况下，高利率只会恶化危机，而不会解决危机。并没有任何时候都管用

① Independent Evaluation Office (2003)，执行纲要。
② 同上，第13页。
③ 同上，第13页。
④ 同上，第15页。
⑤ 同上，第85页。
⑥ 同上，第16页。

的单一药方。

报告还认为,为了让人们恢复信心,国际货币基金组织的计划必须包含让公众和市场了解该计划逻辑的策略。如果不能让市场和公众相信计划的可行性,就会导致混乱和不理想的结果。比如说,相对于韩国当时的短期债务规模而言,第一个一揽子计划的规模显得不足,形式也不够完整,因为到1997年12月初,韩国"可使用的储备"已经下降到73亿美元左右。由于没有针对私人部门的冻结协议,资金仍在外逃。直到圣诞节的时候,外资银行才对银行间债务进行续贷。血终于止住了。

针对基金组织贷款条件这一有争议的问题,报告敦促基金组织采取优先考虑的做法,而不是试图通过附加过多限制条件解决过多的问题,因为有些问题是结构性的,不可能短时间内解决。比如说,报告认为"过多的结构性限制条件可能导致最高政治层面所有权的缺失以及无法实施,而这两点都会挫伤信心。"①用简单的话来说,苏哈托总统不认可基金组织开出的条件,觉得这些条件有损他的政治地位,因此他对这些改革的支持并不是全心全意的。

报告正确地认识到印度尼西亚和韩国的危机是"孪生危机",而且既有银行业危机,也有国际收支平衡危机。基金组织的监管"未能及时拉响警报,因为在危机发生时,各国宏观经济基本面良好,出口稳定增长,价格相对稳定,财政基本平衡"。国际货币基金组织的监管报告不同程度地指出了各国共有的脆弱性,包括金融部门的虚弱,高度杠杆化的公司资产负债表,公共和公司部门的管理不力,以及不断增长的未作套期保值的短期外债,但**基金组织对脆弱性的严重程度和可能导致的后果未能给予充分注意**。这是因为私人部门的脆弱性不属于基金组织的核心监管范围②。

换言之,国际货币基金组织工作人员的直筒式思维模式使他们未能从不同的角度观察金融危机,如对国际收支平衡失败的分析,不同部门、不同国家的危机互动传播途径以及政治经济的角度。政治家和官僚机构在政策的制定和实施方面缺少互动,在危机发生期间尤其如此。

在亚洲各国对这份报告的讨论中③,大家的共识是明确的,即国际货币基金组织需要改革。鉴于大家对基金组织缺少市场专业知识颇多微词,基金组织在2001年3月成立了国际资本市场部(the International Capital Markets

---

① Independent Evaluation Office (2003),第19页。

② 同上,第23页。

③ Institute for International Monetary Affairs (2003)。

Department)，该部门的职责是让基金组织更好地了解全球市场的变化。后来，国际资本市场部同货币事务及外汇部（the Monetary Affairs and Exchange Department）合并，后者的职责是向中央银行提供专有技术知识。合并后的货币及资本市场部（the Monetary and Capital Markets Department）每半年公布一份金融稳定性报告（Financial Stability Reports），就地区及全球范围内的金融稳定性问题提供有用的调查结果。

另外一个得到明显强化的领域是招募了许多拥有银行危机一手处理经验的高级银行监管员。显然，对危机管理提出建议不应该是员工的事儿，因为不管他们多么训练有素，他们对事件的理解都是二手的。全面担保、冻结以及关闭银行这些问题不仅复杂，而且时机的把握至关重要。2007年的北岩银行事件中，当一家贷款机构发生挤兑时，即使像英国这样的成熟市场也提供了全面担保。我们在关于印尼的第九章及关于金融稳定性的第十二章中还会讨论这些问题。

独立评估办公室的很多结论也适用于报告中未提及的其他几个遭受危机的国家，如马来西亚和泰国。这又使我想起在危机中将亚洲货币基金组织的设想付诸实施有多么不现实。在火灾发生时，人们能够成功地造出一台新的消防车吗？答案肯定是不能。消防车只能在火灾发生前制造，而且消防员还要接受如何正确使用消防车的培训。因此人们只能依靠已有的消防车，不管它管不管用。如果一辆消防车在设计上只能扑灭一种火灾，那么当一种新型火灾发生时，它就派不上用场了。

从华盛顿共识到全球共识？

因此，亚洲金融危机是对作为全球金融危机消防车的国际货币基金组织的一场考验。在一个复杂、多极且快速变化的世界中，国际货币基金组织自身的弱点在危机中暴露无遗。国际货币基金组织在我们这个新世界中的角色究竟是什么呢？

英格兰银行行长默文·金提醒我们，在1947年举行的国际货币基金组织首次会议上，凯恩斯爵士说过，布雷顿森林体系的孪生组织应该具有三个特征——全球性（因为它们属于整个世界），处理问题的精力和无畏精神，以及“智慧……只有这样，它们对每个问题的处理方法才能做到绝对客观。”①

---

① King (2006)。

国际货币基金组织迷路了吗？60 年前，各国都缺少外汇，因此国际货币体系采用的都是固定汇率制。如今的环境已经不同，国际资本不再短缺，汇率更加灵活，主权财富基金完全可以取代国际货币基金组织最终贷款人的角色。

相对于现代金融市场而言，国际货币基金组织的规模显得太小了。截至 2008 年 2 月，基金组织的一年期远期贷款协议执行能力（forward commitment capacity，FCC），即估算的未来一年中可用于新贷款的资源，是 2060 亿美元。2006 年，国际信贷的净增加额是这一数字的 5 倍。基金组织不能从金融市场直接借钱。它只能从其股东——各国政府——那里获得资本，而在危机爆发期间，各国政府不见得同意增加资本。增加资本的程序是复杂而且耗时的。今天，亚洲国家的储备金大约是国际货币基金组织资源的 16 倍。

从资源的角度来看，布雷顿森林组织的相关性越来越小。在最近爆发的危机之前，新兴市场一直在偿付其贷款，截至 2007 年 3 月，它们欠基金组织的钱只有 73 亿特别提款权（约合 110 亿美元）。2007 年初，包括国际清算银行在内的布雷顿森林组织的资产总值是 9 450 亿美元，这一数字还不到全球金融总资产 194.5 万亿美元的 0.5%①。目前，中国向非洲的贷款超过了世界银行。

第二个问题是，如果国际货币基金组织不是中央银行的中央银行，不是最终贷款人，它能够发挥作用吗？默文·金认为，国际货币基金组织的角色应该是就各国国内货币政策面临的外部风险向各国政策制定者提供专业分析。尤其是，基金组织应该留意各国政策导致的全球外部性的变化。作为支持全球货币政策的受尊敬的独立声音，基金组织应该是全球公共物品的提供者，承担起全球监管的角色，以及“提供一个供各国政府讨论世界经济风险的论坛”。

然而，要做到这些，基金组织必须要有重点、有独立性和合法性。但是从一个新兴市场的观点来看：谁的重点？独立于谁？又是谁的合法性？世界的真正政治关系是：既有全球市场，又有国家政府，而后者是不愿意将权力交给哪个全球政府的。

所以问题的核心就是：没有人负责全球的货币政策，也没有人愿意为其他人的错误导致的后果负责。即使欧洲央行的行长吉恩-克劳德·特里谢

① IMF Global Financial Stability Report (2008)，附件表 3。

(Jean-Claude Trichet)①也承认，游戏变化的速度太快了，已有的体系很难应对。权力的平衡在不断变动，但在如何改变全球金融体系以应对未来的危机方面，则是既没有规划，也没有各自的职权范围。正如波士顿倾茶事件提供的答案那样：如果没有足够的代表权，我们如何能够确保在某个领域有全球性的税收或行动？

如何看待基金组织的预防或监管角色？除非国际货币基金组织有执行权，否则监管是不会有效的。事实上，对于那些不需要从基金组织贷款的成员国而言，基金组织是无法推行它的建议或观点的，因而也就不能有效地行使其监管权。而且，只有这一国际组织具有合法性，执行才会有效力。

在全球监管领域还是有些进步的。意识到没有足够的代表权，G10 的代表在 1998 年 4 月发起组织了一个更大的集团，最初称作 G22②，后正式定为 G20。1999 年 4 月，G22 建议设立金融稳定论坛，参与者不仅包括财政部、中央银行和监管机构，还包括标准制定者。论坛通过金融监管领域的信息交流和加强合作促进国际金融稳定。论坛定期举行，参加者有来自受人瞩目的 12 个国际金融中心负责金融稳定的政府主管、国际金融机构、国际性的行业监管团体，以及中央银行的专家委员会③。

1999 年以来，随着金融部门评估计划的施行，在全球标准和规范方面有了显著的改进，监管能力也得到了增强。金融部门评估计划由世界银行和国际货币基金组织联合执行，对成员国金融系统的优势和劣势进行全面评估，其目的是增进金融系统抗冲击的能力，并协助设计合适的应对政策。截至 2007 年 10 月底，国际货币基金组织和世界银行实施了 114 项金融部门评估计划，占 197 个成员国总数的 57.9%。然而，像美国、中国和印度这样的大国还没有实施金融部门评估计划，尽管后两者正在为此做准备。有趣的是，亚

---

① Trichet (2007)。

② G22 包括 G7(加拿大、法国、德国、意大利、日本、英国和美国)，加上阿根廷、澳大利亚、巴西、中国、中国香港特别行政区、印度、印度尼西亚、马来西亚、墨西哥、波兰、俄罗斯、新加坡、南非、韩国和泰国。参加会议的包括国际清算银行、世界银行、国际货币基金组织、经济合作与发展组织的领导，及过渡委员会[the Interim Committee，后更名为国际货币与金融委员会(International Monetary and Financial Committee)]的主席和观察员。

③ 包括澳大利亚、加拿大、法国、德国、中国香港特别行政区、意大利、日本、荷兰、新加坡、瑞士、英国、美国、国际清算银行、国际货币基金组织、世界银行和经济合作与发展组织，以及巴塞尔银行监管委员会、国际证监会组织、国际保险监督官协会和国际会计准则理事会。参加者还包括支付和清算系统委员会、全球金融系统委员会的主席以及欧洲央行行长。秘书长来自国际清算银行。

太国家是实施金融部门评估计划最少的，在其差不多40个成员国中，只有10个国家（占总数的25%）实施了这一计划。

在对2006年金融部门评估计划的效率进行总结时，国际货币基金组织独立评估办公室认为，金融部门评估计划意味着在实行金融部门监管以及理解金融部门脆弱性和宏观经济稳定性的重要关系方面，基金组织的能力有了显著的提高。金融部门评估计划使基金组织对金融部门有了更深的了解，促进了各国政府的讨论，更好地支持了政策和制度变革。尤为难能可贵的是，金融部门评估计划能够对金融部门脆弱性和发展需求进行全面的评估，而这一点是基金组织自身具有的评估职能所无法做到的。

然而，目前的国际机制缺少重点、独立性和合法性，原因就在于很难解决金融资源不断变化的难题，最明显者莫过于新兴市场从净债务国迅速变成了净债权国。

国际货币基金组织的成员国中有两大集团，一为美国，一为欧洲，双方对人事任免和政策制定均有极大影响。日本尽管也有可观的表决权，但如得不到新兴市场国家的有力支持，是无法让基金组织接受其观点的。如果其他的成员国不能达成一致，是很难改变两大成员集团的观点的。换句话说，基金组织的规则被遵守是因为成员国一致认为，对规则的违反需要某种合法的道德权威来应对，因此它们给予执行者强制执行的有效手段和采取行动的法定权力。如果没有合法性和采取行动的权力，包括公平、透明的争议解决机制，任何一个国际组织都只能是毫无效力的空壳。

目前权力分配的困难在于，尽管欧洲已经是一个单一的政治体，但其国际代表权仍然是通过各个欧盟成员国来实现的。这些国家不愿意为了适应新兴国家的崛起而弱化它们在布雷顿森林组织中扮演的角色。正如曾在国际货币基金组织任过职的基金经理穆哈默德·艾-伊莱恩（Mohamed El-Erian）所指出的："基金组织的治理结构是过时的，封建的。"①人口只有1 000万的比利时，其表决权（2.13%）居然同拥有13亿人口的中国（2.94%）相差无几，或者说同巴西和墨西哥加起来（2.61%，3亿人口）差不多。

同新兴市场国家缺少沟通的最明显例子就是布雷顿森林组织的领导提名程序。2007年5月世界银行行长保罗·沃尔福威茨（Paul Wolfowitz）宣布辞职后，美国立马提名自己的候选人罗伯特·佐利克（Robert Zoellick）填补这一空缺——这已经是惯例了。尽管佐里克先生声名显赫，堪任此职，但因

① El-Erian (2008)，第44页。

缺少公开、透明的遴选程序，其他国家是否也有合适的候选人就不得而知了。同样，当国际货币基金组织总干事西班牙人罗德里戈·拉托在沃尔福威茨辞职数周后也宣布辞职时，欧洲人即刻统一意见，提名法国人多米尼克·斯特劳斯-康恩(Dominique Strauss-Kahn)继任。布雷顿森林体系孪生组织的紧迫问题就是资源——既然新兴市场国家和新的财富来源国在这对孪生组织的活动中没什么发言权，那么它们愿意为此提供资金吗?

那么，布雷顿森林组织能有何作为呢? 应该有何作为呢?

有两个角色可以马上排除。首先，基金组织是否应该扮演全球金融市场的世界警察? 伊特维尔爵士(Lord Eatwell)等人对此有个称呼，即世界金融管理机构①。没有人会同意基金组织扮演这一角色，因为各国监管机构也好，现行国际监管标准的制定者也好，都不会愿意将权力让渡给国际货币基金组织。

第二个角色，即作为最终贷款人，也不可行，因为所有的中央银行，尤其是 G10 的中央银行，都不愿意将此权力移交给一个国际组织。如果没有国际最终贷款人，全球货币政策就会继续受制于各国的国家利益。

站在新兴市场的角度，大家可能达成的一致意见是，国际货币基金组织应该在如下领域提供公共产品：各国及全球金融市场统计数据、信息交换、技术协助、技术研究及讨论国际问题的论坛。另外一个共识就是，布雷顿森林组织确实在监管领域干得不错，如金融部门评估计划。但因为资源有限，基金组织在金融危机中只能扮演协调角色。这是一个仍存在模糊地带的角色。在私有资源占据主导地位的金融市场，国际货币基金组织发挥作用有哪些渠道? 该如何发挥作用? 或者这仍然是各国中央银行的职权范围?

第二个有争议的问题是，基金组织是否应该对汇率的合理范围进行监管? 因为汇率是相对的价格，因此很难对某一汇率是高估了还是低估了进行客观的评估。没有哪个国家愿意承认其汇率被高估或者低估了。如果有争议，是应该在双边机制还是多边机制内解决呢?

根据以上简短的分析，让人心情沉重的结论就是，国际金融体制职责不清的问题还会继续存在，因为到目前为止，没有哪国政府愿意向一个国际机构交权，让它协调以及分配损失。如果说亚洲危机说明了什么问题，那就是损失主要是由遭受危机的国家自己承担的。具有讽刺意味的是，国家越弱，损失就越大。如果国际货币基金组织或其他的国际机构能够证明，它们可以

---

① Eatwell & Taylor (2000)。

在全球基础上减轻和分担危机造成的损失，那么它们还是可以有所作为的。理想的情况是，基金组织应该预防危机，或对其他国家提供具体该怎样做的建议。

在接下来的几章里，我们将讨论遭受危机的四个国家，即泰国、韩国、马来西亚和印度尼西亚。

第六章

泰国：全球化的业报

赤手空拳别想抓老虎。

——泰国谚语

业报说的是一个人过去造的业，无论善恶，时间一到必尝其果，毫厘不爽①。1997年7月2日，亚洲危机正式降临佛教盛行的泰国。在受危机打击最严重的国家之中，泰国可谓是中等收入国家的典型。泰国曾得全球化之益，后又遭全球化之苦。在全球化的背景下，若想在经济和政治生活中保持可持续的繁荣，必须有强大、有效的制度化治理。任何一个新兴国家都无法避免全球化的业报，不论是善报，还是恶报。

事后看起来，泰国陷入危机的主要根源在于：首先，在宏观经济层面，泰国的政策目标彼此冲突。具体而言，在危机爆发前的阶段，泰国越来越陷入"不可能三角"(Impossible Trinity)困境，即如何在同一时间里协调好近乎固定的汇率、自由的资本流动和独立的货币政策。其次，在经济结构层面，泰国的风险管理体系是不健全的，因此产生了过量的私有债务，于是股票和房地产都出现了巨大泡沫。这些都表明决策程序是有缺陷的，是糟糕的政治的结果。

东南亚明星国家

在20世纪90年代初期到中期，泰国从稻米出口国转变为轻工业和旅游

---

① Prieb (2004)。

业为主的领军国家，是东南亚的明星国家之一。从1990年到1995年，泰国的GDP年平均增长率是9.1%，政府的年度财政盈余达到GDP的3.2%，国内年均储蓄率为GDP的35%（表6.1）。1995年，泰国的GDP达到1 680亿美元，是亚洲的第七大经济体，也是仅次于印尼的东南亚第二大经济体。在90年代初期，泰国一派繁荣景象，据说国内的银行家们都喜欢收藏柏翠（Chateau Petrus）红酒，戴重重的爱彼皇家橡树（Audemars Piguet Royal Oak）牌手表。

在1995年上半年，的确有人对泰国经济表示了忧虑。然而，忧虑的着眼点不是泰国的体制弱点，而是经济的宏观稳定性。人们尤其担心泰国不断恶化的通货膨胀和经常账户赤字会持续下去。从1990年到1995年，泰国的通货膨胀率平均为5%，同期的经常账户赤字平均为GDP的6.6%（表6.1和表6.2）。1994年墨西哥比索危机爆发时，许多人争论泰国是否会重蹈墨西哥的覆辙。

表6.1 泰国：部分实体经济指标

	1990	1991	1992	1993	1994	1995	1996	1997	1998	1999	2000
GDP（10亿美元）	85.6	96.2	109.4	121.8	144.3	168.0	181.9	150.9	111.9	122.6	122.7
人均GDP（美元）	1 518	1 687	1 899	2 084	2 442	2 826	3 038	2 496	1 829	1 985	1 967
实际GDP（年增长%）	11.6	8.1	8.1	8.3	9.0	9.2	5.9	−1.4	−10.5	4.4	4.8
失业率（占总劳动力%）	2.2	3.1	2.9	2.6	2.6	1.7	1.5	1.5	4.4	4.2	3.6
通货膨胀（年增长%）	5.9	5.7	4.2	3.3	5.1	5.8	5.9	5.6	8.1	0.3	1.6
财政余额（占GDP%）	4.8	4.3	2.6	1.9	2.7	3.0	0.9	−1.5	−2.8	−3.3	−2.2
中央政府债务（占GDP%）	13.6	9.9	8.0	6.2	4.3	3.4	3.8	5.1	10.8	20.7	22.2
国内资本形成总额（占GDP%）	41.4	42.8	40.0	40.0	40.3	42.1	41.8	33.7	20.4	20.5	22.8
国内储蓄总额（占GDP%）	34.3	36.1	36.0	35.0	34.7	34.1	33.8	32.9	33.3	30.7	30.4
制造业指数（2000年=100）	52.6	57.7	65.5	73.4	79.2	83.7	91.4	91.9	83.4	93.7	100.0

资料来源：泰国银行，亚洲开发银行，国际货币基金组织，Jaimovich & Panniza (2006)

表 6.2　泰国：部分货币和经常账户指标

货币指标	1990	1991	1992	1993	1994	1995	1996	1997	1998	1999	2000
1 美元兑泰铢(期间平均)	25.6	25.5	25.4	25.3	25.2	24.9	25.3	31.4	41.4	37.8	40.1
1 美元兑泰铢(期末)	25.3	25.3	25.5	25.5	25.1	25.2	25.6	47.2	36.7	37.5	43.3
泰铢名义有效汇率(2000 年 = 100[1])	—	—	—	—	132.3	131.8	135.8	89.6	107.1	101.2	95.7
泰铢实际有效汇率(2000 年 = 100)	—	—	—	—	119.2	123.0	128.7	89.1	108.2	101.4	95.2
1 美元兑日元(期间平均)	144.8	134.7	126.7	111.2	102.2	94.1	108.8	121.0	130.9	113.9	107.8
1 美元兑日元(期末)	134.4	125.2	124.8	111.9	99.7	102.8	116.0	130.0	115.6	102.2	114.9
日元名义有效汇率(2000 年 = 100)	—	—	—	—	87.2	85.4	77.9	78.3	86.5	102.0	98.5
日元实际有效汇率(2000 年 = 100)	—	—	—	—	104.9	97.0	85.3	84.9	91.0	104.0	97.0

注：1. 此处是以 2000 年某一个时点为基期，而表中的数值是年度平均值，后同
— 指数据空缺
资料来源：国际清算银行，国际货币基金组织

经常账户指标	1990	1991	1992	1993	1994	1995	1996	1997	1998	1999	2000
进出口(2000 年 = 100)	118.5	117.6	120.0	119.8	121.6	116.0	114.4	115.1	108.2	107.4	100.0
出口(10 亿美元)	22.9	28.3	32.2	36.6	44.7	55.7	54.7	56.7	52.9	56.8	67.9
出口年增长率(%)	15.1	23.6	13.8	13.4	22.1	24.8	−1.9	3.8	−6.8	7.4	19.5
进口(10 亿美元)	32.7	37.8	40.1	45.1	53.4	70.4	70.8	61.3	40.7	47.5	62.4
进口年增长率(%)	29.8	15.6	6.1	12.3	18.4	31.9	0.6	−13.4	−33.8	16.9	31.3
贸易余额(10 亿美元)	−9.8	−9.5	−7.9	−8.5	−8.7	−14.7	−16.1	−4.6	12.2	9.3	5.5
经常账户余额(10 亿美元)	−7.1	−7.2	−6.0	−6.1	−7.8	−13.2	−14.4	−3.1	14.3	12.5	9.3
经常账户余额(占 GDP%)	−8.3	−7.5	−5.5	−5.0	−5.4	−7.9	−7.9	−2.1	12.8	10.2	7.6

资料来源：泰国银行，国际货币基金组织，联合国贸易和发展会议，作者估算

众所周知，泰铢和美元是“软挂钩”的。虽然政府宣称泰铢是和一篮子秘而不宣的货币挂钩的，但自从 1984 年以来，泰铢兑美元的汇率一直稳定在 25∶1的水平。自从 1992 年乔治·索罗斯在迫使英格兰银行让英镑贬值一役中扮演了关键角色以来，软挂钩汇率成了专业的宏观对冲基金攻击的目标。然而，在墨西哥危机刚发生不久的 1995 年 1 月，泰铢挺过了第一场投机性攻击，其中的原因主要有两个。

首先，一般认为亚洲——包括泰国——不同于墨西哥。从新兴市场标准和宏观角度来看，泰国的宏观经济问题没有墨西哥那么严重，经济总体来看仍然强劲。1997 年 10 月，日本前大藏省高官吉富胜(Masaru Yoshitomi)回忆道：

> 1994～1995 年墨西哥比索危机爆发时，我们都在讨论，泰铢是否会遭到同样的抛售。包括国际货币基金组织和世界银行在内的很多人都认为泰国的宏观经济基本面还是好的：低通胀，预算平衡，高储蓄率，以及潜在的高增长率。通货膨胀可能在加速，但至多从 5%升到 7%。因此，我们对泰铢的稳定是放心的。①

其次，由于泰国经济的高增长率掩盖了经济的体制性缺陷，人们对泰国宏观经济管理的良好记录抱有很大的信心。泰国银行作为中央银行作风硬派，尤其受人尊敬，这要归功于已故的具有远见卓识的黄培谦(Puey Ungphakorn)博士。黄博士从 1959 年 6 月到 1971 年 8 月任泰国银行行长，任期长达 12 年。黄博士的治行策略是，向来自各个阶层的学生提供奖学金，送他们到西方最好的学术机构留学，以增进知识和职业素养，并获得泰国本国人民和外国人的尊敬②。泰国银行是其他中央银行羡慕的对象，因为在泰国银行工作的全是优等生、注册会计师和工商管理硕士，其技术上的优势不输于国际货币基金组织和世界银行派来的最优秀的宏观经济学家。在 20 世纪 80 年代初期的泰铢贬值和银行业危机中，泰国银行的处理手法可谓老到，我自己作为中央银行官员从泰国同事那里学到不少关于货币政策和银行监管的学问。

1995 年年中到 1996 年，泰国经济遇到麻烦的迹象越来越明显，人们的情绪也开始转变。人们注意到，此时的泰国：

- 外债——尤其是短期债务——持续攀升。外债从 1994 年占 GDP 的

① Yoshitomi (1999)，第 183 页。

② Nukul Commission (1998)，第 426 段。

45%增加到1995年占GDP的60%，其中短期外债从1994年的45%增加到1995年的52%（表6.9）；

- 泰铢从1995年到1996年的实际有效汇率显著升值；
- 出口锐减，而出口是泰国经济增长的主要引擎。泰国1994年到1995年的出口增长达24.8%，而1995年到1996年的出口下降了1.9%；
- 1995年和1996年的经常账户赤字持续攀升，达到GDP的8%左右，而在1994年这一数字是5.4%；
- 经济发展速度下降，1996年实际GDP增长只有5.9%，相比1995年的9.2%可谓锐降；
- 财政平衡恶化。虽然泰国政府仍保持财政盈余，但预算盈余从1995年占GDP的3%锐减到1996年的0.9%；
- 资产价格下跌，尤其是证券和房地产市场。房地产价格在1992年达到峰值，而证券市场则是在1994年达到峰值；
- 金融部门的处境越来越艰难，1995～1996年间金融公司的日子尤其不好过。

基于上述迹象，国际银行和投资界开始更仔细地重新审视泰国经济。1996年年末，泰铢压力重现，到1997年上半年压力进一步增加。与此同时，泰国证券交易的标杆指数——SET指数从1994年1月4日的峰值1754点下跌到1997年6月30日的527点，几乎跌去三分之二。从1994年起房地产市场供大于求的状况开始变得明显，到1997年6月，曼谷的写字楼空置率达到17.7%①。

墨西哥危机再现？

有必要将泰国危机和墨西哥危机作一比较。在1994年比索贬值前，墨西哥的脆弱性主要有两点。首先，墨西哥经常账户赤字（1994年占GDP的7%）主要靠同短期美元走势挂钩、被称作*Tesobonos*的政府债券填平。与墨西哥相比，泰国在1995年和1996年的经常账户赤字约为8%，比墨西哥大，但泰国的赤字主要靠短期私人外债平衡。

其次，当时墨西哥金融系统正处于金融自由化阶段，包括1991年的银行私有化和取消外汇管制（这些都是墨西哥1994年加入经济合作与发展组织的先决条件）。泰国当时也在经历金融自由化。1993年曼谷国际银行（Bangkok

---

① 参阅 Siamwalla (2000)和 Koh et al (2004)，引用了JP摩根的报告。

International Banking Facility,BIBF)成立,之后大量流动性进入泰国的金融系统,但没能得到很好的管理。正如信贷评级分析师菲利普·德尔海斯(Philippe Delhaise)所言:

> 在1995和1996年汤臣百卫(Thomson BankWatch)①召集的各种会议和研讨会上,评级机构明确警告其客户,泰国银行系统正面临着严峻的形势,要么泰铢受到攻击,如同墨西哥比索危机爆发后不久发生的那样,要么国际金融机构削减它们的巨额美元供应。②

墨西哥银行现任行长圭雷莫·奥蒂兹(Guillermo Ortiz)指出,这两方面的脆弱性连同政局不稳导致了墨西哥和亚洲的货币崩溃③。

不过,因为美国提供了果敢、坚实的支持,墨西哥危机相对比较快地得到了遏制。国际货币基金组织的一揽子援助达到了500亿美元,其中美国承诺提供200亿美元的金融援助。之后,墨西哥进行了艰苦的改革,墨西哥比索自1994年12月20日至1995年3月中旬对美元贬值约50%。结果,虽然其他拉美经济体也受到墨西哥危机的影响,但程度都不是很深。

正如墨西哥有着龙舌兰传染效应,亚洲的情况则像泰国前外交部长素林(Surin Pitsuwan)所说,得了"'冬荫功综合征',好像著名的泰国热虾汤——对那些没有准备的人而言,很辣很危险。"④

泰国在20世纪90年代中期发生了什么?

泰国对危机的解释集中在两个宽泛的领域——过度的私人债务和错误的政策决策⑤,而前者又多少受到后者的影响。

反受成功之害

某种程度上说,泰国的困难源自其早期经济上的成功。20世纪90年代

---

① 汤臣百卫曾是世界上最大的专业银行评级机构,2000年被惠誉收购。——译注

② Delhaise (1998),第93页。

③ Martinez (1998)。

④ Pitsuwan (2000)。

⑤ Nukul Commission (1998),第5页。

初期，外国资本涌入泰国(表 6.3)。1990 年，泰国的资本净流入是 97 亿美元，占 GDP 的 11.3%。到 1995 年，资本净流入增长了 126%，达到 219 亿美元，占 GDP 的 13%。在这 219 亿美元中，约 95%是私人资本流入，51%以银行信贷的形式，19%以证券投资的形式，5%以外国直接投资(FDI)的形式。从 1990 年到 1995 年，泰国国际银行债务的 60%是以外币为主的短期贷款。

表 6.3　泰国：部分外国资本指标　　(10 亿美元)

资本流动	1990	1991	1992	1993	1994	1995	1996	1997	1998	1999	2000
净 FDI 流入	2.4	1.4	1.5	1.6	0.9	1.2	1.4	3.3	7.4	5.7	3.4
净证券投资流入	0.5	0.0	0.5	5.5	2.2	4.2	3.7	4.6	0.3	−0.1	−0.7
其他净流入(包括银行信贷)	6.9	9.9	7.6	3.5	9.1	16.6	14.4	−12.2	−17.4	−13.5	−12.9
净资本流入总值	9.7	11.3	9.7	10.5	12.2	21.9	19.5	−4.3	−9.7	−7.9	−10.3
私人资本净流入	11.0	10.3	8.0	10.3	12.0	20.8	18.2	−7.6	−15.5	−13.5	−9.8
银行信贷净流入	—	−0.3	1.9	3.6	13.9	11.2	5.0	−5.7	−12.7	−10.6	−6.6

资料来源：泰国银行，亚洲开发银行，作者估算

其他指标	1990	1991	1992	1993	1994	1995	1996	1997	1998	1999	2000
外国银行贷款总额	16.2	22.3	26.2	34.4	49.6	68.3	77.6	73.5	58.1	46.9	43.2
短期国际银行贷款[1]	8.8	13.0	15.8	21.4	31.0	43.6	45.7	38.5	24.0	14.2	10.3
日本对泰国的贷款	8.9	12.5	14.5	18.7	29.7	39.0	39.5	35.1	24.0	15.5	12.8
来自日本的直接投资[2]	1.2	0.8	0.7	0.6	0.7	1.2	1.4	1.9	1.4	0.8	0.9
净外国财富头寸[3]	−26.6	−34.4	−40.2	−61.0	−66.4	−94.8	−101.8	−96.0	−97.9	−92.6	−66.0
净对外负债头寸(占 GDP%)	31.1	35.8	36.8	50.1	46.0	56.4	55.9	63.6	87.5	75.5	53.8

注：1. 一年以内(包括一年)的外币贷款
2. 基于报告和通告
3. 负值表示净负债头寸；正值表示净资产头寸

资料来源：国际清算银行，日本对外贸易组织(JETRO)，Lane & Milesi-Ferretti (2006)，作者估算

泰国的巨量外国资本流入，尤其是在1993年到1995年间的外国资本流入，源于几个偶然的因素。首先，发达国家流动性充沛。日本和欧洲人口老龄化，增长迟缓，同时储蓄过剩，因此这些国家都实行宽松的货币政策。尤其是日本，因为利率过低，诱发了有利可图的日元利差交易。时任国际货币基金组织常务副执行董事的斯坦利·费希尔注意到，这些因素以及"国际投资者罔顾潜在风险地追求高收益"①，使得大量私人资本流向新兴市场。泰国以其高增长率以及总体上审慎的宏观经济管理，对外国投资者尤其有吸引力。此外，利差交易在泰国尤其有利可图，因为在美元和泰铢利率之间平均约有6个百分点的差距，而在日元和泰铢之间息差更是达到了8个百分点（表6.4）。日元自1995年4月之后的贬值使这种交易更是利润丰厚。

表6.4　泰国：部分息差　（年率%）

	1990	1991	1992	1993	1994	1995	1996	1997	1998	1999	2000
泰国货币市场利率（TMR）	12.9	11.2	6.9	6.5	7.3	11.0	9.2	14.6	13.0	1.8	1.9
美国有效联邦基金利率（FFR）	8.1	5.7	3.5	3.0	4.2	5.8	5.3	5.5	5.4	5.0	6.2
欧洲隔夜平均指数（EONIA）	—	—	—	—	5.2	5.6	4.0	4.0	3.1	3.0	4.8
瑞士通知贷款利率（SCR）	8.9	7.6	5.9	4.4	3.6	2.3	1.8	1.0	1.0	1.4	3.5
日本通知贷款利率（JCR）	8.2	6.3	3.9	2.4	2.3	0.5	0.5	0.4	0.3	0.0	0.2
息差（TMR-FFR）	4.8	5.5	3.4	3.5	3.0	5.1	3.9	9.1	7.7	-3.2	-4.3
息差（TMR-EONIA）	—	—	—	—	2.0	5.3	5.2	10.6	9.9	-1.3	-2.9
息差（TMR-SCR）	4.0	3.5	1.0	2.1	3.7	8.6	7.4	13.6	12.0	0.4	-1.6
息差（TMR-JCR）	4.6	4.8	3.0	4.1	5.0	10.5	8.7	14.2	12.8	1.7	1.7

资料来源：美国联邦储备委员会，国际货币基金组织，经济合作与发展组织，作者估算

① Fischer (1998a)。

关于第二个因素，泰国银行前副行长、泰国证券交易委员会现任秘书长提拉差·富瓦纳特纳兰努巴拉（Thirachai Phuvanatnaranubala）是这样说的："在 20 世纪 90 年代，新兴市场在自由化和国际化方面发生了巨大的变化。"① 从 1990 年开始，泰国的金融系统出现了这一趋势，其时泰国很有自信，接受了国际货币基金组织第八条规定的义务，解除了经常账户中所有的外汇交易管制②。泰国银行计划将曼谷发展成为地区金融中心，与此相应，泰国在 1993 年成立了曼谷国际银行，且资本账户逐渐开放。这是一个大胆的举动，目的是鼓励外国金融机构在泰国开展业务，使泰国的金融系统逐步升级。曼谷国际银行成立后，泰国国内的银行得以从事离岸交易。

然而，到了 1996 年，泰国的资本净流入下滑了 11 个百分点，为 195 亿美元，占 GDP 的 11%。这是 1986 年以来的首次下滑。资本的净流出反映了投资者的焦虑。到 1996 年中期，一系列国内和国际事件使投资者的信心开始动摇，如 1996 年 5 月的曼谷商业银行丑闻，以及 1996 年 9 月 3 日穆迪下调泰国短期债务信用评级。

经济过热

最初涌入泰国的外国资本制造了过剩的流动性，加快了经济的增长。在 1994 年和 1995 年，泰国的实际 GDP 增长分别达到了 9% 和 9.2%，而 1991～1993 年期间的平均增长率是 8.2%（表 6.1）。

泰国的金融系统是银行主导的。拿 1995、1996 年来说，泰国银行和其他金融机构的资产是 GDP 的 170%～180%（表 6.5），大部分业务集中于 15 家银行和主要金融公司。与此形成对照的是，泰国股票市场的市值是 GDP 的 60%～80%，而泰国债券市场的规模只占 GDP 的 8%～9%。

同时，银行部门对承担起金融中介的明星角色还没有准备好。1998 年，泰国政府任命了一个由泰国银行前行长努库尔（Nukul）领衔的决策建议委员会，其职责是就改进泰国金融系统的效率和管理出谋划策，并研究危机的处理。努库尔委员会报告认为，在曼谷国际银行成立时，对其监管不够③。特别是由于对银行贷款的地理分布没有限制，大部分贷款都是以离岸贷款的方式贷给了境内，这背离了曼谷国际银行设立的初衷，即开展境外到境外的贷款

---

① Phuvanatnaranubala (2005)，第 269 页。

② Siamwalla (2000)。

③ Nukul Commission (1998)，第 4 段。

(表 6.6)。到 1996 年底,曼谷国际银行对国内银行的离岸贷款占其贷款总额的比例超过 60%。对此,菲利普·德尔海斯说道:"曼谷国际银行将作为侵入银行部门的特洛伊木马而载入史册:银行部门本来可以拒绝这一礼物的。"①

表 6.5　泰国:金融结构　(占 GDP%)

	1990	1991	1992	1993	1994	1995	1996	1997	1998	1999	2000
存款银行资产	84.6	91.7	98.3	108.2	120.5	131.7	142.9	159.2	173.5	155.8	131.6
其他金融机构资产	22.1	24.3	27.2	31.6	35.8	39.6	44.4	47.0	47.8	37.9	29.3
股票市场市值	29.2	30.4	42.2	75.7	90.9	81.5	67.0	41.2	26.1	38.1	36.2
债券市场市值	9.8	9.5	9.3	9.1	8.7	8.5	9.2	9.5	15.3	22.6	25.4
保险费总收入	1.7	1.8	1.9	2.2	2.4	2.4	2.5	2.5	2.3	2.3	2.5

资料来源:Beck, Demirgüç-Kunt & Levine (2000)(2007 年 8 月 13 日修订)

表 6.6　泰国:曼谷国际银行信贷　(10 亿泰铢)

期　末	1993	1994	1995	1996	1997	1998	1999	2000
外-内	197.0	456.6	680.5	807.6	1 411.4	767.0	487.1	387.0
泰国的银行	126.7	189.8	254.6	330.0	514.1	213.5	100.1	62.2
在泰国境内有完整分支的外国银行	50.8	102.2	152.4	222.8	690.4	431.9	304.2	253.1
曼谷国际银行的其他单位	19.6	164.6	273.6	254.8	206.9	121.6	82.8	71.7
外-外	3.8	100.8	517.0	482.6	471.1	148.5	63.7	44.1
泰国的银行	2.6	11.6	10.8	16.3	35.4	29.0	20.1	15.1
在泰国境内有完整分支的外国银行	0.3	2.0	4.8	9.4	264.3	89.1	33.5	23.3
曼谷国际银行的其他单位	0.9	87.2	501.4	456.9	171.4	30.4	10.1	5.8
总额	200.8	557.5	1 197.6	1 290.2	1 882.4	915.5	550.8	431.1
泰国的银行	129.3	201.4	265.4	346.4	549.4	242.5	120.2	77.3
在泰国境内有完整分支的外国银行	51.1	104.2	157.2	232.2	954.8	521.1	337.7	276.3
曼谷国际银行的其他单位	20.4	251.8	775.0	711.7	378.2	152.0	92.9	77.5

资料来源:泰国银行

① Delhaise (1998),第 83 页。

如果有审慎、有效的风险管理，大量的外国贷款本身不见得有破坏性。不幸的是，在大量外国资本涌入之后，泰国的银行系统放松了贷款条件，迅速扩张信贷，同时也承担了更大的风险。

对风险管理五花八门的态度主要源自两个因素。首先，正如提拉差注意到的，“涌入这个国家的巨量资本使银行的风险管理部门不知所措。这对银行的贷款政策产生了影响，导致过度贷款，而银行在通常情况下是不会这么做的。”①

其次，风险贷款是在一系列容易导致道德风险的假设基础上进行的。第一个假设是，鉴于历史上泰铢对美元的汇率一直保持稳定，外国资本被认为是低成本的。第二个假设是，泰国政府不会让国内的银行和其他金融机构倒下，因为它们“太大了，不可能倒闭”。

于是，贪婪助长了投机，接着又助长了庞氏融资。发起人上马项目就是为了在股票市场挂牌，这样就能在牛市中迅速盈利。在不断高涨的市场中，金融机构同意提供短期过桥贷款，因为一旦客户上市成功，贷款即可收回。而当牛市不再，项目搁浅时，银行就只剩下账目上的坏账了。

股票市场的狂热也让泰国从事利差交易的大亨们大发其财。1998 年 7 月，泰国的英文日报《国家》(*Nation*)报道，在 1997 年 7 月以前，酒类大亨苏旭明(Chareon Sirivadhanabhakti)的财富净值最高时达到 1 000 亿泰铢，约合 40 亿美元②，其中大部分和股票市场相关：

> 苏旭明的大部分现金来自套利，即美元借款和泰铢存款之间的息差。依靠其巨额资产，苏旭明以 7%或 8%的利息借入 40 亿美元(约合 1 000 亿泰铢)，然后将美元兑换成泰铢存起来，坐享 4%或 5%的年度息差。人们相信泰国的挂钩汇率体系将永远存在，因而不会有外汇风险。③

从 1990 年 1 月到达到峰值的 1994 年 1 月，SET 指数劲升 95%，从 900 点涨到 1754 点，而几乎与此同时，在大兴土木和房地产泡沫的背景下，房地产股票的价格上涨了 285%。然而，当危机降临泰国时，从 1995 年到 1997 年，因股票市值下降而导致的财富缩水约为 1 130 亿美元，占 GDP 的 68%(表 6.7)。苏旭明的财富只剩下了 100 亿泰铢，约合 2.42 亿美元④。

---

① Phuvanatnaranubala (2005)，第 271 页。

② 按 1990 到 1995 年泰铢兑美元的平均汇率 25.3∶1 计算。

③ *Nation* (1998)，第 10 版。

④ 按 1998 年泰铢兑美元的汇率 41.4∶1 计算。

表 6.7　泰国：部分资产价格

股票市场指标	1990	1991	1992	1993	1994	1995	1996	1997	1998	1999	2000
SET 指数(期末)	612.9	711.4	893.4	1 682.9	1 360.1	1 280.8	831.6	372.7	355.8	481.9	269.2
国内市场总市值(10 亿美元)	20.8	37.5	57.3	127.5	125.6	135.8	95.9	22.8	34.1	57.2	29.2
泰国证券交易所(市盈率)	13.8	15.6	16.3	26.1	19.5	19.8	12.0	6.6	10.0	14.7	5.5

资料来源：世界证券交易所联合会，彭博资讯

房地产指标	1990	1991	1992	1993	1994	1995	1996	1997	1998	1999	2000
地价指数(1991 年 = 100)	—	100.0	119.4	138.0	140.5	150.6	155.1	163.4	153.1	135.5	144.9
地价指数(年增长%)	—	—	19.4	15.6	1.8	7.2	3.0	5.4	−6.3	−11.5	6.9
独栋住宅指数(包括土地，1991 年 = 100)	—	100.0	113.5	124.7	124.4	132.4	135.2	144.0	141.0	127.1	131.2
独栋住宅指数(包括土地，年增长%)	—	—	13.5	9.9	−0.2	6.4	2.1	6.5	−2.1	−9.8	3.2

资料来源：泰国银行

泰国的阿喀琉斯之踵

正如泰国发展研究院前院长暹瓦拉(Ammar Siamwalla)所指出的，虽然股票市场上投机性更强，但房地产泡沫则更严重，因为泰国的银行系统已经被房地产挟制了。"泰国银行的数据显示，银行面向房地产的贷款在其贷款组合中的份额从 1988 年的 6.3%上升到 1996 年的 14.8%。同期，金融公司资产组合中的房地产份额从 9.1%上升到 24.3%。"事实上，因为银行的大部分贷款都是有房地产抵押的，因此金融系统受房地产泡沫威胁的程度比看上去的还要严重。

到 1996 年，私人部门的高杠杆化已经很明显了，仅金融机构的私人

部门放贷一项就占到了GDP的137.4%，几乎是1990年(72.4%)的两倍(表6.8)。与此形成鲜明对照的是，中央政府的债务仅占GDP的3.8%(表6.1)。

表6.8 泰国：部分金融部门指标 (%)

	1990	1991	1992	1993	1994	1995	1996	1997	1998	1999	2000
狭义货币(M1)年增长率	11.9	13.8	12.3	18.6	17.0	12.1	9.1	1.2	3.0	30.2	−8.6
广义货币(M2)年增长率	26.7	19.8	15.6	18.4	12.9	17.0	12.6	16.4	9.5	2.1	3.7
金融机构面向私人部门的贷款[1]	72.4	81.3	89.4	100.1	113.2	125.7	137.4	154.1	166.0	143.4	116.6
贷款年利率	14.4	15.4	12.2	11.2	10.9	13.3	13.4	13.7	14.4	9.0	7.8
存款年利率	12.3	13.7	8.9	8.6	8.5	11.6	10.3	10.5	10.7	4.7	3.3
存贷年利差	2.2	1.7	3.3	2.5	2.4	1.7	3.1	3.1	3.8	4.3	4.5

注：1. 指存款银行及其他金融机构向私人部门贷款占GDP的百分比

资料来源：泰国银行，世界银行，Beck，Demirgüç-Kunt & Levine (2000)(2007年8月13日修订)及作者估算

与此同时，泰国的外债急剧上升到1 087亿美元，约占GDP的60%，其中477亿美元(44%)是短期债，超过900亿美元(逾80%)是私人部门借的。特别是银行的419亿美元借款，占到了泰国外债总额的39%。在银行的债务中，289亿美元(69%)是短期债。私人企业的债务是501亿美元，占泰国全部外债的46%，其中188亿美元(38%)是短期债。严重的是，480亿美元的短期债务超过了当时380亿美元的外汇储备，这是1994年以来让人忧虑的趋势(表6.9)。

总而言之，经济的脆弱性已经显而易见，但那些仍陶醉于1996年疯狂岁月里的人对此仍毫无觉察。脆弱性最明显的指标就是净外国财富头寸，1996年泰国的这一项是−1 018亿美元，占GDP的55.9%(表6.3)，这明显表明无论就流动性而言还是就偿付能力而言，泰国在外汇方面已经有很大风险了。不幸的是，直到2006年国际货币基金组织公布这些信息之前，这些信息并没有大范围公开。

表 6.9　泰国：部分外汇储备和外债指标

	1990	1991	1992	1993	1994	1995	1996	1997	1998	1999	2000
外汇储备（10 亿美元）	13.2	17.3	20.0	24.1	28.9	35.5	37.2	25.7	28.4	33.8	31.9
外汇储备（年增长%）	40.0	30.5	15.8	20.3	20.0	22.8	4.9	-30.9	10.7	18.9	-5.5
外债总额（10 亿美元）	29.3	37.9	43.6	52.1	64.9	100.8	108.7	109.3	105.1	95.1	79.7
外债总额（占 GDP%）	34.2	39.4	39.9	42.8	45.0	60.0	59.8	72.4	93.9	77.5	65.0
短期外债（10 亿美元）	10.4	15.4	18.9	22.6	29.2	52.4	47.7	38.3	28.4	19.5	14.7
短期外债（占外债总额%）	35.5	40.6	43.4	43.4	45.0	52.0	43.9	35.0	27.1	20.6	18.4
短期外债（占外汇储备%）	78.6	89.0	94.5	94.0	101.0	147.8	128.4	149.0	100.0	57.8	46.0

资料来源：泰国银行，国际货币基金组织，作者估算

这样，到 1995 年中期，过度杠杆化和泡沫已经成为泰国的阿喀琉斯之踵，到 1996 年这一问题就更明显了。这两个现象都是由短期外国贷款引发的，因此泰国的命运系于变动无常的资本流动。

制造麻烦的日元

让泰国雪上加霜的是，正当泰国经济越来越显得过热和脆弱时，日元开始对美元贬值了。

日本是泰国的主要投资国和贷款国。在 1990～1995 年期间，日本流入泰国的直接投资平均约占泰国外国直接投资的 30%。泰国的税收优惠、勤劳友好的劳动力、通往东南亚市场的桥梁地位，都吸引日本的制造商到泰国来，帮助泰国发展轻工业制造能力。同时，在 1990～1995 年期间，来自日本银行的贷款占到泰国银行外债的 56%。

日本前政府顾问、1994～1996 年客居泰国的滑川雅史（Masashi Namekawa）曾谈及日元贬值以及日本在泰国经济中举足轻重的经济和金融地位带来的影响：

泰国长期债务的一半以上①是日元贷款，约20%的贸易以美元之外的货币结算。因此不仅有必要观察泰铢对美元的波动，也有必要观察泰铢对其他货币尤其是日元的波动。从1990年到1995年，泰铢对日元一直以每年8%到9%左右的速度贬值。这一趋势让人颇感意外，因为那几年里日元升值很快。然而在1996年，泰铢的币值发生了逆转，原因一是日元对美元的贬值，二是泰铢和美元实际上的挂钩。泰铢兑日元的汇率在1996年从1泰铢兑3.7日元升到1泰铢兑4.5日元，而且这一趋势一直持续到1997年上半年。泰铢升值打击了泰国对日本的出口，降低了泰国产品的竞争力，刺激了从日本的进口，也增加了日本的投资成本。②

表6.10　部分亚洲经济体：长期外债的货币结构(1996年与1997年)　(%)

	美元		日元		多种货币		其他	
	1996	1997	1996	1997	1996	1997	1996	1997
中国	65.0	74.6	15.9	11.8	15.9	10.8	3.2	2.8
印尼	24.3	27.2	34.5	32.9	24.7	23.3	16.5	16.6
马来西亚	55.6	55.8	28.2	26.5	11.5	15.0	4.7	2.7
菲律宾	29.8	33.9	38.1	36.8	26.0	24.1	6.1	5.2
韩国	47.8	59.9	32.4	22.9	8.8	5.4	11.0	11.8
泰国	32.4	47.0	44.7	38.8	17.7	10.8	5.2	3.4

资料来源：世界银行(2001)

换言之，作为亚洲全球供应链上日本投资的重地，泰国在这种一条供应链/两种货币的波动中最为脆弱。在1995～1996年间，泰国的出口增长急剧下降，从而加剧了1995和1996年的经常账户逆差，使泰国1996年的实际GDP增长放缓。此外，日本从1996年开始从泰国撤资。尽管日本的直接投资仍在流入泰国，但速度已经放缓。而且，不断贬值的日元促使后院起火的日本银行加速回收国际贷款。因此，不久泰国就发现此前支撑着泰国繁荣的日本银行信贷正在干涸。在1994～1995年间，日本银行贷款增长了约31%，但在1995～1996年间只增长了1.2%，导致同期流入泰国的银行信贷净值大幅下降了56%(表6.3)。

① 从表6.10来看，此处似应为40%左右更合适。
② Namekawa (1998)。

泡沫破裂

在泡沫破裂的后期，流动性危机表现的形式是现金流下降和资产价格下跌。随着出口下降，出口现金流开始萎缩。那些将现金流投入房地产或股票市场的出口商或制造商此时进退两难。在一个下跌的市场中，他们只能在比当初低得多的价格上卖出股票或房地产，而那些靠交保证金投机的人不得不加大保证金或被“强行平仓”。不管是哪种形式，投机者都发现随着他们的现金流干涸，他们的损失在增加。

随着泡沫开始破裂，那些为泡沫提供资金的弱小金融机构和银行开始感受到不断增加的贷款损失带来的滞后影响。随着不良贷款和损失的攀升，这些机构的资本充足率开始下降，而泰国银行开始了监管行动。1996 年，曼谷商业银行和曼谷都市银行爆发了丑闻，这也多少预演了即将到来的 1997 年银行业危机。

1996 年 5 月，泰国银行接管了曼谷商业银行，同月议会提出了对班汉(Banharn Silapa-archa)总理领导的政府的不信任提案。虽然议会的提案未能使班汉政府垮台，但通过这场辩论，公众了解了导致曼谷商业银行发生挤兑事件的混乱的贷款操作，于是恐慌开始蔓延。

按照《亚洲周刊》的说法，议会的辩论暴露出曼谷商业银行发放了 30 亿美元的问题贷款，占该行总资产的近一半。在这 30 亿美元的贷款中，只有 18% 是有抵押资产作担保的，而不少抵押资产是估值过高的偏远省份的地产。数百万美元的贷款在很少或没有抵押的情况下贷给了曼谷商业银行的高管和其他个人。在信息公开的那一周，曼谷商业银行的存款人从银行支取的金额超过了 4.3 亿美元①。不久，从 1990 年 10 月一直担任泰国银行行长的韦吉(Vijit Supinit)辞职，接替他的是副行长伦猜。

接着，在 1996 年 7 月底，美国监管机构调查认为，曼谷大都会银行(Metropolitan Bank)美国分行存在“贷给同银行有关联的个人的问题贷款”②。《纽约时报》(*New York Times*)的报道说，曼谷大都会银行被勒令停止在美国的银行业务，并被罚款 350 万美元③。

---

① Healy & Gearing (1996)。

② Delhaise (1998)，第 94 页。

③ *New York Times* (1996)。

曼谷商业银行和曼谷大都会银行事件标志着泰国金融机构问题的深化。尤其是泰国的银行部门存在着双重错配的问题，即借进来的是短期外币债务，而放出去的则是长期本币贷款。很多这种贷款，尤其是投向房地产的贷款，由于抵押资产价格的下降，已经是不良贷款了①。JP摩根的一份报告估计，截至1996年，泰国投向房地产的贷款中有16%是不良贷款②。1997～1998年，泰国危机爆发，泰铢贬值50%，股市重挫70%，房地产价格下跌50%，泰国经济经历了剧烈衰退。此时，坏账问题一发不可收拾了。

一个将资产的30%～40%投向房地产的银行系统，其损失将是巨大的。1998年中期，泰国的不良贷款比例达到了创纪录的47%(近2.7万亿泰铢或652亿美元)③。1997年倒闭的很多银行和金融公司都是曼谷国际银行的股东，它们的贷款质量随着泰铢的剧烈下跌快速恶化④。

而且，最弱的环节是金融公司和规模较小的银行，其中很多都是家族企业，经营不善，购买了很多泡沫资产。1997年3月3日，泰国银行首先拿问题最严重的10家金融公司开刀，要求他们增加资本金。1997年5月，泰国最大的金融公司第一金融公司(Finance One)倒闭。1997年6月27日，16家金融公司——包括前面提及的10家——被勒令暂停业务。最后，1997年8月5日，另外42家金融公司被勒令暂停业务。这样，被要求暂停业务的金融公司总数达到了58家。

政治＋糟糕的经济＝危机

1996～1997年间，资本流入导致泰国的经济过热，股票和房地产市场出现了资产泡沫，与此同时，泰国的政坛也发生了大动荡，共有三位总理和六位财政部长发生了人事变动。政治上，泰国正在从20世纪80年代之前军事政变频发的独裁国家转变成多党议会制的君主立宪制民主国家。不幸的是，这一转型也带来了金钱政治。这是一个社会大变革的时代，新兴的草根和商业领袖正在排挤老派精英。联合政府频繁更替，到1996年底，泰国新的联合政府甫一成立，就面临着一个关键的政策决定，即是否要废除泰铢固定汇率这

---

① Siamwalla (2000)。

② 转引自 Koh et al (2004)。

③ 按1998年41.4泰铢兑1美元的平均汇率进行转换。

④ Siamwalla (2000)。

一经济和金融稳定器（从1984年末开始，泰铢同美元的汇率一直稳定在25泰铢兑1美元）。

不管在政治上还是在经济上，这都是一个困难的决定。1997年初期，除日本外的大多数亚洲国家都是事实上的美元区，其货币彼此间以及同美元间都是保持稳定的。同美元保持稳定是有好处的，即不会通过货币贬值爆发贸易战。提升竞争力的手段是生产力的提高，而不是货币贬值。

而且，正是币值的稳定才使国家受益于资本流动。汇率稳定导致的资产价格上升让每个人都获益，因此没有人愿意将固定汇率改为浮动汇率。

此外，人们不清楚泰铢兑美元的汇率一次性贬值是否能解决一直存在的贸易逆差，因为如果其他亚洲货币也同幅度贬值，那么贸易逆差不见得会消除。因此，如果通过泰铢贬值或者实行浮动汇率来解决逆差问题，还必须有其他配套措施，比如大幅度缩减开支或提高利率。政治上孱弱的政府是不愿意作出困难的决定的，它们宁可维持现状，于是危险日增，危机日甚。换言之，泰国政府有着对浮动汇率固有的恐惧。

对这一两难处境，没有简单的答案。

蒙代尔-弗莱明(Mundell-Fleming)①最先提出了“不可能三角”理论，即政策制定者在资本账户完全自由化、浮动汇率和货币政策独立这三个选项中只能选择两个。诺贝尔奖得主荷兰计量经济学家让·丁伯根(Jan Tinbergen)提醒每一个人，针对每一项政策目标，你都需要一个政策工具。常识告诉我们，你不能既想吃掉蛋糕，又不愿失去它。在一个双维度的市场，你或者控制数量，或者控制价格，但你不能两样都控制。

简单说，汇率体系的选择就是规则的选择。固定汇率制意味着经济围绕汇率调整，而这又意味着所有的政策都要服从于这一政策。反过来说，弹性汇率制允许汇率围绕经济进行调整。如果经济缺少弹性，那么弹性汇率会帮助经济进行调整。港元挂钩美元的政策是这一两难选择的最佳证明。

严格说来，批评亚洲货币“软挂钩”是有问题的。从理论上说，除了事实上实行固定汇率的港币，亚洲其他经济体实行的都是严格的、法定的“有管制的浮动汇率”。泰铢挂钩的是不公开的一篮子货币，但人们注意到泰铢同美元的汇率几乎是不动的。

亚洲货币应该是弹性的，但实际上，迫于竞争压力，它们彼此是大致平价的，而且都以美元为基准。例如，在危机爆发前，泰铢、菲律宾比索和台币对

① Mundell (1961)，第657～665页，Fleming (1962)，第369～379页。

马来西亚林吉特的汇率差不多都是 10：1，因此在林吉特对美元的汇率是 2.5：1 时，这几种货币也都在 25：1 的水平上小幅波动。东亚货币彼此汇率的稳定促进了区内贸易。

正如在第二章讨论过的，这些经济体都没有想到美元-日元关系会变得如此容易波动，也没有想到资本流动会有如此大的规模。但是如果你和一头大象在同一个池子里的话，当大象开始在池子里活动时，你肯定是会受到冲击的。

让泰国雪上加霜的是，当政治的变化无常和资本流动的波动影响到公共机构的工作环境时，后果往往是灾难性的。1998 年受命恢复泰铢形象的泰国银行前行长梭那恭(Chatu Mongol Sonakul)在回顾亚洲危机时直言不讳地说：

> 显然，亚洲危机绝不仅仅是金融崩溃。崩溃源于糟糕的政治和糟糕的选举以及由此产生的糟糕的政府，因此传统上强大的亚洲文官体系也变糟糕了。①

因此，努库尔委员会报告注意到，1997 年上半年，在考虑是否改变汇率机制这一关键问题上，尽管财政部高层和泰国银行的官员们意识到了决断的重要性，但在各种会议上，他们“没有做出任何实质性的政策变化，因为两个关键的决策者，[时任财政部长的] 林日光(Amnuay Viravan)和[时任泰国银行行长的] 伦猜都优柔寡断。林日光在等泰国银行的建议，而伦猜则在等泰国银行高层达成一致意见，但最终一致意见没有达成。”②

到 1997 年 6 月的时候，形势已经很危急了。可使用的外汇储备净值 6 月初还有 60 亿～70 亿美元，到 6 月 20～26 日减少到了 40 亿～50 亿美元，到 6 月 30 日更是锐减到了 28 亿美元③。泰国银行被迫采取行动，并改变了决策制定程序，于 6 月 21 日(星期日)召集央行高层官员开会，但行长没有参加会议。与会者自行决定调整汇率。会后，主持会议的副行长贾雅瓦打电话给行长伦猜，“告诉他会议达成了共识，即改变汇率体系……为实行有管制的浮动汇率机制而做的准备工作已经开始了。”④

---

① Sonakul (1999)。

② Nukul Commission (1998)，第 7 页。

③ 同上，第 206 段。

④ 同上，第 207 段。

1997年6月22日，总理差瓦立召见披塔亚(Thanong Bidaya)，让他担任财政部长，接替已经辞职的林日光。作为银行界的老手，披塔亚"能够感觉到金融部门正在崩塌，谣言四起，人们争相从金融机构中取钱"，他"清楚地记得林日光博士的建议……要留心观察货币管理"①。6月26日，他和泰国银行的官员最终见面时，他决定改变汇率政策②。十年以后，在《曼谷邮报》(*Bangkok Post*)的一篇评论中，披塔亚回忆起了当时的这一决定：

> 我听到的有关泰国外汇头寸的报告比我预想的还要糟。不管怎么样，除了让泰铢贬值外，我实际上别无选择。
>
> 我必须做出艰难的选择。我让央行行长找到最好的贬值方法，计划好接下来的步骤以及为控制危机需要采取的措施。我将为决策负全部的责任。
>
> 最开始时，我们想尽快宣布泰铢的浮动。我们计划在6月29日，也就是星期日，宣布这一决定，然后在6月30日，也就是星期一，正式实施。
>
> 但是我们觉得，这样做的结果，是让所有的泰国银行在上半年的资产负债表中遭受突然的货币贬值损失，很多银行甚至会立即资不抵债。
>
> 所幸7月1日是银行的假日，所以我们私下决定在7月2日早晨宣布决定，通告全世界泰国决定采用浮动汇率制，并寻求国际货币基金组织的金融援助，以抵御即将降临的金融危机。
>
> 我们的两大任务是：同国际货币基金组织谈判，以起草第一份意向书，以及设计控制金融危机的适宜措施。
>
> 同国际货币基金组织头两周的谈判是我一生中最困难的时期。国际货币基金组织的代表带来了"菜谱"一样的解决方案，要求泰国向外国开放经济，尤其是金融部门，以创造一个有竞争力的金融市场环境。
>
> 他们还要求将国有企业彻底私有化，关闭经营不善的金融机构，冻结所有坏账，制定严格的财政政策和政府的平衡预算。
>
> 我们这些参加谈判的人在实行浮动汇率后的头两周都觉得压力巨大。当时我们的外债超过1 000亿美元，为了获得必要的金融援助以偿付这些外债，我们最终只能硬着头皮答应对方的条件。
>
> ……
>
> 除了国际货币基金组织的资金，我还必须要求日本提供进一步的金融

---

① Bidaya (2007)。

② Nukul Commission (1998)，第208段。

援助。我们应该记住，金融援助的大部分来自我们的亚洲朋友，其中加拿大、澳大利亚和日本承担得最多。

我们没有获得美国和欧洲国家的直接援助。只有在危机和患难时刻，我们才会明白谁是我们的“朋友”①。

坐困愁城的个人和机构

任何一次金融危机都有替罪羊，都要把责任推给某些人。不幸的是，对也好，错也好，个人和机构都难逃责任，而只有历史才是最终的裁判。相关的个人中有不少都是我的私人朋友，因此让我来评判他们的对错既不公平也不客观。努库尔委员会报告激烈批评了一些关键人物，也批评了央行，因为它制定的金融自由化政策和对一些重要事件的处理导致了危机。

例如，努库尔委员会报告认为，在货币市场自由化之后的监管领域，尽管泰国银行认识到金融机构“必须得到强化以达到国际标准，尤其在资本充足率、资产质量、管理效率和数据库开发领域”，但为达到这些目标而采取的措施“却明显没能得到落实”。事实上，中央银行放松而不是强化了本来可以改善本土金融机构的措施②。

这表明，中央银行在同时管理银行业危机和货币危机时，面临一个两难处境。即使在今天，在全世界范围内，针对中央银行能否同时扮演最终贷款人和银行监管机构的角色，人们仍存有争议。就积极的一面说，中央银行的确拥有成为最终贷款人的资源，这意味着它拥有对银行系统实施金融监管的巨大权力。因为中央银行同时负责支付系统的运作，因此相对它所监督的银行系统而言，中央银行的确有其知识和理解能力方面的优势。

另一方面，金融机构都有其政治利益和既得利益，尤其当政府在政治上羸弱的时候。银行和银行家们倾向于利用金钱政治来保护他们的利益，他们向中央银行施加巨大的政治压力，要求中央银行放松银行监管（即监管容忍度），或者向银行系统贷款，以帮助后者渡过难关。商界也会向政府施加压力，要求政府放松货币政策，或者不要提高利率，以缓解衰退带来的痛苦。因此，汇率软挂钩的危险在于：本来，当资产泡沫破裂时，应该强化银行监管以管理巨大的信贷和市场风险，但此时的压力则要求放松银行监管。

---

① Bidaya (2007)。

② Nukul Commission (1998)，第 3、4 段。

沃尔特·白芝浩在他1873年出版的经典著作《伦巴第街》(*Lombard Street*)中,首次阐述了中央银行作为最终贷款人的基本原则。在金融恐慌时期,中央银行必须以惩罚性利率和优质抵押品为前提条件来进行自由放贷①。然而,在货币遭到攻击时,尤其在试图保卫固定汇率时,中央银行不能扮演自由放贷的角色。在资本流动放开的情况下,保卫固定汇率的唯一措施是提高利率。然而,如果企业部门的杠杆化水平已经过高,银行系统已经十分脆弱,那么提高利率事实上不能起到防卫效果,相反会恶化企业部门和银行系统的金融处境,导致银行挤兑。

对冲基金对这一脆弱性再明白不过。

因此,保卫固定汇率的前提条件不仅是审慎的财政政策,还有企业和银行部门的低杠杆化。如果中央银行在货币受到攻击时向一家银行注入流动性,这一流动性很容易被投机者借去购买稀缺的外汇。换句话说,中央银行无法同时对本币受到攻击和银行恐慌采取保卫措施。

因此,我个人的看法是,不应该对中央银行依靠自身力量管理金融稳定性和金融监管的能力期望过高,尤其在央行无法控制的宏观政策和审慎政策彼此矛盾的时候。在一个复杂的全球资本流动的世界,市场经济需要一系列彼此协调的制度和政策来管理金融市场的波动。目前,全球趋势是将银行监管职能从中央银行分离出来,这是一种分担金融稳定责任的努力。银行监管机构负责个体机构的稳定性,而央行则负责系统的稳定性。

即使在成熟市场,这一分工也不易操作,正如2007年第三季度的北岩银行挤兑事件所揭示的那样。针对是否采取干预措施,英国财政部、英格兰银行和英国金融服务监管局(FSA)最终签署了三方协议。显然,在中央银行(作为最终贷款人,希望避免道德风险)、监管机构(希望干预以避免危机在系统内传播)和财政部(关心的是政治影响和可能的财政成本)之间,意见并不统一。

在泰国危机中,我们同样会发现上述这些政策和制度的不协调,尽管不是全部。当市场处于经济繁荣期,人们沉浸于泡沫的狂欢时,没有人希望中央银行或其他机构把宾治盆拿走或将宴会搞砸。但等到盛筵结束时,大家都希望中央银行采取行动以减缓痛苦。然而,世上没有免费的午餐。制度和政策的疏忽,在需要果断行动时的犹豫不决,其代价就是金融危机和痛苦。

在泰国银行于危机爆发前实行的所有政策和采取的所有行动中,最为人诟病的是它保卫泰铢的决定。自始至终,泰铢一直是和美元挂钩的(美元占

---

① Bagehot (1991) [1873年初版]。

全部一篮子国际货币的80%～90%)。努库尔委员会报告对此的说法是：

> 泰国银行在1990年是可以不让资本市场自由化的，但它还是选择了让资本市场自由化……既然决定了让资本市场自由化，泰国银行本应该实行更有弹性的汇率政策，但它一直让泰铢在小范围内波动……既然决定让泰铢在小范围内波动，当局就应该制定稳健的总需求政策，尤其在1994年之后。尽管财政政策属于财政部和议会的职责，但泰国银行并没有积极地建议实行稳健的财政政策。由于外资的流入，泰国银行自己制定的紧缩政策总体而言没有什么效果。既然不能对财政和货币政策施加有效影响，泰国银行就应该制定政策来控制大量的资本流入。但当泰国银行最终这样做的时候，已经太晚了，没什么效果了，因为那时外债的规模已经太大了。
>
> ……
>
> 委员会的结论是：泰国银行固执地认为挂钩一篮子货币的汇率政策对泰国来说是合适的，这使得后来的泰铢保卫战消耗了大量的外汇储备。当时的现实情况是，经济放缓，外贸滑坡，金融机构疲弱，房地产市场崩溃，这些都打击了外国投资者对泰国经济的信心，对泰铢构成压力。尽管如此，泰国银行仍然固执己见。然而，泰国银行在解决问题时，首先着眼的是一些耗时长久的问题，如紧缩货币和财政政策、债务和房地产市场的问题等，之后才去解决汇率机制的问题。另一方面，站在外国投资者和投机者的角度，汇率是影响其投资收益的最关键变量，也是最容易攻击的领域。结果，在整个经济系统中，固定汇率制成为了最脆弱的环节。①

努库尔委员会报告注意到，泰国银行在1996年4月确曾考虑过是否继续维持泰铢挂钩美元的政策。然而，特别是1996年5月之后，所有人都看得出来，泰国金融系统中双重错配的脆弱性越来越明显，此时的泰国银行已经陷入动辄得咎的境地。而且，由于市场未对外债采取套期保值的措施，泰铢一旦贬值，泰国企业的汇率损失将是巨大的。

在贬值导致的国际收支平衡效应和资本流出效应之间，有一个十分脆弱的平衡。理论上说，货币贬值会改善贸易平衡，从而抵消国际收支损失，但如果外债净值导致许多大型公司资不抵债并进而导致银行系统资不抵债，情况就不一样了。由于人们看不到可靠的国际收支信息，因此没有人能够判断贬

① Nukul Commission (1998)，第5～6页。

值对整个经济的影响是利大于弊还是弊大于利。

在这一过程中，随着外汇储备迅速流失，中央银行越来越陷入两难处境。从 1994 年开始，国际货币基金组织在其年度简报中一直不声不响地建议各国实行更有弹性的汇率政策。到 1996 年 7 月，国际货币基金组织越来越强硬地要求泰国银行实行弹性汇率制。接着，在 1997 年 5 月，国际货币基金组织建议让泰铢贬值 10%～15%，然后实行浮动汇率制①。

另一方面，到了 1997 年 1 月，对冲基金已经嗅出了泰国银行的脆弱性。针对泰铢的投机行动不断升级。由于外汇储备有限，泰国银行只能通过干预远期市场来保卫泰铢，因为远期市场可以掩盖外汇储备损失的程度。到 7 月份泰铢贬值发生的时候，远期合约的总额约为 290 亿美元，这意味着外汇储备的净值已经为零。泰国用于保卫泰铢的外汇储备已经枯竭，不得不在 7 月 28 日求助于国际货币基金组织。

国家的醒悟

从 1998 年开始，泰国老老实实地执行着国际货币基金组织开出的药方，但是为了挽救银行系统，泰国付出了两年紧缩和 GDP 下降近 35%的代价。危机爆发前，泰铢兑美元是 25∶1，到 1998 年 1 月，这一比例是 56∶1，这使得泰国的人均 GDP 从 1997 年的 2 496 美元下降到了 1998 年的 1 829 美元。危机中名义 GDP 下降了 700 多亿美元。即使在今天，泰国的股票市场指数也仅为 1994 年峰值的一半左右。失业的银行家最终成了著名的三明治商贩。

从 1997 年 8 月到 1998 年 9 月，泰国和国际货币基金组织一共签署了八份意向书。国际货币基金组织的首笔一揽子援助是 170 亿美元，其中 100 亿来自亚洲，27 亿来自世界银行和亚洲开发银行，余下的来自国际货币基金组织。正如前财政部长披塔亚所强调的，欧洲和美国没有提供直接援助。不妨将此同美国为墨西哥危机提供的 500 亿美元和韩国危机提供的 550 亿美元作一比较。作为援助条件，国际货币基金组织要求泰国实行紧缩的货币和财政政策，而这一政策调整从 1997 年 8 月一直持续到 1998 年 5 月，致使泰国经济在 1998 年萎缩了 10.5%。直到 2003 年独立评估办公室的报告发表以后，国际货币基金组织才最终承认，它在一揽子援助计划早期提供的政策建议加剧了泰国的痛苦。

---

① Nukul Commission (1998)，第 45、47、82～86 及 202 段。

危机以来，泰国已作了大量的自我反省。痛苦中也诞生了勇敢、卓越的领导。1997 年 11 月，川立派成为泰国总理，担负起稳定泰国经济的重担。这位泰国前总理回忆道：

> 究竟出了什么问题？我们在经济快速增长的时候太自满了。在经济繁荣时期，我们忘记了很多重要的事实，忽视了很多重要的任务。
>
> - 我们开放了经济，却没有落实建立规则的既定计划；
> - 我们吸引了大量的廉价外国资本，尽管我们最初的计划是将这些资本引向更有效率的投资，但我们在花钱或投资时还是常常不够谨慎；
> - 我们创造了财富，但可能忽视了创造竞争力；
> - 我们的经济表现是成功的，但我们未能审视政治和国家治理的基本面，未能解决诸如低效的官僚主义、缺少透明度和可靠性等问题；
> - 我们成为了全球化世界的一部分，为属于 21 世纪而自豪，但我们的很多法律、治理原则、宏观经济、金融和工商管理都需要按照国际标准和做法进行调整、升级和现代化。
>
> 成功具有免疫力。只要我们继续成功，这一自满就不会受到惩罚。但一旦裂缝出现，我们将大量的财政储备用于援助资不抵债的金融公司，将大量的外汇储备用于保卫泰铢，这些都让我们错上加错。我们很快受到市场的严重惩罚也就在情理之中了。
>
> ……
>
> 改革的核心非政治改革莫属。干净的政治是明智的政治。它能使国家避免代价昂贵的错误，能够恢复和维持市场信心。①

从 1997 年 11 月到 2001 年 2 月，在川立派政府担任财政部长的沉默寡言的他林·尼曼哈明达（Tarrin Nimmanhaeminda）可能对此有着最深刻的评论：

> 一个关键的教训出现了。为消除危机，货币政策必须在三个元素[汇率机制、国内利率以及对资本流入和流出的控制]之间找到合适的平衡点。

① Leekpai (1998)。

货币政策必须有弹性，不能在这三者中有所偏颇。由于这三个元素彼此相关，因此不能够单独处理某个元素。

……

公共部门在制定国家发展政策中有着举足轻重的地位。因此，公共部门的管理必须有效率、透明，不受既得利益集团的操纵，专注于为公众谋取福利。①

泰国危机的主要教训就是应该避免资产泡沫，因为资产泡沫会使私有部门的资产负债表变得非常脆弱，最终演化为金融部门的危机。正如个人必须管理个人风险一样，国家也必须管理国家的总风险，否则全球资本流动就会严厉惩罚国家犯下的错误。人们当然可以将高度波动的资本流动归咎于不可控的外部因素，如不断变化的美元-日元汇率，但健全的宏观管理和风险管理责任仍在国家自己。换言之，全球化是在各个层面上——从公司层面到政治层面——考验国家治理的质量。

已经倒闭的第一金融公司前总裁平查克拉帕(Pin Chakkaphak)曾是泰国金融业蓬勃发展时期的代表人物，据说他在事业巅峰期拥有四辆法拉利，一辆保时捷和一辆本田 NSX。他的话或可作为本章的结语：

已经十年了？泰国进步了吗？②

接下来，我们将讨论韩国。这是一个有着强大实体经济但金融部门却很脆弱的国家。

---

① Nimmanhaeminda (2007)。

② Chakkaphak (2007)。

第七章

韩国：外强中干

韩国的银行业之所以虚弱，乃"管理"使然。

——卡舍利和吉布(Casserley & Gibb, 1999)

在遭受危机的经济体中，韩国的经历最能表明实体经济和金融部门的互相依赖。韩国经济的高增长率不可能持续太久，因为实体经济缺少坚实的金融基础。韩国的经历表明，金融系统的崩溃可以重创实体经济。这就好比一个人身体结实，但心脏却是虚弱的。如果你忽视金融部门的脆弱性，你就有危险了。

韩国奇迹

韩国是亚洲奇迹最好的例子。在20世纪50年代初期，韩国还是一个没有什么自然资源的农业穷国。1950～1953年的朝鲜战争使韩国的国民经济遭受重创。当时，没有多少观察家对韩国贫困的经济抱乐观态度。1962年，朴正熙政府启动第一个五年经济发展计划的时候，韩国的GDP大约是23亿美元，人均收入只有可怜的87美元。

然而，在1997～1998年亚洲危机前的30年里，韩国经济发生了巨大变化(表7.1)。从1962年到1996年，随着韩国大规模的工业化和出口贸易的增长(1960年韩国的出口只有5 500万美元，到1996年达到了1 300亿美元)，韩国经济的年增长率平均达到了8.6%。1996年，韩国的GDP达到了5 580亿美元，成为世界第十一大经济体。1996年12月12日，韩国成为经济合作与发展组织的一员。国土面积 98 480 平方公里、人口 4 700 万的韩国成为亚洲第二个工业化国家。

表 7.1　韩国：部分实体经济指标

	1990	1991	1992	1993	1994	1995	1996	1997	1998	1999	2000
GDP（10 亿美元）	263.8	308.3	329.9	362.2	423.5	517.2	558.0	527.3	348.5	445.5	512.0
人均 GDP（美元）	6 155	7 120	7 542	8 195	9 486	11 470	12 258	11 474	7 528	9 558	10 891
实际 GDP（年增长%）	9.2	9.4	5.9	6.1	8.5	9.2	7.0	4.7	−6.9	9.5	8.5
失业率（占总劳动力%）	2.5	2.5	2.5	2.9	2.5	2.1	2.1	2.6	7.0	6.6	4.4
通货膨胀（年增长%）	8.6	9.3	6.2	4.8	6.3	4.5	4.9	4.4	7.5	0.8	2.3
财政余额（占 GDP%）	−0.6	−1.8	−0.7	0.3	0.1	0.3	0.2	−1.4	−3.9	−2.5	1.1
中央政府债务（占 GDP%）	13.0	12.1	11.9	11.2	10.1	8.9	8.2	10.3	14.8	16.9	17.4
国内资本形成总额（占 GDP%）	37.5	39.7	37.3	35.7	37.0	37.7	38.9	36.0	25.0	29.1	31.0
国内储蓄总额（占 GDP%）	37.3	37.6	36.7	36.7	36.3	36.5	35.7	35.8	37.9	35.8	33.9
全部工业生产指数（2000 年 = 100）	43.1	47.3	50.0	52.2	58.0	64.9	70.4	73.7	68.9	85.6	100.0

资料来源：韩国银行，亚洲开发银行，国际货币基金组织，Jaimovich & Panniza(2006)

事实上，尽管在国际贸易领域，韩国面临着来自亚洲邻国的激烈竞争，但在亚洲危机爆发前，韩国的经济看上去还是很健康的。1996 年，韩国经济增长强劲，年增长率为 7%，财政预算大体平衡，外债占 GDP 的比例是 28.2%，比不少经合组织成员国低很多。虽然 4.9%的年均通货膨胀率显得略高，且经常账户赤字占 GDP 的 4.1%，但这些都没有引起大家的重视。

首先，韩国的经济管理一直很好。韩国引人瞩目的经济成功一直被归功于政府引导的经济框架和模式。

其次，截至 1996 年，韩国在好几个主要工业领域获得了领先地位。韩国取代日本，成为最大的造船国，最大的 DRAM（动态随机存取存储器）芯片生产国，第六大钢铁生产国，第五大汽车生产和出口国。

再次，在1996年，韩国已经成为一个消费导向的社会，拥有可观的购买力。从1970年到1996年，员工收入占GDP的比例从1970年的三分之一增加到1996年的几乎一半。

然而，到1997年初，韩国面临着如何重新规划工业政策的问题。虽然在过去的30年中，韩国的制度造就了国家的腾飞，但此时需要对这些制度进行改革和重新思考了。1997年4月，韩国的顶尖研究机构和公司启动了一项大型研究计划，名为"重振面向21世纪的韩国经济"(*Revitalising the Korean Economy toward the 21st Century*)，提出了五项主要建议①：

- 韩国的经济奇迹已经结束。体制障碍、管理和技术知识的严重落后使韩国经济的活力渐趋干涸；
- 经济僵局源于对问题的性质和严重性缺少共识，缺少指引变革的愿景和战略，对一些表面上难以逾越的转型风险心存恐惧，以及缺少管理变革程序的适宜制度；
- 如果政府不干预，韩国可以成为一个有创新精神的经济体，成为东北亚的神经中枢，拥有最好的全球管理和技术知识；
- 变革战略最初应集中于打破核心的制度障碍，同时解决转型的主要问题。创造有创新精神的、外部导向的经济是重中之重；
- 变革时间表应侧重于随着市场经济的演进不断地重新规划政府的角色。

这项研究计划还强调了两个主要问题。首先：

韩国已经成为自身成功的受害者。韩国走的是日本模式，即由政府主导工业增长，吸收其他国家的技术知识，在数个行业中获得世界强势地位。然而在今天，韩国的公司发现它们左右受敌，一面是像日本这样的拥有知识和技术优势的国家，另一面是像中国这样的以成本为基础的新兴竞争者。面对这样的竞争形势，政府主导的体制如今已成为主要障碍。与此同时，管理和技术知识的差距越来越大。如果没有大的变革，这两方面的差距还会继续扩大。如果经济、政府角色以及韩国同外部世界的关系不发生

① Booz, Allen & Hamilton (1997)，第6～7页。

根本性的调整,那么韩国经济就会面临严重的失业问题,韩国就会沦为二流国家。①

其次,金融部门让人深感忧虑,尤其是"往来账问题多多"②的韩国银行系统。

显然,尽管韩国的上层精英对经济面临的挑战十分清楚,但直到 1997 年 10 月,当金融海啸已经在东南亚国家肆虐时,仍然没有人会想到韩国也难逃此劫。事实上,当时国际货币基金组织的主流观点是:"尽管韩国的金融部门面临许多严重的问题,且这些问题需要迅速解决,但这些问题不会导致信心的丧失,也不会导致可能诱发危机的资本外流","这一观点得到了很多(虽然不是全部)公共和私人部门观察家的认同。"③韩国著名经济学家朴英哲(Park Yung-Chul)教授说过:"韩国金融危机程度之严重是大家没有预料到的。"④他的这番话很准确地道出了当时大家一致认同的观点。韩静之国⑤即将见证风暴前的平静。

韩国公司(Korea Inc.)的诞生

韩国经济的发展全赖勤苦劳作和坚强的决心。韩国在 1910～1945 年是日本的殖民地,其后来的发展也是模仿日本的工业化和出口模式,而且相当成功。有人曾说:"韩国学习了日本做生意和管理经济的方法,而且是亚洲国家中最了解日本的。"⑥这话不无道理。

简单说来,参照日本模式的韩国经济就像一家单一的公司——韩国公司。这种经济发展模式需要将精力集中在政府倡导的专业化上,将政府、大公司紧密联结在一起,而银行则是重要的中间人。韩国政府通过经济规划委员会确定需要发展的目标行业。政府选定的很多行业正是日本在早些时候选定的,包括纺织、玩具、服装、鞋类、石油化工、造船、钢铁、汽车、消费电子和半导体。

---

① Booz, Allen & Hamilton (1997), 第 22 页。

② Delhaise (1998), 第 115 页。

③ Independent Evaluation Office (2003), 第 159 页。

④ Park (1998), 第 25 页。

⑤ 即 The Land of the Morning Calm,是韩国的英文别称。——译注

⑥ Harvie & Lee (2003), 第 267 页。

和日本完全一样，现有公司里面的“佼佼者”被选出来领导这些行业。作为交换，政府为它们提供优惠待遇，包括发给它们开展业务所需的执照，保护它们不受外国投资者和进口产品的威胁，向它们提供政府控制的银行的廉价贷款等。这种模式催生了为数不多的大财团（主要为家族所有），如三星、现代、大宇和 LG。截至 1996 年，韩国最大的 30 家财团占韩国工业产出的 85%，占韩国总资产的 50%①。在日本，经济发展的基础除了大量大型企业之外，还有大量的小型公司。显然，韩国的市场集中度是高于日本的。

韩国公司的融资

经过 30 年的高速经济增长，到 20 世纪 90 年代中期，韩国金融市场已经成为亚洲第二大的金融市场。1997 年，韩国金融总资产达到 14 000 亿美元，而 10 年前这一数字是 2.43 亿美元。

1992 年我在世界银行工作时，首次访问了韩国，目的是考察韩国的金融系统，为韩国加入经济合作与发展组织做准备。简单说，在 20 世纪 90 年代早期之前，韩国的金融系统有四个基本特征。

首先，和其亚洲邻国一样，韩国的金融系统是由银行主导的（表 7.2）。银行和其他金融机构的资产占 GDP 的 115%。可资比较的是，在 1996 年，韩国股票市场仅占 GDP 的 29%，债券市场仅占 GDP 的 50%。

表 7.2　韩国：金融结构　（占 GDP%）

	1990	1991	1992	1993	1994	1995	1996	1997	1998	1999	2000
存款银行资产	50.7	51.3	52.0	49.1	49.0	48.6	50.7	55.3	66.4	69.6	76.5
其他金融机构资产	43.0	43.9	48.6	53.1	57.7	60.0	64.1	68.3	82.0	75.5	59.4
股票市场市值	48.2	33.8	30.9	34.1	39.1	36.4	29.0	18.0	24.2	57.8	56.2
债券市场市值	44.3	43.2	47.8	51.1	50.6	49.0	50.2	42.6	66.8	75.7	73.0
保险费总收入	11.0	11.1	11.6	11.1	11.1	11.6	11.5	13.2	12.5	11.6	11.8

资料来源：Beck, Demirgüç-Kunt & Levine (2000)(2007 年 8 月 13 日修订)

其次，正如剑桥大学政治经济学家张夏准（Chang Ha-Joon）所言："要想

① Delhaise (1998)，第 102 页，Akaba, Budde & Choi (1998)，第 70 页。

了解20世纪90年代中期以前的韩国金融系统，必须先搞清楚的是，韩国政府基本上是将金融当作工业的仆人的。”①作为韩国经济活动的主要资金来源，银行系统“之所以虚弱，乃管理使然”，这意味着政府干预程度很深，其手段则包括区隔金融市场，人为制定最高利率，以及直接在企业间分配信贷等。结果，韩国的银行系统具有五个弱点：糟糕的利润导向和业绩，监管不足，过度的行业分割，信贷评估及管理技能不足，以及缺少产品和服务革新。这些弱点常被视为金融受到压制的征兆，但在韩国，人们认为“为了国家发展必须如此”②。

麦肯锡有关亚洲银行业的研究③发现，在1995～1997年期间，韩国国内银行的资产收益率只有0.16%，还不到世界级银行资产收益率的十分之一。根据这项研究，韩国的银行监管大有改进之处，在八个领域没有达到标准：信息公开、会计和法律框架、资产分类系统和贷款组合集中度限制、政府干预、关联贷款、资本充足率要求、与激励相适应的安全网，以及联合监管。“业内企业认为，财政部和韩国银行的监管风格是很特别的，有时带有歧视性。”④

第三，尽管80年代初期以后，韩国实施了金融部门自由化，包括让商业银行私有化，取消其他金融机构的准入限制，但是韩国的银行系统仍然在很大程度上受政府影响，因为政府既可以直接拥有银行的全部或部分股份，也可以间接任命关键人物及提供贷款“建议”。这和日本的“窗口指导”制度并无二致。

在韩国的经济发展模式中，指导性信贷或“政策贷款”厥功至伟。和日本的主银行制度一样，在韩国，政府指定一家银行对使用这些贷款的银行进行监管。有了政府的许可和暗中支持，银行对大型工业项目的资助是不遗余力的。结果，“这些财团做了本来不能做的业务，承担了本来承担不起的金融风险。不少大的赌注赌赢了，韩国经济也因此快速增长。”⑤

这些做法产生的总的效果就是整个韩国成了高度杠杆化的一家大公司。在1997年底，私人部门信贷占GDP的121%(表7.3)，韩国最大的30家公司

---

① 张夏准(2006)，第263页。

② 同上。

③ Casserley & Gibb (1999)，第324页。

④ 同上，第325页。

⑤ Booz, Allen & Hamilton (1997)，第24页。

负债权益比率(debt-to-equity ratio)平均是519%,这和日本的193%、美国的154%以及中国台湾的86%形成了鲜明对比①。尽管新增政策性贷款占新增贷款总额的比例从20世纪70年代的100%高点逐渐降至80年代的60%~80%,但在亚洲危机前,政策性贷款仍然十分引人注目,占新增信贷的15%。事实上,直到1992年,政策性贷款仍占银行总资产的30%②。

表7.3　韩国:部分金融部门指标　(%)

	1990	1991	1992	1993	1994	1995	1996	1997	1998	1999	2000
狭义货币(M1)年增长率	23.7	22.8	19.5	17.2	15.2	16.2	12.9	12.3	−5.6	40.2	15.3
广义货币(M2)年增长率	25.3	19.5	21.5	17.4	21.1	23.3	16.7	19.7	23.7	5.1	5.2
金融机构面向私人部门的贷款[1]	89.7	91.4	97.1	99.1	103.8	106.0	112.4	121.0	144.6	139.8	129.9
贷款年利率	10.0	10.0	10.0	8.6	8.5	9.0	8.8	11.9	15.3	9.4	8.6
存款年利率	10.0	10.0	10.0	8.6	8.5	8.8	7.5	10.8	13.3	8.0	7.9
存贷年利差	0.0	0.0	0.0	0.0	0.0	0.2	1.3	1.1	2.0	1.5	0.6

注:1. 指存款银行及其他金融机构向私人部门贷款占GDP的百分比
资料来源:韩国银行,世界银行,Beck, Demirgüç-Kunt & Levine(2000)(2007年8月13日修订),及作者估算

第四,对资本流入和流出都实行紧缩控制,控制的程度主要视经常账户的发展而定。同日本不同(日本自20世纪60年代开始一直是结构性的贸易盈余),韩国长期处于经常账户逆差,原因是韩国需要进口全部的原材料以及大量用于生产出口品的机器零部件③。为了获得平衡长期贸易逆差所需的外汇,"韩国政府对资本账户的流入和流出交易均交替使用了放松限制和严格控制的手段"④。

从根本上说,韩国即使在制造业领域也尽力避免外国直接投资,而主要依靠国内投资、外部借款和技术许可来弥补资金空缺(表7.4)。根据1997年进行的重振韩国经济的研究,"进口外国技术并本地化对韩国国际形象的影

---

① Park Jae-Joon (1998),第56页。
② Adelman & Song (1999)。
③ Harvie & Lee (2003),第263页。
④ Independent Evaluation Office (2003),第155页。

响是相当负面的。几乎所有国家都认为韩国是亚洲最难进入的市场”①。由于韩国对外国企业投资设置壁垒，不愿意放开韩国市场对外国公司的准入条件但却希望其他国家这样做，商业伦理让人疑窦丛生（至少在国际交往方面是如此），加上受意识形态的驱使，不管国际供需平衡激进地开拓市场，因此，“韩国企业界被看作是不可靠和排斥外国人的”，“是本地区最不遵守规则的业务伙伴”②。

表 7.4　部分亚洲经济体：流入的外国直接投资总额　（占 GDP%）

	1980～1985 年均	1986～1990 年均	1991～1994 年均	1995	1996	1997	1998	1999	2000～2003 年均	2004～2006 年均
日　　本	0.3	0.3	0.4	0.6	0.6	0.6	0.7	1.1	1.6	2.3
中　　国	0.9	3.7	9.3	13.9	15.0	16.2	17.2	17.2	15.1	12.0
中国香港	78.5	65.0	48.8	49.2	50.7	141.4	134.9	248.2	241.9	324.2
印　　尼	5.1	7.1	7.9	9.2	10.7	13.2	29.6	19.0	8.1	5.4
马来西亚	21.1	21.4	28.8	32.3	35.7	42.3	62.4	61.9	44.0	36.4
菲 律 宾	6.0	7.9	8.0	8.1	8.7	10.1	14.0	15.0	15.6	14.8
新 加 坡	52.5	72.6	76.1	77.9	81.1	78.0	105.4	124.1	144.0	159.3
韩　　国	**2.1**	**2.2**	**2.0**	**1.8**	**2.1**	**2.7**	**5.5**	**6.5**	**8.2**	**8.3**
中国台湾	5.0	5.5	5.6	5.7	6.1	6.6	7.3	7.7	9.9	12.6
泰　　国	4.0	6.9	11.1	10.5	10.8	8.8	22.8	25.4	29.4	33.0

资料来源：国际货币基金组织，联合国贸易和发展会议，作者估算

外国在韩国金融系统中的直接投资或参与更受限制。在银行系统，外国的参与严重受限。1996 年，外国银行资产在韩国银行总资产中的比重仅为 2.1%③。1992 年，股票市场向外国投资者开放，但外国人对单只股票的持股数量是受到限制的。外国人只能购买数量有限的公司发行的债券，而且 1996 年 8 月政府宣布延迟全面开放债券市场，直至韩国和海外利率的利差（当时是 6～7 个百分点）降至 2 个百分点④。

1993 年，多重因素迫使韩国金融系统放松管制和限制。这些因素包括韩

① Booz, Allen & Hamilton (1997)，第 28 页。
② 同上，第 31 页。
③ Cull & Martínez Pería (2007)。
④ Noland (1996)。

国急剧增加的经常账户赤字、加入经济合作与发展组织的条件以及企图享受全球短期低利率的企业界的游说。当时，韩国国内的实际利率大大高于国际市场，起因是在通胀加剧的情况下，韩国实行了紧缩的货币政策（表 7.5）。在危机爆发前，名义利率大约是 12%～13%，而实际利率大约是 7%～8%。国际市场的名义利率约为 6%～7%，实际利率则只有 3%～4%左右。然而，根据国际货币基金组织独立评估办公室的报告：

表 7.5　韩国：部分息差　（年率%）

	1990	1991	1992	1993	1994	1995	1996	1997	1998	1999	2000
韩国通知贷款利率（KCR）	—	16.8	13.5	11.5	14.1	11.0	12.5	21.3	7.0	4.8	5.3
美国有效联邦基金利率(FFR)	8.1	5.7	3.5	3.0	4.2	5.8	5.3	5.5	5.4	5.0	6.2
欧洲隔夜平均指数(EONIA)	—	—	—	—	5.2	5.6	4.0	4.0	3.1	3.0	4.8
瑞士通知贷款利率(SCR)	8.9	7.6	5.9	4.4	3.6	2.3	1.8	1.0	1.0	1.4	3.5
日本通知贷款利率(JCR)	8.2	6.3	3.9	2.4	2.3	0.5	0.5	0.4	0.3	0.0	0.2
息差(KCR - FFR)	—	11.2	10.0	8.5	9.8	5.1	7.2	15.8	1.7	−0.2	−0.9
息差(KCR - EONIA)	—	—	—	—	8.8	5.3	8.4	17.3	3.9	1.7	0.5
息差(KCR - SCR)	—	9.2	7.6	7.1	10.5	8.6	10.7	20.3	6.0	3.4	1.8
息差(KCR - JCR)	—	10.5	9.6	9.1	11.8	10.5	12.0	20.9	6.7	4.7	5.1

— 指数据空缺。
资料来源：韩国银行，美联储，经济合作与发展组织，作者估算

> 尽管韩国承诺全面放松资本流动限制，但截至 1997 年，这一进程并未有多少进展。韩国在很多资本账户交易领域——尤其是长期债券的对外发行和金融及非金融实体的长期商业贷款方面——仍然有实质性的限制规定……加入经济合作与发展组织是有其政治目的的，可以借此减少借款成本，但在加入经合组织的谈判中，韩国政府不同意让韩国的资本账户监管规定同其他经合组织成员国一致。韩国政府在陈述其立场时表示，由于国内外利差悬殊，担心一旦放松管制，会导致资本流入激增。按照经合组织的规定，成员国有权针对大多数的短期资本流动撤销原先采取的自由化措施，但在长期资本流动方面则无权这样做。允许短期借款但限制长期资

本流动的政策使韩国政府获得了更多的弹性空间。①

韩国放松短期资本流入(而不是长期外国直接投资)的限制后,由于国内金融机构能够获得短期外国信贷,因此对韩国的投资迅猛发展。尤其是财团控制的韩国商人银行找到了可以盈利的细分市场。它们能够利用海外借款的宽松规则,因为和传统的商业银行相比,商人银行受到的监管更少;商人银行的建立本来就是要促进"场外交易市场"(curb market)的,这意味着它们的服务对象是那些迫切需要现金或由于信誉不佳而无法从银行获得融资的客户。因此,在利用国际短期资本进行信贷或投资活动的韩国机构里面,韩国的商人银行是走在前列的。它们的借款是以美元结算的。事实上,商业银行是愿意让商人银行承担一些风险的②。

除了为韩国的公司提供资金外,韩国的商人银行还热衷于进行日元利差交易和国际套利交易。不过,由于融资成本高,韩国商人银行在高收益的俄罗斯和巴西债券投资方面也承担了更高的风险。这些机会的确可以带来滚滚财源,于是在 1994～1996 年间,韩国成立了 24 家新的商人银行。1995～1996 年,许多韩国的商人银行和商业银行、证券公司一道在离岸金融中心中国香港和新加坡开设了分支机构,目的主要是开发国际银行市场的融资资源。

结果,在韩国放开对短期资本流动的限制后,韩国的短期外债激增。从 1990 年到 1996 年,韩国短期外债几乎增加了 158%,从原来的 294 亿美元增长到了 759 亿美元(表 7.6)。到 1997 年 7 月,韩国外债总额达到了 1 774 亿美元,其中 805 亿美元为短期债务,占 45%。银行债务为 1 102 亿美元,占韩国外债总额的 62%,非银行金融机构的债务为 17 亿美元,约占外债总额的 1%,私有公司的债务为 525 亿美元,几乎占韩国外债总额的 30%。在 805 亿美元的短期债务中,647 亿美元(超过 80%)是银行的短期借款③。

有趣的是,韩国的长期外债中接近 60%是以美元结算的,近 23%是以日元结算的(表 6.10)。这和泰国不同;在泰国,美元债务和日元债务的比例分别是 47%和 39%。韩国高比例的美元债务意味着当韩元对美元贬值时,借款公司在昂贵的借款成本之外,还要遭受巨额外汇损失。

① Independent Evaluation Office (2003), 第 156～157 页。

② Park Yung-Chul (1998), 第 30 页。

③ 有关韩国长期外债的组成,参见本书第六章表 6.10。

表 7.6 韩国：外汇储备及外债指标

	1990	1991	1992	1993	1994	1995	1996	1997	1998	1999	2000
外汇储备（10 亿美元）	14.5	13.3	16.6	19.7	25.0	31.9	33.2	19.7	52.0	73.7	95.9
外汇储备（年增长%）	−3.5	−8.0	25.1	18.4	27.0	27.5	4.1	−40.7	163.6	41.8	30.1
外债总额（10 亿美元）	49.5	58.8	63.8	72.1	89.8	119.8	157.4	174.2	163.8	152.9	148.1
外债总额（占 GDP%）	18.8	19.1	19.3	19.9	21.2	23.2	28.2	33.0	47.0	34.3	28.9
短期外债（10 亿美元）	29.4	33.7	36.1	39.4	38.5	54.9	75.9	63.8	39.6	43.1	49.7
短期外债（占外债总额%）	59.4	57.3	56.6	54.6	42.9	45.8	48.2	36.6	24.2	28.2	33.6
短期外债（占外汇储备%）	203.3	253.3	216.9	200.0	153.8	171.9	228.4	323.7	76.2	58.5	51.8

资料来源：韩国银行，国际货币基金组织，作者估算

问题出在哪里？

韩国对危机的解释主要集中在以下三点：日元/美元汇率；金融和资本账户自由化管理不当；投资者信心的丧失。1997 年 12 月的选举一定程度上使关键决策无法顺利做出，从而导致政府更迭，这一因素连同外部和内部力量一起形成了危机产生的环境。

溜溜球日元又来了

和泰国一样，韩国也在两个方面受到了日元/美元汇率的影响。首先，当日元从 1995 年 4 月的 1 美元兑换 80 日元贬值到 1997 年 4 月的 1 美元兑换 127 日元时，由于韩元同美元之间是有管制的浮动汇率制，因此韩国货失去了竞争力。令韩国出口商雪上加霜的是，世界市场上的电脑芯片、船舶、汽车和服装价格都在下降，而这影响到了韩国超过 50%的出口产品。

1995 年，韩国经常账户赤字占 GDP 的1.7%，到 1996 年扩大到了 4.1%，这是韩国经济陷入麻烦的第一个明显信号。更糟的是，同期的出口

增长率从略高于 30%大幅下降到不足 4%，实际 GDP 增长因此从 1995 年的 9.2%下降到 1996 年的 7.0%（表 7.1 和表 7.7）。然而，正如朴英哲教授所言：

> 韩国政策制定者何以在这一阶段不愿意让韩元贬值，原因并不是很清楚。但是，人们的猜想是，政策制定者当时正专注于行业重组，他们相信强势韩元能够促使资源从韩国正在失去竞争力的轻工业等领域转移出来。如果这真是他们的政策目标，由于资本账户交易限制的取消，大量外国资本流入产生的效果就大大抵消了强势韩元的效果。①

出口增长的锐降对韩国的出口商来说不是好事情，因为他们主要依赖出口现金流来维持自身的举债经营。

同金融自由化一样，作为韩国在 1995 年 1 月加入世界贸易组织的序曲，韩国的市场自由化也是在 1993 年启动的。这之后，韩国的财团得以“从事任何它们认为符合自己利益最大化的事情”②。此时的韩国政府突然发现，同前几十年不同，它已经无法控制或协调财团的投资行为了。一份 1998 年的麦肯锡报告是这样说的：

> 由于彼此之间激烈竞争，财团的所有者们不得不投资于很多虽有增长潜力但却未必带来优厚回报的领域……从 1990 年到 1997 年，韩国在化工行业的新增生产能力几乎赶得上整个西欧，尽管许多产品在世界市场上已经是供大于求……虽然收入大增，但是财团的利润还不够支付债务利息，更不用提资本的加权平均成本了。③

因此，到 1997 年 1 月，实力不济的财团因为现金流紧张，缺少盈利，开始倒闭。1997 年 1 月 23 日，总资产排名第十四的韩宝钢铁（Hanbo）破产，欠下的债务高达 60 亿美元。按照金基桓（Kim Kihwan）的说法，当时的政府经济政策小组拒绝拯救该集团，因为“小组确信，在一个按照市场规则运行的经济里，财团应该依靠自身的力量生存。”④

---

① Park Yung-Chul (1998)，第 29、30 页。

② 同上，第 33 页。

③ Akaba，Budde & Choi (1998)，第 70 页。

④ Kim (2006)。

表 7.7　韩国：部分货币和经常账户指标

货币指标	1990	1991	1992	1993	1994	1995	1996	1997	1998	1999	2000
1 美元兑韩元(期间平均)	707.8	733.4	780.7	802.7	803.4	771.3	804.5	951.3	1 401.4	1 188.8	1 131.0
1 美元兑韩元(期末)	716.4	760.8	788.4	808.1	788.7	774.7	844.2	1 695.0	1 204.0	1 138.0	1 264.5
韩元名义有效汇率(2000 年 = 100)	148.6	140.1	136.3	131.6	127.3	129.5	123.6	75.8	90.0	95.6	95.2
韩元实际有效汇率(2000 年 = 100)	112.5	111.8	110.8	110.6	110.9	116.5	114.0	73.2	89.6	95.3	95.6
1 美元兑日元(期间平均)	144.8	134.7	126.7	111.2	102.2	94.1	108.8	121.0	130.9	113.9	107.8
1 美元兑日元(期末)	134.4	125.2	124.8	111.9	99.7	102.8	116.0	130.0	115.6	102.2	114.9
日元名义有效汇率(2000 年 = 100)	66.1	70.4	75.3	88.4	93.7	89.9	81.8	80.3	86.2	101.8	98.4
日元实际有效汇率(2000 年 = 100)	80.6	84.3	88.1	101.2	105.1	98.0	86.9	85.1	90.8	103.8	97.1

资料来源：国际清算银行，国际货币基金组织

经常账户指标	1990	1991	1992	1993	1994	1995	1996	1997	1998	1999	2000
进出口(2000 年 = 100)	133.3	134.2	134.2	132.4	137.3	138.5	125.9	121.9	117.2	114.9	100.0
出口(10 亿美元)	65.0	71.9	76.6	82.2	96.0	125.1	129.7	136.2	132.3	143.7	172.3
出口年增长率(%)	4.2	10.5	6.6	7.3	16.8	30.3	3.7	5.0	−2.8	8.6	19.9
进口(10 亿美元)	69.8	81.5	81.8	83.8	102.3	135.1	150.3	144.6	93.3	119.8	160.5
进口年增长率(%)	13.6	16.7	0.3	2.5	22.1	32.0	11.3	−3.8	−35.5	28.4	34.0
贸易余额(10 亿美元)	−4.8	−9.7	−5.1	−1.6	−6.3	−10.1	−20.6	−8.5	39.0	23.9	11.8
经常账户余额(10 亿美元)	−2.0	−8.4	−4.1	0.8	−4.0	−8.7	−23.1	−8.3	40.4	24.5	12.3
经常账户余额(占 GDP%)	−0.8	−2.7	−1.2	0.2	−1.0	−1.7	−4.1	−1.6	11.6	5.5	2.4

资料来源：韩国银行，国际货币基金组织，联合国贸易和发展会议，作者估算

随之而来的就是一系列的公司债务危机。1997 年 3 月，韩国排名第二十六的大财团三美(Sammi)集团倒闭。接着，1997 年 4 月初，排名第六的大财团双龙汽车集团因欠下 30 多亿美元的债务，史无前例地寻求外国买家。没多久，真露(Jinro)集团(排名第十九)、大农(Dainong)零售连锁集团以及汽车制造商起亚(排名第八的大财团)都申请紧急贷款。正当泰国陷入麻烦之时，一场完美风暴也在韩国开始酝酿了。

银行主导的金融系统在金融风险面前首当其冲。汤臣百卫亚太分公司前总裁菲利普·德尔海斯说过：

> 1997 年，所有的大银行都面临着大企业病，这说明了一个让人沮丧的事实，即过于集中地贷款给个别公司足以使一些银行需要重病特别护理……1997 年起亚倒闭的时候，三家商业银行向起亚集团的贷款金额超过其自有资本的 120%……当危机降临时，摇摇欲坠的形势演化成了一场灾难。[1]

其次，日元对美元的贬值使日本资金从韩国撤出(表 7.8)。日元于 1995 年开始贬值时，日本的制造商将生产转回日本并削减了对外直接投资。从 1997 年到 1998 年，日本对韩国的直接投资减少了 31.3%。此外，日本的银行家(其面向韩国的贷款截至 20 世纪 90 年代早中期占韩国境外银行借款总值的 30%)在 1997 年到 1998 年间将面向韩国的贷款削减了 14.1%。这样，韩国的企业和银行就面临着双重的流动性紧缩：一方面出口收入急剧减少，另一方面日本的银行也在减少贷款。让形势雪上加霜的是，其他国家的贷款机构也在削减贷款[2]。

表 7.8　韩国：部分外国资本指标　　(10 亿美元)

资本流入	1990	1991	1992	1993	1994	1995	1996	1997	1998	1999	2000
净 FDI 流入	−0.3	−0.3	−0.4	−0.8	−1.7	−1.8	−2.3	−1.6	0.7	5.1	4.3
净组合投资流入	0.1	3.1	5.8	10.0	6.1	11.6	15.2	14.3	−1.9	8.7	12.0
其他净流入(包括银行信贷)	3.1	4.0	1.6	−6.0	6.3	7.5	11.1	−10.8	−2.2	−11.4	−3.6
净资本流入总值	2.9	6.8	7.0	3.2	10.7	17.3	24.0	1.9	−3.4	2.4	12.7

资料来源：韩国银行，作者估算

① Delhaise (1998)，第 115、116 页。

② Park Jae-Joon (1998)，第 54 页。

其他指标	1990	1991	1992	1993	1994	1995	1996	1997	1998	1999	2000
外国银行贷款总额	34.0	40.6	44.3	47.8	64.0	85.8	108.0	107.2	79.6	80.1	76.8
短期国际银行贷款[1]	20.4	23.9	26.6	29.3	40.1	54.3	67.5	58.8	29.7	35.1	32.8
日本对韩国的贷款	10.2	12.3	12.1	13.0	18.6	22.8	25.7	21.3	18.3	13.5	11.0
来自日本的直接投资[2]	284	260	225	246	400	449	416	442	304	980	817
净外国财富头寸[3]	−15.3	−20.1	−19.4	−24.4	−30.8	−38.2	−50.2	−55.2	−38.9	−52.3	−10.7
净对外负债头寸(占 GDP%)	5.8	6.5	5.9	6.7	7.3	7.4	9.0	10.5	11.2	11.7	2.1

注：1. 一年以内(包括一年)的外币贷款
2. 基于报告和通告
3. 负值表示净负债头寸；正值表示净资产头寸

资料来源：国际清算银行，日本对外贸易组织，Lane & Milesi-Ferretti (2006)

1997 年 10 月，危机到来。首先，有报道称，韩国的银行有 600 亿美元的短期离岸借款，且这些借款未在韩国银行备案。同月，标准普尔和穆迪大幅调低韩国主权信用、银行和金融机构评级。外国金融机构拒绝向韩国银行续贷，也不再提供新贷款，而韩国的银行不得不借入韩元再兑换成外汇以偿还其外债，这将短期利率推高至年率 20%的水平。高利率使得股市下跌，同时外国机构投资者开始离场。韩元和股票市场都处于极大的压力之下。

与金融问题相伴随的，是即将到来的总统大选。朝鲜战争后一直掌权、如今即将卸任的政府不愿意出台不受欢迎的措施以控制危机，而是指望竞选后上台的新政府来做决定。

到 1997 年 11 月初，韩国银行面临着一个两难选择——要么降低利率释放国内的流动性，要么进行干预以捍卫崩塌的韩元。11 月 20 日，韩元的日波动幅度获准从 2.25%扩大至 10%，这使得韩元跌势更猛。然而，韩元越是下跌，韩国公司和银行的净外汇债务损失也越大。

到 1997 年 11 月底时，韩国央行可动用的外汇储备有 73 亿美元，而韩国短期外债总额是 889 亿美元。最终，韩国不得不正式于 11 月 21 日求助于国际货币基金组织。韩国危机是经典的流动性危机，起因是公司部门的过度杠杆化和对短期外债的过度依赖。1997 年 12 月 4 日，韩国和国际货币基金组织签署了总额达550亿美元的一揽子金融援助协议。值得注意的是,美国和欧洲都向韩国提供了援助。这是国际货币基金组织截至当时最大的一笔贷款。

不协调的自由化

针对韩国危机的第二个解释是,韩国在1993年实行的金融和资本账户自由化在顺序和节奏方面犯了错误。韩国的错误属于经济“尚未达到金融市场开放程度”的经典案例①。2003年的国际货币基金组织独立评估办公室报告认为,韩国的金融机构、企业和政府都没有为金融和资本账户自由化的风险做好充分准备。

首先,国内金融机构缺少管理信贷和外汇风险的相关知识和风险管理技能。这些机构习惯于有房地产作抵押并由政府鼎力支持的贷款。韩国的商人银行——尤其是成立于20世纪90年代的24家——做起事来“毫无节制,近乎疯狂”②,因为它们相信既然韩国整个儿就是一个大公司,“政府是不会让大公司倒下的”③。

其次,财团的公司治理和风险管理也很弱。它们的生存都是依靠畸高的负债率,包括大量的外债。“大企业集团永远不会破产”的说法被认为是“不成文的法律”④。

再次,政府对国际收支平衡的脆弱性和全球市场的波动性认识不足。控制资本账户自由化风险需要的不是更为宽松的监管,而是要强化紧缩的审慎的金融监管。事实上,在放松长期资本流动限制之前实行短期资本流动自由化使问题更加严重了。按照金基桓的说法:

> 事实上,政府不鼓励公司申请长期外债,因为长期外债的批准条件是详细披露资金用途。另一方面,短期债务通常被视为同贸易相关的融资,没有严格的监管规定。这刺激银行和企业申请短期外国借款用以进行长期投资。⑤

虽然政府在1997年试图制定各种政策以克服隐约出现的经济困难,但这些政策出台的时机不好且缺少连贯性,因此都没有什么效果。和泰国不一

---

① Park Yung-Chul (1998),第34页。

② Delhaise (1998),第115页。

③ Park Jae-Joon (1998),第55页。

④ 同上。

⑤ Kim (2006)。

样，韩国并没有采取同美元挂钩的政策。韩国在1990年采用了市场平均外汇汇率系统，韩元同美元的汇率每天在一定区间内波动。尽管由于持续扩大的经常账户逆差，人们普遍预计韩元会贬值，但由于允许的波动区间很小，于是出现了韩元对美元的持续跌停。政府也许是希望在总统大选前维持汇率的稳定，并且避免外债借入者因为本币贬值而产生高额损失。

如今，人们已认识到，不成熟的金融和资本账户自由化加上韩国金融系统中存在的道德风险严重损害了市场规则。结果，同其他遭受危机的亚洲经济体一样，韩国的金融系统也遇到了同样的三大问题。

第一个是期限的错配，表现在韩国的银行和其他金融机构借短投长。约80％的短期外债为70％的长期资产融资①。当外国贷款机构的短期贷款到期且不再续贷时，韩国的金融机构——尤其是商人银行——就陷入了流动性危机。

第二个是外币的错配，表现在韩国的银行借入美元和日元，然后贷出本国货币。这一错配主要由借款人承担，但是在没有最终贷款人的情况下，银行业很难幸存。就韩国而言，韩国银行业用光了美元。

第三个是经典的贷款人-借款人关系——因为潜在的利益冲突，借款人绝对不能控制贷款人或银行。但很多商人银行都受制于财团，而财团对商业银行来说又“太大了，不能倒闭”。

从本质上说，韩国金融机构和财团的处境同泰国和印度尼西亚有相似之处。因此，1997年7月之后，当国际投资者和贷款者开始重新审视他们在韩国的风险时，危机就开始蔓延了。这是不足为奇的。接下来的，就是历史了。

事后看来，为满足经济合作与发展组织成员国加入条件而实行的不成熟的金融自由化是一个主要风险。然而，当时的金泳三总统觉得加入经济合作与发展组织是“合法性和群众支持”的标志”②。在倒下去之前，人们总是要骄傲一阵子的。

信心危机

韩国的评论人士指出，“国家在国际投资者眼中信心的丧失”③是韩国危机的又一个主要原因。韩国人的情绪从亚洲奇迹年代的“非理性亢奋”转变

① Kim (2006)。

② Adelman & Song (1999)。

③ Park Jae-Joon (1998)，第54页。

成了危机期间的"非理性恐慌"。因此,韩国成了危机的受害者。

从韩国的情况来看,信息不够透明使信心丧失更为严重。在经济繁荣的年代,人们对透明度这一市场基本要素往往了解很少。由于缺少国际会计和披露标准,外国投资者不清楚韩国的银行和财团的脆弱性。韩国直至1996年才实行国际会计准则,此前,财团内部复杂的财务安排和可能存在的由于关联交易而产生的虚报利润都是不透明的。

韩国的问题并不是国家支付能力的问题。1996年国际投资净头寸仅为GDP的-9%(表7.8),同泰国、马来西亚和印度尼西亚的-50%相比,一点儿都不算大。韩国经济的脆弱性以及韩国央行缺少偿还短期债务的外汇储备让投资者深感惊讶。大量投资和贷款从韩国流出是一场经典的在没有最终贷款人情况下的银行恐慌性挤兑和流动性危机。

韩国还是危机传播到其他新兴市场的渠道。当韩国在1998年上半年将其新兴市场债券投资进行清盘时,俄罗斯和巴西的债券市场崩盘了,并诱发了这些市场的危机。1998年8月俄罗斯的崩溃是这场危机的高潮,但那是另一个故事了。

复苏和重新崛起

回过头看,韩国政府通过经济管理的窗口指导成功打造了韩国公司这一事实是不容否定的。然而,20世纪90年代中期,韩国经济结构和体系已经到了寿终正寝之时。1997年名为重振韩国经济的研究指出了危机前政策瘫痪的四大主因:对问题的性质和严重性缺少共识;不具备对韩国经济的未来前景达成共识的能力;未能找到并实施能够促成必要行动的关键变革;缺少克服转型风险的合适的制度和领导力(这些在韩国都是高度政治化的)。这些评论对其他遭受危机的经济体甚至日本都是适用的。

1997年11月,韩国的政策瘫痪达到高潮,此时政府为恢复外国投资者的信心,试图通过一揽子金融改革法案。但是,

> 因为担心这样的一揽子改革法案通过会对即将到来的总统竞选产生负面影响,包括执政的民主自由党在内的所有政党都不支持一揽子改革法案。这成了压垮骆驼的最后一根稻草。外国资本加速撤出,迫使政府不得不在11月21日正式求助于国际货币基金组织。①

---

① Kim (2006)。

韩国经济结构“缺乏弹性”不仅仅局限于政府部门，在公司部门也相当普遍。朴英哲教授对韩国人心态之僵化分析得最深刻。首先，“死板、官僚、决策权集中于上层的管理体系使财团很难针对市场条件的变化快速调整投资和生产”。其次，“因为不能解雇员工，财团不愿意调整生产，而是指望政府能够在某个阶段来拯救它们”①。然而，到 1998 年底，26 家最大（截至 1996 年 4 月）的财团中有 14 家或者破产，或者濒临破产。1999 年 7、8 月间，韩国第四大财团大宇集团（欠债达 800 亿美元）倒闭，成为世界上最大的公司破产案之一。

也许危机“对韩国经济而言是祸中带福”，②韩国危机让人惊奇的一面是韩国从危机中恢复的速度。到 1999 年中期，最糟糕的阶段显然已经过去。韩国一旦开放其金融系统，革新其公司治理、会计和信息披露标准，外国投资随即大量涌入，倒闭了的银行和公司也得以恢复元气，进行重组。他们修复的不是已经崩溃的系统，而是需要修复的系统，而且使用的是经合组织水平的知识和技能。没有什么比一场危机更能改变国民心态的了。

大部分功劳应归于韩国民众尤其是韩国工人的适应力。在整个危机中，人们看到韩国的家庭主妇捐出自己的珠宝以帮助国家偿付债务。虽然韩国的工人曾为了失去工作而上街抗议，但整体来看，韩国人众志成城，为经济的复苏不懈地工作，如同在经济增长时一样。

功劳还应归于当时新上任的金大中总统。作为反对党领袖，金大中曾有 30 年的时间不从政，没有什么执政经验，但在国家最黑暗的时刻，他不得不做出关键的决策。1997 年 12 月当选后，他矢志改革，决定接受国际货币基金组织的条件。

金大中总统为何会选择痛苦的改革之路呢？韩国中央大学的金大浩（DH Kim）教授分析得很精彩。他使用决策者认知图，将金大中总统和马来西亚总理马哈蒂尔进行了对比，详细分析了领导人对问题不同的认知方式如何对其决策产生影响。首先，他根据两位领导人的讲话设计出了认知图。他发现韩国总统

> 对危机的处理是从内部因素的角度出发的，而马哈蒂尔则是从外部因素出发的。金大中认为金融危机的原因在于，民主的缺失导致了国内金融体制的失败和国家竞争力的丧失。而马哈蒂尔则将马来西亚危机归咎于

---

① Park Yung-Chul (1998)，第 32 页和第 40 页。

② Park Jae-Joon (1998)，第 54 页。

剥削穷国的外国人的投机行为。①

金大中总统将国家信用视为抵御投机行为的力量，而马哈蒂尔则没有从国家信用中获得什么安慰。金大中总统认为对金融和实业机构的重组能够解决问题，而马哈蒂尔总理则认为，除了停止马来西亚的货币贸易以打破国家信用和投机行为的恶性循环之外，没有其他选择。②

两位领导人在应对金融危机时不同的决策思维是很有启发性的。他们的选择都反映了亚洲人的内部矛盾。其中之一是亚洲人有向内寻找答案以解决外部问题的传统。另一个则是将我们无法控制的全球化的问题归咎于其他人，尤其是归咎于外国人。这不仅仅是文明的冲突，也是国家主导的思维方式和无拘无束的金融市场之间的冲突。不同的解决方案来自不同的世界观，而其结果则有着深远的影响。

韩国危机的最大教训就是，强大的工业基础不足以保证稳定的增长。一个国家若要保持稳定增长，必须要有先进的金融系统作支撑，必须要有健全的风险管理和治理机制。政策、风险管理的失误，或者低估市场对政策变化的反应(如 2006 年 12 月泰国的经历)，都会遭到市场的惩罚。根据报道，2006 年 12 月 18 日，当泰国政府宣布要实施资本管制以防止泰铢贬值时，泰国股票市场的市值蒸发了 210 亿美元，占总市值的 15%③。

就韩国而言，韩国人用了 30 年的时间才将国家经济建设成亚洲危机前的样子。然而，仅在 1996～1997 年的一年时间里，韩元就贬值 50%，韩国股市市值损失约为 972 亿美元，约占总市值的 70%，这相当于 GDP 的 18%左右。在 1997～1998 年间，韩国 GDP 又萎缩了约 1 800 亿美元，人均 GDP 减少了约 3 900 美元。从 1996 年到 1998 年，总值 274 亿美元的外国资本从韩国撤出，约占韩国 GDP 的 6%。1996 年，韩国的资本流入是 240 亿美元，然而 1998 年，韩国的资本流出达到了 340 亿美元。

简而言之，当身体已经成熟，但大脑还没有适应身体和环境都已改变的事实的时候，危机就会来临。自满让韩国付出了高昂的代价，但危机之后，韩国应对全球化也更成熟了。

接下来，我们将讨论没有接受国际货币基金组织建议的马来西亚。

---

① Kim (2005)，第 34 页。

② 同上，第 37 页。

③ *Financial Times*(《金融时报》)(2006)。

第八章

马来西亚：特立独行

马来西亚做得到。

——国家口号

如果你觉得自己也会深陷危机，你还会在1997年8月拿出10亿美元援助泰国，作为国际货币基金组织170亿美元一揽子援助的一部分吗？马来西亚就是这样做的，而且毫不迟疑。这表明马来西亚政府根本没有料到泰国危机也会使自己的国家遭遇重创，而且会来得如此之快。

强劲的宏观经济基本面

马来西亚是东南亚最富的国家之一，人口2 700万，面积33万平方公里，和越南差不多，但人口只有越南的三分之一，人均GDP则是越南的8倍。马来西亚有丰富的石油和天然气资源，是世界上主要的棕榈油和天然橡胶生产国。马来西亚也是世界上最开放的国家之一，贸易总额占GDP的比例超过200%，外国银行占银行系统总资产的比例逾20%。外资帮助马来西亚发展成为电子芯片和电子产品的主要出口国之一，这两类产品占全部出口产品的一半。

在20世纪80年代，马来西亚开始主动调整经济结构，私人部门取代公共部门成为经济发展的主要引擎。与此同时，马来西亚克服了80年代中期的经济衰退。马来西亚实施经济转型时面临着不可持续的两类赤字：财政赤字占GDP最高达16.6%，经常账户赤字在1982年高达GDP的13.2%。

在成功应对80年代的挑战后，马来西亚的经济看上去比邻国更具韧性(表8.1)。从1990年到1996年，马来西亚的年均增长率是9.5%，年均储蓄率高达GDP的38%，通货膨胀和失业率则分别为3.7%和3.5%。

表8.1　马来西亚：部分实体经济指标

	1990	1991	1992	1993	1994	1995	1996	1997	1998	1999	2000
GDP(10亿美元)	44.0	49.1	59.2	66.9	74.5	88.8	100.9	100.2	72.2	79.1	90.3
人均GDP(美元)	2 432	2 681	3 153	3 419	3 703	4 294	4 764	4 623	3 254	3 485	3 844
实际GDP(年增长%)	9.0	9.5	8.9	9.9	9.2	9.8	10.0	7.3	−7.4	6.1	8.9
失业率(占总劳动力%)	5.1	4.3	3.7	3.0	2.9	3.1	2.5	2.4	3.2	3.4	3.0
通货膨胀(年增长%)	3.0	4.4	4.8	3.6	3.7	3.2	3.5	2.7	5.3	2.7	1.6
财政余额(占GDP%)	−2.9	−2.0	−0.8	0.2	2.3	0.8	0.7	2.4	−1.8	−3.2	−5.5
中央政府债务(占GDP%)	79.6	73.4	64.2	55.8	47.7	41.2	35.3	31.9	36.4	37.2	36.6
国内资本形成总额(占GDP%)	32.4	37.8	35.4	39.2	41.2	43.6	41.5	43.0	26.7	22.4	26.9
国内储蓄总额(占GDP%)	34.4	34.1	36.7	39.1	39.6	39.7	42.9	43.9	48.7	47.4	44.0
制造业指数(1993年=100)	70.4	80.2	88.6	100	114.9	131.2	147.3	165.6	148.6	167.8	209.7

资料来源：马来西亚财政部，亚洲开发银行，国际货币基金组织，Jaimovich & Panniza (2006)

马来西亚还加强了对公共财政的控制，主要借助私有化将公共开支从1982年占GDP 44%的峰值削减到1997年的占GDP 21%。同时，中央政府债务也从1986年占GDP 103%的峰值大幅下降到1997年的占GDP 32%。从1993年到1997年，联邦政府预算都是有盈余的①。

此外，作为一个多民族、多宗教的国家，马来西亚在维护各民族和平共处的同时，成功减少了贫困人口的数量。绝对贫困家庭从1987年占家庭总数的17.3%(1970年时是49.3%)降到1997年占家庭总数的6.8%，同时城市和

① Vijayaledchumy (2003)，第173页。

表 8.2　马来西亚：部分货币和经常账户指标　（10 亿美元）

货币指标	1990	1991	1992	1993	1994	1995	1996	1997	1998	1999	2000
1 美元兑林吉特（期间平均）	2.70	2.75	2.55	2.57	2.62	2.50	2.52	2.81	3.92	3.80	3.80
1 美元兑林吉特（期末）	2.70	2.72	2.61	2.70	2.56	2.54	2.53	3.89	3.80	3.80	3.80
林吉特名义有效汇率（2000 年 = 100）	115.6	114.6	123.7	128.4	127.5	127.6	131.2	126.8	98.7	98.4	100.0
林吉特实际有效汇率（2000 年 = 100）	120.7	117.9	126.1	127.4	122.5	122.7	127.0	122.6	97.9	98.7	100.0
1 美元兑日元（期间平均）	144.8	134.7	126.7	111.2	102.2	94.1	108.8	121.0	130.9	113.9	107.8
1 美元兑日元（期末）	134.4	125.2	124.8	111.9	99.7	102.8	116.0	130.0	115.6	102.2	114.9
日元名义有效汇率（2000 年 = 100）	52.2	58.2	63.2	79.3	89.5	95.6	83.3	79.2	81.1	92.0	100.0
日元实际有效汇率（2000 年 = 100）	77.3	83.3	85.9	101.4	106.5	108.2	90.7	85.3	85.3	94.8	100.0

资料来源：国际货币基金组织

经常账户指标	1990	1991	1992	1993	1994	1995	1996	1997	1998	1999	2000
进出口（2000 年 = 100）	102.7	109.2	109.1	108.6	110.2	108.5	112.1	111.2	107.0	105.1	100.0
出口（10 亿美元）	28.6	33.5	39.6	46.0	56.6	71.7	76.9	77.4	71.8	83.9	98.2
出口年增长率（%）	16.3	17.1	18.1	16.1	23.0	26.6	7.2	0.7	−7.3	16.9	17.0
进口（10 亿美元）	26.0	33.0	36.2	42.8	54.9	71.6	72.8	73.7	54.1	61.2	77.2
进口年增长率（%）	28.5	26.9	9.8	18.1	28.3	30.5	1.7	1.2	−26.6	13.0	26.2
贸易余额（10 亿美元）	2.6	0.5	3.4	3.2	1.7	0.0	4.0	3.7	17.6	22.8	21.0
服务业余额（10 亿美元）	−3.6	−4.8	−5.7	−6.5	−6.5	−7.7	−7.3	−8.1	−5.7	−8.5	−10.7
经常账户余额（10 亿美元）	−0.9	−4.2	−2.2	−3.1	−5.6	−8.6	−4.5	−5.9	9.5	12.6	8.5
经常账户余额（占 GDP%）	−2.1	−8.6	−3.7	−4.6	−7.6	−9.7	−4.4	−5.9	13.2	15.9	9.4

资料来源：马来西亚国家银行，国际货币基金组织，联合国贸易和发展会议，作者估算

乡村贫困发生率分别降到了2.4%和11.8%①。

简而言之，在1996年，马来西亚的GDP是1 009亿美元，是东南亚第三大经济体，仅次于印度尼西亚和泰国。马来西亚被称为亚洲的经济“奇迹”之一，因此不仅吸引了外国直接投资，也吸引了外国的股权投资者。

也许，唯一让人担心的就是1990～1997年间不断恶化的经常账户赤字(表8.2)，其原因是伴随高投资率的强劲进口。然而，和其他遭受危机的经济体相比，马来西亚在三方面表现出显著的差异。

首先，同1995～1996年经常账户逆差不断恶化的泰国和韩国不同，马来西亚的经常账户逆差从1995年的占GDP 9.7%下降到1996年的占GDP 4.4%。这主要归功于政府通过减少大型基础设施项目的实施改善了经常账户的不平衡。事实上，政府希望经常账户逆差能够在1997年得到进一步改善。

第二，同亚洲邻国不同，马来西亚的经常账户逆差并不是靠易受资本流动影响的短期外债来平衡的，而主要是靠外国直接投资这种长期资本流入和长期外债来平衡的。实际上，在1996年，马来西亚的长期资本流入(主要是外国直接投资)净值是51亿美元，大于45亿美元的经常账户逆差(表8.2、表8.3)。

表8.3　马来西亚：部分外国资本指标　(10亿美元)

资本流动	1990	1991	1992	1993	1994	1995	1996	1997	1998	1999	2000
净官方长期资本流动	−1.0	−0.2	−1.1	0.4	0.3	2.5	0.3	1.7	0.5	1.8	1.0
净私人长期资本流动	2.3	4.0	5.2	5.0	4.1	4.2	5.1	5.1	2.2	1.6	1.9
净长期资本流动	1.3	3.8	4.1	5.4	4.4	6.6	5.4	6.8	2.7	3.3	2.9
净私人短期资本流动	0.5	1.9	4.7	5.4	−3.2	1.0	4.1	−4.6	−5.3	−9.9	−9.2
净资本流动总值	1.8	5.6	8.7	10.8	1.2	7.6	9.5	2.2	−2.5	−6.6	−6.3

资料来源：马来西亚国家银行，作者估算

① Bank Negara Malaysia (1999)，第17、18页。

其他指标	1990	1991	1992	1993	1994	1995	1996	1997	1998	1999	2000
外国银行贷款总额	9.4	10.4	11.9	17.4	17.5	21.0	29.8	34.0	27.9	37.1	49.9
短期国际银行贷款[1]	2.1	3.0	4.1	7.4	6.6	7.9	11.2	14.4	9.3	7.7	7.0
日本对马来西亚的贷款	4.6	4.6	5.1	5.5	6.0	7.3	9.2	9.3	7.4	6.8	6.4
来自日本的直接投资[2]	725	880	704	800	742	575	572	791	521	527	232
净外国财富头寸[3]	−8.0	−12.3	−14.8	−25.0	−42.6	−48.8	−55.9	−49.9	−34.4	−40.3	−34.7
净对外负债头寸(占 GDP%)	18.1	25.0	25.0	37.4	57.1	55.0	55.4	49.8	47.7	50.9	38.4

注：1. 一年以内(包括一年)的外币贷款
2. 基于报告和通告
3. 负值表示净负债头寸；正值表示净资产头寸

资料来源：国际清算银行，日本对外贸易组织(JETRO)，Lane & Milesi-Ferretti (2006)，作者估算

第三，1996 年，马来西亚的外债总额相对较少，为 387 亿美元，占 GDP 的 38.4%(表 8.4)。关键的一点是，1996 年，在遭受危机的国家中，马来西亚的短期外债最少，为 100 亿美元，约占外债总额的 26%。相比之下，韩国的短期外债是 759 亿美元，占外债总额的 48%；泰国的短期外债是 477 亿美元，占外债总额的 44%。马来西亚外汇储备多达 262 亿美元；在 1996 年，马来西亚的短期外债同外汇储备的比例约为 38%，这同韩国(228%)和泰国(128%)比起来，简直是小巫见大巫。

表 8.4　马来西亚：部分外汇储备和外债指标

	1990	1991	1992	1993	1994	1995	1996	1997	1998	1999	2000
外汇储备(10 亿美元)	9.3	10.4	16.8	26.8	24.9	22.9	26.2	20.0	24.7	29.7	27.4
外汇储备增长(年增长%)	26.2	11.7	61.1	59.8	−7.2	−7.8	14.0	−23.5	23.6	20.0	−7.5
外债总额(10 亿美元)	17.0	18.7	21.4	25.6	28.8	33.4	38.7	43.9	44.7	42.7	42.4
外债总额(占 GDP%)	38.6	38.1	36.2	38.3	38.6	37.6	38.4	43.8	62.0	53.9	46.9

续 表

	1990	1991	1992	1993	1994	1995	1996	1997	1998	1999	2000
短期外债(10亿美元)	1.6	2.6	5.0	6.4	5.6	6.4	10.0	11.1	9.4	5.9	4.6
短期外债(占外债总额%)	4.2	6.9	13.9	16.7	14.4	16.9	25.9	25.4	15.2	10.9	9.9
短期外债(占外汇储备%)	17.5	25.3	30.0	23.9	22.4	27.8	38.1	55.5	38.1	19.9	16.9

资料来源：马来西亚国家银行，国际货币基金组织，作者估算

20世纪80年代上半叶，马来西亚经济衰退，股票市场崩盘，导致80年代中期出现严重的银行业危机。这一经验教训使马来西亚在外债管理方面采取了审慎原则。其时，以6个月为基础计算的不良贷款超过了银行贷款组合的30%①。因此，马来西亚中央银行在金融自由化方面比本地区其他国家的中央银行更谨慎。

在危机爆发前的一段时期，马来西亚的外债是比较健康的，原因是80年代后期，马来西亚为控制外债规模，制定了提前偿付较昂贵外债的政策。同时，针对私人部门的外币借款有非常严格的监管和审慎的标准。比如说，外债必须为生产性的经济行为服务，这就将那些用于购买房地产或股票的外债排除在外了。因此，总体而言，私人部门的外币借款得到了很好的控制②。

较有活力的金融系统

除了更为健康的宏观经济基本面之外，马来西亚的金融系统相对而言也更为健全，只有股票市场是个例外。

和亚洲其他国家一样，马来西亚的金融系统也是由银行主导的，银行和其他金融机构的资产在1996年占GDP的172%(表8.5)。但是，有两个特点使马来西亚的金融系统更具活力。

① Jomo (2005)。

② Bank Negara Malaysia (1999)，第34页。

表 8.5　马来西亚：金融结构　（占 GDP%）

	1990	1991	1992	1993	1994	1995	1996	1997	1998	1999	2000
存款银行资产	103.0	76.5	96.4	108.7	108.3	116.1	129.6	146.0	164.2	152.4	136.0
其他金融机构资产	3.7	4.5	4.8	4.7	5.7	40.8	42.4	48.0	52.1	45.1	38.5
股票市场市值	100.7	109.2	129.0	234.5	282.4	238.5	263.4	201.7	133.4	154.2	146.4
债券市场市值	69.9	69.4	63.3	61.4	64.6	65.6	67.4	65.4	82.6	81.1	78.4
保险费总收入	3.0	3.2	3.5	3.6	3.9	4.1	4.6	4.3	4.1	4.1	4.7

资料来源：Beck, Demirgüç-Kunt & Levine (2000)(2007 年 8 月 13 日修订)

首先，就长期融资而言，马来西亚有一家大型的雇员公积金(EPF)机构，提供相当于 GDP 40%以上的长期稳定融资。

其次，总体而言，在危机爆发前，马来西亚的银行部门是相对健康的。1986 年，银行系统的风险加权资本充足率是 10.7%，高于巴塞尔协议规定的最低 8%的标准。以 6 个月为基础计算的不良贷款约为贷款总额的3.7%，不良贷款的拨备率达到 96.6%。

马来西亚的银行部门之所以较为健康，是因为在 20 世纪 80 年代的银行业危机之后，中央银行进行了一系列的审慎改革，迫使银行对坏账进行确认和拨备。正如评级分析师菲利普·德尔海斯所言：

> 马来西亚中央银行不乏批评者。最直言不讳者指责该机构在 20 世纪 80 年代的外汇交易中赌输了几十亿美元。马来西亚中央银行当时的确在做市场投机。用“让人不安”这个词来描述其行为更为贴切。据说当时有些国家的中央银行警告马来西亚中央银行不要玩这个危险的游戏，但没有什么效果。马来西亚中央银行在外汇交易方面的确算不上精明，但 20 世纪 80 年代的危机让它成为亚洲最好的监管机构之一，原因是它学到了两个教训：你必须严格遵守规则，同时必须透明。马来西亚的规则也许还不够好，但它要求银行严格遵守这些规则。①

鉴于马来西亚相对健康的宏观经济基本面和相对有活力的金融系统，马哈蒂尔·穆哈默德医生(他到 1997 年为止已经做了 16 年的马来西亚总理)在

① Delhaise (1998)，第 146 页。

马来西亚遭受货币投机的打击时是有理由感到吃惊的。1997年，林吉特遭到了两种投机攻击。第一种攻击发生在5月中旬（其时正在上演“泰铢保卫战”），致使利率上升到了18.75%。不过，林吉特面临的压力很快消退，利率重又下行。第二轮攻击发生于1997年7月，当时泰铢贬值刚发生不久。

马哈蒂尔总理指出，即使在1997年6月17日，国际货币基金组织执行总干事米歇尔·康德苏在加利福尼亚洛杉矶举行的世界事务大会上还详细列举了马来西亚经济的优势①：

> 马来西亚堪称样本国家。马来西亚政府对如何管理高增长带来的压力这一难题，以及如何在大量资本流动和繁荣的房地产市场背景下维持健全的金融系统，有着清醒的认识……这是那些不屈不挠、对市场前景抱有乐观信心的国家应有的态度。②

脆弱性正在显现

在马来西亚相对健康的基本面背后，脆弱性正在显现，主要表现在三方面：过热的国内经济；短期外国资本大量涌入，使资产泡沫不断膨胀；以及长期的经常账户逆差。

亢奋的经济

根据马来西亚政府1999年4月6日发布的《马来西亚经济白皮书》，危机爆发前国内经济的主要问题之一是“1991年以来，经济的实际产出一直高于潜在产能。”③尽管由于货币控制，通货膨胀一直处于低位，但种种迹象都指向了经济过热。

1996～1997年亚洲危机爆发前，驱动马来西亚GDP高速增长的关键因素是投资支出过度。在公共部门，大量投资进入基础设施建设，一些大型项目如高速公路、轻轨、吉隆坡国际机场以及西港海港基础设施建设等纷纷上马。结果，从1988年到1997年，公共投资年均增长率达到15.8%④。1996年，在建的各类基建项目总投资据估算约为620亿美元⑤。

---

① Tourres (2003)，第26页。

② Camdessus (1997)。

③ 马来西亚政府 (1999)。

④ Bank Negara Malaysia (1999)，第8页。

⑤ Athukorala (2000)，第25页。

同期，私人投资的增长率更高，年均达到 22.8%。马哈蒂尔总理在 1991 年透露了一个发展战略，计划到 2020 年前使马来西亚达到发达国家的水平。他的“马来西亚公司”哲学在疯狂的大兴土木中得到了体现。到 1994 年，马来西亚国内资本形成总额超过了 GDP 的 40%，比 1990 年的 32%高出逾 8 个点（表 8.1）。20 世纪 90 年代早中期马来西亚的投资行为是本地区最活跃的。

从表面上看，马来西亚公司没有韩国公司那样高度杠杆化。1996 年，马来西亚公司的平均负债比约为 118%①。但是，平均值往往不是故事的全部。比如说，1992～1996 年间，在吉隆坡证券交易所上市的房地产和建筑类集团公司平均负债权益比超过了 500%②。

这样，在私人投资迅猛发展的同时，马来西亚也经历了私人部门的信贷繁荣。在 1990～1997 年间，投资行为和私人消费的强劲增长向私人部门注入了价值 3 306 亿林吉特（约合 1 260 亿美元）的信贷，相当于 GDP 的 173%。进入 1997 年之后，马来西亚的银行和其他金融机构投向私人部门的信贷占 GDP 的 124%（表 8.6），低于泰国的 137%，但高于韩国的 112%。这比 1991 年高了几乎一倍，当时占 GDP 的比例仅为 70%，远低于韩国的 91%和泰国的 81%。结果，马来西亚的私人部门信贷在本地区中是增长最快的。

表 8.6　马来西亚：部分金融部门指标　（%）

	1990	1991	1992	1993	1994	1995	1996	1997	1998	1999	2000
狭义货币（M1）年增长率	14.1	11.0	13.0	37.5	11.2	11.7	16.7	4.6	−14.6	35.7	6.5
广义货币（M2）年增长率	12.8	14.5	19.1	22.1	14.7	24.0	19.8	22.7	1.5	13.7	5.2
金融机构面向私人部门的贷款[1]	78.7	69.7	89.5	102.2	103.7	111.4	123.9	139.5	155.3	142.9	127.5
贷款年利率	7.2	8.1	9.3	9.1	7.6	7.6	8.9	9.5	10.6	7.3	6.8
存款年利率	5.9	7.2	8.0	7.0	4.9	5.9	7.1	7.8	8.5	4.1	3.4
存贷年利差	1.3	1.0	1.3	2.0	2.7	1.7	1.8	1.8	2.1	3.2	3.4

注：1. 存款银行及其他金融机构向私人部门贷款占 GDP 的百分比
资料来源：马来西亚国家银行，世界银行，Beck，Demirgüç-Kunt & Levine (2000)(2007 年 8 月 13 日修订)，作者估算

① Claessens，Djankov & Lang (1999)，另请参阅表第 9 章表 9.6。
② IMF(1999c)，表Ⅳ.4，第 82 页。

有讽刺意味的是，私人信贷的繁荣也是 1994 年中央银行审慎改革不经意的结果；当时中央银行改革的目的是从两个层面强化对银行的控制。双层监管体系（Two-Tier Regulatory System，TTRS）的初衷是创立一批强健、有竞争力的国内机构，但却导致“股东大量借入短期借款，银行实行激进的贷款增长策略，以及增加银行系统整体风险的双重杠杆化。”①

不断膨胀的资产泡沫

在亚洲危机爆发前，马来西亚经历了不断膨胀的资产泡沫。这和泰国一模一样，但与韩国略有不同。

马来西亚的股市投机性特别显著，人称“大赌场”②。在 1990～1996 年间，马来西亚股市上涨超过 140%（表 8.7）。

表 8.7 马来西亚：部分资产价格

股票指标	1990	1991	1992	1993	1994	1995	1996	1997	1998	1999	2000
吉隆坡综合指数（期末）	505.9	556.2	644.0	1 275.3	971.2	995.2	1 238.0	594.4	586.1	812.3	679.6
国内股票市值（10 亿美元）	47.9	56.7	91.5	219.8	190.2	213.8	306.2	93.2	95.6	139.9	113.2
马来西亚证券交易所市盈率	25.5	24.2	22.8	48.2	28.5	24.5	28.6	10.3	−130.6	−32.4	22.1

资料来源：世界证券交易所联合会，彭博资讯

房地产指标	1990	1991	1992	1993	1994	1995	1996	1997	1998	1999	2000
全房屋价格指数（1990 年为 100）	100.0	125.5	140.7	147.5	159.3	188.5	212.8	216.8	196.4	191.8	—
全房屋价格（年增长率%）	4.1	25.5	12.2	4.9	8.0	18.4	12.9	1.9	−9.5	−2.4	—
房地产交易价格（10 亿林吉特）	15.2	17.3	20.3	22.4	29.7	39.9	49.0	53.2	27.9	34.4	41.3

① Bank Negara Malaysia (1999)，第 210 页。

② Delhaise (1998)，第 149 页。

续 表

房地产指标	1990	1991	1992	1993	1994	1995	1996	1997	1998	1999	2000
房地产交易价格(年增长率%)	—	14.2	17.0	10.7	32.4	34.2	22.9	8.6	-47.6	23.4	20.0
交易总量(千套)	148.2	164.0	168.3	178.1	217.5	251.9	270.5	274.8	186.1	225.9	240.1
交易总量(年增长率%)	—	10.7	2.6	5.8	22.2	15.8	7.4	1.6	-32.3	21.4	6.3

— 指数据空缺
资料来源：国家房地产信息中心

伴随股市投机的是房地产投机，尽管马来西亚并不缺少土地。在1990～1996年间，房屋价格翻了一番多，交易量和价格在1994～1995年更呈两位数增长(表8.7)。

催生马来西亚资产泡沫的主要是两类因素。首先，和日本20世纪80年代的经历一样，银行信贷大量涌入股市和房地产，犹如一个庞氏大骗局。到1997年6月底，银行系统发放的信贷中有31.9%流入了广义资产部门，9.8%被用于购买证券，其中商人银行的放贷高达22.5%(表8.8)。同泰国一样，马来西亚的银行在房地产和股票市场上的风险可能比这些统计数据显示的还要大，因为银行投向其他部门的贷款都是用这两类资产作抵押的①。

表8.8 马来西亚：1997年6月末按类型和部门划分的部分银行贷款

(占总贷款%)

	制造业	广义资产部门					证券购买		
		不动产	建筑	住宅类资产	非住宅类资产	总计	股票经纪商	个人	总计
商业银行	19.5	4.6	9.4	12.6	7.1	33.7	1.3	4.0	8.6
金融公司	4.3	3.9	7.0	11.9	4.4	27.3	0.2	6.7	10.0
商人银行	12.4	9.4	18.2	0.3	2.9	30.7	4.2	2.6	22.5
总计	15.2	4.7	9.3	11.7	6.2	31.9	1.2	4.6	9.8

资料来源：马来西亚国家银行，作者估算

① 马来西亚政府(1999)。

1995年之后,中央银行采取措施放慢了银行向资产市场放贷的节奏,以解决经济过热的问题。但这些措施的效果似乎不明显,于是1997年4月央行实行了更严格的措施,虽然也有一些明显的豁免案例。但此时这些措施的实行已经晚了,收效甚微。

继续借贷的冲动依然强烈。1997年的大部分时间里,流向资产部门的贷款继续以平均30%的速度增长,而从1993年到1997年,流向股票市场的贷款平均年增长率高达38%①。

其次,除了银行信贷,另一催生股票市场泡沫的因素是外国资金。傲慢总是从被人讨好开始的。对于一个新兴市场而言,外国投资资本的流入就是最好的讨好方式。在20世纪90年代上半叶,大量外国证券投资资金涌入马来西亚的股权市场,这让马来西亚的股票市场成为新兴市场中的"香饽饽"。

传统上,流入马来西亚的外国资本主要是外国直接投资,其净值增长基本上和GDP的增长同步②。外国直接投资之所以稳定,是因为这些钱都是投向厂房和设备的长期投资,且其资金大多来源于制造业的出口。

然而,在20世纪90年代早中期,马来西亚政府致力于发展国内资本市场,尤其是股票和债券市场。发展国内股票市场最引人注目的一步,是自1990年1月1日始让那些在马来西亚注册的公司终止在新加坡证券交易所上市,反之亦然。这一措施加上资本账户兑换性的提高,使大量的外国股权投资资本涌入马来西亚(见表8.9)。

表8.9 遭受危机的经济体:净权益负债组合

	1990	1991	1992	1993	1994	1995	1996	1997	1998	1999	2000
印度尼西亚											
总额(10亿美元)	0.3	0.1	0.1	2.9	3.8	5.6	9.0	6.3	4.5	17.7	5.9
占GDP%	0.2	0.1	0.1	1.6	1.9	2.5	3.6	2.6	4.3	11.5	3.6
占外汇储备%	3.7	1.6	1.4	26.1	31.8	42.3	50.7	38.9	20.1	67.6	20.9
马来西亚											
总额(10亿美元)	2.1	2.3	4.5	21.7	20.5	21.8	29.3	16.0	7.5	17.2	12.4
占GDP%	4.8	4.6	7.7	32.5	27.6	24.5	29.1	16.0	10.4	21.7	13.8
占外汇储备%	22.7	21.6	27.0	81.1	82.5	94.9	112.0	80.1	30.3	58.0	45.3

① 马来西亚政府(1999)。

② 参阅沈联涛、Ng(2006)。

续　表

	1990	1991	1992	1993	1994	1995	1996	1997	1998	1999	2000
韩国											
总额(10亿美元)	0.9	0.8	3.6	12.5	18.8	21.5	16.1	3.9	19.0	53.5	32.7
占GDP%	0.3	0.3	1.1	3.5	4.4	4.2	2.9	0.7	5.5	12.0	6.4
占外汇储备%	6.3	6.1	21.8	63.7	75.2	67.5	48.5	19.7	36.6	72.6	34.1
泰国											
总额(10亿美元)	6.2	7.4	10.3	26.0	22.6	24.1	16.0	9.1	10.5	16.9	8.1
占GDP%	7.3	7.7	9.4	21.3	15.7	14.3	8.8	6.0	9.4	13.8	6.6
占外汇储备%	47.1	42.8	51.3	107.8	78.4	67.9	43.0	35.4	37.0	49.9	25.4

资料来源：国际货币基金组织，Lane & Milesi-Ferretti (2006)，作者估算

随着国外股权投资资本涌入马来西亚，外国投资者在马来西亚证券交易市场的参与份额从1993年的15%飙升至1998年的27%。

吸引外国投资者的是1993年打破所有纪录的马来西亚大牛市。1993年一年的交易量超过了自1973年到1992年20年的交易量总和。股票市场在一年里飙升了98%，到1993年年底指数达到1275.3点，创下历史新高，这一点位直到2007年才被突破。

为中小企业进入股票市场而开设的二板市场是风险更高、投机性更强的市场。据说，吉隆坡的一些豪宅就是由二板市场中赚了钱的发行者和投机者建造的。二板指数从1991年的127.5点上涨到1996年的576.3点，涨幅达352%。1997年2月，二板市场的市盈率达到了57.7的峰值①。1996年，马来西亚的股票市场市值更达到了GDP的263%(表8.5)，远远超过韩国的29%和泰国的67%，成为风险巨大的泡沫。

任何牛市都有或早或晚结束的一天。对于熟悉亚洲市场的投资者来说，有两个重要指标能够表明市场已经处于非理性的亢奋之中。第一个是保姆综合征。当保姆们冲进市场的时候，你就应该退出了，原因就是这些保姆通常搞不懂她们买的是什么，而且总是最后一个卖出。她们的损失总是带有悲剧色彩，但因为她们的储蓄同市场规模比起来非常小，因此冲击并不是系统性的。

第二个系统性指标是生意人不做生意了，开始在市场里大量投机。传统

① Bank Negara Malaysia (1999)，第20页。

上亚洲的企业都是企业家辛辛苦苦打拼出来的，这些企业家中有很多人是靠出口、加工制造和贸易才发了点小财。依靠辛苦劳动赚钱当然是不容易的，但是当他们发现有更容易的赚钱方法——比如在股市上投机——的时候，他们就对主营业务不感兴趣了，多余的钱都拿去投机了。

当市场掉头向下的时候，企业家发现他的核心业务因为自己的疏忽已经一团糟了，而他的股票和房地产投资也成了黑洞。如果是借助杠杆进行的投机，那么市场的反转将更为剧烈。企业家将两面受敌，一方面银行要他为贷款提供更多的抵押，另一方面他的核心业务也在不断地消耗现金。他不得不卖掉优质资产，但这又进一步促使资产市场下行，最终使投机者陷入资不抵债的境地。

也许每一代投资者都需要总结自己的教训。每个人都喜欢市场走牛，但大量外国投资者涌入就未必是好事了。对外国股权投资资本的过度依赖，会引来资本外逃和危机扩散的风险。

超级牛市结束之后，马来西亚中央银行意识到了这一脆弱性，并于1994年对资本流入进行有选择的控制，目的是稳定金融系统。这些措施仅仅暂时控制住了资本流入，但在投机者那里是非常不受欢迎的。1994年和1995年控制措施解除的时候，外国股权投资资本更加疯狂地重新涌入马来西亚。到1996年，外国股权投资资本净值达到了293亿美元，相当于GDP的29.1%，在所有遭受危机的亚洲国家里面处于最高水平（表8.9）。马来西亚股票市值相当于GDP的263%，这几乎是发达市场的两倍，如在英国这一比例是133%，美国的这一比例是99%。尤为关键的是，到1996年，马来西亚的外国股权投资资本净值比外汇储备高出了12%，表明一旦这些资金大量撤出，将对外汇储备造成严重影响。

按照索罗斯的说法，索罗斯基金管理公司已经在1997年年初开始投机泰铢和马来西亚林吉特了。索罗斯说："1997年1月的时候，我们已经看出形势不稳定了，我相信其他人也都看出来了。"①

在规模较小的新兴市场，交易程序是很简单的：因为外资已经占据了市场的三分之一左右，更多资金的到来就会让市场走牛。如果有卖空机制，外国买家就会通过在现货市场买入并在期货市场卖出同等数额的方式对交易头寸进行套期保值。由于国内散户多数是冲动型买家，当外国人买入时他们就会跟进。一旦外国投资者认为相对其他市场而言该市场

---

① Soros (1998)，第136～137页。

的估值已经过高时，他们就会悄悄撤出，让国内投资者接最后一棒。国内大机构也清楚外国人是否还在场内，因此普通的散户投资者常常是左右受骗。

当然，即使形势不错，外国投资者持有的林吉特资产也会面临汇率风险。然而，外国的基金（如对冲基金）可以从国内银行或拥有富余林吉特的外国银行那里借入本币。它们可以很容易地对这些林吉特债务进行套期保值。1997 年年初投机性的货币攻击开始时，这些投机者要做的就是卖空他们的股权投资，即通过股票借贷计划提前卖出股票，同时提前卖出林吉特。这是经典的双杀，在关于香港的第十章里我们将对此作详细描绘。

在 1997 年 1 月和 2 月对泰铢发动首轮攻击之后，到 1997 年 2～3 月，外国投资者开始从马来西亚股票市场撤出（表 8.10）。1997 年 4～5 月，外资撤退加速，并对林吉特发动了首轮进攻，接着在 1997 年 5 月中旬，他们对泰铢发动了第二轮攻势。到了 6 月，随着泰国形势越来越不稳定，外国的基金经理们开始从包括马来西亚在内的整个地区撤退。

表 8.10　马来西亚：外国直接投资和证券投资净值　　（10 亿林吉特）

1997	1月	2月	3月	4月	5月	6月	7月	8月	9月	10月	11月	12月	总计
外国直接投资	1.5	1.4	1.5	0.9	0.7	1.5	1.0	1.0	0.9	0.9	0.9	1.4	13.4
证券投资净值	0.7	1.1	0.0	−3.8	−3.9	−0.9	−3.9	−5.3	−7.0	−3.2	−4.2	1.5	−29.1
1998	**1月**	**2月**	**3月**	**4月**	**5月**	**6月**	**7月**	**8月**	**9月**	**10月**	**11月**	**12月**	**总计**
外国直接投资	0.8	0.6	0.8	0.9	0.9	0.9	1.0	1.0	1.1	2.8	0.9	1.0	12.7
证券投资净值	0.2	4.1	1.2	−1.3	−0.6	−1.5	−1.4	−0.4	−1.9	−0.4	−0.4	0.0	−2.2

资料来源：马来西亚政府（1999）

吉隆坡综合指数在 1997 年 2 月 25 日站上自 1994 年实施资本控制后的 1272 点高点之后，到 6 月 30 日已经跌掉了 15%，收于 1077 点。这还算不上溃败。1997 年 7 月，危机降临，资本的外逃开始对马来西亚林吉特构成压力。

在所有遭受危机的国家中，马来西亚的外国股权投资比例最高，因此马来西亚的股市跌幅也最大(表8.11)。

表8.11　部分亚洲经济体：股市崩盘

	1997年7月2日	7月2日后的低点	出现最低点的日期	市值降幅(%)
中国香港：恒生指数	15055.7[1]	6660.4	1998年8月13日	55.8
印尼：雅加达综合指数	730.2	256.8	1998年9月21日	64.8
马来西亚：吉隆坡综合指数	**1084.9**	**262.7**	**1998年9月1日**	**75.8**
菲律宾：菲律宾SE指数	2764.9	979.3	2001年10月24日	64.6
新加坡：海峡时报指数	1921.8	805.0	1998年9月4日	58.1
韩国：综合股价指数	777.3	280.0	1998年6月16日	64.0
中国台湾：台湾加权指数	8996.7	3446.3	2001年10月3日	61.7
泰国：SET指数	568.8	207.3	1998年9月4日	63.6
参照项				
日本：日经25指数	20196.4	7607.9	2003年4月28日	62.3

注：1. 1997年7月3日
资料来源：彭博资讯

事后看起来，这些数字是很有启发性的。从1990年到1996年，外国股权投资负债增长了272亿美元(表8.9)，超过了国外银行借款的204亿美元(表8.3)。然而，仅仅在1997年一年里，股权投资流出了291亿林吉特(约合104亿美元)，而银行借款净值仍增加了42亿美元(表8.3)。

此外，在1996～1997年间，马来西亚股票市值减少了2 130亿美元，占总市值的70%，相当于GDP的212%(表8.1和表8.7)。由于银行贷款中的31.9%流入了房地产市场，9.8%流入了股票市场(表8.8)，银行业危机的爆发也就不足为奇了。

这是一场货币危机吗？

马来西亚人倾向于认为货币投机是本次危机的罪魁祸首。中央银行的观点是：

马来西亚是最早强调货币投机者和高度杠杆化的机构在危机中的角

> 色的国家之一……大型市场参与者——如高度杠杆化的机构(HLIs)和对冲基金——凭借其交易头寸和对其他市场参与者具有的影响,能够操纵市场,尤其在规模较小的新兴市场。①

接下来的问题是:什么诱发了货币投机?索罗斯有着不同的观点:

> 危机最直接的原因是货币的失调。东南亚国家有一个非正式的制度,即将它们的货币同美元挂钩……但是这种制度面临着压力,部分原因是中国在1996年的货币贬值,部分原因是美元对日元的升值。有关国家的国际贸易收支持续恶化,尽管一开始的时候外国资本的大量涌入抵消了贸易逆差。然而,到1997年年初,我们索罗斯基金管理公司已经很清楚地看出来,贸易账户和资本账户的不平衡已经难以为继了。1997年初,我们卖空了泰铢和马来西亚林吉特,期限从6个月到1年不等。马来西亚的马哈蒂尔总理指责我导致了危机。这种指责全无根据。我们并没有在危机中或在危机爆发前的几个月卖出货币;相反,我们是在货币开始贬值时买入了货币——我们购买林吉特是为了实现我们此前的投机行为所产生的利润(后来证明我们买得太早了)。②

换句话说,索罗斯在马来西亚的所作所为和他在1992年对英镑的投机并无二致。当泰铢和林吉特贬值时,对冲基金狠捞了一笔。不过,对索罗斯而言,他的基金收获利润太早了些,因为遭受危机的亚洲货币接下来又跌了。

在当时,马来西亚为了解决资产泡沫,是否应该实行更灵活的汇率机制以放松货币政策?麦格斯(Meigs)等人认为,墨西哥危机表明"如果在资本流入时允许本币升值,危机是可以避免的"③。

马来西亚没有使用汇率这一工具有三方面的原因。首先,政府担心让本币升值会导致更多的资本流入,从而抵消紧缩货币政策的效果。其次,如果没有外汇管制,汇率上升也会导致资本流入。第三,林吉特兑美元事实上一直在升值,从1990年的2.70∶1升到了1995年的2.50∶1。从1993年到1997年,外汇储备一直维持在200亿美元左右,没有大的变化,这表明影响汇率的不是中央银行的干预,而是市场流动。

---

① Bank Negara Malaysia (1999),第564页。

② Soros (1998b),第136~137页。

③ Meigs (1998),曾有不愿透露姓名的专家为我指出此点,在此申谢。

自由落体

1997 年 7 月林吉特遭遇第二轮攻击的时候，中央银行最初进行了干预，手段是让利率飙升。7 月 10 日，隔夜利率从前一天的 7.5%骤升至 40%。然而，在花掉 12%的外汇储备以保卫林吉特后，中央银行在 7 月 14 日决定让林吉特自由贬值。

林吉特开始了自由落体，股市也跟着狂跌。到 1997 年 12 月，林吉特对美元的汇率是 3.89∶1，较 7 月 14 日贬值了 34%。同期，吉隆坡综合指数下跌了 41%，到 12 月 31 日收盘时为 594 点。

林吉特的贬值让那些持有外币债务净头寸的马来西亚公司损失惨重。11 月中旬，两家背景显赫的上市公司得到了援救，它们是马友乃德有限公司(United Engineers Malaysia，UEM)和玲珑(Renong)集团①。

1998 年大半年的时间里，东南亚国家的经济可谓水深火热，林吉特和吉隆坡综合指数也跟着遭殃。1998 年 1 月 7 日，林吉特对美元汇率创历史新低，为 4.88∶1。股指自 1997 年 12 月底开始又下跌了 20%，1998 年 1 月 12 日报收于 477 点。2 月 3 日是中国的春节，吉隆坡综合指数上涨了 23%，但之后延续跌势，到 5 月底跌至 538 点。

关于如何应对危机的辩论让形势更加难以预料。马来西亚应该像印尼、韩国和泰国那样，遵从国际货币基金组织的建议吗？当时马哈蒂尔总理和副总理兼财政部长安华・依布拉欣(Anwar Ibrahim)之间的政治斗争愈演愈烈，这也使有关政策的辩论更加激烈。1998 年 5 月 21 日，政治压力和国内动乱迫使执政 32 年的印尼总统苏哈托下台。自 1981 年一直掌权、对国际货币基金组织的建议心存芥蒂的马哈蒂尔总理是否会步苏哈托的后尘？

到 1998 年 6 月，日元对美元汇率已经跌至 140.57∶1，这又带来了新的压力。此时，人们担心马来西亚的实体经济和金融系统都已经濒临崩溃。1998 年第一季度，经济收缩了 2.8%，第二季度更是收缩了 6.8%②。差不多同一时期，银行不良贷款升至 740 亿林吉特(约合 177 亿美元)，占 1998 年年底贷款总额的 15.7%，到 1999 年底，不良贷款攀升至 1 000 亿林吉特(约合

---

① Tourres (2003)，第 77 页。

② 马来西亚政府 (1999)。

240 亿美元)，占贷款总额的 19.7%[①]。

显然，马来西亚必须采取行动了。但是正确的行动路径是什么?

国际货币基金组织愿意提供金融援助，但是马来西亚不愿意接受对其主权构成侵犯的附加条件。而且，马哈蒂尔总理相信国际货币基金组织并不了解马来西亚多种族的社会，担心这一总部设在华盛顿的组织的政策会威胁到马来西亚的社会结构。“既然国际货币基金组织不是马来西亚的选项，我们必须有自己的办法”，[②]他说。“自己的办法”不久就会震惊世界。

从正统到异端

马来西亚最初对危机的反应是颇为正统的。马来西亚遵循了国际货币基金组织的标准解决方案，主要就是从紧的财政和货币政策以及金融部门的改革，但马来西亚没有正式申请贷款。利率维持在高位，大型项目被取消或推迟。然而，有迹象表明，在马来西亚和其他国家这些措施都没有恢复信心，于是马来西亚开始改变行动路径了。

1997 年 11 月，已故的杰出知识分子旦斯里·诺丁·索比建议马哈蒂尔总理召集知名市场人士和经济学家成立国家经济行动委员会(National Economic Action Council，NEAC)以应对危机。不久成立了“24 小时危机应对小组”，其任务是确定优先选项和制定具体的行动计划。这一小组是参照 20 世纪 50 年代处理马来亚危机时出手果断的“行动办公室”成立的。1998 年 1 月 7 日，国家经济行动委员会正式成立。

委员会提出了“国家经济复兴计划”。旦斯里·诺丁·索比(我知道他在 20 世纪 60 年代是伦敦杰出的学生领袖)对形势的分析一针见血。他那时对我说:“在危机发生时，不要想着解决所有的问题。只要解决最重要的三个问题。” 1998 年 7 月 23 日，国家经济复兴计划正式实施，它有六个核心目标、40 条行动路线和 580 条具体的建议。

此时，在 1998 年 2 月已经开始放松货币政策的中央银行进一步放松了货币政策[③]。接着，在 7 月 13 日，马来西亚政府宣布了一项总额达 70 亿林吉特(约合 16.9 亿美元)的一揽子财政刺激方案，并预计 1998 年财政将出现占

---

① NEAC(1998)，第 12 页。

② Mohamad (1999a)。

③ Bank Negara Malaysia (1999)，第 177 页。

GDP 3.7%的赤字。这将是五年来第一次出现赤字。

国家经济复兴计划正式实施后，1998年8月又成立了三个部门——公司债务重组委员会、国家资产管理公司和一家名为国家资本基金有限公司的银行资本调整机构，其任务是为公司债务重组及银行重组和资本结构调整做前期工作。

事实上，1998年8月是非同寻常的一个月。8月14日，香港出手对市场进行强力干预，可谓扔下了一颗重磅炸弹。不久，俄罗斯危机爆发。接着，马来西亚中央银行的行长和副行长宣布辞职。

接下来，在1998年9月1日，马来西亚政府宣布实施有选择的资本管制，这震惊了整个世界。9月2日，林吉特兑美元汇率被固定在3.80∶1。同日，副总理安华·依布拉欣被解职，之后又以鸡奸罪被逮捕，但后来法院推翻了这一指控。

智利影响与中国模式

虽然资本管制的政策是国家经济行动委员会制定的，但这一想法最初是马哈蒂尔总理在1997年9月下旬访问加勒比海和南美洲四国的时候酝酿的。他在智利访问的时候，东道主为他介绍了汇率管制的经验。《没有发生的悲剧》(*The Tragedy that Didn't Happen*)一书的作者玛丽-艾美·杜雷丝(Marie-Aimée Tourres)在记述马来西亚的危机管理时说道：

> 马哈蒂尔在访问阿根廷的两天时间里，让马来西亚国家银行前外汇部门负责人丹斯里诺莫哈末耶谷(Tan Sri Nor Mohamed Yakcop)赶到布宜诺斯艾利斯，向他汇报总体金融和外汇形势，特别是林吉特离岸货币市场的情况……马哈蒂尔希望得到如下问题的答案：人们是如何交易的？投资者为什么会恐慌？驱动投资者的心理因素是什么？系统的漏洞在哪里？等等。他还特别关心外国人是从哪里获得林吉特的。讨论中关键的一点就是，在货币交易中，货币交易者通过外部账户从居民/银行那里借入林吉特来卖空。马哈蒂尔对离岸市场对林吉特可能造成的损失以及外部账户的存在感到震惊。这次关键的会议让马哈蒂尔形成了打击货币投机者的战略计划。①

---

① Tourres (2003)，第84～85页。

马来西亚现任第二财政部长丹斯里诺莫哈末耶谷曾在1992年英镑危机期间任央行行长助理，负责储备金管理，他对外汇市场十分了解和熟悉。

随着危机的深化，马哈蒂尔总理越来越相信，恢复经济的唯一出路就是保持林吉特的稳定和防止股票市场受到进一步攻击①。对马哈蒂尔来说，他必须通过货币控制阻止货币投机者：

> 当英国决定不加入欧洲货币联盟时，我们损失了差不多20亿林吉特。我们挺过来了，而且学到了宝贵的经验教训，在我们的林吉特遭受货币投机者的攻击时，这些经验教训让我们获益匪浅。我们知道他们在做什么，也知道他们是如何做的。我们仔细研究了他们的行为，并且最终阻止了他们，保卫了我们的货币。②

接下来需要制定一个技术性的计划以限制林吉特和吉隆坡证券交易所上市股票的离岸市场。这两个离岸市场都在新加坡运作，尽管部分是在伦敦、纽约和香港运作。1990年1月2日，在吉隆坡证券交易所和新加坡证券交易所分家后，被称为自动撮合国际股市（Central Limit Order Book，CLOB）的场外交易市场在新加坡成立。马来西亚股票的离岸交易市场就是通过这个场外交易市场进行操作的。

尽管智利之行激发了资本管制这一概念，但中国才是马来西亚学习的榜样。只要中国实行外汇管制，那么它就不会受到货币攻击。1998年9月22日，旦斯里·诺丁·索比在上海举行的一个商业论坛上说：

> 从1998年9月1日开始，直至国际金融系统恢复正常，我国的货币兑换机制将完全按照中国的模式。很遗憾，这不是一个好的政策，不是最好的政策，但在目前这个时间点上，这一政策看起来是十分必要的。③

一致谴责

西方国家和国际货币基金组织最初的反应几乎是一致谴责。时任美联

---

① Mohamad (1999a)。

② 同上。

③ 转引自 Tourres (2003)，第180页。

储主席的艾伦·格林斯潘认为马来西亚的做法是“大错特错”，因为“没收部分或全部外国投资者的资本及/或收入，肯定会造成未来外国净投资的巨幅下降”[①]。据说，米歇尔·康德苏当时也说资本管制“在如今全球化的经济中不可取，甚至不可行”[②]。

尤有甚者，穆迪等评级机构都下调了马来西亚的信用和主权风险评级。同时，各大股票市场指数提供商，如MSCI和FT-S&P等，都将马来西亚股票从它们的指数中剔除了出去[③]。随着投资者纷纷离场，吉隆坡综合指数在1998年9月1日跌至历史低点262.7点。十多年后，吉隆坡综合指数才超越了1994年1月5日的高点1332点。

好消息是，实行外汇管制让马来西亚重新控制了货币政策，从而为降低利率做好了准备。不到一个星期，银行间当日拆借利率降回到年率5.5%的水平。政府能够通过在国内市场上销售政府债券来为财政刺激计划融资。经济开始复苏，在实施管制后的头一个星期里，股指几乎翻了一番。

外汇管制十分复杂，因为需要区分开短期流出和长期流出[④]。中央银行甚至开通了24小时热线，回答有关外汇管制的问题。后来，国际货币基金组织不得不承认，这些措施同马来西亚在国际货币基金组织协议条款下的责任是相符的[⑤]。

我在1998年时曾在香港金管局任职，因此对外汇管制不好公开置评，但我曾私下里向国际货币基金组织的朋友们为该决定进行过辩护：从道义上讲，如果一个失血的病人不能从医生那里得到血液，那么他就没有缠上止血带以止血的权利吗？马来西亚是一个主权国家，因此完全有权做它认为正确的事情。然而，外部的失血仅仅是一个症状，而不是导致失血的病因。因此，马来西亚要想治病，必须动必要的手术。今天，甚至国际货币基金组织也承认，外汇管制是有效的，马来西亚藉此恢复了增长。

有三个因素导致了马来西亚资本管制的成功[⑥]。首先，管制是很宽松的。负责管理有选择的资本管制的不是中央银行，而是商业银行。因此，针对向国外付钱的申请，批准起来没有多少繁文缛节，通常都会通过，因为银行很希

---

① Greenspan (1998b)。
② 转引自 Tourres (2003)，第201页。
③ IMF(1999c)，第7～9页。
④ Abdelal & Alfaro (2003)，第46～47页。
⑤ IMF(1999c)，第9页。
⑥ Tan Siok Choo 夫人曾为我指出这些原因，在此申谢。

望向客户提供帮助。只要付款合法、有根据，马来西亚人都能从国外购买商品。

此外，每个马来西亚人都可以带 1 万林吉特出国，而且在国外使用信用卡的额度还不包括在这 1 万林吉特里面。这两项规定是非常大的潜在漏洞，因为马拉西亚和新加坡、泰国两国的边界人员往来十分频繁。然而在实际上，这一漏洞并不算大。

其次，马来西亚林吉特挂钩美元的汇率被有意定得很低，是 3.80∶1，这最大程度地减少了黑市交易。由于马来西亚的出口大多以美元结算，稳定的汇率促使贸易复苏，并刺激流动性大量涌入，尤其在 1998 年第四季度。

再次，也是很关键的，1998 年政府宣布改变所得税缴纳的基年。在政府决定实施有选择的资本管制后，人们普遍担心出口商会延期将出口收入汇回马来西亚。还有人担心出口商会在发票上标低出口价格，标高进口价格。为防止此类操作，政府改变了税务评估体系，以避免在同一年里缴纳两种税。1999 年被宣布为免税年，当年损失可以顺延。这是一着妙棋。出口商为了最大程度地利用免税年，都将利润做到最大，因此就不会做低出口价格和做高进口价格。同时，就实际的税收而言，影响是中性的，因为 1999 年的税是按 1998 年的收入缴纳的，而 2000 年的税收是在 2000 年收入的基础上征收的。

这些做法显示出马来西亚的政策是务实的，对市场的利用是符合自身利益的。

特殊情况，特殊方案

1999 年 2 月以后，马来西亚逐步放松了有选择的资本管制，到 2003 年，绝大多数在 1998 年 8 月开始实施的资本管制要么被撤销，要么实际已经被放松了。而且，在 2005 年 7 月 21 日，林吉特挂钩美元的政策也解除了①。在中国人民银行宣布实行有管理的浮动汇率制②的同一天，马来西亚中央银行也宣布实施这一政策。然而，在接下来的几年里，关于马来西亚实施外汇管制的决定仍将是人们争论的话题。

不论马来西亚的经验是否值得其他国家仿效，马来西亚的经验教训是，提供政策建议很容易，但要判断危机中何者为对何者为错则很难。亨利·基

① Bank Negara Malaysia (2005)。

② 中国人民银行 (2005)。

辛格说过,在危机中最危险的选项往往是最安全的。马来西亚选择了一条非正统的路径,而且证明了华盛顿最聪明的人不认可这一路径是错误的。但这一药方未必适合印度尼西亚。我们将在下一章讨论这一受危机影响最严重的国家。

第九章

印度尼西亚：从经济危机到政治危机

清除什么？建设什么？

——印尼作家帕拉默迪亚

(Pramoednya Toer，1962)

如果将亚洲危机比作一场事故，那么印度尼西亚就是受伤最重的。从1997年7月1日到1998年6月的最低点，印度尼西亚卢比对美元汇率重挫85%，远远超过泰铢(56%)、韩元(55%)和马来西亚林吉特(48%)的最大跌幅。在1998年，印度尼西亚的GDP下降13.1%，也比泰国(10.5%)、马来西亚(7.4%)和韩国(6.9%)严重。

印度尼西亚的悲剧在于，亚洲危机的冲击暴露了银行业的危机，银行业的危机诱发了政治危机，最终，政治危机迫使执政32年的苏哈托总统于1998年5月21日下台。1997年10月8日，国际货币基金组织的援助计划开始实施，9年以后的2006年10月，印尼提前偿付了所有欠国际货币基金组织的债务。这一段时期内印尼更换了四任总统。

受危机影响最大的是印尼人民。我第一次访问印尼是在20世纪70年代中期，当时印尼还是一个穷国。印尼是我最喜欢去的国家，因为印尼历史悠久，文化多元，而且我非常佩服印尼稳步走出贫困的成就。我曾多次不畏艰险地去过印尼最偏僻的地区，尤其是巴厘岛东面的岛屿，当地人的热情、友好和大度让我印象深刻。

让人难过的是，危机使印尼的实际人均GDP在1998年下降了14.4%，而且，随着通货膨胀率蹿升至58%(在遭受危机的经济体中属最高水平)，印尼的贫困率在1998年9月达到37%的峰值。燃料和食品价格飞涨，穷人根本买不起，于是很多城市发生了骚乱。印尼华人社区成为人们憎恨的目标，原因在于，虽然华人在2.37亿印尼总人口中只占700万，但华人在经济的流通和制造领域势力最大。根据克罗斯比企业咨询公司（Crosby Corporate Advisory）的报告，1998年印尼共发生了2 000起学生示威，1 300宗非政府团体的集会，500起罢工和50场骚乱①。

由贫到富

不论按照怎样的标准，印尼都是一个重要国家。2007年，印尼是东南亚最大的经济体，也是亚洲第五大经济体。印尼总人口排名世界第四，只比中国、印度和美国的人口少。2007年，印尼探明的石油储藏量为39.9亿桶左右，是亚洲除中东国家以外唯一的欧佩克组织成员。全世界的商船一半经过印尼水域。印尼全国共有逾1.7万座岛屿，有着全世界最多的穆斯林人口，居民中信奉基督教、印度教和佛教以及其他本土宗教者数量也十分可观。这些都使印尼的文化充满异国情调。此外，印尼还拥有大片的原始森林、礁石和稀有植物。

20世纪60年代中期，当印尼首位总统苏加诺（Sukarno）任期将满时，国家的宏观经济问题严重。从内部来看，政府财政出现巨额赤字，只能靠印刷钞票来平衡。结果，1966年的通货膨胀率高达635％②。从外部来看，印尼的外债在1965年占GDP的50％，且由于外贸不振，收入不足以偿还外债，因此整个国家濒临破产。国家治理很差，经济混乱不堪，部分原因是主要行业的国有化。比如在1965年，非石油类出口仅占GDP的4％③。

印度尼西亚的转变发生在20世纪60年代中期。当时，来自爪哇岛中部的苏哈托将军在一次针对苏加诺总统的政变事件失败之后执掌了政权。1968年3月27日，苏哈托正式宣誓就任印度尼西亚第二任总统。在他的新政下，印度尼西亚很快成为发展中国家的样板。苏哈托总统不仅为印尼带来了政治上的稳定，而且依靠一批在美国接受过培训、一直为他工作了30多年的技术专家，也为印尼带来了经济上的繁荣。这群兢兢业业的公务员闻名遐迩，被称作“伯克利小集团”，因为其中一些杰出成员——包括公认的知识分子领袖尼

---

① 转引自 Djiwandono (2000)，第51页。如欲了解这些原因的详情，参阅 Sidel (2006)。

② Feridhanusetyawan & Pangestu (2003)，第130页。

③ Jomo et al (1997)，表6.1，第124～126页。

蒂塞斯陀(Widjojo Nitisastro)教授①——曾经在加州大学伯克利分校学习过。

从1968年到1996年,印度尼西亚年均增长率高达7%。快速工业化、不断增长的贸易(石油和木材带来巨额意外收入)都是经济快速增长的原因。稳定的政治和宏观经济环境也为印尼人生活水平的提高创造了有利条件。人均GDP从1968年的70美元增加到1996年的1 264美元,同期贫困率也从60%下降到了18%。世界银行称赞印尼的成就是"世界经济发展史上最照顾穷人的增长"②。

1996年,印尼的总体经济形势良好,财政盈余占GDP的1%,中央政府债务下降到23.2%,储蓄率高达GDP的30.1%,泱泱大国的失业率只有4.9%(表9.1)。此外,尽管由于1995年中期日元对美元贬值,印尼的贸易竞争力下降,但其经常账户逆差只有GDP的2.9%(表9.2),比泰国的8%、马来西

表9.1 印度尼西亚:部分实体经济指标

	1990	1991	1992	1993	1994	1995	1996	1997	1998	1999	2000
GDP(10亿美元)	125.7	140.8	152.8	174.6	195.5	223.4	250.7	238.4	105.5	154.7	165.5
人均GDP(美元)	699	770	822	923	1 017	1 144	1 264	1 184	516	746	807
实际GDP(年增长%)	7.2	7.0	6.5	6.8	7.5	8.2	7.8	4.7	−13.1	0.8	5.4
失业率(占总劳动力%)	2.5	2.6	2.7	2.8	4.4	7.2	4.9	4.7	5.5	6.4	6.1
通货膨胀(年增长%)	7.8	9.4	7.5	9.7	8.5	9.4	7.0	6.2	58.0	20.7	3.8
财政余额(占GDP%)	−0.9	−0.7	−1.1	−0.5	1.0	3.0	1.0	0.5	−1.7	−2.5	−1.1
中央政府债务(占GDP%)	39.2	34.7	36.6	34.8	35.4	29.0	23.2	23.7	79.3	91.8	100.0
国内资本形成总额(占GDP%)	30.7	32.0	32.4	29.5	31.1	31.9	30.7	31.8	16.8	11.4	22.2
国内储蓄总额(占GDP%)	32.3	33.5	35.3	32.5	32.2	30.6	30.1	31.5	26.5	19.5	31.8
制造业指数(2000年=100)	67.6	73.8	82.4	91.6	107.7	119.8	125.7	115.9	94.7	96.5	100.0

资料来源:亚洲开发银行,国际货币基金组织,Jaimovich & Panniza (2006)

① Boedino (2005),第318页。

② World Bank (2006)。

表 9.2　印度尼西亚：部分货币和经常账户指标

货　币　指　标	1990	1991	1992	1993	1994	1995	1996	1997	1998	1999	2000
1 美元兑卢比(期间平均)	1 843	1 950	2 030	2 087	2 161	2 249	2 342	2 909	10 014	7 855	8 422
1 美元兑卢比(期末)	1 901	1 992	2 062	2 110	2 200	2 308	2 383	4 650	8 025	7 085	9 595
卢比名义有效汇率(2000 年 = 100)	—	—	—	—	317.3	301.6	305.8	171.1	103.9	112.2	90.8
卢比实际有效汇率(2000 年 = 100)	—	—	—	—	151.8	151.9	158.5	95.4	101.0	109.5	94.8
1 美元可兑换的日元(期间平均)	144.8	134.7	126.7	111.2	102.2	94.1	108.8	121.0	130.9	113.9	107.8
1 美元可兑换的日元(期末)	134.4	125.2	124.8	111.9	99.7	102.8	116.0	130.0	115.6	102.2	114.9
日元名义有效汇率(2000 年 = 100)	—	—	—	—	87.2	85.4	77.9	78.3	86.5	102.0	98.5
日元实际有效汇率(2000 年 = 100)	—	—	—	—	104.9	97.0	85.3	84.9	91.0	104.0	97.0

— 指数据空缺
资料来源：国际清算银行，国际货币基金组织

经常账户指标	1990	1991	1992	1993	1994	1995	1996	1997	1998	1999	2000
进出口比价(2000 年为 100)	94.9	91.3	88.6	88.3	84.9	90.4	97.3	99.0	81.8	66.3	100.0
出口(10 亿美元)	25.7	29.1	34.0	36.8	40.1	45.4	49.8	53.4	48.8	48.7	62.1
出口年增长(%)	15.9	13.5	16.6	8.4	8.8	13.4	9.7	7.3	−8.6	−0.4	27.7
进口(10 亿美元)	21.8	25.9	27.3	28.3	32.0	40.6	42.9	41.7	27.3	24.0	33.5
进口年增长(%)	33.5	18.5	5.5	3.8	12.9	27.0	5.7	−2.9	−34.4	−12.2	39.6
贸易余额(10 亿美元)	3.8	3.3	6.7	8.5	8.1	4.8	6.9	11.8	21.5	24.7	28.6
经常账户余额(10 亿美元)	−3.2	−4.4	−3.1	−2.3	−3.0	−6.8	−7.3	−3.8	4.0	5.8	8.0
经常账户余额(占 GDP%)	−2.5	−3.1	−2.0	−1.3	−1.5	−3.0	−2.9	−1.6	3.8	3.7	4.8

资料来源：亚洲开发银行，国际货币基金组织，联合国贸易和发展会议，作者估算

亚的4.4%和韩国的4.1%都低得多。而且，在对外政策方面，印尼是西方的坚定支持者，对那些寻求新兴市场高收益的外国投资者和债权人而言，印尼可谓是最佳国家。

有讽刺意味的是，按照印度尼西亚银行(Bank Indonesia)前行长吉万多诺(J. Soedradjad Djiwandono)的说法，大量资金使印度尼西亚面临通货膨胀压力，同时经常账户出现逆差，因此世界银行的技术官僚们针对印尼卢比应该升值还是贬值产生了意见分歧①。同马来西亚和泰国不同，印尼实行的是浮动汇率制，卢比有一个波动区间(在卢比和其他货币一样遭遇攻击后，印尼于1997年8月14日放弃了浮动汇率制)。1997年7月金融危机蔓延到印尼时，印尼的决策者们普遍相信国家经济能够挺过这场风暴，但事实恰好相反。

对敏锐的观察者而言，在印尼相对良好的宏观经济指标下面有四条错误路线。早在危机爆发前，这些脆弱性已经相当明显了，但在经济呈现一派繁荣之时，这些脆弱性“根本没人理会”②。然而，当金融海啸从泰国刮到印尼时，这些脆弱性汇聚成一场“完美的风暴”，使印尼陷入一场深刻的、旷日持久的危机。

权力政治

第一个脆弱性是政权更迭。1997年7月印尼遭受危机时，苏哈托总统已经统治印尼长达31年之久。苏哈托已是76岁高龄，年迈体衰，但谁能替代他领导这个复杂的大国，还不明朗。

1996年4月28日，苏哈托的妻子、人称易卜·天(Ibu Tien)的茜蒂·哈蒂娜(Siti Hartanah)逝世，有人开始担心苏哈托总统的领导能力。易卜·天在政治上精明睿智，是苏哈托总统49年来的合作伙伴，堪称支持他的一大支柱，其自身的权力亦不容小觑。

印尼曾受印度文明的影响，因此印尼人的人生观中有种宇宙元素。人们相信领导人的权力是由宇宙力量赋予领导人或接近领导人的人的。很多人相信苏哈托总统的权力来自梭罗皇室的小公主——易卜·天。因此，当易卜·天去世后，不少人相信苏哈托总统的权力将不保。“不管印尼人相信的

① Djiwandono (2005)，第36页。

② 同上，第30页。

是什么，事实就是易卜·天去世刚两年苏哈托总统就下台了。”①

印尼的经济增长“奇迹”主要依靠国家的政治稳定，因此有关苏哈托总统领导能力的怀疑蔓延到了外汇市场。工商界人士仍然记得30年前领导更迭的动荡历史。

1996年7月，正当泰铢遭受第一轮主要投机性攻击时，卢比也面临着巨大压力。当月，在苏哈托总统到德国进行健康检查时，前总统苏加诺的女儿梅加瓦蒂·苏加诺普特里(Megawati Soekarnoputri)领导的印尼民主党(PDI)总部被纵火焚烧。7月27日(星期六)，雅加达爆发了骚乱。作为对印尼信心的晴雨表，外汇市场在这一阶段的表现反映出局势的不确定。

卢比的价值受日元-美元汇率影响非常大②，因为印尼公共债务的40%是以日元结算的，同时印尼80%的出口是以美元计价的。1996年7月，印度尼西亚银行不得不在骚乱发生之后抛售8亿美元以稳定卢布汇率。印度尼西亚银行上一次迫不得已的干预发生在1995年1月，当时正值1994～1995年墨西哥危机发生不久③。骚乱也影响到了印尼的股票市场：7月29日(星期一)股市恢复交易，当天雅加达综合指数暴跌近4%。

在这样的背景下，当1997年12月有谣言称苏哈托总统病情严重时，印尼的政治形势更趋严峻了。市场信心受到严重打击，不仅由于政权交接存在不确定性，而且由于“那些同苏哈托家族关系疏远的人——包括经济小组——无法接近苏哈托总统”④。这是一个治理问题，因为在骚乱和动荡的时刻，没有人能够代替苏哈托总统并果断决策，力挽狂澜。1997年12月，人们获悉苏哈托总统第一次得了中风⑤。

裙带资本主义

第二个脆弱性是工商界和政府的紧密联系，这被冠以“裙带资本主义”这一带有贬义色彩的称号。印尼一直拥有大量的国有垄断企业或有特许经销权的企业，从事石油、大米、丁香和进口原料等行业，价格高于世界价格，即使在荷兰殖民统治时期也是如此。印尼的公务员和军队待遇都很差，因此垄断

---

① Abdulgani-Knapp (2007)，第30、31和193页。
② Banker (1996) & Djiwandono (2005)，第24页。
③ Djiwandono (2005)，第24页。
④ Independent Evaluation Office (2003)，第30页。
⑤ Djiwandono (2005)，第268页。

和有特许经销权的企业就成了精英阶层保持权力的经济来源，他们使用这些来源收买人心，奖赏那些对他们忠诚的人。在印尼，权力集中于苏哈托总统和军队，因此裙带资本主义主要指的就是苏哈托的子女、军队里的将军以及同权力中心关系密切的工商界精英团体。苏哈托家族深谙权力之道，他们在不同的派系和地区利益之间长袖善舞，平衡各种利益，慷慨施舍，技艺娴熟。

然而，对印尼的政治经济观察敏锐者不难发现，1996 年 4 月易卜·天去世后，苏哈托的子女和亲戚开始肆无忌惮地争夺商业特权①。国际货币基金组织独立评估办公室的报告是这样说的：

> 腐败的加剧和性质的转变使印尼遭受危机的可能性大大增加。……起初，印尼的腐败好比项目成本的某项税，通过固定渠道收缴以维持政治的稳定……这种腐败让人们对道德和公平深表忧虑，但据说因为这种腐败有确定性，索取的费用相对也不算高，因此腐败对效率的影响倒还有限。然而在 20 世纪 90 年代早期，媒体开始注意到了腐败的变化，而且开始将腐败同总统子女和背景深厚的商人联系起来。腐败正在变为不断扩大的特权阶层精心设计的寻租，包括垄断和买方垄断市场的形成、大型工业和基础设施项目（如国家汽车计划）②的排他性权利等。

然而，不管裙带资本主义对经济的破坏有多大，说裙带资本主义是亚洲危机的导火索恐怕不能让人信服。有趣的是，国际货币基金组织开出的改革条件范围很大，包括银行业的改革，丁香和胶合板的垄断，面粉、大豆和大蒜的贸易壁垒、大型基础设施项目的停建和原先限制外国投资的部门的开放等。事实上，1998 年 1 月 15 日苏哈托总统亲自签署的第二份国际货币基金组织意向书包括“50 多条行动要点，后来人们在批评国际货币基金组织 20 世纪 90 年代的过度附加条件时，总将这份意向书当作典型”③。

澳大利亚储备银行（Reserve Bank of Australia）前副行长、对印尼经济素有研究的史蒂芬·格伦维尔（Stephen Grenville）说过：“影响国际货币基金组织对印尼援救计划的因素首先是这样一种观点，即印尼的形势并不严重，只要政府充分展示出政策的正确性，加上国际社会的支持，经济很快就会恢

---

① 参阅 Abdulgani-Knapp (2007)，第 193 页；Lee (2000)，第 309 页。

② Independent Evaluation Office (2003)，第 108～109 页。

③ Martinez-Diaz (2006)，第 402 页。

复。"[1]果真如此的话，那么国际货币基金组织和美国政府（很可能在印尼经济小组的劝说下）是将这次危机看作印尼改革的机会，并希望借此恢复市场和公众的信心并铲除裙带资本主义。结果，事与愿违。

企图通过外部力量正面应对印尼国内的利益分配权，导致苏哈托总统和国际货币基金组织之间出现了公开的僵持局面。苏哈托知道美国——他一直认为美国是印尼的关键盟友——是全力支持国际货币基金组织的。他虽然承诺要落实国际货币基金组织强加的结构性改革条件，但他知道这些条件会削弱自己的政治影响，因而他实际上对自己"承诺的诚意"[2]并没有当真。悲惨的是，卢比成了苏哈托总统犹豫不决的公共晴雨表。此外，在1996年到1999年间，印尼股票市场市值缩水了76%，占印尼GDP的35%（表9.3）。

表9.3 印度尼西亚：股票市场指标

	1990	1991	1992	1993	1994	1995	1996	1997	1998	1999	2000
雅加达成份指数（期末）	417.8	247.4	274.3	588.8	469.6	513.8	637.4	401.7	398.0	676.9	416.3
国内股票市值（10亿美元）	8.1	6.8	12.0	32.8	47.2	66.5	90.9	29.1	22.1	64.0	26.8
雅加达股票交易所市盈率	—	—	14.3	28.6	31.8	21.6	19.6	10.6	4.1	9.5	5.9

— 指数据空缺
资料来源：世界交易所联合会，彭博资讯

苏哈托总统和国际货币基金组织第一次交锋是在1997年11月1日。当天，在国际货币基金组织的第一份意向书签署后，16家私有银行被关闭。在被关闭的银行中，有3家同苏哈托总统的家族有关系[3]。11月23日，苏哈托总统的儿子买下关门的小银行安德洛墨达（Bank Andromeda），并在其原址上重新开张。这似乎有些反抗的味道。

从1997年7月至12月，随着这些事件的发生，卢比-美元汇率在5个月的时间里从2 400∶1跌至5 400∶1，跌幅达55%。危机迅速地从银行业信心

① Grenville (2004a)，第78页。

② Sadli (1998)，第273页。

③ Independent Evaluation Office (2003)，第127页。

的崩溃转化为印尼货币价值的崩溃。在没有外汇管制、通货膨胀不断攀升且银行纷纷倒闭的形势下，存款人唯一的选择就是撤出资本。同期，雅加达综合指数从 1997 年 7 月 1 日的 731 点下跌到 1997 年 12 月 30 日的 402 点，跌幅达 45%。

1998 年，当苏哈托总统威信扫地时，印尼的形势也更加恶化。1998 年 1 月 6 日，苏哈托总统宣布实施扩张性的财政政策，这同国际货币基金组织的财政盈余要求相左。在财政政策宣布之后，卢比对美元汇率重挫 25%，从 1 月 6 日的 7 500∶1 跌至 1 月 8 日的 10 000∶1，突破了关键的心理支撑位置。同周，雅加达综合指数下跌了 14%，从 402 点跌至 347 点。

这时，社会和政治出现动荡了。1 月 8 日，由于担心恶性通货膨胀和食品短缺，"雅加达的人群开始恐慌性购物，他们将所有的商店和超市抢购一空，以尽快花掉急剧贬值的卢比并囤积商品。"①

骚乱发生后，1 月 15 日，又发生了一起公众抗议。这一次的起因是一张著名的照片，照片中米歇尔 · 康德苏双臂交叉地站在苏哈托总统旁边，宛如学校校长一般，而苏哈托总统正在温顺地签署国际货币基金组织的第二份意向书。印度教中无往不胜的圣王形象崩塌了。由苏哈托亲自授权的苏哈托传记作者雷特诺瓦蒂 · 阿伯杜尔盖尼-耐普(Retnowati Abdulgani-Knapp)这样说道："在同一天，一群退役军官和国家要人呼吁副总统苏提斯诺(Try Sutrisno)在 3 月份苏哈托任满时接任。"②

尽管苏哈托总统接下来宣布恢复国家汽车计划(这次政府不提供资金)以试图恢复信心，但他此时已经处于非常严重的政治困境之中了。他的任期到 1998 年就满了，而国家经济正在崩溃。因此，在盟友劝告他说阿根廷成立货币委员会的做法能够稳定汇率后，苏哈托总统在 1998 年 1 月到 2 月期间就考虑使用这一手段，试图孤注一掷，迅速解决危机。国际经济小组和国际货币基金组织极力劝说他不要如此轻率，但他们自己提供的方案似乎也不管用。到 1998 年 1 月底，印尼卢比大幅下滑至 13 000 卢比兑 1 美元。

此后，要求更换领导人的呼声越来越高。1998 年 2 月，通货膨胀达到创纪录的 12.8%③，价格暴涨再度引发骚乱。2 月 19 日，印度尼西亚大学(the

---

① Lee (2000)，第 311 页。

② Abdulgani-Knapp (2007)，第 209 页。

③ Pangestu (1998)。

University of Indonesia)的学生举行了第一次示威[①]。苏哈托总统免去了吉万多诺(同苏哈托有姻亲关系)的央行行长职位,表面上的理由是他不支持成立货币委员会。这可以看作是苏哈托总统陷入绝望的一个标志。

3月10日苏哈托再度当选总统后,似乎存心蔑视国际社会,任命他的大女儿和一些密友为新内阁成员。这进一步激发了学生抗议,而且这一次是在校门之外。

5月初,苏哈托总统被迫提高了石油产品的价格和电价,以落实国际货币基金组织的部分附带条件[②]。5月12日,四名学生在帝利沙地大学(Trisakti University)校园外面被警察击毙。接着,从5月13日到16日,骚乱和抗议达到了顶点。在此期间,苏哈托总统正在中东的埃及开罗参加一次会议。虽然他提前一天回国以稳定局势,但为时已晚。现在,原先支持他的人甚至军队都在要求他辞职。他认输了。1998年5月21日(星期四)上午9点,苏哈托将总统宝座让给了副总统哈比比(B. J. Habibie)[③]。

然而,苏哈托总统统治的结束并不意味着危机的结束。市场持续低迷,国家也越来越陷入多层次的危机。1998年6月,正逢日元对美元急剧贬值之时,卢比对美元汇率跌至17 000∶1的最低点。1998年9月21日,雅加达综合指数报收于257点的历史新低;几乎在同一时间,全球市场在俄罗斯危机和马来西亚资本管制之后也开始风雨飘摇。此时,人们已经看清,印尼在持续的金融、社会和政治动荡之后已经陷入一场深刻的经济危机。

1998年第一季度,印尼经济萎缩了7.9%,到第二季度更是萎缩了16.5%,而且经济没有明显的触底迹象。同时,政府预计到年底将有2 000万人口失业(年初是1 400万)。物价飞涨(食品价格上涨超过100%),收入下降,有人估计7 940万人口陷入了贫困[④]。

新加坡资政李光耀在其传记中是这样评论苏哈托总统的:

> 我不理解为什么他的子女要如此富有。如果不是他们贪得无厌,他[苏哈托]可能在印尼的历史上会有一个不同的位置……我看了他辞职的电视直播。他应该更体面地下台。苏哈托一直致力于社会稳定和经济繁荣。从20世纪70年代到90年代,他的政策为所有东盟国家带来了强劲

---

① Abdulgani-Knapp (2007),第209页。

② Independent Evaluation Office (2003),第32页。

③ Abdulgani-Knapp (2007),第211、214和215页。

④ Pangestu (1998)。

的经济增长。那是东南亚的黄金时代。①

脆弱的金融系统

第三个脆弱性是印尼的金融系统，它暴露出印度尼西亚政治和商业结构的不堪一击。同遭受危机的亚洲邻国一样，印尼的银行业也是系统中最弱的环节（表 9.4）。

表 9.4 印度尼西亚：金融结构 （占 GDP%）

	1990	1991	1992	1993	1994	1995	1996	1997	1998	1999	2000
存款银行资产	41.9	47.1	47.4	48.1	50.1	51.4	53.9	56.3	55.3	48.1	43.7
其他金融机构资产	—	—	—	—	—	—	—	—	—	—	—
股票市场市值	4.5	5.8	6.8	14.2	22.7	28.2	34.8	28.1	26.9	30.7	27.9
债券市场市值	—	0.1	0.4	0.9	1.2	1.3	2.1	2.6	5.6	19.7	31.3
保险费总收入	0.9	0.8	0.9	0.9	1.1	1.2	1.2	1.2	1.2	1.1	1.2

— 指数据空缺
资料来源：Beck，Demirgüç-Kunt & Levine (2000)(2007 年 8 月 13 日修订)

事后看起来，印尼银行部门的脆弱主要源于始自 1988 年 10 月以帕克多(Pakto)银行改革为标志的金融自由化和去监管化。这些改革的出发点是好的，但被既得利益集团控制了。印尼的自由化让我想起 20 世纪 80 年代后期我在世界银行工作时，曾观察过肯尼亚的银行系统。当时即将交出政权的肯尼亚政府向那些根本不懂如何管理银行的得宠政客大肆发放银行执照。

简单说来，在危机爆发前，印尼银行业有三个显著特点。首先，去监管化允许成立新的国内私有银行、外资银行和合资银行，并与国有银行（这些国有银行都是在印尼独立时期国有化的，在印尼银行业举足轻重）竞争。在 1988 年到 1997 年 6 月期间，国有银行的数目维持在 7 家，但外资和合资银行的数目从 11 家增加到了 44 家。然而在同一时期，私有银行的数目从 66 家急剧增加到 160 家，到 1997 年底分行和支行数分别达到 1 537 家和 2 469 家。1988 年，国有银行占银行总资产的 70%，私有银行的份额仅占 20%多一点。到

① Lee (2000)，第 318～319 页。

1997 年年中，国有银行份额下降了一半，市场份额被私有银行大量挤占①。

其次，银行业的竞争改变了激励结构。在去管制化之前，国有银行被视作“发展的代理人”，向那些被政府视作优先发展的领域提供资金②。去管制化之后，国有银行同私有银行为争取家庭存款和商业贷款激烈竞争，导致信贷和治理标准恶化。这是经典的银行业问题，即信贷增长是以信贷质量的下降为代价的。

第三，有讽刺意味的是，银行从公有到私有的转化得到了援助机构和国际社会的支持，认为这是应对国有银行效率低下的积极步骤③。考虑到国有银行的主导地位，人们不清楚对国有银行的监管权究竟属于作为银行监管机构的印度尼西亚银行呢，还是属于作为股东的财政部④。不幸的是，私有银行的糟糕治理是导致印尼银行业危机的重要原因。

表 9.5　印度尼西亚：部分金融部门指标　(%)

	1990	1991	1992	1993	1994	1995	1996	1997	1998	1999	2000
狭义货币（M1）年增长率	18.4	10.6	9.3	27.9	23.3	16.1	21.7	22.2	29.2	23.2	30.1
广义货币（M2）年增长率	44.2	17.1	20.2	22.0	20.2	27.6	29.6	23.2	62.4	11.9	15.6
金融机构面向私人部门的贷款占 GDP 比重	38.0	43.4	43.6	44.8	47.3	48.9	51.2	53.5	52.6	33.9	17.7
贷款年利率	20.8	25.5	24.0	20.6	17.8	18.9	19.2	21.8	32.2	27.7	18.5
存款年利率	17.5	23.3	19.6	14.6	12.5	16.7	17.3	20.0	39.1	25.7	12.5
存贷年利差	3.3	2.2	4.4	6.0	5.2	2.1	2.0	1.8	−6.9	1.9	6.0

资料来源：印度尼西亚银行，世界银行，Beck，Demirgüç-Kunt & Levine (2000)(2007 年 8 月 13 日修订)，及作者估算

在裙带资本主义的大环境下，很多新成立的私有银行都是有政治背景的，所有者都是得宠的财团⑤。这些银行没有专业技术，但扩张很快，任意放

① Bank Indonesia；Djiwandono (2005)，表 4，第 53 页；Grenville (2004b)，第 308 页。

② Grenville (2004b)，第 308 页。

③ Independent Evaluation Office (2003)，第 107 页。

④ Grenville (2004b)，第 309 页。

⑤ Enoch et al (2003)，第 76 页。

贷。关联贷款，即向那些同银行所有者有关系的个人或公司放贷，在印尼司空见惯，以致德尔海斯将此描绘为一种“国家消遣”和“将印尼银行同亚洲其他地区银行区别开来的唯一方面”①。这是即将发生的悲剧。用格伦维尔的话说就是：“印尼的银行部门将一些不可取的（同政府对信贷的分配相关的）品质替换成了另外一些不可取的（同内部关系相关的）品质。”②

最终的结果就是银行信贷的大幅增长，从1988年的占GDP 22.3%增长到1996年的占GDP 51.2%（表9.5）。这使得印尼公司部门的负债率成为本地区第三高，仅次于韩国和泰国（表9.6）。

表9.6　部分亚洲经济体：公司平均杠杆率　（债务总额占权益%）

	1988	1989	1990	1991	1992	1993	1994	1995	1996	1988～1996
中国香港	183.2	231.1	178.3	204.7	183.5	175.8	227.3	198.0	155.9	190.2
印度尼西亚	**—**	**—**	**—**	**194.3**	**209.7**	**205.4**	**166.1**	**211.5**	**187.8**	**195.1**
日本	299.4	284.3	287.1	202.9	204.2	205.7	219.3	236.7	237.4	230.2
马来西亚	72.7	81.0	101.0	61.0	62.7	70.4	99.1	110.3	117.6	90.8
菲律宾	—	—	—	83.0	118.6	117.5	114.8	115.0	128.5	112.9
新加坡	76.5	92.2	93.9	88.7	85.6	110.2	86.2	103.7	104.9	93.6
韩国	282.0	264.4	310.5	322.1	337.3	363.6	353.0	377.6	354.5	346.7
中国台湾	—	—	—	67.9	88.3	86.6	89.4	79.6	80.2	82.0
泰国	160.2	190.5	215.9	201.0	183.7	191.4	212.6	222.4	236.1	200.8
参照项：										
美国	79.8	84.8	90.4	97.2	105.9	105.1	106.6	109.9	112.5	103.4
德国	153.5	155.2	158.2	159.4	150.7	153.4	151.2	148.5	147.2	151.4

— 指数据空缺
资料来源：Claessens，Djankov & Lang (1998)，表6，第9页

很多印尼公司得到银行贷款后，“在非贸易部门盲目扩张，如大卖场、房地产、写字楼、宾馆，甚至高尔夫球场”③。很多项目都同政治有关。

在贷款方面出现判断失误的不仅仅是印尼的银行家。比如说，1998年1月倒闭的香港最大的投资银行百富勤就曾贷款给一家印尼的出租车公司（这家公司的董事长是苏哈托总统的女儿），贷款额接近公司总资本的三分之一。百富勤认为，

① Delhaise (1998)，第129、130页。
② Grenville (2004b)，第308页。
③ Sadli (1998)，第275页。

凭借苏哈托的关系，过渡性贷款可以通过接下来的首次公开募股(IPO)或发行债券得到偿还。百富勤的倒闭原因在于它严重误判了关联银行业务的潜在风险。

银行业发生的第一个大问题是1990年政府援救杜塔银行(Bank Duta)。杜塔银行曾在一年的外汇交易中损失4.2亿美元，相当于自有资本的两倍①。苏哈托总统的三家慈善基金会是杜塔银行的大股东，每家持有的股份都在27.5%左右②。接着，在1992年，一家名为苏马银行(Bank Summa)的国内大型私有银行清盘，该银行的债务高达7.5亿美元③。苏马银行的大部分贷款都流向房地产和相关单位，随着贷款质量的恶化，银行遭遇到了严重的金融问题。关联方贷款规则限定此类贷款不应超过银行股本的10%，然而，当苏马银行倒闭时，"有种说法是，该银行55%的贷款都是关联方贷款。"④

在20世纪90年代早期，国际货币基金组织和世界银行很清楚印尼的银行系统十分脆弱，当时已经向印尼提供了可观的援助和技术支持以加强监管并帮助问题银行进行重组。我在1993年9月之前曾担任世界银行金融政策与制度部主任。当时我曾派遣一位最能干的银行监管员长期驻守雅加达，帮助实施世界银行的援助。不幸的是，同政治相关的银行重组是最成问题的。正如印度尼西亚银行前行长吉万多诺所指出的，早在1993年5月，就有人写报告给苏哈托总统，里面"列举了同相关银行有债务问题的印尼公司和个人。这份名单看起来就像是雅加达的《名人录》"⑤。

接下来的问题就是：为什么这些问题能长久存在？吉万多诺行长总结了四个相关的因素，其中最后一个在我看来是最关键的⑥：

- 首先，透明度的缺乏掩盖了银行业的治理不善；
- 其次是道德风险，因为很多银行提供畸高的存款利率，而公众很容易受到诱惑；
- 再次，作为银行监管机构的中央银行受到诸多限制，因为中央银行缺少独立性和专业技术；
- 最后，政府不愿意让资不抵债的银行清盘，也让央行无所适从。

我还完全赞同吉万多诺认为亚洲危机前对经济基本面的分析存在错误

① Visser & van Herpt (1996)，第303页。
② Abdulgani-Knapp (2007)，第179页。
③ Encoh et al (2003)，第76页。
④ Delhaise (1998)，第130页。
⑤ Djiwandono (2005)，第27页。
⑥ Djiwandono (2005)，第59页。

的观点：

> 不断有人问我：如果我们的基本面良好，为什么印尼会遭遇这么多的困难？……只有在亚洲危机之后，经济学家才公开承认，对一个国家经济的分析中应该包括银行部门的健康程度。……我想要说的是，对于深陷危机的亚洲国家来说，当他们意识到宏观经济政策的有效性需要一个健全的银行系统时，已经太晚了。包括我在内的宏观经济学家应该有谦卑之心，承认这一错误……①

的确，当人们承认银行系统在印尼经济中的重要性时，已经为时太晚了。1997年4月，印度尼西亚银行向苏哈托总统重新递交了它在1996年12月就曾递交过的建议书，建议让那些不值得援助的问题银行清盘。苏哈托总统接受了这一建议，但决定让这7家银行在1998年3月的大选结束之后再清盘②。

然而，到1997年7月，金融危机严重影响了印尼企业的资产负债表。随着卢比汇率下跌超过四倍，偿付外债和支付利息变得十分昂贵，因此很多不错的企业也由于外债问题陷入困境。很多公司延迟偿付债务，印尼的银行不良贷款急剧攀升，其中有几家银行的不良贷款占其总贷款的70%③。

1997年10月，来自国际货币基金组织、世界银行和亚洲开发银行的工作小组一道对印尼的银行部门进行了详细的评估。根据国际货币基金组织独立评估办公室的报告：

> 联合小组发现有50家银行十分脆弱，其中34家被认为已经资不抵债，包括26家私有银行、2家国有银行和6家地区发展银行……根据国际货币基金组织货币和外汇事务部（MAE）的说法，被认为已经资不抵债的34家银行占银行总资产的15%，其中26家私有银行就占到了总资产的5%。④

事后看来，即使这份报告也低估了印尼银行部门的问题⑤。

政府必须对是否关闭资不抵债的银行作出决定。1997年11月，国际货币基金组织开出的条件是26家资不抵债银行中的16家必须关闭，包括1997

---

① Djiwandono (2005)，第28、29页。

② 同上，第128页。

③ Nasution (2000)，第151页。

④ Independent Evaluation Office (2003)，第126页。

⑤ 同上。

年 4 月发现的 7 家[①]。不幸的是，16 家银行的关闭非但未能赢回市场信心，反倒导致人们彻底失去了对印尼银行业的信心。到 1997 年 12 月中旬，占银行总资产一半的 154 家银行每家都至少经历了一次挤兑事件[②]。

事后看来，关闭这些银行不仅导致了银行挤兑，还导致了资本外逃。印尼央行和泰国央行面临的问题一模一样。印度尼西亚银行向银行系统注入了大量的应急流动性(BLBI)——“1997 年 7 月注入 10.9 万亿卢比，之后大幅上升到 1997 年底的 62.9 万亿卢比，1998 年 2 月底的 96 万亿卢比，1998 年的 173.4 万亿卢比，1999 年的 178.6 万亿卢比”[③]。存款人纷纷卖出卢比，买入美元，如果买不到美元，就买黄金。这样，流动性也渗透到了外汇市场，并且使国家面临恶性通货膨胀的压力。

这样，到 1997 年底和 1998 年初，越来越多的人认识到在关闭银行这一问题上存在设计上的重大缺陷，因而不能起到全面担保的作用，即对于储户和债权人而言没有普遍的担保。有鉴于此，1998 年 1 月 26 日，在全面担保正式启动时，银行重组计划也同时启动，并且成立了印度尼西亚银行重组局(Indonesian Bank Restructuring Agency)，负责银行重组和公共资产的集中管理。在全面担保计划宣布之后，印尼银行部门的反应相对平静。

为什么没有更早地实行全面担保呢？吉万多诺给出了内部人的解释：

> 在讨论让银行清盘的决定时，国际货币基金组织的工作人员从来没有提起过全面担保。他们仅仅提到了针对小额储户的有限担保，而有限担保事实上是印尼小组最初制订的。双方意见的一致在首份意向书的第 26 点有记录。
>
> 只是在银行关闭产生的巨大负面效应变得明显之后，国际货币基金组织才提出全面担保的建议并希望印尼采纳。事实上，关于这一问题的讨论是发生在 1998 年 1 月 15 日第二份意向书签订并于 1998 年 1 月 26 日开始实施之后的。
>
> 同解决私有债务一样，全面担保的实行(如果人们认为这是合适的政策)也来得太晚了，至少同泰国和韩国相比是如此。……
>
> 几乎所有受到亚洲危机严重影响的国家都实行了全面担保。让我不解的是：为什么国际货币基金组织不在 1997 年 11 月银行倒闭之前或之时向印尼提出全面担保的建议呢？……
>
> 为什么印尼没有实行全面担保？我对全面担保计划并不熟悉，因此我从来

① Djiwandono (2005)，第 174 页。

② Enoch et al (2003)，第 78 页。

③ Djiwandono (2005)，第 175 页。

> 没有提出过这方面的建议。1998年1月18日，阿格海维利(Bijan B. Aghevli)博士发给我一份备忘录，然后在1998年1月23日又发给我一份备忘录。它们都是关于银行业危机的，并且给出了解决危机的建议。这两份备忘录让我第一次了解了全面担保。在第一份备忘录中，阿格海维利博士提到有必要为银行存款人和债权人引入普遍担保，这一说法后来变成了全面担保……
>
> 然而，基金组织仍在争论危机是否正在变成系统性的，以及如果不马上采取激烈措施，银行业是否可能整体破产。最后，货币委员会同意采纳全面担保计划，在经总统批准后，全面担保于1998年1月18日正式启动。①

然而，印尼银行部门的平静并不长久，在1998年5月发生骚乱之后，平静就突然结束了。此时，“全面担保对于整个经济和政治系统的信心危机起不到什么作用……更不要说政府对担保的履行能力了”②。结果，印尼的银行部门陷入彻底的混乱。除了银行挤兑，信贷规则也彻底崩溃。“大多数借款人不管有无偿还能力，都停止了偿还贷款。少数继续偿还贷款的人要求银行降低利率，而银行也只能照办。”③

印度尼西亚银行的流动性注入和全面担保都付出了高昂的代价。在银行系统重组之后，印尼政府接收了银行系统约85%的资产④。政府在接收银行的亏损后，发行了各种类型的新债券以支付三类成本——补偿向银行注入流动性的印度尼西亚银行；补偿接收倒闭银行债务的银行；对资金不足但仍在营业的银行进行资本结构调整⑤。

从1966年到1998年，印尼几乎没有什么国内公债，但到了2006年底，国内债务达到了768亿美元⑥，占GDP的22%。此外，截至2006年，政府外债也达到了677亿美元，占GDP的19.2%。事实上，印尼政府是将因政府政策失误而导致的私有银行和公司部门的错误国有化了。

在有关全面担保的争议中，核心问题就是中央银行的两难处境，即在银行危机中采取行动时，央行面临着巨大的不确定性和快速的变化。这里，对于实践者而言，几乎没有有效的指导理论。就我的经验看，只有三条经验法

---

① Djiwandono (2005)，第122～123页。
② Independent Evaluation Office (2003)，第128～129页。
③ Frécaut (2004)，第39页。
④ Feridhanusetyawan & Pangestu (2003)，第133～134页。
⑤ Enoch et al (2003)，第84页。
⑥ Feridhanusetyawan & Pangestu (2003)，第133页；World Bank (2007b)。

则是有帮助的：白芝浩法则(the Bagehot Rule)、德·胡安法则(De Juan Rule)和法国医院法则(the French Hospital Rule)。

沃尔特·白芝浩有句名言说，在爆发银行危机时，中央银行必须向能提供优质抵押者自由放贷①。这样做能够确保流动性危机不致发展成全面的偿付危机，后者指因缺少流动性而导致的资产价格崩溃。无论是印尼危机中的流动性注入，还是次贷危机中三国(G3)央行的反应，援引的都是这一理论。

不幸的是，央行的干预会导致道德风险，因为所有的银行都会认为自己"太大了，倒不得"，因而会承担本来可以避免的风险。有关道德风险这一复杂的问题，我们将在第十二章详细讨论。

更不幸的是，所有决策者都面临着这样的现实：在金融危机中，对当下成本和损失的估计几乎都是不完全的。然而，如果不下决心，危机就会演化为系统危机，从而导致巨大的损失。这样，决策者就会当机立断，而将道德风险成本留给未来。因此，正如最近的次贷危机所证实的，在实践中道德风险会被置诸脑后，欧盟和美国央行都通过注入大量流动性进行了干预。他们的所作所为证实了我所谓的修订过的德·胡安法则②。

西班牙银行前监管员阿里斯托布娄·德·胡安(Aristobulo De Juan)的法则来自他在西班牙银行危机中总结的经验。这一法则也被称作"双重损失"法则。在金融危机中，损失是原来估计的两倍。因此，外部审计员对贷款损失的估计将是银行管理层估计的两倍；银行审查官的估计是审计员的两倍；在清盘时，实际的损失可能至少是银行审查官估计的两倍。换句话说，实际的损失比你想象的可能要大得多。在这样的情况下，中央银行选择干预就不足为奇了，因为不干预的后果可能比干预要严重得多。

事后看来，一个主要的错误是未对形势的严重性做出准确的评估，正如国际货币基金组织独立评估办公室的报告在2003年所承认的："[1997年10月的]评估严重低估了银行部门的真实处境。当时的真实情况是，除了外资银行、国有银行和一小部分私有银行，其他的银行都缺少流动性，可能都已经濒临资不抵债的境地。"③报告明确指出："国际货币基金组织严重误判了问题的严重性，这直接导致它根据过去的经验做出了评估。"④

---

① Bagehot (1991) [1873年初版]。

② De Juan (2003)。本文的早期版本写于1989年。

③ Independent Evaluation Office (2003)，附件Ⅰ，第74页。

④ 同上。

由于资本外逃造成流动性日趋枯竭，不提供流动性也不行，因为如果整个系统（包括公司部门）停止运转的话，损失将变得更大。同实行资本管制的马来西亚不同，“印尼政府告诉评估小组，他们从来没有考虑过实行资本管制，因为他们知道印尼没有能够对其进行有效管理的机制。他们还指出，印尼在 20 世纪 70 年代解除管制的主要原因就是腐败导致的低效”。①

在排除资本管制之后，实行全面担保会有效果吗？一开始，印尼实行了部分担保，但显然不足以恢复信心。正如 2007 年底英国北岩银行事件的处理所展示的，政府在处理危机时如果不能对采取的措施进行清楚的说明，就会使危机恶化，从而不得不采取进一步的措施。因为 1997 年 11 月开始实施的部分担保未能取得效果，1998 年 1 月政府又推出了全面担保。正所谓一不做，二不休。“包括国际货币基金组织工作人员在内的很多人越来越接受这样一种观点，即导致 1997 年 11 月银行被关闭的主要错误就是未能实行全面担保。”②

人们对印度尼西亚银行提供大量流动性的做法也一直存有争议。独立评估办公室批评国际货币基金组织“未能在基金组织工作人员对印度尼西亚银行的流动性计划进行紧密监督之后进一步跟进。国际货币基金组织工作人员每天都对印尼银行得到的流动性支持逐家进行监督，并向总部高级官员提供最新信息”③。截至 1998 年 1 月，流动性支持达到了 GDP 的 5%，或者说是基础货币的 100%。独立评估办公室报告认为，央行只能在关闭银行和提供流动性支持之间做出选择。既然总统不希望再关闭银行，提供流动性支持就成为唯一的选择。

在这里，法国医院法则能够帮助我们理解当时的两难处境。在第一次世界大战中，法国的医生发现，进入战地医院的伤员源源不断，但床位、医生和药品是有限的，因此必须对救谁做出抉择。当时的决定是只救治那些仍能战斗的人，因为如果战争失败，所有一切都会失去。这表明在需求无限而资源有限的情况下，没有好的决定。一旦中央银行决定干预，那么向谁提供流动性、在什么情况下提供流动性就是无法简单回答的道德和治理问题。

因此，一味责怪国际货币基金组织、同危机有关的投机者、借款人或官僚是无助于危机的解决的。如果是整个治理结构的缺陷导致国家陷入变化无常的全球性危机，那么不可避免地就会有危机的受害者，不管受害者是不是无辜的。

---

① Independent Evaluation Office (2003)，附件Ⅰ，第 72 页。

② 同上，第 75 页。

③ 同上，第 79 页。

再见，金融管制；你好，金融崩溃[1]

第四个脆弱性是危机爆发前大量流入印尼的来去无常的资本。

资本账户自由化在印尼是一个有争议的问题。直到20世纪80年代中期，印尼的邻国一直实行资本管制的政策；同这些邻国不同，印尼是首批彻底开放资本账户的国家。事实上，印尼的贸易自由化和金融部门自由化顺序是倒过来的。“资本账户自由化到1971年就完成了，而经常账户交易自由化则迟至20世纪80年代后期才开始。”[2]

这是一个务实的决定，最初为国家带来了利益。首先，和印尼接壤的新加坡是一个自由港和金融中心，这使得印尼无法实行外汇管制。其次，印尼没有几家知名公司能够进入国际金融市场，因此开放的资本账户没带来多少问题。第三，20世纪70年代没有证券投资资本流入印尼，因此也没有来去无常的短期资本流动。印尼的经常账户逆差主要靠外国直接投资（尤其是来自日本的直接投资）和政府外债（包括国际援助）来平衡。

到20世纪90年代，事情起了变化。大量短期资本和证券投资资本流入印尼金融系统，尤其是以外债的形式（图9.1）。

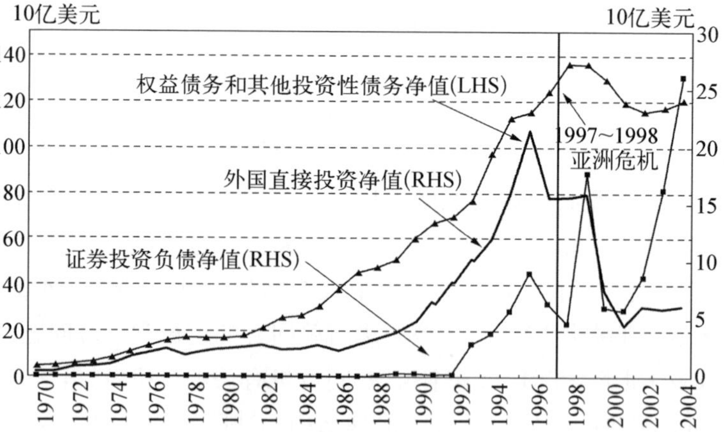

图9.1 印度尼西亚外债净值（1970～2004）

注：RHS指右侧坐标：LHS指左侧坐标
资料来源：Lane & Milesi-Ferretti(2006)

---

① 转引自 Diaz-Alejandro (1985)。
② Nasution (2000)，第153页。

不论在国内还是在国际上，这都是一个质变。随着新一代印尼商人成长起来，他们更愿意从国外借钱并尝试新的融资方式。由于国内利率高于全球利率（表 9.7，较高的通货膨胀是一个原因），这些商人愿意进行离岸借款，外国的银行也愿意向印尼贷款以从事利差交易。

表 9.7 印度尼西亚：部分息差 （年率）

	1990	1991	1992	1993	1994	1995	1996	1997	1998	1999	2000
印尼通知贷款利率（ICR）	14.0	14.9	12.0	8.7	9.7	13.6	14.0	27.8	62.8	23.6	10.3
美国有效联邦基金利率（FFR）	8.1	5.7	3.5	3.0	4.2	5.8	5.3	5.5	5.4	5.0	6.2
欧洲隔夜平均指数（EONIA）	—	—	—	—	5.2	5.6	4.0	4.0	3.1	3.0	4.8
瑞士通知贷款利率（SCR）	8.9	7.6	5.9	4.4	3.6	2.3	1.8	1.0	1.0	1.4	3.5
日本通知贷款利率（JCR）	8.2	6.3	3.9	2.4	2.3	0.5	0.5	0.4	0.3	0.0	0.2
息差（TMR - FFR）	5.9	9.2	8.5	5.6	5.5	7.8	8.7	22.4	57.4	18.6	4.1
息差（TMR - EONIA）	—	—	—	—	4.5	8.0	9.9	23.8	59.7	20.5	5.5
息差（TMR - SCR）	5.1	7.3	6.1	4.3	6.2	11.3	12.2	26.8	61.8	22.2	6.8
息差（TMR - JCR）	5.7	8.6	8.1	6.2	7.4	13.2	13.5	27.4	62.5	23.6	10.1

资料来源：美联储，国际货币基金组织，经济合作与发展组织，作者估算

印尼是从事利差交易的理想国家，因为尽管印尼的汇率有波动范围，但在危机爆发前，卢比的年均贬值幅度维持在 4%到 5%之间。1996 年，卢比-日元息差达到 13.5%，即使考虑到卢比的贬值因素也非常有吸引力（表 9.7）。

结果在 20 世纪 90 年代，印尼的外债迅猛增长，占 GDP 的 50%强，而在 1985 年外债占 GDP 的比例是 39.7%①。增加的债务主要是短期债务（表

① Feridhanusetyawan & Pangestu (2003)，第 133 页。

9.8)。印尼的主要外汇来源又是日本。日本对印尼的直接投资是亚洲地区最高的，占日本对外投资总额的5%，高过泰国(3.0%)，是马来西亚(1.2%)或韩国(0.9%)的四五倍。此外，从1990年到1996年，日本银行面向印尼的贷款平均占到印尼外国银行借款的53%(表9.9)。

表9.8　印度尼西亚：部分外汇储备和外债指标

	1990	1991	1992	1993	1994	1995	1996	1997	1998	1999	2000
外汇储备(10亿美元)	7.4	9.2	10.2	11.0	11.8	13.3	17.8	16.1	22.4	26.2	28.3
外汇储备增长(年增长率%)	37.2	24.5	11.3	7.9	7.6	12.6	33.9	−9.7	39.2	17.2	7.8
外债总额(10亿美元)	69.9	79.5	88.0	89.2	107.8	124.4	128.9	136.3	151.3	151.3	144.2
外债总额(占GDP%)	55.6	56.5	57.6	51.1	55.2	55.7	51.4	57.2	143.5	97.8	87.1
短期外债(10亿美元)	11.1	14.3	18.1	18.0	19.5	26.0	32.2	32.9	20.1	20.0	22.6
短期外债(占外债总额%)	15.9	18.0	20.5	20.2	18.0	20.9	25.0	24.1	13.3	13.2	15.7
短期外债(占外汇储备%)	151.4	156.4	177.4	163.7	164.6	195.2	180.9	204.3	89.8	76.3	80.0

资料来源：亚洲开发银行，国际货币基金组织，作者估算

到1997年6月，印尼的外债总额约为1 400亿美元，其中有800亿是私有部门的外债，占外债总额的57%。在800亿私有债务中，600亿是公司部门的债务，占75%，200亿是银行部门的债务，占25%。私有外债中有330亿到期时间在一年以内，占41%①。至关重要的是，到1994年，印尼的外债净值超过了GDP的50%(表9.9)。到1995年，短期外债几乎是印尼外汇储备的两倍(表9.8)。到90年代中期，印尼和亚洲邻国一样，都极易受到资本外流的冲击。

① Sadli (1998)，第274页和Djiwandono (2005)，第106页。

表 9.9　印度尼西亚：部分外国资本指标 (10 亿美元)

资本流动	1990	1991	1992	1993	1994	1995	1996	1997	1998	1999	2000
净 FDI 流入	1.1	1.5	1.8	2.0	1.5	3.7	5.6	4.7	-0.2	-1.9	-4.6
净证券投资流入	-0.1	0.0	1.1	1.8	3.9	4.1	5.0	-2.6	-1.9	-1.8	-1.9
其他净流入(包括银行信贷)	3.5	4.2	3.2	2.0	-1.8	2.3	0.2	-2.5	-7.5	-2.3	-1.4
净资本流入总值	4.5	5.7	6.1	5.8	3.6	10.1	10.8	-0.5	-9.6	-5.9	-7.9

资料来源：亚洲开发银行，作者估算

其他指标	1990	1991	1992	1993	1994	1995	1996	1997	1998	1999	2000
外国银行贷款总额	26.4	28.9	30.1	32.9	37.5	48.1	59.6	64.2	49.6	46.8	44.7
短期国际银行贷款[1]	13.4	15.1	17.2	18.8	21.3	27.6	34.2	35.1	23.7	19.0	20.1
日本银行对印尼的贷款	15.8	17.5	17.7	17.6	19.6	22.5	23.5	22.8	17.0	13.1	10.9
来自日本的直接投资[2]	1.1	1.2	1.7	0.8	1.8	1.6	2.4	2.5	1.1	1.0	0.4
净外国财富头寸[3]	-57.8	-64.5	-67.7	-78.3	-100.9	-120.6	-127.4	-129.4	-133.8	-143.4	-114.1
净外债头寸占 GDP%	45.9	45.8	44.3	44.9	51.6	54.0	50.8	54.3	126.8	92.7	68.9

注：1. 一年以内(包括一年)的外币贷款
2. 基于报告和通告
3. 负值表示净负债头寸；正值表示净资产头寸

资料来源：国际清算银行，日本对外贸易组织(JETRO)，Lane & Milesi-Ferretti (2006)，作者估算

除了国家层面上外汇流动性的错配造成的脆弱性，公司层面上也有双重的错配，这可以说是遭受危机的亚洲国家共有的特点。

首先，同来自印尼银行的贷款一样，大部分外债流向了非贸易部门的项目，如房地产，因为只有这些项目在经济繁荣期有高回报率。

其次，大部分印尼的公司都没有可以用来对外币借款进行套期保值的出口收入，因为这些出口收入都投到了本币项目上。风险直接从公司转移到国内的贷款或担保银行，而这些银行必须从国外银行那里借款以弥补外汇缺口。一旦国外银行减少对印尼的贷款，偿付外债唯一的办法就是卖出卢比购入美元，

但这样做会进一步加剧卢比的贬值，而卢比越贬值，外债净额就越难偿付。

因此，尽管印尼的银行和借款机构已经适应了浮动利率和弹性汇率，但他们想象不到汇率贬值已经将它们绑架了。“总而言之，印尼的经历也没有什么特别，就是‘再见，金融管制；你好，金融崩溃’①。金融去监管化导致的两个关键脆弱性就是：首先，大量波动性强的国外资本的流入；其次，脆弱的国内金融系统。”②

旧药不管用了

印尼在国内金融系统和外部账户领域的结构性脆弱，意味着在 1997 年 7 月之后，过去稳定卢比的成功做法不管用了。

首先，和早先卢比遭受攻击时一样，印度尼西亚扩大了汇率波动区间。7 月 11 日，即菲律宾比索实行浮动汇率的同一天，卢比波动区间从 8%扩大到 12%，或者说从 192 卢比扩大到了 304 卢比，这样操作的空间就扩大了。然而，这一次并没有什么效果，因为整个东南亚都出现了资本外逃，印尼也不例外。

因为印尼属于东盟一员，因此基金经理和对冲基金纷纷将其投在东盟的资产换成美元。1996 年，印尼资本净流入 108 亿美元，到 1997 年则成了资本净流出 5 亿美元(表 9.9)。此外，包括日本和其他国家银行在内的境外债权人停止了向印尼发放新贷款，而且拒绝续贷，并开始回收已有的贷款。

我们在第二章已经说过，到 1995 年年中，由于面临国内的问题，日本的银行已经开始减少在整个亚洲的投资。在印尼，尽管日本的银行贷款在 1995～1996 年期间仍然是增长的，但增幅已经从 1993～1994 年的 11.4%和 1994～1995 年的 14.9%锐减到 4.4%。

1996～1997 年，日本银行面向印尼的贷款减少了 6.9 亿美元，约下降 3%(表 9.9)。日本银行意识到它们在当地放贷最多，因此最佳战略是全面收缩。

银行一收缩阵线，印尼国内的公司就只能卖出卢比以偿付未作套期保值的外币借款，而当卢比狂跌时，美元资产开始恐慌性出逃。1997 年 8 月 14 日卢比被允许自由浮动时，印尼工商界蓦然发现他们正面临着一个深渊。他们本来觉得在浮动汇率下他们可以吃到蛋糕。结果，他们未作套期保值的外债让他们的美梦破灭了。

---

① Diaz-Alejandro (1985)。

② Grenville (2004b)，第 311 页。

为稳定卢比而进行的第二个“尝试性”做法是减少国内流动性并提高利率。到 1997 年 8 月底，基础货币骤减了 20%左右①。

回收大量流动性的“休克疗法”在过去是有效的，但到了 1997 年，银行已经很虚弱了，同时借款人杠杆率过高，这一办法就不管用了。借款人一方面要面对不断升高的借款成本，另一方面又要面对因卢比贬值而增加的外债，真可谓祸不单行。银行借不到足够的外汇以偿付外债，而外国银行又减少了贷款规模，并要求偿付以前的贷款。

印度尼西亚银行处于左右为难的尴尬境地：或者作为最后贷款人向银行系统提供流动性，或者通过高利率维护本币以保持货币紧缩的姿态。它向银行注入的流动性越多，流动性流出的也越多，从而迫使卢比贬值。它将利率提得越高，借款机构倒闭得也越快。哪个办法都不管用。到 1997 年 9 月，在工商界、专家和媒体的游说下，印度尼西亚银行开始分阶段地下调利率②。

然而，不断流出的外汇意味着印尼没有足够的外汇保卫印尼的货币。因此，到了 1997 年 10 月，除了求救于国际货币基金组织之外，已经别无选择了。国际货币基金组织的工作人员面临着难以想象的时间压力，需要迅速地制定出一个一揽子计划，但很快市场就清楚地意识到，同泰国的一揽子计划一样，针对印尼的 230 亿美元一揽子计划(包括印尼央行自己的外汇储备 50 亿美元)，不足以满足印尼当时对外汇的需求，尤其是 300 亿美元左右需要续贷的短期债务。由于未做银行冻结(直到 1997 年韩国危机结束后才成为国际货币基金组织的一个工具)，国际货币基金组织的第一个援助计划注定是失败的。

印尼的危机也表明国际货币基金组织不管愿望有多好，都不适合作为最终贷款人。国际货币基金组织的援款都是分批次给的，而不是一开始就大量提供。在第一批 30 亿美元马上到位后，同等金额的另一笔援款直到 1998 年 3 月中旬才拨付。“所以说，核心的问题好比传统的银行挤兑，但基金组织的资源却不足以提供传统解决方案。”③糟糕的政治、糟糕的银行业和不充分的资源这些因素叠加起来，意味着印尼越来越深地陷入到危机之中。

关于治理和制度

印尼经济的恢复是最慢的，而且危机的后果今天还能感受得到。前面说

---

① Grenville (2004b)，第 311 页。
② Djiwandono (2005)，第 62 页。
③ Grenville (2004a)，第 80 页。

过，尽管有所改善，但为了让银行和公司摆脱困境，如今的印尼仍然背负着巨额公债。即使在今天，尽管东南亚其他国家的经济都恢复得很好，但是在印尼，危机的社会影响仍然存在。2007 年，失业率（尽管已有下降）是 9.1%。截至 2008 年 3 月，贫困率仍高达 15.4%。

印尼危机生动地证明了一句名言，即富国和穷国的主要区别就是治理的质量。苏哈托总统为印尼带来了政治稳定和繁荣，但他未能安排好政权的交接，未能清除泛滥的腐败，因此当全球化的风吹过来时，印尼就危机四伏了。

前财政部长、现任副总统布迪奥诺（Boediono）博士以典型的印尼人的谦虚非常坦诚地说过：

> 危机不仅让人们清醒地认识到，生活在一个互相关联的世界有多么危险，而且也让人们越来越清楚地意识到，社会机构及其运作的方式（治理）在如今的世界非常重要。很多人开始相信，我们在危机面前表现得无助以及不得不忍受长时期的痛苦，原因就在于机构的虚弱和治理不善。最近对改善公司治理的关注是选对了方向……
>
> 在机构的建立和改革中，最关键、效果最显著的是法律领域的试验，包括法律执行的司法和其他方面，因为社会的游戏规则就是在这一领域制定和执行的。……和在其他领域一样，政府必须起到表率作用。来自国际社会的更大的支持以及更大的压力也许会加速这一过程，但变革的主要力量必须来自国内。
>
> 次等重要的是公务员改革，因为只有公务员改革成功了，才能有更有效率的政府，才能更好地执行政策。……多年以来，公务员队伍因为实际需要迅速扩大，但政治的负面影响也逐渐显现，最终导致政府业绩、服务质量和公务员道德的灾难性下降。……早就应该来一次彻底改革了，但自从独立以来，没有哪届政府有决心认真地承担起这一挑战。……
>
> 事实上，目前民主试验的成功在于经济管理的成功。①

在下一章里，我们将讨论在 1998 年 8 月的关键时刻，让很多人大跌眼镜的香港政府对股票市场的干预。

---

① Boediono (2005)，第 321～322 页。

第十章

中国香港：非常之时需用非常之策

小财不出，大财不入。

——香港大亨

1996年末，索罗斯基金管理公司常务董事之一——阿米尼奥·弗拉格(Arminio Fraga)①读到了马里兰大学教授卡门·莱因哈特(Carmen Reinhart)②写的一篇论述东亚经济体脆弱性的文章。乔治·索罗斯在他的著作《全球资本主义的危机》中承认，他的基金管理公司至少在亚洲危机发生之前6个月已经预见到了。1997年初，索罗斯基金管理公司把6个月至1年才到期的泰铢和马来西亚林吉特在远期汇市上卖空。

把赌注下在货币战中：中央银行还是对冲基金？

对冲基金是阿尔弗雷德·温斯洛·琼斯(Alfred Winslow Jones)③于1949年发明的，此公率先举债投资，沽空头寸，通过有限责任合伙避免受到较多条例约束，向客户收取利润的20%作为理财费。最初，对冲基金发展缓慢，

① 阿米尼奥·弗拉格，前巴西中央银行行长，美国普林斯顿大学经济学博士，曾在索罗斯基金管理公司和所罗门兄弟公司担任高管。——译注

② 卡门·莱因哈特，生于古巴哈瓦那。美国马里兰大学经济学教授。曾任贝尔斯登投资银行首席经济学家和副总裁、国际货币基金组织研究部副主任。——译注

③ 阿尔弗雷德·温斯格·琼斯(1900～1989)，美国社会学家、作家和金融记者，是最早的对冲基金管理者，人们称他为“对冲基金之父”。——译注

但是当乔治·索罗斯用卖空价值100亿美元的远期合约狙击英格兰银行时，对冲基金便声名鹊起。在1992年9月16日这个著名的“黑色星期三”，英格兰银行在拿出150亿美元支撑英镑，并把利率提高到15%以防止英镑贬值之后，仍不得不放弃汇率机制。据称索罗斯从这种营生中已经赚取了大约1.1万亿美元。以前在量子基金与他合过伙的有吉姆·罗杰斯(Jim Rogers)、维克多·尼德霍法(Victor Niederhoffer)、斯坦·德鲁肯米勒和阿米尼奥·弗拉加等这样一批大名鼎鼎的人。阿米尼奥·弗拉加后来还当上巴西中央银行行长，闻名遐迩。

20世纪90年代，当日本银行开始降低利率时，日元利差交易有助于对冲基金和其他杠杆作用很强的基金机构的兴起，因为它们先是低成本地借入日元，然后购买发达国家市场和新兴国家市场上的高收益资产，从而获得丰厚的利差。据报道，亚洲的利差交易始于1991～1992年，是由设在马来西亚的国际货币中心的银行开始搞起来的，到1993年，利差交易已从马来西亚转向当地货币利率高于日元利率的泰国和印度尼西亚去了①。

对冲基金通常把危机看成机遇。特别是，如果看到难以持续的资产泡沫赫然出现时，他们抛售估值过高的资产和有关货币就能轻易牟利，要是他们是比竭力捍卫本国货币的中央银行更厉害的大炒家，赢利就犹如囊中取物了。回首往事，英格兰银行花费150亿美元来保卫英镑，而索罗斯卖空100亿美元获利，实在太雷人了。如果在股票市场而不是外汇市场上做空，那么如此空头在市场上即使还不能说是垄断，也称得上占主导地位了，因为其他种类的卖空远期合同金额总共只有50亿美元。

严格地从理论上讲，垄断商品市场是违法的，可是在外汇市场上似乎可以例外。这令人百思不得其解，因为股票市场有严格的规章条例，并且它基本上在国内运作，所以受到严格的监管。从历史上看，由于外汇市场是场外交易市场，有许多外国和本国的买主和卖主，所以基本上没有受到监管。据我所知，从来没有一个中央银行对操纵外汇市场或不顾信用的行为采取过强硬的措施。甚至在英国财政部承认国际炒家的狙击已使英国付出了34亿英镑之后，英国最重要的外汇市场也没有感到不安或采取对付这种投机的行动，这个事实将对新兴市场产生巨大的影响。

当然对冲基金不是用自有资金在运作，他们的资金来自大券商、大商业银行和投资银行，这些机构也持有外汇头寸。人们曾想设置障碍，把这些机

① 香港大学和北京大学中国经济研究中心：《亚太经济合作研究》(2000)。

构与对冲基金客户的交易隔离开来，可是壁垒太薄，投资者又往往在一个方向上运作，抛售和沽空者对准个别货币的火力猛烈得可怕。如果英格兰银行抵挡不了大规模货币投机对英镑的袭击，规模较小的新兴市场上的中央银行还能怎么办呢？这是墨西哥比索危机发生以后，亚洲各中央银行立即扪心自问的一个难题①。

港元联系汇率制

经过1974～1983年间的几次浮动汇率试验失败之后，港元采用货币发行局制度，要么与白银、英镑挂钩，要么与美元挂钩。前香港公务员和记者利奥·古德施塔特(Leo Goodstadt)在回顾1935年至1985年香港金融史时，认为“货币发行局制度能够简单有效地防御缺乏专业知识的官员执行导向错误、信息不全的货币决策时所造成的破坏”②。

在港元新近与美元挂钩之前，香港于1974～1983年试行了九年浮动汇率制(表10.1)。正如香港金管局指出的：

> 尽管头两年运作得相当好，可是浮动汇率制的经验并不那么令人舒坦。当时盛行的货币政策框架太简陋，无法替代外部货币的稳定性。香港没有明确的货币政策目标，更不要说实现这种目标的手段了。结果这段时期几乎各个方面都较为动荡不定。实际GDP增长率1975年下降0.3%，1976年攀升到16.2%。通货膨胀率从1975年2.7%到1980年15.5%激烈波动。港元与美元的汇价从1981年5.13港元兑1美元到1983年9.60港元兑1美元，投机者的兴风作浪以及对港元前途的信心危机逐步升级，到1983年登峰造极，都使港元贬值雪上加霜。1983年9月，港元汇率仅仅在两天内就下跌了13%，达到9.60港元兑1美元的历史最低点。③

香港政府在与英格兰银行和英国财政部磋商之后，于1983年10月17日采用了货币发行局制度，汇率固定为7.80港元兑1美元。

---

① 参见第一章。

② Goodstadt (2007)。

③ HKMA(2005)。

表 10.1　香港：汇率体制

日　期	汇率体制	参考汇率
1863 年～1935 年 11 月	银本位	银元是法定货币
1935 年 12 月～1972 年 6 月	与英镑挂钩	1 英镑＝16 港元 1935 年 12 月～1967 年 11 月
	与英镑挂钩	1 英镑＝14.55 港元 1967 年 11 月～1972 年 6 月
1972 年 7 月 6 日	与美元挂钩，干预幅度为中心汇率的±2.25%	1 美元＝5.05 港元 1972 年 7 月～1973 年 2 月
1973 年 2 月 14 日	与美元挂钩	1 美元＝5.085 港元 1973 年 2 月 14 日～1974 年 11 月
1974 年 11 月 25 日	自由浮动	若干日期的汇率 1 美元＝4.965 港元（1974 年 11 月 25 日） 1 美元＝9.600 港元（1983 年 9 月 24 日）
1983 年 10 月 17 日	与美元挂钩	1 美元＝7.80 港元

资料来源：香港金管局(2005)

小规模的开放经济体，例如香港，既没有足够的外汇，也没有避免货币动荡的市场能力，这是他们的经验教训，所以除了把货币与自己的主要贸易伙伴挂钩外，别无选择。小规模的经济体从它的大贸易伙伴那里“借入”信用，贸易伙伴的经济规模越大越稳定，信用越好。为了保护这种货币挂钩，香港政府不能发生财政赤字①，其货币政策基本上交由美国联邦储备委员会来制定了。

为什么港元与美元挂钩，而不是与日元挂钩呢？首先，美国是重要的贸易伙伴，并且拥有居主导地位的储备货币。其次，倘若与日元挂钩，则意味着港元将会与日元同样波动。

外汇投机的办法其实很简单——你只要借入本地货币，然后在远期市场上卖出。如果当地股票市场上有期货市场，那么炒汇更加容易，因为你可以在股票市场上做空的同时，在货币市场上做空。这就是所谓双重操作，在亚

① 关于货币发行局制度是否允许有财政赤字的讨论，请见本章后面部分。

洲危机时期的香港很盛行。

从投机者的角度来看，港元与美元挂钩是进行双重操作的最理想体制。好挑剔挖苦的人会说，在扑克牌游戏中，潜在的最大输家是拥有最多筹码的玩家。在1997年底，香港正是世界上最大的外汇储备拥有者之一，总额高达928亿美元。

在亚洲危机期间，货币发行局制度的作用引起争议，因为斯蒂夫·汉克(Steve Hanke)教授竭力向印度尼西亚推荐采用这个制度来抵御外汇炒家的狙击①。也有人指责，对货币发行局"正统观念"的偏离会稀释他们捍卫固定汇率制的效果。最重要的论点认为，正是货币发行局制度的自动调节作用，才维持了市场的信用。汉克特别指出，偏离正统观念会让货币政策和汇率政策互相矛盾②。事实上，香港货币发行局制度的信用在亚洲危机期间经受住了严峻的考验。

尽管在1997年7月2日泰铢贬值之后出现过小波动，可是港元联系汇率制第一次遭到严重攻击是在1997年10月23日，香港银行同业拆借利率一度飚升到将近300%。恒生股指从顶峰跌到低谷，狂泻60%以上，1998年8月13日达到6 660点的低点。房地产价格在1997年膨胀到极点，在1998年9月走出低潮之前，同样从危机前水平暴跌了大约50%。

资产价格的急剧下滑产生了重要的负财富效应，使香港经济逐渐加速进入衰退困境。1998年，香港GDP缩减5.5%，而失业率上升4.7%(表10.2)。相比之下，新加坡在1998年的实际GDP缩减1.4%，遭到的打击比较轻，而台湾的GDP还增长了4.5%。因此，亚洲危机对香港的影响比我们预料的要深重。

表10.2 香港：部分实体经济指标

	1990	1991	1992	1993	1994	1995	1996	1997	1998	1999	2000
GDP(10亿美元)	76.9	88.8	104.0	120.0	135.5	144.2	159.0	176.3	166.9	163.3	168.8
人均GDP(美元)	13 368	15 276	17 666	20 001	22 149	23 003	24 583	27 055	25 353	24 600	25 144

① 第九章关于印度尼西亚的论述以及Hanke(2002)。

② Hanke(2002)，第204页。

续　表

	1990	1991	1992	1993	1994	1995	1996	1997	1998	1999	2000
实际 GDP（年增长%）	4.0	5.7	6.5	6.3	5.6	3.9	4.2	5.1	−5.5	4.0	10.0
失业率（占总劳动力%）	1.3	1.8	2.0	2.0	1.9	3.2	2.8	2.2	4.7	6.2	4.9
通货膨胀（年增长率%）	10.3	11.3	9.5	8.8	8.8	9.0	6.3	5.8	2.8	−3.9	−3.7
财政余额（占 GDP%）	0.7	3.3	2.7	2.1	1.0	−0.3	2.1	6.4	−1.8	0.8	−0.6
国内资本形成总额（占 GDP%）	27.0	26.8	28.0	27.1	31.2	34.1	31.6	34.0	28.9	24.8	27.5
国内储蓄总额（占 GDP%）	35.7	33.7	33.3	33.9	32.5	29.6	30.1	30.7	29.4	30.1	32.0
制造业指数（2000 年＝100）	119.9	120.6	123.0	122.3	122.0	123.1	118.6	117.6	107.4	100.5	100.0

资料来源：亚洲开发银行和国际货币基金组织

基础扎实，但也有软肋

纯粹从经济基础来说，乍看上去，香港本该不会成为亚洲危机的受害者。第一，实体经济富有活力，1997 年增长率为 5.1%，是比较健康的。第二，财政政策谨慎，1997 年预算盈余占 GDP 的 6.4%，主权债务为零，这就是例证。第三，香港经济基本上遵循自由市场规则运营，同时又能对各种市场力量作出灵活的反应。第四，官方储备充裕，将近 1 000 亿美元，在世界上仅次于日本和中国内地，坐第三把交椅（表 10.3）。第五，香港的联系汇率制享有很高信誉，因为在 1997 年它用储备为港元提供了将近 800%的支持①，同时港元与美元的挂钩又是在循规守矩的货币制度下实施的。第六，香港具有强大的银行系统，资本充足，监管到位。香港这种令人羡慕的经济地位，主要应当归功于为了使香港经济顺利圆满地在 1997 年 7 月 1 日回归中国而作出的努力。

① 任志刚（1998a）。

表 10.3　香港：外汇储备和境外财产指标

	1990	1991	1992	1993	1994	1995	1996	1997	1998	1999	2000
外汇储备(10 亿美元)	24.6	28.8	35.2	43.0	49.3	55.4	63.8	92.8	89.6	96.2	107.5
外汇储备年增长率(%)	—	17.3	22.1	22.2	14.6	12.5	15.2	45.4	−3.4	7.4	11.7
境外资产净额(10 亿美元)	154.0	122.9	101.9	−24.8	100.5	115.2	69.2	229.8	254.9	183.9	221.8
境外资产净额(占 GDP%)	200.2	138.4	98.0	−20.7	74.2	79.9	43.5	130.3	152.7	112.6	131.4

注：负数表示净债务额；正数表示净资产额
　　— 指数据空缺
资料来源：国际货币基金组织，Lane & Milesi-Ferretti(2006)和本书作者的估计

然而回过头来看，香港经济中也存在着明显的软肋。这表现在房地产部门和股票市场的资产泡沫越来越大上，两大因素刺激了资产泡沫的膨胀。

第一，像亚洲地区别的经济体一样，香港也得益于国际私人资本大量流入亚洲。由于香港处于国际金融和商业中心的地位，所以它在吸引外资方面特别成功。20 世纪 90 年代初期，大批日本银行和韩国银行蜂拥而入，为亚洲地区的企业融资。世界上最大的 100 家银行中有 80 家在香港设立办事处和分行。

第二，在亚洲危机爆发之前，香港房地产由于需求旺盛而供应不足，导致价格扶摇直上。香港是房地产开发商梦寐以求的市场。汇率是稳定的，但是当市场繁荣时，因为联系汇率制，与美元挂钩的港元的利率实际上变为负利率，通货膨胀率此时已高于美国(表 10.2 和 10.4)①。中产阶级和房地产开发商争先恐后地把房地产当作对冲通货膨胀的工具。1997 年时，房地产部门(包括建筑、房地产和房屋场所的所有权②)成为香港经济中最大的部门，对 GDP 的贡献率约达 26.8%，贸易(占 20.7%)和金融(占10.3%)都屈居其后。股票市场上，房地产股和银行股占支配地位，在那里的投机是房地产市场炒

① 香港大学和北京大学中国经济研究中心：《亚太经济合作研究》(2000)第 110 页。
② 对业主占用的房屋场所收取的估算租金。

作的另一种表现。正如菲利普·德尔海斯所说：

> 香港是一个包容亚洲所有真善美和假恶丑的小世界。在亚洲到处可见那种驱使家庭女佣和的士司机哄抬无名公司股价的同样狂热，以及由此带来的同样惊人的不幸。市场像人一样，常常受到操控。亚洲是个大赌场，那里的人们除了怀有变得快乐、有教养或受到体贴这种小心愿之外，主要的野心是发财致富。①

表 10.4 香港：部分金融部门指标 （%）

	1990	1991	1992	1993	1994	1995	1996	1997	1998	1999	2000
狭义货币（年增长率）	13.3	19.5	21.1	20.6	−1.2	2.8	14.2	−4.3	−5.0	13.9	8.3
广义货币（年增长率）	22.4	13.3	10.8	16.2	12.9	14.6	10.9	10.1	11.6	8.8	7.8
金融机构面向私人部门贷款（占 GDP 比重%）	—	143.0	127.1	124.3	131.7	143.5	147.0	156.2	176.7	164.0	150.6
贷款年利率	10.0	8.5	6.5	6.5	8.5	8.8	8.5	9.5	9.0	8.5	9.5
存款年利率	6.7	5.5	3.1	2.3	3.5	5.6	4.6	6.0	6.6	4.5	4.8
存贷年利差	3.3	3.0	3.4	4.3	5.0	3.1	3.9	3.5	2.4	4.0	4.7

注：1. 存款银行和其他金融机构
　　— 指数据空缺
资料来源：亚洲开发银行，世界银行，Beck, Demirgüç-Kunt & Levin (2000)(2007 年 8 月 13 日修订)的数据以及本书作者的估计

结果，大量外资涌入香港以及房地产业在香港登上主导地位，推动了股票市场和房地产市场出现史无前例的繁荣景象：1997 年 8 月 7 日，恒生指数报收于 16 673 点高峰，房地产市场当时也如日中天（表 10.5）。事实上，根据《亚洲周刊》报道，1997 年香港成为世界上按美元计算生活费用仅次于东京、位列第二的最昂贵城市②，人们不免担心这个中国特别行政区将会失去作为该地区的国际金融中心和商业中心的竞争力。

---

① Delhaise(1998)第 12 页。
② Bacani(1998)。

表 10.5 香港：部分资产价格

股票市场指标	1990	1991	1992	1993	1994	1995	1996	1997	1998	1999	2000
恒生指数(期末)	3 025	4 297	5 512	11 888	8 191	10 073	13 452	10 723	10 049	16 962	15 096
境内市值(10 亿美元)	83.4	121.9	172.0	385.0	269.5	303.7	449.2	413.3	343.6	609.1	623.4
香港证券交易市盈率	9.9	13.0	13.1	21.6	10.7	11.4	16.7	12.1	10.7	26.7	12.8

资料来源：世界证券交易所联合会、彭博资讯

房地产价格指数[1]	1990	1991	1992	1993	1994	1995	1996	1997	1998	1999	2000
私有境内房地产(全部)	47.3	73.2	85.7	100.8	110.1	103.9	134.5	155.0	104.6	95.7	81.8
私有住房(全部)	54.1	75.0	101.7	119.1	129.8	125.9	144.5	165.3	102.7	95.5	92.4
私有办公用房(全部)	102.9	109.7	149.2	184.1	235.2	183.8	217.2	173.3	106.6	95.5	84.9

注：1. 均以 1999 年为 100
资料来源：香港评估定级局

1998 年 4 月,《香港政府金融市场评估报告》对 1997 年 10 月遭到国际炒家重大攻击后港元的防御情况进行了审查,并坦率承认：

> 我们这个正在遭受金融动乱打击的亚洲地区,不久前还因为经济强劲的增长和活力而备受赞扬。在很多情况下,问题的症结在于结构和体制的弱点……
>
> 香港通常几乎没有这种结构和体制上的问题。然而,经过一段经济特别生机蓬勃的时期,加上对未来前景的高度乐观,香港的股市和房市已经过度高涨。例如,在 1997 年 10 月之前的两年中,住房价格平均上升 80%。恒生指数在两年半多一点的时间里,增长 1.4 倍,在 1997 年 8 月创历史新高。在这样蒸蒸日上的时候,蓝筹股的市盈率猛涨到平均 17 倍的水平,红筹股和 H 股的市盈率甚至更加令人瞩目,分别达到 52 倍和 30 倍①。回过

① 红筹股是指在境外注册的中国内地国有企业；H 股是指在中国注册并在香港联交所上市的中国内地国有企业。

头来看，虽然当时香港的经济基础基本上仍是扎实的，可是资产价格急剧上涨到难以持续的地步，暴露出使金融部门面临国际炒家攻击的巨大弱点。正是在这种背景下，1997 年 10 月下旬港元遭到了投机者的猛烈攻击。接着香港政府进行的经济调整，虽然很痛苦，事后想来，不仅是不可避免的，而且是十分必要的。①

香港的黑色星期四

在东南亚连续不断使一些国家沦为受害者的亚洲危机于 1997 年 8 月降临香港。8 月 19 日，银行同业隔夜拆借利率日内最高达到 10%，这是第一回合攻击港元的投机行为。货币发行局机制及时干预，市场稳定下来，但是第三季度的其余日子里，利率仍然高达 6%～7%。

起初，香港股市从 1997 年 8 月 7 日 16673 点的高峰仅仅下调 15%～20%。但是在香港 1997 年 9 月主办国际货币基金组织和世界银行联合年会，世界各国银行家聚首评估亚洲的形势之后大约一个月，即在 1997 年 10 月，香港遭受惩罚的倒霉日子终于来了。

1997 年 10 月 17 日，星期五，新台币获准汇率浮动，尽管台湾经济实际上仍然坚挺，而且汇率控制得很好。在 10 月 20 日这周内，国际游资炒家在台湾放弃保卫台币后已经初试攻击得手，开始剑指港元，在货币市场上大量卖空港元。10 月 21 日和 22 日，许多银行把大量港元卖给香港金管局以买进美元。由于香港金管局有义务用美元赎回港元，港元流动性收紧就不可避免。

1997 年 10 月 23 日星期四是清算日，后来人们称之为“黑色星期四”。卖掉港元的银行缺乏港元来履行港元合约。当天，按照香港金管局 1997 年年度报告所说，

为了阻止利用流动性调节机制②为炒卖港元者融资，香港金管局在 10 月 23 日上午发出通知，提醒各银行必须审慎地安排港元融资，切莫过于依赖流动性调节机制充当流动性的最后支持者。该通知还警告银行，香港金管局会对反复借款人收取惩罚性高息。③

---

① 金融服务局(1998)：《行政总结》第 xi 页。

② 流动性调动机制(the Liquidity Adjustment Facility, LAF)在香港相当于一个贴现业务部门。

③ HKMA(1997)。

换句话说，各银行不能依赖香港金管局为他们提供港元，让投机者融资来冲击港元。

于是出现了拼命争购港元的局面，造成银行间流动性极其匮乏。银行集体卖给香港金管局的港元超过他们动用自己在金管局集合分配账户上的贷方结余进行清算的能力。由于银行不希望经常求助于流动性调节机制，所以银行间拆借利率暴涨，香港同业隔夜拆息在几个小时内就从 9%左右上蹿到 280%。在 10 月 23 日收市时，利率涨幅稍有缓和，回落到 100%左右，因为银行把美元卖回给香港金管局，以便比较长久地获得港元，而香港金管局只能再次遵照货币发行局制度的规定接受回购。

港元利率上升的影响主要反映在股票交易上，恒生股指跌了 10.4%。尽管第二天银行同业隔夜拆借利率回落到 4.5%时，恒生股指反弹 6.9%，但是全世界人们认识到，亚洲危机现在已经冲击到亚洲最强大的经济体之一——香港。香港股市的动荡迅速传播到全球各个市场。10 月 27 日，道琼斯工业平均指数大跌 554 点，这是该指数有史以来跌幅最大的几次之一。巴西、阿根廷和墨西哥的股票市场也出现最大单日跌幅。仿佛受到全球市场的影响，恒生股指在 10 月 28 日下挫 13.7%，收报 9 060 点。

在 1997 年 10 月金融危机冲击后，港元利率仍然较高，且波动不定。香港开始用高企的利率来支付风险溢价。尽管银行不乏流动性，他们似乎也不愿在银行间同业拆借市场上贷出较长时间的款项，因为他们要保住流动性，唯恐再发生银根紧缩。面对收紧的流动性和高企的利率，在政治上很有影响力的房地产开发商批评香港金管局仅仅依靠利率来保卫港元，而不向金融系统注入流动性。

香港大学教授饶余庆是香港金管局实际董事会——香港外汇基金咨询委员会委员，他为香港金管局辩护说：

> 有些人认为，如果香港金管局通过流动性调节机制提供人们需要的低息信贷，高利率就可以得到控制。但是这种做法正是泰国、印度尼西亚和韩国这些国家犯过的错误。
>
> ……香港金管局最应做的事是放宽谨慎的监管，并向人们提供所需求的低息贷款。最后但是很重要的一点是，历史经验显然已经告诉我们，只要货币和银行系统仍旧稳健有力，在经历痛苦的调整期之后，实体经济将会否极泰来。例如，1982～1983 年我们经历过那次严重得多的危机。事实上，在 1983 年 9 月 24 日“黑色星期六”，整个金融系统几乎都垮了。但

是一旦联系汇率制开始实施，虽然还很脆弱，可是到头来信用和实体经济都恢复了。同样的结论也适用于当前亚洲危机中的香港。①

为了恢复公众在1997年10月遭到国际游资袭击之后的信心，香港特区政府对保卫港元的行动进行了正式的审查，审查的结果发表在1998年4月的《金融市场评估报告》上②。

在仔细研究了国际炒家的全部攻击过程之后，香港政府提出了一份旨在强化市场规则和透明度的30点计划。措施涉及诸如抛售沽空活动、金融系统改进、风险管理、条例实施、市场间监管和应变权力等方面。这些措施为未来政府对市场的干预奠定了基础。

谣言不胫而走

1997年11月，连日本和韩国都开始衰退时，亚洲危机加深了。在日本，随着北海道拓殖银行、山一证券公司和德阳城市银行的破产，金融系统显然摇摇欲坠。在韩国，11月21日，韩国银行不得不向国际货币基金组织寻求金融援助。这些因素显然会影响香港人的信心。

突出的紧张恐慌导致各种怪异的抢购风潮。香港爆发过到最大的面包连锁店——圣安娜西饼屋(St. Honore Cake Shop)抢购糕点的风潮。顾客要兑现该店预售给他们的几千张优惠券。另一次挤兑风潮发生在欢乐天地娱乐场(the Whimsy amusement arcades)，它曾把可以兑换成玩具和廉价电器的票券奖给游戏获胜者。这就是当时的社会景象。

投机者继续在整个1998年发动攻击。1998年1月头两周，在印度尼西亚卢比暴跌之后，港元也受到强大的抛售压力。1998年1月12日，香港最大的本土投资银行百富勤由于向印度尼西亚一家名叫"安稳"(Steady Safe)的出租汽车公司(该公司与印度尼西亚总统苏哈托的女儿有关系)提供融资，出现了严重失误而倒闭，使得香港人的自尊心受到极大的打击。当天恒生股指下挫8.7%，收报8121点。1月19日，正达证券公司这家拥有一万多散户的中型券商自动中止营业。

1998年2月到5月有一段短暂的时期，投机者对港元的攻击有所减弱。

---

① 饶余庆(1998)第43、44和45页。另见饶余庆(2001)。

② 金融服务局，《行政总结》第ii～iii页。

短期利率下降，恒生股指恢复20%左右，从1998年1月的水平上升到10000点大关。然而“亚洲溢价”（即港元和美元之间的利差）扩大了，高达5个百分点。

1998年6月中旬，投机者第二次对港元发动攻击。当日元继续贬值时，各国货币市场都很紧张。尽管在6月17日美联储和日本银行联合进行了干预，日元贬值并未停止，1998年8月达到1美元将近可兑150日元，创8年内新低。不管怎样，利率因银行间流动性收紧而提高，香港与国际游资炒家最后的较量在夏季结束时到来了。

香港实力的堡垒

尽管香港受到亚洲危机的影响大于与她实力相差无几的竞争者，为什么香港经济没有像其他遭到危机打击的亚洲国家那样崩溃呢？答案就在于香港银行业的实力（表10.6）和公司的债务水平低。虽然有资本流出，香港的金融部门基本上仍然雄姿英发，1998年6月底，外汇储备达到965亿美元高水平。因此，香港的金融部门在亚洲危机期间并非是最薄弱的环节，结果证明它是香港实力的堡垒。

表10.6　香港：金融结构　（占GDP%）

	1990	1991	1992	1993	1994	1995	1996	1997	1998	1999	2000
存款银行资产	—	145.6	130.1	129.0	139.4	151.0	153.5	165.3	187.9	176.2	164.5
其他金融机构资产	—	—	—	—	—	—	—	—	—	—	—
股票市场市值	105.2	115.6	141.5	232.1	242.9	199.6	237.4	245.6	227.4	291.5	367.4
债券市场市值	1.5	2.3	3.6	5.1	8.9	14.1	18.1	21.3	24.7	26.2	26.2
保险费总收入	—	—	3.0	3.1	3.3	3.6	3.5	3.5	3.9	4.4	4.7

— 指数据空缺
资料来源：Beck，Demirgüç-Kunt & Levin(2000)(2007年8月13日修订)

原因是十分明显的。香港的银行和公司已从20世纪80年代的错误中吸取了经验教训，在那个年代，他们曾狂热地发展房地产业。1987年的股灾给银行和公司上了一堂很重要的课。监管大大地得到了加强，特别是1988年简达恒——一位精明的监管过英格兰银行贷款的苏格兰人——及时来香港处理声名狼藉的国际信贷和商业银行(Bank of Credit and Commerce International, BCCI)香港分行的倒闭事件。房地产上市公司蓝筹股的最大杠杆仅为他们股本基础的 40%。香港银行在贷款给这种公司时十分审慎,要求获得足够的抵押。因此,银行和借款者都能在货币发行局的安排下应对必要的高利率变动。

当 1997 年危机袭来时,香港银行的资本充足率约为 17.5%,而已过期的贷款约占全部贷款的 1.81%,由此可见,香港的银行系统是亚洲地区最强大的一个(表 10.7)。这种审慎和强大帮助银行系统在整个危机时期顶住了冲击。

表 10.7　部分亚洲经济体:1997 年银行实力衡量概要

	总　分	资本总额	贷款级别	外国所有权	流动性	经营环境
新加坡	16	1	6	2	5	1
中国香港	21	3	9	1	2	2
马来西亚	41	5	9	8	8	3
韩　国	45	7	9	10	11	3
菲律宾	47	4	6	7	7	11
泰　国	52	7	12	12	8	6
印度尼西亚	52	7	8	9	12	8

注:每一类别的分数代表该经济体在 12 个亚洲经济体中的相对等级,总分较低表明该经济体的地位比较强大

资料来源:国际货币基金组织(2001)根据 Caprio(1998)资料编制

因此,即使逾期不还的贷款在 1999 年大约上升到 5.12%,香港的银行还是十分坚强,足以顶住 1997~1998 年日本和韩国的银行从香港大量撤资的冲击。从 1997 年 7 月到 1998 年 6 月,日韩撤资额达到 1 230 亿美元。

而且,尽管在危机前和危机期间,香港银行的本地贷款大约 40%直接贷给了房地产部门,但是银行系统在房地产泡沫出现时却能免受其害,因为银行在房地产价格上涨时逐渐把贷款与抵押物价格的比例(LTV)从 70%下降到了 50%。1997 年 3 月成立香港抵押公司,负责从银行收购抵押权,这也缓和了银行的流动性与贷款到期未还之间的错配问题。碰到了流动性匮乏情况的银行可以悄悄地在正常开展业务的过程中用抵押品从抵押公司那里获取流动性,不用借助香港金管局的流动性调节机制。这也使银行避免了因不

得不向最后贷款者借钱而丢脸。

香港银行发放贷款十分审慎，使得香港企业办事也更谨慎有加。双方都犯的错误是银行贷款给不够谨慎的中国内地的国有企业，例如，1998年10月广东国际信托投资公司(GITIC)因无法承兑2亿美元债券而宣告破产。中国政府当机立断，派出中国人民银行前副行长王岐山到广东出任常务副省长来解决这个危机。

不管怎样，随着亚洲危机的加深，正达证券公司的破产成为香港经济的脆弱部位，该公司曾把客户抵押的股票拿来为自己的权益保证金融资了。为了防止投资者失去信心，香港政府和监管机构一致同意放宽现行的赔偿条例，并把向每位散户赔款金额上限放宽到每位15万港元。到这时候，赔偿条例才规定，每家券商破产后最高总赔付额是800万港元。为了提供赔偿资金，香港证交所和香港证监会立即各自向赔偿基金注资1.5亿港元，必要时，双方还可各自再注资1.5亿港元。一旦赔偿基金额低于应有的审慎水平，香港政府也会出手加以补充。

然而，尽管香港政府努力稳住人们的信心，到了1998年8月，香港经济还是感受到高利率的压力。银行系统面临的最大威胁是抵押贷款逾期不还，购房者不得不忍受很高的抵押利率。虽然找不到1997～1998年的统计数据，但是中产阶级显然受到了猛烈打击，因为经济在1997年第四季度开始萎缩，在1998年继续萎缩大约5%，这是香港自20世纪60年代初以来最严重的一次衰退①。1998年8月，失业率达到4.8%左右。

在香港政府维持联系汇率制的政治决心和打赌随着衰退的加重、联系汇率制将会中止的投机者之间，这是一场毅力上的考验。只要香港政府没有外债，从理论上说只有香港人能够决定是否放弃联系汇率制，可是投机者想要考验一下香港人能忍受痛苦到什么界限。

不过，成问题的不只是对毅力的考验。小型经济体实行浮动汇率的真正问题，诚如别国的经历已经显示的那样，汇率可能被逼到非常低的均衡水平上，远低于50%，即使在贸易额加权计算的基础上，对货币贬值的最理想估计也在15%到20%之间。由于香港对外贸易与GDP的比率超过250%，这样的货币贬值可能破坏香港作为进出口贸易中心和金融中心的地位。而且，对中国来说，允许新回归的领土遭到投机者的攻击，在政治上是不能接受的。香港的金融危机可能产生超越中国国境的扩散效应。

---

① 曾荫权(1998)。

事关生存的问题

8月初，当日元汇率徘徊在146日元兑1美元水平上下时，人们的心理几乎到了崩溃点。与此同时，关于中国人民币将会贬值和香港将会放弃联系汇率制的谣言与日俱增，1998年7月和8月上半月，许多媒体的文章都预测人民币可能贬值，导致各种研究机构预测香港的联系汇率制不久将中止。香港的前景看起来十分黯淡，而在世界的另一边，俄罗斯和拉丁美洲的动荡快到了令人担忧的危急关头。

根本性问题是双重操作方法在起作用，它像皮疹发痒一样消除不掉。我们在先前阐述过，在货币市场进行抛空与在股票市场进行抛空相结合是非常有利可图的。抛空货币只要付出利率方面的费用。如果货币不贬值，投机者就可能为借入的货币支付较高的利率成本。但是，如果与此同时在股票市场进行抛空，卖出恒生指数期货，就可能牟利，因为在利率提高时，股价会下跌。

这就是香港高度发展的股票和期货市场有助于投机的地方。香港对抛空交易没有限制。而且，香港还有先进的债务互换市场，在那里投资者可用美元债券换取港元，从而获得进行抛空的港元。再则，投机者还发现几家委托保管银行实施的股票借贷计划允许他们按比市场上低的利率借到蓝筹股股票。委托保管银行在股市比较平静时期，劝说机构投资者把他们委托银行保管的股票借给卖空者去进行票据交换和清算业务；通过这个方式，机构投资者可能获利至少超过股息率1%。机构投资者不介意这么做，因为他们可获得额外的收入，而且通过靠得住的委托保管银行去进行交易，信贷风险比较小。直到后来，机构投资者才知道，他们把股票借给投机者，结果只会压低自己股票的价格。后来他们把贷出的股票撤回来，有助于减少投机。

因此，随着投机者的一次次攻击和对冲基金的丰厚利润，香港市场的高度发展使得双重操作反而急剧增加。在1998年8月前，传媒公开抱怨香港是对冲基金的自动提款机，每当出现投机恐慌时，对冲基金就从香港卷款而逃。

在1998年8月以前的时期，双重操作涉及三种简单的手法。第一，从1998年初到8月中旬，每当港元利率比较稳定时，对冲基金在债务市场上预先为自己借入港元。他们与通过发行债券筹措港元的多边机构以美元互换港元。1998年8月中旬，这种债券总额达300亿港元以上，利息成本大约每天40亿港元。

第二，与此同时，投机者在股票指数期货市场积累了大量沽空头寸，即期恒生指数期货未平仓合约从 1998 年 6 月 7 万份合约大约增加到 1998 年 8 月初的 9.2 万份合约。香港当局估计投机者大约持有 8 万份沽空合约，所以恒生指数每下降 1000 点，他们可以获得 40 亿港元利润①。

第三，投机者耐心等待在适当时机抛空他们先前借入的港元，推高利率，通过股市引起震动。香港当局估计："如果他们能够精心安排这件事在 1 000 天内发生，他们可不赔不赚；如果他们能在 100 天内达到目标，他们就可净赚 36 亿港元。"②

显然，香港政府不会袖手旁观，眼睁睁看着投机者和对冲基金制造涉及股票市场、货币和利率的恶性循环。1998 年 8 月 13 日，恒生指数维持在危机后最低的 6 660 点上交易。香港政府作出了反应。在 8 月 14 日星期五到 8 月 28 日星期五——8 月份股票期货合约到期日——之间，香港政府非同寻常、史无前例并且毫无预兆地动用了官方储备，干预股票和期货市场，购买了恒生指数中 33 种成分股。香港政府总共花费了 150 亿美元左右。

当时的香港财政司司长、现任香港特首曾荫权在 8 月 14 日政府进行干预的第一天阐述过干预的根本原因：

> 为了达到破坏港元根基的目的，投机者已经有效地利用了一整套不正当的措施，大家现在看得很清楚。这些措施包括恶意传播港元将与美元脱钩、人民币将贬值和香港银行不稳定将导致挤兑风潮等谣言。我们已经从投机者的一次次攻击中恢复过来。我们也表明了维持联系汇率制的决心。然而，投机者的攻击造成的利率猛烈上升显然损害了我们的经济和广大公众的利益。
>
> 为了阻止投机者的摆布，我根据《外汇基金条例》运用自己的权力，要求香港金管局动用外汇基金财力，在股票和期货市场上进行适当的反击。外汇基金咨询委员会——我曾正式向他们咨询过——支持我提出的行动方针。于是今天一早香港金管局发起了反击……

作出在股票和期货市场上进行干预的决定并不容易，因为干预失败不是不可能的。首先，干预可能对我们靠自由市场的声誉而蒸蒸日上的经济造成

---

① 任志刚(1998d)。

② 同上。

负面影响。其次，干预还可能引起利益冲突问题，因为政府既当监管者，又当香港33家最大公司的股东。然而，香港政府明白，如果不消除货币投机者的投机动因，香港经济就会恶性螺旋型地下降，走向崩溃。正如曾荫权在1998年《香港年鉴》上所写的那样："这次干预事关生存，要维持当地社会的信心，保护港元同美元的联系汇率制的完整性，以及使股票和期货市场恢复风平浪静。"①毋庸置疑，作出这样的决定是需要勇气的。

香港当局和对冲基金都完全明白这种干预的风险。任志刚指出："这不是一个我们乐于采取的决定。它使我们得冒很多风险，至少有被人们误解的风险。"②有人引用索罗斯量子基金证券投资经理斯坦利·德鲁肯米勒发表在1998年8月16日香港英文《虎报》(*Standard*)③上的话："不幸的是，如果政府在基本方针上错了，他们的全部行动将只会使投机者获得利润……从我们的角度来看，不管他们想在市场上干什么，当他们星期一早晨醒来时，他们将仍然处在沮丧的气氛中。"④

伦敦经济学院教授查尔斯·古德哈特，先前在英格兰银行工作过，并且是香港联系汇率制的设计者，他已与别人合作对政府干预问题作出了权威性的研究⑤。尽管很难推断恒生指数的谷底在哪里，但是古德哈特-陆的研究创造了一个模型，说明在干预之后，恒生指数在8月28日可能下降到5 393点，而不是上升到7 830点⑥。香港当局显然曾担心恒生指数可能跌到2 000～3 000点⑦，但他们也知道，恒生指数在8 000点附近时，市盈率大约为8，这表明股市很有价值。症结在于，如果信心不恢复，几乎完全只是卖方市场。

对香港来说，幸运的是，政府的干预奏了效，因为股票市场稳定下来，投机者认识到他们已经时运不顺，只能结束自己扮演的角色，鸣金收兵。港元年利率从12%下降到大约5%，大致相当于1997年7月的水平，大部分亚洲溢价随之消失了。古德哈特和陆岱估计，投机者遭受的亏损高达13亿港元或1.66亿美元。

---

① 香港特区政府(1998)。

② 任志刚(1998d)。

③ *Standard* 是星岛新闻集团旗下以香港本地财经新闻为主的报纸，每周一至周五出版，是香港第一家免费的英文报纸。——译注

④ Goodhart & Dai Lu(2003)，第1页。

⑤ 同上书。

⑥ 同上，表7.5，第170页。

⑦ 《南华早报》(*South China Morning Post*，1988)，转引自上书第164页。

从指责到默认

最初，人们严厉批评政府这种不因循守旧的举措。正如任志刚 1998 年 10 月在新加坡承认的那样：

> 在国际上，说得委婉些，起初的反应是对立的。外国报刊对香港的举措颇有微词，几乎如同对马来西亚实施外汇管制时的批评一样激烈。遗憾的是，我最尊敬的、最支持香港积极贯彻自由市场理念的诺贝尔经济学奖得主米尔顿·弗里德曼，竟也认为我们所做的简直是疯了。①

香港政府 1998 年 8 月的干预行动在受到批评后不久，人们的看法还是变了。1998 年 8 月 19 日，俄罗斯和巴西陷入危机，造成长期资本管理公司破产，纽约联邦储备银行不得不通过道义劝说进行干预，收拾残局。艾伦·格林斯潘于 1998 年 10 月在美国众议院银行和金融服务委员会上，解释纽约联邦储备银行为什么要维护长期资本管理公司的利益而进行干预时说：

> 虽然清盘套现的交易会破坏市场有效运转这原则是很清楚的，可是市场被严重破坏到什么时候需要中央银行介入干预，是最难判断的。在这种情况下，除非清盘套现交易导致金融市场活动遭到严重、广泛和持久的破坏，否则中央银行没有理由介入。
>
> 正在监控形势发展的纽约联邦储备银行官员作出了判断，如果对长期资本管理公司的有价证券实施强制性清盘，不仅会大大扭曲市场价格，而且在此过程中，会使许多债权人、债务人以及与长期资本管理公司没有直接关系的其他市场参与者遭受很大甚至极严重的损失。②

换句话说，格林斯潘仍然在为"尽可能不进行干预"辩护，但同时允许纽约联邦储备银行自主判断不干预的系统性影响。正如查尔斯·金德尔伯格言简意赅地指出的："一般来说，无论规定中央银行应当随时干预，还是规定中央银行任何时候都不得干预，都是不对的……通常市场都是有效的，但是

① 任志刚(1998c)。

② Greenspan(1998e)。

有时候也会崩溃。当市场崩溃时,需要政府出面干预,为了公众的利益,保障市场的稳定。"①香港政府在金融局势风雨飘摇时期,为了确保公众对香港的信心不致丧失,不得不进行干预。据估计,干预的成本低于让香港逐渐陷入一场大规模危机的成本。

用中央银行的专门术语来说,理解香港干预股市的关键在于,香港是按照白芝浩在市场动荡的形势下注入流动性的传统,采用了中央银行经典的干预方法。白芝浩、金德尔伯格和其他有经验的中央银行家明白,在危机期间的某些时候,银行不愿贷款只会造成流动性不足,促使危机更加厉害。流动性完全缺失和市场出于天生的担忧而未能对证券作出合理定价,这是由来已久的事情,不是理论上不可能成立的问题。2007～2008年次贷危机中确实经历过这种情况。当投资者无法确定自己手中持有的以资产为质押的证券价值时,他们唯一避免进一步亏损的出路就是逃离市场,不再进行买卖。遗憾的是,投资者集体撤出市场的后果是流动性完全缺失和资产价格进一步下降。没有一家银行敢于慷慨贷款,以免自身陷入资产困境。

在市场流动性缺失的情况下,可以应用白芝浩的名言——中央银行必须慷慨贷款,但是要有可靠的保障。

按照惯例,中央银行对市场的干预是通过买入或卖出债券来实现的,但是香港对股票市场进行干预是非传统的做法。对香港普通投资者来说,恒生指数不仅是市场信心的反映,而且是流动性高低的衡量尺度。构成恒生指数的股票包括了具有高流动性和低信用风险的33只蓝筹股。香港政府通过干预制止股价的下跌,达到了两个战略目标。第一,政府通过充当"最后购买者",防止了公众可能产生的恐慌。第二,它告诉全世界,特区政府并不认为香港已经破产到了要将资产清盘套现的地步。香港之所以不会这样,是因为香港政府没有外币债务。它回购优质资产时无需借款。本质上说,在恐慌抛售时期,政府愿意收购,就能恢复人们对港元的信心。政府注入流动性也降低了利率,因此减轻了通货紧缩对香港经济的压力。

非常之时,非常之策

1998年8月香港的行动标志着亚洲危机进入低谷。正如当时在瑞士苏黎世银行集团任职的戴维·海尔于1998年10月所说的那样:"似乎是命运在

① Kindleberger(1996)[1978年初版]第2～3页。

捉弄人，从1997年春天纽约对冲基金对泰铢的攻击开始的全球金融风暴转了一整圈之后，回到了纽约市场，并使其濒临崩溃。”[①]亚洲之后，俄罗斯、巴西和长期资本管理公司也发生危机，因而亚洲危机变成全球性的了；人们日益认识到，必须采取措施，以便堵住国际金融结构中造成各国资本市场浩劫的漏洞。

这场似乎螺旋型上升到失控的危机在1998年9月开始缓和，接着经济出现许多积极发展的迹象。至关重要的是，1998年9月起，日元对美元比价迅速升值，从而减轻了亚洲其他国家货币承受的压力。戴维·海尔是阐述日元利差交易及其对解决全球问题的影响的第一人：

> 在过去两年中，对冲基金盛行借入日元，再把现金重新投向收益率较高的债务市场。……
>
> 但是日元价值的转换进一步说明全球金融市场相互依存性的变化。对冲基金在期货市场混合运用贷款和限价买进的手法，大规模沽空日元。他们降低自身杠杆率水平的做法使得对日元的需求大增，而这种需求与诸如产出增长率和利率等传统的经济要素没有什么关系。[②]

香港在1998年8月进行干预之后，又采取了各种加强货币和金融制度的措施。在货币方面，香港执行了一些具体措施，修改当时实施的货币发行局制度，使之不易受人操纵。在证券方面，香港作出一系列改革，减少市场脱节的可能性。与此同时，在1998年10月，成立外汇基金投资有限公司（EFIL），为香港政府有序地处理它收购的大量港股提供咨询。

到1998年底，香港经济开始出现一些复苏迹象。1999年，香港经济有了重大起色，股票市场走上稳定复元之路。因此在1999年下半年，香港政府认为该及时处置它于1998年8月收购的股票了。1999年11月，作为香港政府股份出售计划的第一步，一种外汇交易基金——香港盈富基金（the Tracker Fund of Hong Kong，TraHK）成立。之所以选择这一步，是因为政府认为这是出售其手中股票的一种温和办法，对市场的干扰最小，同时能提升香港资本市场的力量。香港盈富基金首次公开发售规模为333亿港元（约合43亿美

---

① Hale(1998f)。

② 同上。

元)，当时在亚洲，这是除日本之外的国家或地区最大的首次公开发售①。

令人高兴的是，结果证明，香港政府 1998 年 8 月的干预对香港人来说是一次非常有利可图的投资。1999 年 9 月，就在香港盈富基金成立之前，证券价值已经增加到 260 亿美元，即增长了 70%以上，为此，任志刚说过一句俏皮话，“对那些负责收购股票的人，我们很遗憾不能发给他们奖金”，同时他还强调指出，获得高利润不是 1998 年 8 月干预的主要目的②。

香港的经验使我获得了两个重要的教训。第一，采取预防性措施应当是“越早越好”，而“问题总是比预期的糟”。第二，1998 年 8 月的干预使我懂得了，在非常之时一定要采取非常之策。在危机时期，最大胆的举措反而可能风险最小。

在结束本章之前，我们还得研究一下，香港是否偏离了正统的货币发行局制度，才变得这么容易受攻击。我个人认为他们没有偏离过。在国际投机者攻击港元时期，关键问题在于心理因素。唯一能够打破联系汇率制的是香港人，他们拥有大量港元。如果他们对联系汇率制失去信心，货币发行局制度也就完结，不管它正统不正统。我认为，没有比货币发行局制度更完美的安排了。该制度的拥护者斯蒂夫·汉克说，货币发行局制度允许财政赤字或外汇交易量超过货币发行量的 115%③。在面对巨大的不确定性时，普通人(港元持有者)并不会认为这种细节有什么要紧。如果他们的信心动摇了，稍有风吹草动，他们都会觉得是坏消息，草木皆兵。

香港政府的领导人正确地意识到，关键在于金融动荡时期公众期待领导人作出果断的行动。香港没有财政赤字，外国人手里也没有香港主权债务。所以香港除了担心香港人是否还支持港元外，没有什么其他可怕的。然而要是公众失去信心，就一切都完了，领取薪俸的领导人要在危机发生的时候作出判断，不管作出的判断对还是错。没有一种理论——不管有多么完美——能够在这种昏天黑地的金融风暴时为他们指路。

接下来，我们将研讨在亚洲危机时期发挥了重大作用的国家——中国。

---

① 见香港盈富基金网站 http://www.trahk.com.hk/eng/index.asp。

② 任志刚(1999b)。

③ Hanke(2002)。

第十一章

中国：龙的腾飞

中国自鸦片战争以来的历史就是持续不断地努力作出重新调整，应对这个泱泱大国形成的文化传统同（西方资本主义）海洋文明融合所带来的挑战。

——黄仁宇

在亚洲危机期间中国扮演了什么角色？

2007年5月，《金融时报》一篇社论谈到，亚洲金融危机的真正教训是，中国的崛起意味着东盟各国永远不能从1997～1998年亚洲金融危机中得到完全恢复①。社论指出，除韩国外，遭遇危机的亚洲国家的经济增长比1997年前大约低了两个百分点。有人认为其原因在于中国已崛起成为“一个新的巨大的竞争对手，它有着几乎无限的生产能力，可按比别人低的价格进行销售”。

大家知道，对亚洲金融危机通常有两种解释——要么责怪受害国(归咎于内因)，要么指责全球结构不平衡(归咎于外因)。事实却没有这么简单。危机的形成往往是内因和外因相互作用和共同影响的结果。中国在亚洲危机中扮演的角色，是一个正面的而不是反面的角色。让我们登高望远，从广阔的背景中告诉你事实真相吧。

中国和危机五国的比较

站在3万英尺高度俯瞰的话，关于中国在这场危机之前以及期间的作用，你可以得到五个看法。

---

① *Financial Times*（2007）。

第一个看法是，中国确实作为这场危机前在亚洲形成的全球制造业供应链中的一个重要成员脱颖而出了。因此，除了像危机五国一样出现通货膨胀加剧外，中国的宏观经济前景看来还是生机勃勃的。在 1990 年到 1996 年间，中国实际 GDP 每年按 10.7%左右增长，失业率却很低，在 2.6%左右。中央政府的预算仅仅略有赤字，国内储蓄率高达 GDP 的 37.4%(表 11.1)。1996 年，中国 GDP 为8 560亿美元，在亚洲仅次于日本居第二位。

表 11.1 中国：部分实体经济指标

	1990	1991	1992	1993	1994	1995	1996	1997	1998	1999	2000
GDP(10 亿美元)	387.8	406.1	483.0	613.2	559.2	728.0	856.0	952.6	1 019.5	1 083.3	1 198.5
人均 GDP(美元)	339.2	350.6	412.3	517.4	466.6	601.0	699.4	770.6	817.1	861.2	945.6
实际 GDP(年增长率%)	3.8	9.2	14.2	14.0	13.1	10.9	10.0	9.3	7.8	7.6	8.4
失业率(占总劳动力%)	2.5	2.3	2.3	2.6	2.8	2.9	3.0	3.1	3.1	3.1	3.1
通货膨胀(年增长率%)	3.1	3.4	6.4	14.7	24.1	17.1	8.3	2.8	−0.8	−1.4	0.4
财政余额(占 GDP%)	—	−2.2	−2.3	−2.0	−2.7	−2.1	−1.6	−1.8	−3.0	−4.0	−3.6
中央政府债务(占 GDP%)	8.7	8.7	8.6	8.0	10.1	10.1	10.5	11.4	17.8	20.9	22.8
国内资本形成总额(占 GDP%)	36.1	36.1	37.5	44.5	42.2	41.9	40.4	37.9	37.1	36.7	35.1
国内储蓄总额(占 GDP%)	35.2	35.3	36.1	38.0	39.3	39.6	38.3	39.0	38.9	38.0	38.0

— 指数据空缺

资料来源：亚洲开发银行，国际货币基金组织，Jaimovich & Panniza(2006)

然而在亚洲金融危机爆发时，中国在供应链中的作用与遭遇危机的国家相比是较小的。以下事实可以说明这个观点：

- 尽管 1996 年中国 GDP 在亚洲名列第二，但是仅为日本(4.6 万亿美元)的五分之一，大约比韩国加上东盟成员国(总共 1.3 万亿美元)低 35%①。
- 尽管 1996 年中国 GDP 是东盟(7 400 亿美元)的 1.2 倍左右，在对外贸易方面，东盟出口总额是中国出口额 1 510 亿美元的 2.2 倍。

① 1996 年东盟成员国有文莱、印度尼西亚、马来西亚、菲律宾、新加坡、泰国和越南。

● 东盟成员国加上韩国总出口额大约为 4 690 亿美元，是中国的 3.1 倍，是日本 4 110 亿出口额的 1.1 倍。

第二个看法是，中国作为亚洲全球供应链中日益重要的一员屹立于世，只是亚洲危机真相的一部分而已。我们在前面篇章中已经阐述过，由于中国在 1994 年实行了人民币并轨，几乎所有亚洲货币都与美元维持广泛的平价，但日元是一个重要例外，它与美元的汇率十分不稳定。由于日元和美元的关系在 1997～1998 年危机前的那段时期极其波动，以资产泡沫、公司杠杆作用过度和银行系统脆弱等形式表现出来的压力在整个供应链上传导开来。

亚洲供应链的常见格局是，强劲的日元为亚洲的繁荣锦上添花，而疲软的日元使亚洲其他国家的增长滑坡。道理很简单：强劲的日元意味着更多的生产和投资转移到日本以外劳动力较便宜的市场去，而弱势的日元造成的局面正好相反。此外，同亚洲争夺美国市场的主要对手——南美的通货膨胀率较高，与亚洲相比，正在丧失竞争力。东欧要到后来才成为主要出口地区。

然而在 1994 年，北美自由贸易区的建立和墨西哥及拉美其他国家货币的贬值，促使美国把一部分进口从亚洲转向北美自由贸易区。因此在 1994 年后，亚洲遭遇危机的国家经常账户上出现赤字。

总之，中国作为亚洲供应链中新兴成员的地位不能离开其他同样在亚洲危机中起作用的重要事件孤立地加以看待。

第三个看法是，中国的经济成就效法了出口增长的雁行方式，这在第二章中已经作了解释。中国作为后来者，也仿效其他国家或地区的做法，建立自己的出口和工业特区，全力以赴地欢迎外商直接投资和推动制成品出口。如果中国不崛起，其他一些劳动力便宜的国家，例如越南或南亚国家，迟早也会与东盟国家竞争。

其实，在导致亚洲危机的因素中，许多遭到危机冲击的国家所具有的鲜明弱点可以顺手拿来描述中国。与遭遇危机的国家一样，中国金融系统也是以银行业为主导，股票和债券市场不发达(表 11.2)。再则，中国也备受公司治理糟糕、公司高度举债经营、大量不良贷款、金融监管薄弱和缺乏透明度之苦。麦肯锡咨询公司估计："1998 年中国中央、省和市级政府在 30 多万家公司拥有控股权……1998 年在 10 万家大型国有企业中估计大约 46%是亏损的；国有企业花费掉中国新增贷款的 80%以上，但是在全国总产出中的贡献率不到 30%，""普遍公认 1998 年初不良贷款额大约是 2 500 亿美元，即占中国银行系统总贷款额的 30%左右……不良贷款主要集中在中国四大国有银行里。"①

---

① Casserley, Gibb et al(1999)，转引自沈联涛(2007)。

表 11.2　中国：金融结构　（占 GDP%）

	1990	1991	1992	1993	1994	1995	1996	1997	1998	1999	2000
银行业资产	100.3	105.1	102.0	116.0	106.8	104.4	112.7	122.7	133.6	141.3	145.8
股票市场市值	—	—	2.4	6.7	7.5	5.9	9.1	16.8	21.5	26.0	38.1
债券市场市值	5.9	5.5	5.5	6.1	5.4	5.4	6.3	7.6	10.3	13.3	15.1
保险费总收入	0.8	0.9	0.9	1.0	1.1	1.1	1.2	1.5	1.6	1.7	1.8

— 指数据空缺

资料来源：国际货币基金组织，Beck，Demirgüç-Kunt & Levin(2000)(2007 年 8 月 13 日修订)及作者估算

然而，尽管有这些软肋，但中国在亚洲危机中相对还安然无恙。1998 年中国实体经济继续增长 7.8%，而亚洲遭遇危机国家的实体经济大大萎缩。至关重要的是，人民币保持稳定，而危机国家的货币大为贬值，而且极其动荡。

为什么中国避免了 1997～1998 年在亚洲发生的炒汇者的“挤兑潮”呢？主要原因有两个。

第一是中国资本账户的封闭。货币不能自由兑换，加上对资本账户严格管制，所以实际上不可能卖空人民币。第二个也是更为重要的原因是，尽管内部有弱点，中国采取谨慎的对外金融政策(表 11.3)，尤其是，它限制外债超过偿还能力。因此到 1997 年，中国外债大约占 GDP 的 15%，相比之下，韩国占 28%，马来西亚占 38%，印度尼西亚占 51%，泰国占 60%。

表 11.3　中国：外汇储备和外债指标

	1990	1991	1992	1993	1994	1995	1996	1997	1998	1999	2000
外汇储备(10 亿美元)	28.6	42.7	19.4	21.2	51.6	73.6	105.0	139.9	145.0	154.7	165.6
外汇储备年增长率(%)	68.0	49.2	-54.4	9.0	143.5	42.5	42.7	33.2	3.6	6.7	7.0
外债总额(10 亿美元)	55.3	60.3	72.4	85.9	100.5	118.1	128.8	146.7	144.0	152.1	145.7
外债总额占 GDP(%)	14.3	14.8	15.0	14.0	18.0	16.2	15.0	15.4	14.1	14.0	12.2
短期外债(10 亿美元)	9.3	10.8	13.8	15.3	17.5	22.3	25.4	31.5	17.3	15.2	13.1
短期外债占外债总额(%)	16.8	17.9	19.0	17.8	17.4	18.9	19.7	21.4	12.0	10.0	9.0
短期外债占外汇储备(%)	32.6	25.3	70.8	72.2	33.9	30.3	24.2	22.5	12.0	9.8	7.9

资料来源：亚洲开发银行、国际货币基金组织和作者的估计

重要的是，1996 年中国短期外债与外汇储备的比率为 24%，远低于马来西亚（38%）、泰国（128%）、印度尼西亚（181%）和韩国（228%）。中国大部分外债不是短期贷款而是长期贷款和直接投资。而且在 1996 年，中国外债净额仅占 GDP 的 14.4%，而泰国占 55.9%，马来西亚占 55.4%，印度尼西亚占 50.8%，所以它们较易受到伤害。

第四个看法是，在危机期间，中国决定维持人民币币值稳定，在全球扮演了一个负责任的大国角色。中国在亚洲危机巅峰时作出这样的决定，有助于市场放心。当时人们真的很担心一旦人民币贬值，将会导致遭遇危机的亚洲国家竞相作出新一轮的货币贬值。

应当明白，作出这个决定是需要很大勇气的，因为许多专家曾主张人民币贬值，以维持中国对别国的出口竞争力，特别是它的最大出口竞争对手日本的货币也在贬值，人民币贬值似乎是合理的。

第五个看法是，1994 年中国进行了汇率体制的改革。在 1994 年之前，中国采用汇率双轨制，即 5.80 元人民币兑 1 美元的官方固定汇率以及 8.70 元人民币兑 1 美元这种所谓“换汇”汇率，即由外汇调剂市场供求状况决定的人民币相对贬值的汇率。1994 年 1 月，官方汇率和换汇汇率并轨，人民币官方汇率大约贬值 33%，从 5.80 元人民币兑 1 美元贬值为 8.70 元人民币兑 1 美元。许多分析家因此声称，中国在 1994 年 1 月第一次贬值以提高竞争力，从而触发以后亚洲其他国家的出口在 1995～1996 年间放缓。然而，1998 年 10 月新加坡货币管理局的一项研究根据三大理由说明，“关于人民币贬值的这个影响可能言过其实了”①。

第一，1994 年，大约 80%的外汇交易已经按由市场决定的掉期汇率在进行了。1994 年官方汇率贬值到掉期汇率的水平，因此这“仅仅是逐步停止已不适用的官方固定汇率的一个合理步骤”②。根据当时在美林工作的理查德·马戈利斯（Richard Margolis）和许小年的看法，1994 年并轨前人民币加权平均汇率约为 8.10 元兑 1 美元。因此按官方汇率和掉期汇率对人民币交易值加权后，1994 年 1 月人民币对美元名义汇率贬值 7.4%左右③。

第二，即使中国出口由于人民币在 1994 年 1 月名义汇率贬值后变得更有竞争力，这种好处很快因中国的高通货膨胀而抹去。在 1994～1996 年间，中

---

① 新加坡货币管理局（1998）第 2.3 节。

② 同上。

③ Margolis & Xu（1998）。

国通货膨胀率平均为17%,结果中国实际有效汇率回升到20世纪90年代初的水平(表11.4)。

表 11.4 中国:部分货币和经常账户指标

货币指标	1990	1991	1992	1993	1994	1995	1996	1997	1998	1999	2000
1美元兑人民币元(期间平均)	4.8	5.3	5.5	5.8	8.6	8.4	8.3	8.3	8.3	8.3	8.3
1美元兑人民币元(期末)	5.2	5.4	5.8	5.8	8.4	8.3	8.3	8.3	8.3	8.3	8.3
人民币元名义有效汇率(2000年=100)	142.9	129.4	114.5	91.9	83.2	82.2	86.0	92.5	100.6	98.4	100.0
人民币元实际有效汇率(2000年=100)	98.9	88.2	79.3	70.1	76.0	84.7	93.2	100.4	105.7	99.9	100.0
1美元兑日元(期间平均)	144.8	134.7	126.7	111.2	102.2	94.1	108.8	121.0	130.9	113.9	107.8
1美元兑日元(期末)	134.4	125.2	124.8	111.9	99.7	102.8	116.0	130.0	115.6	102.2	114.9
日元名义有效汇率(2000年=100)	52.2	58.2	63.2	79.3	89.5	95.6	83.3	79.2	81.1	92.0	100.0
日元实际有效汇率(2000年=100)	77.3	83.3	85.9	101.4	106.5	108.2	90.7	85.3	85.3	94.8	100.0

资料来源:国际货币基金组织

经常账户指标	1990	1991	1992	1993	1994	1995	1996	1997	1998	1999	2000
进出口(2000年=100)	102.1	101.0	103.1	101.0	102.0	101.9	105.9	110.2	110.6	104.1	100.0
出口(10亿美元)	62.1	71.9	84.9	91.7	121.0	148.8	151.0	182.8	183.8	194.9	249.2
出口年增长率(%)	18.2	15.8	18.1	8.0	31.9	23.0	1.5	21.0	0.5	6.1	27.8
进口(10亿美元)	53.3	63.8	80.6	104.0	115.6	132.1	138.8	142.4	140.2	165.7	225.1
进口年增长率(%)	−9.8	19.6	26.3	29.0	11.2	14.2	5.1	2.5	−1.5	18.2	35.8
贸易余额(10亿美元)	8.7	8.1	4.4	−12.2	5.4	16.7	12.2	40.4	43.5	29.2	24.1
经常账户余额(10亿美元)	12.0	13.3	6.4	−11.9	7.7	1.6	7.2	37.0	31.5	15.7	20.5
经常账户余额(占GDP%)	3.1	3.3	1.3	−1.9	1.4	0.2	0.8	3.9	3.1	1.4	1.7

资料来源:国际货币基金组织、联合国贸易和发展会议和作者的估计

第三,1993～1995年期间,中国的出口增长看来并未以牺牲遭遇危机国

家的出口增长为代价。以下事实可以说明这一点：

- 遭遇危机的国家在1994～1995年期间事实上出现了出口热，韩国出口增长达30.3%，马来西亚出口增长达22.6%，泰国出口增长达24.8%，印度尼西亚出口增长达13.4%。同期，中国出口增长为23.0%，但是比1993～1994年的31.9%下降。
- 1994～1995年期间中国出口的高增长，部分归因于1995年7月及1996年1月两次降低出口退税，促使出口企业在1995年上半年加大出口。
- 随后1996年出口的下降，中国比遭遇危机的国家严重得多。在1995～1996年期间，中国出口增长1.5%，印度尼西亚增长9.7%，马来西亚增长7.2%，韩国增长3.7%……“这表明共同的因素，例如电子工业周期性衰退，更可能是1996年亚洲出口下降的原因，而不能归咎于中国为了提高竞争力使人民币贬值。”①
- 尽管1997年中期到1998年东盟各国货币对美元大幅度贬值，但他们用美元计价的商品出口实际上在1998年减少。1997～1998年期间，印度尼西亚的出口收缩8.6%，马来西亚收缩7.3%，泰国收缩6.8%，韩国收缩2.5%。“实际出口业绩不佳与货币一旦贬值、出口就会兴旺的最初预期完全南辕北辙。”②

龙的腾飞

幸运属于勇敢者。人民币不贬值和维持与美元汇率的稳定这个决策不是没有风险的。但是事实证明，这个决策是今天中国经济成功的重要催化剂，因为人民币不贬值促使中国进行结构调整、税制改革、国有企业和金融系统的重组。结果，中国于1998年及以后时期进行了一系列雄心勃勃的改革，为下一步转向市场经济打下了牢固的基础。正如当时中国总理朱镕基在1998年3月19日走马上任后的第一次记者招待会上所说，亚洲金融危机不会影响中国金融和国企改革的进程③。

在此期间，最重要的措施是中国在2001年决定接受加入世贸组织的

---

① 新加坡货币管理局(1998)第2.7节。

② 同上，第2.8节。

③ 《中国日报》(*China Daily*，1998)。

条件。这个决定当时在国内众说纷纭，尽管老百姓认为中国应当逐步开放，但是政府还是兑现了进一步开放的承诺。这个大胆果断的行动一下子设定了对外部开放竞争的方向和时间表。它再次证明邓小平关于四个现代化——农业现代化、工业现代化、科技现代化和国防现代化——的决定的正确性。只有向世界知识和竞争开放，中国才能成为有竞争力和有效率的经济体。

换句话说，在20世纪90年代上半叶，中国领导人已经清楚地看到，中国应当成为全球经济的主要参与者。公司和银行系统的治理必须加以改革，并且应鼓励他们遵照世界标准到全球资本市场上市，在全球范围内竞争。中国领导人从亚洲危机中明白了银行业是金融动荡时最薄弱的环节。

中国经济的转型

中国从1978年人均收入大约只有200美元的中央计划经济穷国到2007年转变成人均GDP约为2 461美元的现代经济强国，这是20世纪的奇迹之一。中国平稳的转型和融入全球经济是有很多原因的，主要原因是全球局势安定，中国本身政治稳定，全球贸易和金融市场开放，技术进步和中国乐于向世界各国学习和开放。

不管怎样，中国同样具有亚洲经济增长奇迹的许多特征。第一，中国近25年来经济迅速增长是人口资源得天独厚、工龄人口大量增加的结果。由于高储蓄率和高投资率，中国经济的高速增长可依靠相对于要赡养的人口而言日益增多的年轻劳动力（青年比退休者人数多）。从1990年到2007年间，中国国内总储蓄率增长13.4个百分点，上升到占GDP的48.6%，投资率增加8.1个百分点，上升到占GDP的44.2%，这主要由于年轻劳动力的比率上升了。

事实上，中国工龄人口统计数与1974年时日本的情况相似，当时的日本经济也因此突飞猛进（图11.1）。但是日本在职人口率和经济增长率在1989～1990年前后达到顶峰。后来人口老龄化拖了消费、创新和增长的后腿。例如，1974年日本储蓄率占GDP的37.3%，储蓄率在30年里已经下降到占GDP的27.6%，其部分原因就是人口老龄化。

第二，正如亚洲其他国家一样，政治稳定以及政治领导人和精英分子要让中国摆脱农业经济走向21世纪的决心发挥了关键作用。中国官员在管理中央计划经济中学到了本领，同时又有采纳市场经济优点的开放心态，使得中国经济转型能有序平稳地进行。中国采取的是亚洲“有管理的市场”模式。

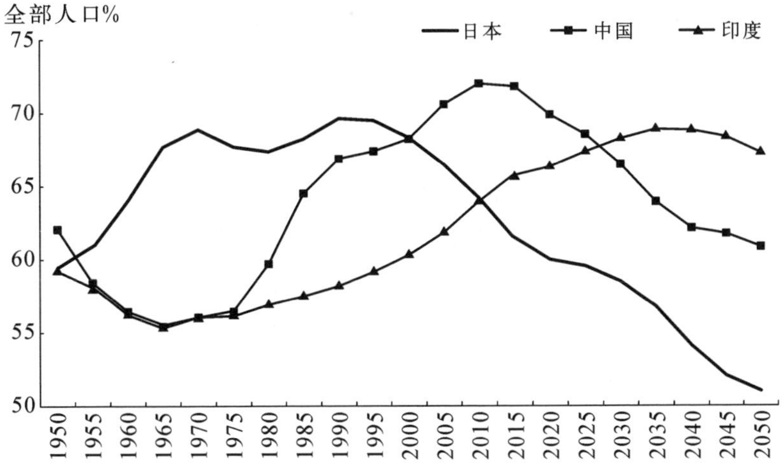

图 11.1 工龄人口[1] 占全部人口的百分比(1950～2050)

注：1. 工龄人口指 15～64 岁间的人口
资料来源：联合国人口统计

1986 年，我随同以马来西亚财政部长为首的代表团去考察中国的开放政策，第一次访问了中国。当时马来西亚人均 GDP 是 1 753 美元，大大超过中国的 275 美元。1991 年，我开始执行世界银行帮助中国金融体制改革的项目。我的具体工作领域是在当时中国人民银行副行长陈元先生的主持和指导下，帮助中国改革支付制度。在我们这个项目中，有来自纽约联邦储备银行、英格兰银行、日本银行、德意志联邦银行和瑞士国民银行的权威专家。通过这个项目，我在中国交了许多朋友，了解了中国金融系统中许多复杂的情况。我还了解了中国金融系统的规模，因为中国经济在行政管理上分为五个政府级别：中央、省(自治区)、市、县和乡。这种体制从公元前 200 年秦朝以来基本上一直如此。

在我从世界银行调到香港金管局后，尽管我与中国官员密切合作，并且多次访问中国内地，但是我的大多数访华是短暂的。从 1999 年起，我每年要去中国两次，到国家行政管理学院讲授公司治理和金融市场的重要性。这些讲座都是我的朋友、普华永道会计师事务所(PWC)中国业务前主席方黄吉雯安排的。听众是中国国有企业高级主管。

通过与这些高级主管的对话和讨论，我发现自己原来对管理着那些继承了旧设备、沉重的社会福利负担和一百多万员工的企业所面临的困难和挑战了解得不够。有的大企业不仅自办医院，还自办大学和养老院。企业的改造以及与其相关的银行系统的改造，是一项令人望而却步的任务。对于像我这样几乎大部分生涯从事金融改革的人来说，这项任务是整个银行改革的重中之重。

2000年，在亚洲危机基本结束之后，我与好友陈达怀博士到中国旅行，他是美国麻省理工学院培养的工程师和哈佛大学培养的经济学家，20世纪70年代末和80年代初与我一起在马来西亚国家银行密切合作过。他最近在马来西亚管理一家极富创新精神的钢铁厂，这个厂在中国也有投资。我们带着两个目的在中国旅行。第一个目的是想亲眼看看中国的农村；第二个目的是研究中国如何管理他们的经济转型，将来可以强有力地与亚洲其他国家竞争。当我们坐火车穿越农村时，我们一边喝茶、吃饺子，一边讨论中国如何实现这种转型。在旅途结束时，我们得出了结论，中国的转型是根本性的，不可逆转的，一个令人敬畏的竞争对手将会横空出世。与此同时，中国的崛起也为亚洲其他国家提供了巨大的机遇，因为中国是一个正在不断发展的市场，拥有巨大的购买力。

也许因为中国在19世纪深受剥削和半殖民地化之苦，中国精英分子把国家改造成为一个稳定的现代工业化社会的决心坚定不移。他们愿意倾听理由、逻辑和经验，但不愿完全相信理论。相比之下，尽管日本人性格也是讲究实际的，但他们的武士道精神含有幻想的成分，有时候会拼死一搏。

与我在马来西亚国家银行、世界银行和香港金管局的工作经验相比，中国政府官员是我们遇见过的最为一丝不苟和坚韧不拔的人，给我的印象很深。1991年，世界银行召开关于银行和企业改革讨论会时，我与中国国家计划委员会高级官员杨先生的第一次谈话就是一个例子。他问我外国如何开始改革进程。我回答说，通常他们先要通过一项规定改革进程的新法律。他说如果谁都没有，甚至连改革家也没有市场或法律方面经验，我们怎么能批准一项法律呢？他的话使我摸不着头脑。换句话说，他们得先相信并且亲身体会到新法律和新政策确实会带来好处，而不是带来混乱和无序。

这种对理论和未经探究的经验的质疑倾向是中国实用主义和现实主义的显著特征。这一特征从邓小平的两句名言中可以得到概括——“不管白猫黑猫，抓住老鼠就是好猫”和发展与改革好像“摸着石头过河”。当然大部分现实主义来源于毛泽东的名言“实事求是”，这句名言反映出毛在1934～1937年长征期间与共产国际及其在中共内部追随者之间激烈的政治斗争。长征中，毛必须说服党内同志相信，通过游击战在农村闹革命比共产国际提出的城市革命更切合实际。

于是我认识到，西方的经济发展方法想当然地把西方整个体制结构看作是对人类普遍适用的“自然”秩序。换句话说，民主、普通法上的财产权、孟德斯鸠(Montesquieu)[①]倡导的行政、立法和司法三权相互制衡，以及个人自由等的全部基础都是人类社会的乌托邦理想。那只是假设和希望，不是现实。事实上，大多数新兴市场同这种理想之间差距很大。如果所有这些体制结构、信念和程序(包括市场)都不存在，会发生什么情况？能否仅仅通过私有化和政治改革一夜之间就把这些体制结构、信念和程序都建立起来呢？中国的回答是，转变总是需要假以时日的，政治改革将伴随经济改革逐渐到来。确保社会的基本经济需要(包括社会稳定在内)必须优先于其他一切考虑。

如果不懂得制度缺陷的后果，不妨看看戈尔巴乔夫在苏联进行的政治改革试验这个典型例子。引用苏珊·舍克(Susan Shirk)——她写过一份关于中国经济改革的政治教训的重要研究报告——的话来说：“戈尔巴乔夫大刀阔斧的改革战略造成了政治混乱和经济失败，共产党统治崩溃，种族冲突骤然爆发，苏联解体，命令经济终于中止，市场改革毫无进展。”[②]

中国走的是另一条路线。中国领导人认为，共产党是唯一生机勃勃的组织基础，足以有活力和毅力带领中国克服转型中的种种困难，建成具有中国特色的社会主义市场经济，而不会让改革引起巨大的混乱或动荡。基本上由一党执政的政治稳定也为亚洲许多国家转型时带来稳定，包括日本(自民党执政)、新加坡(人民行动党执政)和马来西亚(国民阵线执政)。有些国家和地区，例如韩国、中国台湾、泰国和印度尼西亚已过渡到多党制，但是在那里的政治框架发生变化之前，无疑是强大的一党制实现了经济转型。我不是说这么做对所有发展中国家都是必要的、可取的或可行的，但是根据中国的经验以及迄今为止东亚的经验，这么做还是有用的，即使在朝鲜和缅甸不奏效。

继政治稳定之后的一个重要问题是政府机构的效率如何。没有强大高效的政府机构，市场改革无法进行。在这方面，“摸着石头过河”不是一句空洞的口号。过河要讲方法。经济改革过程不应是盲目的。中国官员非常仔细探讨每次改革的利益和成本，为此开展激烈的讨论，而且还研究国际经验。一旦选择范围缩小，他们就开始试点。他们挑选一两个城市或省份试行改革，然后评估这些改革的影响。领导人和专家亲自去试点地区调研，倾听各方面意见，包

---

① 孟德斯鸠(1689～1755)，法国思想家，18世纪欧洲启蒙运动代表人物之一。提倡自由平等和以保障自由为目标的法治，认为保障法治的手段是立法、司法和行政三权分立。主要著有《波斯人信札》《罗马盛衰原因论》《论法的精神》等。——译注

② Shirk(1993)。

括分别从世界银行或专家学者那里获得反馈意见，以便决定下一步如何改革。

如果试点成功，那么这项改革就可推向全国。如果试点失败，他们毫不犹豫地结束试点改革，重新开始。在为时五年的规划周期中，各级政府都执行这个原则。这使我想起了毛泽东的一句游击战名言："敌进我退，敌退我进。"改革措施始终要切合实际和随机应变，可以根据当地情况有所不同，但方向应当始终是不断前进的，不管执行时会有困难、财力有限或官员可能反对。

改革过程总是充满争议，资源的制约、风险的巨大，以及反对势力的阻挠都是问题。但每次改革都经过了对利益和成本的仔细权衡。我还记得在2000年中国石油公司香港上市之前与该公司董事长的谈话。他们必须把将近100万工人和退休人员——主要是中国石油公司承担的福利和社会功能——剥离出来，分到别的集团去，以便显示中国石油公司的商业活力，争取上市。我问这个令人痛苦的决定是如何作出的，他说东北的煤铁矿和夕阳工业的改革已经有了明确的结果。让低效的国有企业大量亏损地继续经营下去的代价更高，还是关闭这种企业、削减员工但向这些员工提供社会保障的代价更低？他们的结论是，不管这种社会调整有多么艰难以及对社会稳定有多大的风险，后面一个做法是唯一的出路。

中国的改革进程贯穿了三个明显特征。第一个特征是分步走。20世纪90年代的中国改革承认这样的现实：银行业改革不能脱离实体经济改革孤立地进行。银行业改革的方法在一定程度上反映了企业的改革方法，这决不是巧合。中国在坚持不懈、有条不紊地进行"公司化"试点后，对国有企业采取的是实事求是地渐进的改革。

中国国有企业的改革方法之一是"抓大放小"。换句话说，国家只注重管理1 000家最大最具战略意义的国有企业，而允许成千上万家零售企业和小型国有企业出售和私营，这对国家不会造成实质性损害。

由于大量国有企业是中小型的，中央政府只集中精力于拥有和改革大约1 000家在全国具有战略重要性的大型国有企业，而要求省市级政府迅速出售或处理中小型亏损企业。通过引进外国直接投资，允许非国有企业收购亏损的国有企业，以及集中精力和资源用于改革大型国有企业，这种"没有正式私有化的私有化"政策成功地提高了企业的整体效率，并且在银行体制的彻底转变中发挥了重大的作用。到2005年，在经济增加值中，外资部门、国有企业与国内私有部门三分天下。

第二个特征是通过公司公开上市来明确界定产权和改革激励机制。由于政府允许最好最大的国有企业到香港和纽约上市，这些以前内向的企业不得不明晰它们的产权，接受按照国际会计准则对账目进行审计，并且增加透明度。与此同时，对主要管理人员增加薪水和给予期权大大改变了激励机制。尽管从上市与重组的费用和成本来说这并不便宜，可是结果令人注目。到2007年底，中国三大公司——中国石油、中国工商银行和中国移动——按市值已进入世界前十大公司的行列，因为中国石油公司的市值超过了全球最大的公司埃克森美孚，中国工商银行的市值超过了世界最大的银行——花旗集团①。此外，在过去十年中，国内股票市值也增长了大约21倍(表11.5)。

表11.5　中国：股票市场指标

	1996	1997	1998	1999	2000	2001	2002	2003	2004	2005	2006	2007
上证综合指数(期末)	917	1194	1147	1367	2073	1646	1358	1497	1266	1161	2675	5262
上海证交所市盈率	—	—	—	—	—	37.7	34.4	36.5	24.2	16.3	33.3	59.2
深圳综合指数(期末)	327.3	381.3	343.9	402.2	635.7	475.9	388.8	378.6	315.8	278.7	550.6	1 447
深圳证交所市盈率	—	—	—	—	—	39.8	37.0	36.2	24.6	16.4	32.7	69.7
股票总市值(10亿美元)	118.6	211.7	235.6	319.7	581.0	525.8	463.1	513.0	447.7	401.9	1 145.5	4 478.9

— 指数据空缺
资料来源：中国证券和期货统计年鉴，世界证券交易所联合会，彭博资讯和作者的估计

20世纪90年代中期，公开上市(IPOs)最初被看作一个目标和可以拯救每况愈下的国有企业的手段。但是很快，人们就明白，制度的根本转型和治理模式的完善是公司成功上市和有效经营的前提条件。著名教授吴敬琏曾一针见血地指出，“我国四大国有商业银行问题的根源，在于产权关系不清，治理结构缺失”。②吴教授的高见适用于包括银行在内的全部国有企业。

中国改革过程的第三个也是最重要的特征是，促使国有企业面对国际和国内的竞争。按照对世贸组织作出的开放贸易和欢迎外国直接投资的承诺，

① *Economist*(2007)和Dyer(2007)。

② 吴敬琏(2003)第219页。“四大国有商业银行”指中国工商银行、中国银行、中国建设银行和中国农业银行。

中国国有企业和银行知道它们将越来越多地受到竞争的威胁。因此国有企业高级主管和员工都意识到，按国际标准应对公开竞争是没有借口可逃避的，而且准备时间已经有限，十分宝贵。事实上，陈博士和我都观察到了中国国有企业改革和增长的最大动力来自中国内部省与省、市与市甚至乡镇与乡镇之间的竞争。北京大学经济学家周其仁博士第一个向我强调指出这个观点。由于每个省市都在努力追求实现更高的效率和更大的发展，所以它们的竞争十分激烈。但是在这种"GDP 热"中存在着许多消极的因素，例如社会不公平、环境恶化、行政权力滥用和金融犯罪。由于你追我赶忙于求发展，当时这些消极因素还不突出，但到后来都暴露出来。

陈博士和我得出结论，认为除了外国在经济特区——例如(以香港和广州为中心的)珠江三角洲、(以上海为中心的)长江三角洲——直接投资带进了大量现代化技术外，事实上，中国国有企业通过一系列良性循环的根本性变革，情况已大为改观。

国有企业的第一个优势是廉价劳动力充足，而这些劳动力即使按亚洲标准来衡量也是心灵手巧、训练有素的，加上还有一大批优秀的经理、工程师和技术员，他们十分善于吸收新的技术和管理技能。当你拥有渴望摆脱旧机器和陈规陋俗并能适应新情况的劳工和管理人员时，改革管理文化和厂房设计就是轻而易举的了。

第二个优势是，当中国开始城市化时，国有企业的工厂迁到工业经济特区去，那里提供更便宜的土地、更好的空间，并具有良好的基础设施、公用事业设备和配套工业的集聚效应。再则，国有企业通常出售老工厂场地，为自己的改革融资。当然这个优势是一次性的，到 20 世纪 90 年代之后不可能再有。

第三个优势是政府的政策(包括外汇供给的政策)对出口的支持。在亚洲金融危机期间，泰国、印度尼西亚和马来西亚的许多出口商受到了利息支出骤增、汇率贬值和外汇管制的打击。西方的进口商认识到，把生产和订单转给中国去做更便捷，成本更便宜。中国的出口商也渴望一丝不苟地履行这些订单。不过一旦订单转手出去，遭遇危机的国家就很难从中国出口商那里夺回，即使这些国家汇率更低。其原因在于，在亚洲供应链中，货币贬值难以匹敌中国的优势，因为大部分出口商品中包含着为了装配和最终出口必须购买和即时付款的进口部分。

第四个优势是规模优势，即中国拥有庞大的市场。对于跨国制造商来说，庞大的中国市场是极其诱人的，因为这个市场为他们提供了额外的收益保障。除了劳动力便宜外，跨国公司认识到中国 13 亿人口的市场为它们提供了特别的风险对冲或机会。一旦出口减缓，中国可以依靠自己的内部大市场，这个市场日益繁荣，而且将会变得更大。因此，外国对华直接投资净额几乎上升200%，从1997年417亿美元到2007年增加为1 214亿美元左右，使中国跃居世界上最大的外国直接投资接受国之一（表11.6）。

表11.6　中国：部分外国资本指标　（10亿美元）

资本流动	1996	1997	1998	1999	2000	2001	2002	2003	2004	2005	2006	2007
外国直接投资净流动	38.1	41.7	41.1	37.0	37.5	37.4	46.8	47.2	53.1	67.8	60.3	121.4
有价证券投资净流动	1.7	6.9	−3.7	−11.2	−4.0	−19.4	−10.3	11.4	19.7	−4.9	−67.6	18.7
其他净流动（包括银行信贷）	0.2	−27.6	−43.7	−20.5	−31.5	16.9	−4.1	−5.9	37.9	−4.0	13.3	−69.7
全部资本净流动	40.0	21.0	−6.3	5.2	2.0	34.8	32.3	52.8	110.7	58.9	6.0	70.4
日本对中国直接投资净流动	2.3	1.9	1.3	0.4	0.9	2.2	2.6	4.0	5.9	6.6	6.2	6.2

资料来源：亚洲开发银行和日本对外贸易促进会

其他指标	1996	1997	1998	1999	2000	2001	2002	2003	2004	2005	2006	2007
外国银行借款总额	55.5	87.3	80.5	65.0	61.6	57.5	49.4	64.0	91.1	115.0	169.9	276.0
国际银行短期贷款[1]	26.9	33.4	31.4	18.9	19.3	19.4	19.7	28.8	42.3	61.4	79.2	120.5
日本银行对中国贷款	17.8	19.7	15.3	12.2	11.3	11.5	9.4	11.6	16.3	18.7	23.7	33.1
净外部财富头寸[2,3]	−122.9	−106.8	−88.1	−83.4	−45.8	−51.8	−0.4	26.7	292.8	422.6	662.1	—
净外部财富头寸[2,3]（占GDP%）	−14.4	−11.2	−8.6	−7.7	−3.8	−3.9	0.0	1.6	15.2	18.8	25.0	—

注：1. 一年和一年以上以外币计价的贷款
2. 负代表净债务额；正代表净资产额
3. 1996～2003年数据来自Lane & Milesi-Ferretti(2006)。2004～2006年国际投资净值数据来自中国外汇管理局网站 http：//www. safe. gov. cn

— 指数据空缺

资料来源：中国外汇管理局，国际清算银行，Lane & Milesi-Ferretti(2006)及作者的估计

最后，人民币不贬值的决定除了促使中国在国内大力推进经济改革外，对中国在外部战线也有裨益。自亚洲危机以来，中国对外金融头寸净额改善，并从2003年起变为净债权国，这主要因为外汇储备不断增加以及1999年后债务票据的净值逆转①。而且中国在亚洲危机后得益于外国直接投资的大量流入，这是原来由东南亚工厂出口的商品大量转到中国生产的结果。

当中国成为外国直接投资和有价证券投资青睐的目的国时，她也会面临流入大大超过流出的问题，使国内流动性和汇率承受压力。当中国企业有了信心时，他们会到国外去进行更多的投资，但他们的公司治理和国际经营的经验迄今仍很有限。根据中国商务部数据，2003～2006年间，中国对外直接投资从29亿美元增加到176亿美元。在2006年底，5 000多家中国企业在外国10 000家公司投了资，总股本达906亿美元。这两个数字在世界对外直接投资总额和总股本额中估计分别占2.7%和0.85%。

按照中国外汇管理局发表的2006年底国际投资净额，中国在国外有价证券总投资为2 292亿美元，其中股本投资是15亿美元，其余为债券。对外负债是1 207亿美元，其中股本性负债为1 065亿美元，即对中国股票市场和非上市公司的投资。

总之，中国表现出相当大的勇气，中国用一揽子吸引外资的计划(包括稳定汇率在内)致力于金融稳定，获得了国际社会的信任。自从1998年以来，中国不靠汇率贬值，而靠生产率的提高，维持了自己的出口竞争力。尽管那些竞争对手——遭遇危机的国家的货币从48%(马来西亚)到85%(印度尼西亚)程度不等地贬了值，中国的出口竞争力仍然风景这边独好。

由此很容易推论出，中国的迅速扩展和崛起，成了全球外国直接投资的吸铁石，使得亚洲其他国家，特别是以前在20世纪70年代和90年代从外国直接投资中得益的那些国家十分不安。然而从实证上说，拿不出什么证据能证明中国的增长牺牲了亚洲其他国家的利益。许多研究报告得出忧喜参半的结论，有的甚至发现，中国的迅速发展和作为外国直接投资目的国所显示的魅力，实际上倒是激发了外国直接投资对亚洲其他国家的流入和这些国家的出口增长，仿佛亚洲国家的制造商都属于同一条供应链②。

---

① 关于中国在外国资产的更详尽探讨，参见沈联涛、Ng(2007)。

② Setser(2006)第364页。另参见Dobson & Kashyap(2006)。

未来之路

最近，不少论文质疑中国改革的渐进性。毫无疑问，中国也同样面临着其他新兴亚洲国家在全球化时经历过的转型挑战。如果新兴市场利用与他们的主要贸易伙伴美国的货币软挂钩的方法，在制造品出口和生产率提高方面旗开得胜的话，从萨缪尔森-贝拉萨效应（the Samuelson-Belassa effect）来看，几乎可以斩钉截铁地认为，当这些国家进一步繁荣时，他们的实际有效汇率就会提高。如果名义汇率维持不变，那么在股票和房地产市场会有形成资产泡沫的危险。一旦资产泡沫破灭，银行系统就会痛苦不堪，1997～1998年亚洲金融危机已经证明了这一点。如果像中国这样的新兴市场经济国家决定让经常项目出现赤字以维持汇率不变的话，他们可能得冒遭遇拉丁美洲式金融危机的风险。世界上新兴市场崛起后碰到的这些问题，还没有找到可以迎刃而解的方法。

争论已经在中国国内展开。与世界上其他主要股票市场一样，中国股票市场在2006年和2007年行情火爆，到了2008年却遭到重创。2008年底，上证A股综合指数较2007年10月的历史高点6092点跌去约70%。在紧缩银根的政策下，大城市的房地产价格也开始回落。由于通货膨胀率在2008年5月高达8%，同时在能源和食品价格上涨的影响下，商品出厂价也上涨了。中国面临的挑战是在全球经济增长已放慢的环境下，保持增长。

中国会不会面临与亚洲邻国同样的金融危机，这可不是一个小问题。当然，中国的宏观经济状况是强劲的，税收、外汇储备、国际收支、银行利润和经济增长都处在历史的高峰。与此同时，中国的地区差距和收入差距、房价居高不下、环境污染和社会稳定的隐患显然都是需要紧急关注的问题。其中蕴含的风险不小，但我并不怀疑中国政府处理危机的能力，正如在2008年5月四川地震时我们看到的那样。

汇率政策在解决国内通货膨胀或贸易顺差问题上能发挥多大作用①？全球经济放缓将在多大程度上影响中国？全球性金融崩溃中会包括中国吗？我们没有全部的答案，但从历史经验来看，危机是不可避免的——只是何时发生、有多严重的问题。很遗憾，对这个问题的讨论已超越了本书的范围。

金融部门改革要取得制度性进展，我认为渐进是唯一可以在维持稳定的

---

① 要了解最新情况，请参见Burdekin(2008)。

情况下进行改革的方法，因为改革机构（银行）、产权基础（法律和司法系统）和监管结构需要假以时日。实际困难在于不仅要改造现有的或创建新的机构、系统和流程，而且要改变激励机制和思维定势。许多外国分析家完全低估了中国金融机构的复杂性和规模，以为庞大的政府机构和体制结构，特别是五级行政管理系统，可以一蹴而就地得到改变。单从规模上说，这就不现实。正如道格拉斯·诺思于 2005 年 4 月 7 日在《华尔街日报》上写道：

> 中国的经验迫使经济学家重新思考经济学应用于发展问题时的一些基本原则。有两个特点很鲜明：(1) 虽然中国的制度结构不同于发达国家，但是激励机制产生的作用是相似的；(2) 中国不断碰到新问题，同时不断地结合实际情况尝试采用新方法。①

概括地说，亚洲危机使中国获得了又一次跃进的机遇，而中国抓住了这个机遇。但是它的成功也说明，当中国在全球贸易、经济和金融中的参与程度越来越大时，她对世界的责任会更重，贡献也应更大。从目前正在进行的经济改革日程来看，中国还有很长的路要走。

正如历史学家黄仁宇所说的："当世界进入现代化时，大多数经受着内外部压力的国家需要自我改革，用一套以贸易为基础的新规则去替代以农业时代经验为基础的治理模式。"亚洲危机之所以发生，就因为亚洲各国没能管理好全球化带来的风险。亚洲从全球化中获益匪浅，但也应该对全球化的风险有更多的认识，正如全球社会应该对亚洲的风险有更多的了解一样。一个国家把自己的危机都归咎于外部世界是不正确的。

接下来，我们将探讨亚洲危机是如何导致区域一体化的。

---

① North (2005a)。

第十二章

从危机到一体化

合久必分，分久必合。

——中国15世纪小说《三国演义》

亚洲危机的破坏有多大？本章将研究亚洲遭到的损失以及整个地区为预防下一次危机的发生所采取的措施。

亚洲“成长的烦恼”：绝不会再有了！

我们有很多办法来衡量亚洲危机的损失，包括年GDP、财富及工作的损失。各种研究报告表明，产出的损失很大，从日本（17.6％）到马来西亚（50％）、韩国（50.1％）、印度尼西亚（67.9％）和泰国（97.7％），程度不等①。

就财富损失而言，日本遭受的损失最重，因为日本是亚洲最大的经济体，并且通货紧缩的时间最长。根据野村综合研究所首席经济学家韦朝阳（Richard Koo）的计算，在1989年到1998年期间，由于资产价格大幅度滑落，日本财富损失达1 200万亿日元，相当于1989年日本GDP的2.7倍。绝大多数的财富损失源于土地价格的下滑，其中六个大城市的土地价格下跌了85％②。美国分析师

① Laevan & Valencia(2008)以及表4.3。

② Richard Koo(2003)。

吉姆·罗沃(Jim Rohwer)[1]更直言不讳地指出:"简而言之,日本的金融问题在于,从1990年初至1998年末,股市4.5万亿美元的资产及房市11.5万亿美元的资产损失掉了,政府、银行或公司等任何机构都没有预其然而然。"[2]

太平洋投资管理公司日本专家小关弘洋(Koyo Ozeki)[3]指出,在1993年泡沫破灭之后,日本银行不良贷款已达50万亿日元(相当于4 500亿美元左右),到了1996年更是飙升至100万亿日元(约合9 100亿美元)。这笔金额估计占GDP的25%到30%,然而事实上金融机构注销的不良贷款约达100万亿日元(相当于9 100亿美元),占GDP的20%。单单大银行就负担了其中的75万亿日元(约合6 800亿美元)。这一数值超过了20万亿日元(约合1 800万美元)净资产和14年里50万亿日元(约合4 500亿美元)净营业利润的总和。

小关弘洋的测算与国际货币基金组织的估计差不多。根据国际货币基金估计,日本银行系统资本调整的财政费用等于GDP的24%(表4.3)。有意思的是,我们注意到,坏账最终是日本银行净资产的5倍。而计算损失还没有标准的方法,因为除了计算资本调整的财政费用之外,你还必须把银行自己净资产中注销的金额、净营业利润的减少,以及日本存款者由于接受了17年以上存款零利率而提供的无形补贴计算在内。

在2000年以前的这段时期,110家接受存款的机构被日本存款保险计划搞得只能缩小规模。在大银行中,三家在国际上吸纳存款的银行和五家地区性银行举步维艰,它们合起来的损失达10.6万亿日元,相当于它们资本的9.9倍[4]。

粗略地说,根据小关弘洋的估算,财富损失总计达800万亿日元,其中包括500万亿日元的地价缩水和300万亿日元的股票亏损。如果银行注销了大约200万亿日元,那么这说明银行承担了四分之一的财富损失。

亚洲其他各国的财富损失更难以估算。从股票市值来说,日本市场在1989年高峰到1998年8月期间损失了约2.4万亿美元,遭受危机打击的亚

---

① 吉姆·罗沃,中文名为陆浩怀,美国经济学家,亚洲事务专家。曾任《经济学家》杂志的亚洲记者和执行编辑。著有《亚洲的崛起——美国为什么随着亚洲经济的繁荣而繁荣》。——译注

② Rohwer(2001)。

③ Koyo Ozeki(2008)。

④ Nasako(2001),表11,第61页。

洲各国和澳大利亚在1996或1997年各自泡沫最大时到1998年8月亚洲危机普遍进入低谷期间，共损失了约1.4万亿美元。(表12.1)。

表12.1 亚洲金融危机期间股票市值从高峰到低谷的损失

日　本

	高峰		低谷		变动		占1997年GDP%
	年月	市值	年月	市值	价值	%	
10亿日元	1989.12	611 152	1998.9	252 008	-359 144	-58.8	68.9
10亿美元	1989.12	4 250	1998.8	1 863	-2 387	-56.2	55.3

日本之外的亚洲(10亿美元)

	高峰		低谷		变动		占1997年GDP%
	年月	市值	年月	市值	价值	%	
澳大利亚	1997.9	336	1998.8	260	-76	-22.6	18.7
中国香港	1997.7	595	1998.8	253	-342	-57.5	196.9
印度尼西亚	1997.6	107	1998.8	10	-96	-90.4	40.7
马来西亚	1997.2	356	1998.8	46	-310	-87.1	309.4
菲律宾	1997.1	89	1998.8	19	-70	-78.3	83.2
新加坡	1997.2	155	1998.8	63	-91	-59.2	95.8
韩国	1997.5	154	1998.6	45	-109	-71.0	20.7
中国台湾	1997.7	352	1998.8	224	-127	-36.2	43.9
泰国	1996.1	155	1998.8	17	-137	-88.8	91.1
总计					**-1 359**		65.9

资料来源：国际货币基金组织和世界证券交易所联合会

在特定的市场损失尤为严重，像美国1929～1933年期间的"大崩盘"一样，以美元来计算，印度尼西亚和马来西亚的股价跌至其高峰时的十分之一。就股市损失而言，这一地区的平均损失是它们1997年GDP的66%，而日本的损失几乎是1997年GDP的55%。日本股市继续朝坏的方向变化，在2003年3月走出低谷之前又损失了当年GDP的3.8%(以日元计算)(表12.2)，但是由于日元对美元升值，日本股市实际上涨了1.7%。

表 12.2　日本：1998 年低谷至 2003 年低谷期间股票市值总额的损失

日　本	1998 年 低谷		2003 年 低谷		变　　动		占 2003 年 GDP%
	年　月	市值	年　月	市值	价　值	%	
10 亿日元	1998.9	252 008	2003.3	232 862	－19 146	－7.6%	－3.8%
10 亿美元	1998.8	1 863	2003.3	1 939	＋75	4.0%	1.7%

资料来源：国际货币基金组织和世界证券交易所联合会

因为缺乏共同的房价指数，遭受危机的亚洲国家在房地产方面的财富损失更是难以估计。国际货币基金组织的评估①表明，香港的房价从其高峰开始大致跌了三分之二，泰国跌了一半，马来西亚跌了三分之一，只有韩国的跌幅不太大。在印度尼西亚，要是按当地货币计算，其实地价还是上涨的，因为土地是唯一可以对冲通货膨胀的手段，而且它是难以兑现的抵押品。

正如第四章所描述的，银行不良贷款在增加，而给予私营部门的实际信贷在下降。在危机高潮时，估计私营企业在亚洲银行的不良贷款比率上升，从马来西亚的 30％到印度尼西亚的高达 50％～70％（也可参见表4.3）。给予私营企业的实际银行信贷估计每年在印度尼西亚缩水 50％，而在菲律宾、马来西亚、泰国缩水 10％～20％②。

由于银行倒闭和合并，东亚银行的数目大大减少，马来西亚银行从 1994 年 23 家缩减到 2005 年 10 家，韩国从 26 家缩减到 13 家，印度尼西亚从 240 家缩减到 131 家③。即使日本，也从 150 家减少到 122 家。在马来西亚和泰国，金融公司迅速合并成银行。

当然外国人也承担了部分损失。世界银行的估计表明，东亚产权市场里外国的损失大致在 835 亿至 1 660 亿美元之间④，外国银行在该地区贷款的损失大约 600 亿美元⑤。此外，外国债权人再损失 500 亿美元。因此，如果不计算外国在房地产投资上也许相对较小的损失，外国在四个遭受危机的亚洲国

① Collyns & Senhadji(2003)。
② Mohanty(2006)。
③ Barton(2007)。
④ Barth & Zhang(1999)。
⑤ IIF，转引自 Barth & Zhang(1999)。

家的投资损失大约高达2 700亿美元。这个数目虽与在国内的损失相比并不大，但是无论如何也不是无足轻重的。外国债券持有人同样未能幸免。一份没有证实的国际金融学会报告估计，在该地区欧元债券的市值损失大致为1 600亿美元，但是其中一部分的损失本来可以在风险溢价恢复正常时得到弥补。

然而，最大的损失也许是金融危机给亚洲所造成的社会困境。经过30多年的繁荣和稳定后，东亚地区在印度尼西亚出现了动乱、抢劫和学生游行，韩国出现了反对失业的罢工，泰国出现了公众抗议国际货币基金组织提出的条件。最终，印度尼西亚、韩国和泰国建立了新政府，但是马来西亚的政权发生分裂。随着危机的加深，很快明显地看到危机使那些没有什么社会特权的人付出了最沉重的代价。由于预算的缩减，高通货膨胀、高失业以及社会服务的混乱对穷人带来了巨大的影响。

在四个遭受金融危机打击最严重的国家中，印度尼西亚在人力成本中付出的代价最大。随着1998年实际GDP明显下跌13.1%，印度尼西亚的人均实际GDP下降了14.4%。在泰国和马来西亚，人均GDP分别减少11.6%和9.5%。韩国是受影响最小的，只下滑了7.5%。由于遭受危机的亚洲国家的货币对美元的比价急剧下跌，以美元计算的人均名义GDP减少得更加引人注目。由于印度尼西亚货币对美元贬值最厉害，所以在1998年印尼人均名义GDP降低了56.4%，紧接着的是韩国(34.4%)、马来西亚(30.0%)和泰国(26.7%)。

在1996年和1998～1999年间，随着人均GDP水平的急剧下跌，失业率也跃升了。韩国失业率攀升最大，从1996年的2.1%扶摇直上到1998年的7.0%高峰。紧接着是泰国，失业率由2.9%上升到1998年的4.4%高峰。然后是印度尼西亚，从1.5%上升到1999年的6.4%高峰，马来西亚从0.9%上升到1999年的3.4%高峰。累计起来，四个遭受金融危机打击最严重的国家在1996年到1999年间，失业人员大约增加了350万，也就是失业率增加了63.7%。

失业的明细数据表明，在这次金融危机中受影响最严重的群体是15至24岁的青年。这一年龄段的人失业率在1999年的印度尼西亚高达19.0%，在1998年的韩国达到15.9%，在1999年的马来西亚达到9.7%，以及在1999年的韩国达到7.7%①。妇女是另一个遭受危机打击的群体。两位研究亚洲

① 联合国千年发展目标的各项指标。

金融危机对性别影响的学者纳伊德·阿斯兰贝奇(Nahid Aslanbeigui)和盖尔·萨默菲尔德(Gale Summerfield)①指出,在印度尼西亚,虽然妇女只占全部劳动力的三分之一多一点,但是在1997年到1998年间其失业率占46%;在泰国,妇女占失业人员的50%~60%,因为她们占据了纺织工业全部劳动力的90%②。

遭受金融危机最严重的这四个国家的失业统计数据可能出于两个原因被低估了。首先,1997年到1998年间,韩国建筑业和制造业就业人数降低得最厉害,下跌26.4%③。但是工人可能在农业或农村找到工资更低的工作。

其次,这些失业统计数字还隐瞒了危机对移民工人的影响④。例如,在马来西亚和韩国的许多移民工人遭到遣返⑤;新加坡、中国香港和其他一些国家或地区也裁减移民工人。这对于像泰国、菲律宾和印度尼西亚等输出劳动力的国家的打击尤为严重。

通货膨胀居高不下使实际工资大跌身价。印度尼西亚的通货膨胀率从1996年的7.0%上升到1999年的58.0%。同样在1996到1999年间,泰国的通货膨胀率从5.9%上升到8.1%,韩国从4.9%上升到7.5%。在马来西亚,通货膨胀率从1996年的3.5%上升到1998年的5.3%。结果在1998年,印度尼西亚的实际工资下跌了44%,韩国下跌了9.8%,泰国下跌了6.3%,马来西亚下跌了2.7%⑥。通货膨胀对穷人的影响尤为严重,许多基本产品的价格上涨,是因为进口食品价格提高和补贴减少。例如,由于货币贬值,小麦价格上升,很多印度尼西亚穷人的主食——方便面的价格大幅度上涨。

一个有趣的看点是,由于大幅度贬值,遭受危机的国家的通货膨胀率比中国内地及香港高,而后者维持着稳定的汇率(表12.3)。固定汇率制度,尤其在香港,设法挤走了通货膨胀,恢复了竞争力。但是,这个过程是极其艰难的。中国政府为了在稳定的汇率制度下保持竞争力,推行了很多改革。

---

① Aslanbeigui & Summerfield(2000)。

② Ching(1999)。

③ Fallon & Lucas(2002)。

④ 同上,及UNESCAP(2002)。

⑤ Fallon & Lucas(2002),第30页。

⑥ 同上,表6,第32页。

表 12.3　亚洲部分经济体：通货膨胀情况　　（年增长%）

	1990	1991	1992	1993	1994	1995	1996	1997	1998	1999	2000
中　国	3.1	3.4	6.4	14.7	24.1	17.1	8.3	2.8	−0.8	−1.4	0.4
中国香港	10.3	11.3	9.5	8.8	8.8	9.0	6.3	5.8	2.8	−3.9	−3.7
印度尼西亚	7.8	9.4	7.5	9.7	8.5	9.4	7.0	6.2	58.0	20.7	3.8
马来西亚	3.0	4.4	4.8	3.6	3.7	3.2	3.5	2.7	5.3	2.7	1.6
韩　国	8.6	9.3	6.2	4.8	6.3	4.5	4.9	4.4	7.5	0.8	2.3
泰　国	5.9	5.7	4.2	3.3	5.1	5.8	5.9	5.6	8.1	0.3	1.6

资料来源：国际货币基金组织

失业和通货膨胀的双重影响使该地区的减贫方案明显大打折扣，与此同时，危机也影响到了中产阶级。菲律宾前总统菲德尔·拉莫斯（Fidel Ramos）[①]在1998年12月遗憾地说道："几百万东南亚家庭历经千辛万苦才登上中产阶级的位置，现在又跌了下来，成为凄苦的穷人。"[②]

根据各种资料来源，从我的粗略估计可以看出，在1996～1997年至1999年间，亚洲危机使亚洲新增了150万～170万分别生活在本国贫困线以下的穷人。泰国又一次成为最严重的受害者，其贫困率由1996年约18%上升到1999年23%的高峰。马来西亚的贫困率由1997年6.8%上升到1998年8.5%的高峰。泰国的贫困率由1996年11.4%上升到1999年16.0%的高峰，而韩国的城市贫困率由1996年第四季度的4.3%上升到1998年8.8%的高峰。

黑暗中也许有一线光明。首先，从1997年到1998年，在那些遭受危机打击的国家之间，总体收入的不均衡有所缓解。在1997年到1998年间，泰国和韩国的基尼系数分别从0.477和0.279略微上升到0.481和0.285，然而马来西亚和印度尼西亚的基尼系数分别由0.470和0.380略微下跌到0.468和0.370[③]。愤世嫉俗者会说，这次危机在减少每个人的财富方面是十分公平的。

累计起来看，四个遭受危机的国家在1997年到1998年期间，他们各自的

---

① 菲德尔·拉莫斯（1928～　），1992～1998年间菲律宾总统，后任菲律宾和平与发展基金会主席。2001年2月当选为博鳌亚洲论坛主席。——译注

② Ramos(1998)。

③ Fallon & Lucas(2002)，第35页表7。

人类发展指数都遭受了挫折(表 12.4)①。

表 12.4 遭受危机的经济体：1997～1999 年人类发展指数

国家	1997		1998		1999	
	排名	人类发展指数	排名	人类发展指数	排名	人类发展指数
印度尼西亚	105	0.681	109	0.670	102	0.677
马来西亚	56	0.768	61	0.772	56	0.774
韩国	30	0.852	31	0.854	27	0.875
泰国	67	0.753	76	0.745	66	0.757

资料来源：联合国开发计划署,《人类发展报告》,各个年份

归根结底,凭个人和专业人士的水平,任何统计数据都无法量化几百万亚洲人所受的耻辱和创伤。许多人的机智和决心值得我们敬佩。每个国家都需要自己的英雄,虽然以前很有成就的专业人士和商业精英变成了街头小贩或者挣扎着想要扭转企业败局,但是他们对自己和国家仍充满信心。以前为本国成就而自豪的人现在觉得羞愧,因此决心找出解决办法,并防止再发生这样的危机。

从复苏到区域经济一体化

1999 年出现了金融危机已经渡过难关的明显迹象。韩国凭借各项改革和出口复苏,经济得到了强有力的恢复。由于美国降低利率以防全球经济放缓,一个接一个遭受危机打击的国家摆脱了通货紧缩的困境。延续至 2000 年的网络泡沫使很多东亚国家受益,因为他们对新千年的新技术(Y2K technology)进行了投资,在技术产品上拥有相对优势。到了 2003 年 4 月,亚洲所有经济体开始强有力地复苏,这在一定程度上是由于印度和中国的推动,而且这种推动作用一直持续到现在。

由于亚洲经济体恢复了实力和信心,人们越来越认识到,就规模和重要

① 人类发展指数从人类发展的三个基本方面衡量一个国家的成就:以出生时预期寿命来衡量健康长寿水平;以成人识字率和小学、中学和大学组合毛入学率来衡量知识水平;和以按美元购买力平价计算的人均 GDP 的对数来衡量体面的生活水平。

性而言，该地区已经自然地成为仅次于欧盟和北美自由贸易区的第三个经济一体化地区。实际上，认为亚洲是第三个经济区的想法已不新鲜。当日本在20世纪80年代成为第一个具有全球经济地位的国家时，像大前研一(Kenichi Omae)①这样的日本作家就宣布世界已经成为三极世界——以美国为首的美洲、欧洲和亚洲。欧洲在1992年通过签订马斯特里赫特条约结成政治联盟，到了1999年通过发行欧元结成货币联盟。北美自由贸易区于1994年北美自由贸易协定签订后正式建立。

亚洲区域经济一体化的主要驱动力是贸易一体化。在近25年里(1980年至2005年)，亚洲内部贸易从该地区在世界贸易总额中的大约35%上升到55%。这比欧盟区域内贸易(66%)低，但是比北美自由贸易区(45%)高。到了2007年，亚洲已经明显建成全球供应链，其中东亚是制造业供应链，而印度则在信息技术服务业和外包产业中占据越来越重要的地位。

亚洲在金融危机后，也曾作出大量的努力来促进本地区金融一体化。地区金融合作方面的努力产生了以下五项重要的动议，这些动议已经取得了不同程度的成功。

1. **清迈倡议(CMI)**，于2007年5月签订，包含16个双边货币互换安排，所涉资源总额达800亿美元②。

    清迈倡议是2005年5月东盟+3国(中国、日本和韩国)的财政部长在泰国北部城市清迈会面时提出的。清迈倡议加强了东盟货币互换协议(ASA)，而这个协议自身也在2000年5月使东盟所有成员国把其互换资金增加至10亿美元。东盟货币互换协议通过双边货币互换安排和回购协定(BSA)得以加强，三个外汇储备较多的非东盟国家也通过这个倡议来支持东盟货币互换协议。这样一来就增加了可以抵御投机者攻击的可利用资金。提供资金的时间将按照国际货币基金组织规定的条件确定。

    2007年5月，在京都会议上，东盟+3国领导人一致同意设法使目前的双边安排多边化。

2. **亚洲债券市场倡议(ABMI)**。这一倡议也吸引了地区和全球的注意

---

① 大前研一(1943～　)，美国麻省理工学院博士，美国加利福尼亚大学洛杉矶分校教授，斯坦福大学客座教授。曾任麦肯锡咨询公司日本分公司董事长以及许多跨国公司的管理顾问。英国《经济学家》杂志评选他为“全球五位管理大师”之一。——译注

② 第10次东盟+3国财长会议的联合声明，日本京都，2007年5月5日。

力。东亚太平洋地区中央银行主管会议(EMEAP)得到国际清算银行提供的技术支持,已经在这个方面起了带头作用。亚洲债券市场倡议的目的是:(1) 促进亚洲发展高效和高流动性的债务市场;(2) 更好地把亚洲的储蓄用到亚洲的投资中去。

亚洲债券市场倡议包括两个一揽子方案:

- 2003 年 6 月发行亚洲债券基金Ⅰ(ABF-1),其中有 10 亿美元投资在由 EMEAP 成员国(澳大利亚、日本和新西兰除外)发行的主权和准主权美元债券上。
- 2004 年 12 月发行的亚洲债券基金Ⅱ(ABF-2)达 20 亿美元,利用私营部门的中介机构,向公众开放自由投资。它包括两个主要组成部分:
  - 泛亚债券指数基金(PAIF),这是一个单一的债券基金指数,投资在由八个成员国发行的主权和准主权本币债券上。
  - 债券基金,包含八个国家的分基金,零售发行。

到目前为止,中国香港、马来西亚和新加坡已经发行了泛亚债券指数基金和五个单一市场基金。日本政府担保的韩元债券和泰铢债券也已经发行。亚洲开发银行和国际金融公司也帮助做了很多工作,他们在马来西亚和泰国已经发行了当地货币债券,并计划到中国去发行。亚洲开发银行还启动了亚洲债券在线网站(http://www.asianbondsonline.adb.org/)来宣传亚洲债券。虽然两种债券都大张旗鼓地发行了,但是人们必须承认,需要更多的机构和零售商参与交易,以构成具有深度和流动性的地区债券市场。

3. **短期资本流动监控。**2001 年 5 月在檀香山通过,由于很多国家仍在建立自己的数据库,所以各国实施这个倡议的进程不平衡。
4. **经济评论和政策对话(ERPD)。**部长级每年进行一次,副部长级每年进行两次。
5. **东盟+3 国研究小组。**这个小组是由日本提议的,于 2003 年 8 月得到批准。研究的主题是地区金融结构和地区汇率安排。近来这个小组一直在编制地区信贷数据资料,并研究对中小企业提供金融援助的问题。

最近,建立亚洲货币基金的建议也已经以不同方式提了出来。而且,

2007 年 1 月 13 日在菲律宾召开的第 12 届东盟首脑会议同意，创建东盟经济共同体(AEC)的目标日期将推迟五年，即到 2015 年[1]。

由于东亚贸易和金融一体化不断加强，(仿照北美自由贸易协定的方针)拟建的东亚自由贸易区将会成为全球性第三股惊人的经济力量，与欧盟和北美自由贸易不相上下。不管用什么方法测算，该集团大约将会占全球产出的 20%、全球贸易的 20%、国际外汇储备的 50%。亚洲人为向国际机构借债要屈从于后者的条件而感到羞辱，所以他们已使亚洲外汇储备规模不断扩大，2008 年底大约达到了 4 万亿美元。

然而，尽管亚洲金融一体化所取得的进步是显而易见的，但该地区的金融市场比起全球市场仍然是比较小的。2006 年，全球股票市场市值为 51 万亿美元，其中亚洲为 12 万亿美元(占全球总额 23%)，而美国为 20 万亿(占全球总额 38%)，欧盟为 13 万亿(占全球总额 26%)[2]。同时，全球股权投资仍然基本上以美元为基准(约占 55%)，主要是由于美国市场尤其是纽约证券交易所和纳斯达克(NASDAQ)[3]资本密集、交易量大。再则，虽然国际清算银行数据表明，亚洲当地货币债券市场的规模从 1997 年的大约 4.6 万亿美元到 2006 年的 11.2 万亿美元扩大了 2.4 倍，但是我们还是不能说亚洲已经具有了资本密集和流动性大的债券市场。债券市场主要在韩国和中国得到了发展。和股市一样，就货币而言，美元和欧元也左右着国际债券市场。

此外，亚洲区域内的跨境证券投资虽然绝对值在上升，而且已成为 GDP 的一部分，但是规模还是比较小的。在 2004 年，亚洲国家间的证券投资负债仅占 GDP 的 2.25%，比北美自由贸易区或欧盟的负债少三分之一。亚洲国家的证券资产具有类似的模式。亚洲在北美自由贸易区或欧盟中的投资——在 2004 年分别占其 GDP 的 10%——大约是亚洲范围内投资的 4.5 倍[4]。也就是说，亚洲各国还是偏爱于在亚洲外而不是在亚洲内的市场上投资，这表明美国和欧洲金融中介机构吸引投资的高超本领，同时也反映出亚洲金融市场的弱势。

人们也许会认为，在经历了金融危机这样惨痛的教训后，亚洲金融系统应当能更彻底全面地改造自己。官方并非没有这么想过，数以千计的工作人

---

① 东盟经济共同体将实现统一的市场和生产基地，从而加强东盟的竞争力，迎接全球性竞争的新挑战。

② IMF(2007c)，表 3，第 139 页。

③ 沈联涛、Kwek(2007)。

④ Cowen et al(2006)。

员在致力于贸易和金融的一体化。而且，亚洲国内储蓄率一直处于很高水平，所以也不缺乏资金。亚洲的改革，特别是1997～1998年亚洲金融危机以来金融部门改革的结果喜忧参半，表明其中存在的问题比我们所意识到的要深得多。我认为，亚洲金融市场改革的主要障碍在于对变革进程的管理。

对变革的管理通常比较迟缓，有时还十分令人沮丧，这需要政府及私营部门的思维定势作出重大的转变。此外，通常存在着很多既得利益群体，对于变革的结果人们的看法往往很多，甚至大相径庭。推动改革的力量必须来自内部和外部。

全球化和外资金融机构的来临不仅带来了机遇，同时也带来了威胁。根据国际货币基金组织的数据，外资金融机构的平均份额占全球范围国内银行总资产的23%，然而东亚只有平均水平的6%①。外资金融机构拥有五大优势——拥有外国资金；易于进入外国市场；具有现代金融技术和产品；能对当地专业人员进行业务培训，使他们不再因循守旧，以及能够通过提供低风险的高质量服务，与当地金融机构开展竞争。虽然竞争是健康的，但是那些无法应对外资竞争的当地金融机构会有失败的风险，因此对于外资金融机构带来的系统性风险应该妥善加以处置。当然，我们也绝对不能低估民族主义情绪对外资竞争的抵触情绪。

从根本上说，在应付全球化引发的变化时，需要亚洲政府机构能够对全球化和市场力量作些了解。许多亚洲的决策者虽然自从独立以来参与了重商主义的出口增长，在强有力的“窗口指导”下走向全球市场一体化并在此过程中得到了锻炼，但是他们还没有认识到市场游戏规则已经发生了深刻的改变。

对国内市场参与者的保护越多，则他们无法参与国际竞争和面临边缘化的风险越大。如果不开放，国内的市场参与者就得不到学习和竞争的机会。当然，开放也会带来受感染的风险，但越晚开放，越可能被边缘化。因此，区域合作是迈向全球化的中间步骤。

亚洲金融一体化的绊脚石

尽管亚洲金融一体化问题已经传说了很多年，但是关于区域合作的许多

---

① IMF(2007a)，表3.2，第101页。

思想和经验都来自欧洲近代史。欧洲的道路首先是政治性的①,欧洲大陆的两个主要伙伴——法国和德国——达成协议确保经济稳定,以换取欧洲和平。尽管欧洲货币体系出现过失误,但是找到了创设统一货币(欧元)作为建立统一市场前奏的途径。那么扩大亚洲金融一体化是否有意义?谁会从中获益,谁又会因此受损呢?

即使目前在亚洲没有实现统一市场、统一货币或货币联盟的明确目标,但是大家都意识到了区域合作会带来益处。有些澳大利亚专家认为一体化具备三大好处。第一,一体化有助于给十分必要进行的国内改革施加内部和外部的压力。第二,亚洲有多余的储蓄,但是金融市场运作效率低。随着一体化的进展,亚洲的储蓄可以得到比较有效的利用。第三,作为一个整体,亚洲将在全球贸易、政治和经济讨论中取得更多的发言权。区域合作(和迈向一体化的进程)带来的其他好处是,通过贸易和各种可行的机制使亚洲市场从预防或最大限度地减少来自外部对该地区的全球性冲击中得到更大的益处。

尽管区域金融一体化可能带来种种好处,但是至少有四个主要原因能说明为什么亚洲金融一体化的步伐如此缓慢,除非有新的推动力,如另一场危机,否则难以把一体化迅速推向前进。

第一,至今没有人能给亚洲集团真正下一个定义。亚洲在政治上至少分为四个主要经济集团,包括日本、中国、东盟和印度,俄罗斯以及中东也声称与亚洲的利益休戚相关。我们是不是也要把澳大拉西亚②包括在亚洲范围内呢?亚洲人对亚洲范围的想法不一致,而且历史上也没有说明过"亚洲"的范围。

第二,亚洲一体化的主要问题涉及全球化的定义:亚洲的区域主义是封闭的还是开放的?这个问题又有三个方面。第一个方面,把地区作为一个整体来看,地区一体化可能有益,但是这些益处对于各国进一步改革来说不是能立竿见影并可度量的。由于日本、中国和印度这些国家的经济规模大,亚洲一些较小的国家相当担忧从区域一体化得到的回报要小于他们为实现区域一体化而付出的调整成本。同时,甚至亚洲那些较大的国家,也怀有不同的意向和目的。因为近年来,中国和日本的大部分贸易(包括通过亚洲供应链的间接贸易)是面向亚洲以外地区的。因此,没有什么明显原因可解释亚

---

① Padoa-Schioppa(2004)。

② 澳大拉西亚(Australasia):这是一个不明确的地理名词,一般包括澳大利亚、新西兰以及附近南太平洋上岛屿,有时也泛指太平洋和太平洋岛屿。

洲市场扩大的好处(例如与区域主义相关的地区金融机构的成本和费用低)要比单一的开放性全球市场来得多。换句话说,从各个国家情况来看,还没有证明诸如双边自由贸易协定(FTAs)这样的双边谈判比像合作集团的谈判更有成果和收益,特别是双边自由贸易协定为了达成区域性协定时显得十分繁琐和缓慢。

对于区域主义开放还是封闭这个问题的第二个方面是G10中工业国(不包括日本在内)的反应,涉及美国、欧洲和国际金融机构。G10和国际金融机构几乎明确反对封闭的区域主义,亚洲如果试图在政治和经济上走自己的道路,他们不会袖手旁观。弗雷德·伯格斯坦(Fred Bergsten),一位反传统的全球经济和安全观察家,表达了以下的担忧:

> **然而,东亚经济集团也有可能对世界经济带来麻烦。**它会从根本上产生大量贸易转移,将迅即使美国出口每年下降250亿美元,而且会随着该集团影响的不断扩大而下降得更多。这将逐渐损害而不是支持多边经济机构,特别是世界贸易组织和国际货币基金组织,因为世界上建立起三个集团,使得这些机构基本上变得可有可无。美洲正在慢慢走向自由贸易区,虽然速度也很慢,而且还有滞留,但是最终很有可能成功,它与东亚经济集团一起在太平洋中画了条线,这两个集团并立会导致亚太地区的分裂而不是整合,最终还可能导致东亚和美国(以及美洲其他国家)分庭抗礼。①

因此,当马来西亚前总理马哈蒂尔在20世纪80年代后期第一次提出没有美国参与的东亚经济核心(EAEC)时,主要面临两个反对的理由。其一,这个建议使很多人想起日本人在二战时提出的大东亚共荣圈。其二,美国不会同意被排除在任何亚洲地区合作之外。所以,亚太经济合作组织(APEC)的建立不仅包括了美国,同时也包括了所有太平洋地区的经济体。此外,设立1 000亿美元的亚洲货币基金来遏止亚洲金融危机的主意也行不通,部分原因是立即遭到了国际货币基金组织、欧盟和美国的反对。1997年11月,他们的反对,加上中国和亚洲其他国家不肯承担责任,使亚洲货币基金的建议偃旗息鼓,而关于马尼拉框架的建议占了上风。马尼拉框架集团(The Manila Framewrok Group)有美国的参与,侧重于加强地区监管和合作,但是任何区域性基金都将用于补充而不是替代国际货币基金组织的工作。

---

① Bergsten(2005)。

当然，亚洲货币基金的想法，特别是在日本大藏省官员的脑海里没有完全消失。1998 年 10 月，日本大藏大臣宫泽喜一(Kiichi Miyazawa)[①]宣布了一个新倡议(有时被称作“宫泽新倡议”，New Miyazawa Initiative 或 NMI)，“以帮助那些受货币危机影响的亚洲国家克服经济困难，并促进国际金融市场的稳定”。宫泽新倡议主要设立了 300 亿美元基金，其中一半用于短期需求，另一半用于中长期需求。不过，国际货币基金组织依然是国际金融机构的核心，在亚洲金融危机中起协调作用，因为像马尼拉框架一样，宫泽新倡议设立基金的作用是通过向遭受危机的国家提供双边援助来补充国际货币基金组织的努力，使国际货币基金组织更好地满足那些国家的需求。

关于亚洲一体化是封闭还是开放这个问题的第三个要考虑的方面就是日本。作为 G10 中的一个重要成员国，日本在面对其他国家有可能反对东亚经济集团实行封闭一体化的情况下不得不作出相应的选择。

除了历史和体制差别以外，亚洲和欧盟之间一个重要的区别是集中程度的高低。通常，亚洲和欧洲之间的差异并没有得到充分的重视。例如，2006 年德国作为欧洲最大的经济体，约占欧盟 GDP 的 21%，占欧盟金融总资产的 15%[②]。在亚洲，仅仅日本就在 2006 年占亚洲 GDP 的 41%，相当于占亚洲金融总资产的 53%。这意味着和欧洲的德国不同，日本在亚洲的经济和金融中明显占主导地位。这种经济和金融的主导地位——近年来日本被忽视了，因为观察家们往往只关注日益发展中的中印两国——意味着，即使在经历了 17 年的经济增长乏力后，日本的影响力有所减弱，但是没有日本就无法实现亚洲一体化。因此，亚洲到底采取封闭的一体化还是开放的一体化，日本的选择是至关重要的，因为日本在区域合作中起着主导作用。

第三，任何关于亚洲一体化的讨论都必须考虑到历史差异。亚洲一些国家对第二次世界大战期间刀光剑影、水深火热的痛苦回忆仍历历在目，而日本领导人参拜供奉战犯牌位的靖国神社的行为继续激发亚洲人民的不满情绪。(尽管在贸易和金融方面已经取得了相当大的成就，)亚洲如果不能达成共同的政治协议，那么该地区一体化的进程一定会受到限制。

第四，也许是最重要的一点，经济一体化这个情况在亚洲范围内不是十分明确。欧洲一体化之所以能够形成，是因为欧盟愿意为经济一体化支付其

---

① 宫泽喜一(1919～2007)，出生于日本东京，1941 年毕业于东京帝国大学法学院，曾历任通商产业大臣、外务大臣、内阁官房长官、大藏大臣、日本第 78 任首相等职。——译注

② IMF(2007c)，表 3，第 139 页。

国民总收入(GNI)的1%。在2007年至2013年的金融框架下,欧盟每年预算大约为1 200亿欧元,其中几乎一半作为农业补贴等分配给欧盟成员国。2006年,欧盟国民总收入合计大约14万亿美元,然而亚洲只有大约10万亿美元。哪个亚洲国家愿意每年支付1 000亿美元为本地区一体化提供财政资助,就像欧洲一样呢?当然,亚洲一些经济小国还是愿意进行更大规模的合作,以便获益的。

然而,尽管有这些绊脚石,亚洲首屈一指的思想家和领导人,例如前日本大藏省国际事务次官、现任亚洲开发银行行长黑田东彦,对于亚洲一体化将会依靠四大支柱建立起来仍持乐观态度。

- 次区域合作——通过桥梁、港口、公路和电信网络的连接,大大促进贸易的发展。
- 货币和金融——通过前面阐述过的清迈倡议和亚洲债券基金I和II来加强货币和金融的合作。
- 贸易和投资——这也许是最发达的领域。亚洲区内贸易已占该地区总贸易额的55%,而1980年时仅占35%。区域内的竞争已经促使至少50个双边自由贸易协议的签订,并且最终可能形成一个简单的自由贸易区,还有可能扩大为关税同盟。
- 提供地区性公共物品——在预防和管理非典、禽流感和艾滋病毒/艾滋病的传播、打击跨境走私活动和破坏环境等领域,人们越来越认识到,地区性合作至关重要,但是资金还是十分缺乏。

因此,亚洲开发银行近些年来在地区性合作方面不断努力,已经有了几个关于这些问题的重要研究,包括与欧盟及北美自由贸易区的经验进行比较的研究①。日本大藏省网站(www.mof.go.jp)已经发表了这些研究课题的资料和研究成果。

亚洲在经济一体化上的选择

基本上,通向经济一体化的途径有四个——政治途径、贸易途径、金融一体化途径以及最终的货币一体化途径。

欧洲人选择了政治途径,同时货币一体化先于金融一体化起步。欧洲政治联盟是有可能的,因为政治上统一的欧洲可以避免未来的战争。欧元的创

① 亚洲开发银行(2005)。

立是为了加强政治、货币以及最终金融的一体化。然而在亚洲，因为重大的历史分歧，走通政治之路似乎还很遥远。

随着 20 世纪 90 年代初北美自由贸易协定的订立，美洲选择了贸易一体化的途径。但是经历了 1994 年墨西哥危机后，美国国会不再允许美联储成为拉丁美洲各经济体的最后贷款人。这意味着美洲的主要货币——美元、加元、墨西哥比索和其他货币之间的汇率相互维持浮动，而美元在这个地区最具影响力。看来美元化并不受欢迎。

在亚洲，截至 2005 年，虽然亚洲内部的贸易已占该地区世界贸易额的 55%以上，但是该地区内部对亚洲终端产品的需求仍不足以建立起一个强大的亚洲内部市场。对亚洲以外国家的出口仍是亚洲经济增长的火车头。不论怎样，鉴于亚洲贸易的进展情况，贸易途径也许真的是通往亚洲一体化的最好途径。

实现金融一体化可能有两条路径，通过协调（也就是采用欧盟的方法）或相互认可（英国偏爱的方法）。在亚洲，相互认可的方法可以比较温和地实现金融一体化，而且出于如下一些原因，也许是更为务实的。

首先，从收入、财政、政治和发展的方面来说，亚洲极具多样性。例如，中国资本市场仍需要相当长的时间来解决一些结构性的问题，才能在地区中发挥作用。

第二，目前，亚洲金融中心的每一个市场仍然太小，而且以国内为主，所以不可能像伦敦为欧洲时区和纽约为美洲时区那样发挥出金融中心的作用。例如，在亚洲最大的金融市场东京，如果日元打算加强其作为区域性货币的作用，东京需要从以国内为重点转向以充当地区领导人为重点。在过去的 17 年中，在东京证券交易所挂牌的除日本以外国家的上市公司数实际上已经下降。如果在东京进行交易的成本更有竞争力，那么日本庞大的储蓄可以输送出去，满足到日本以外的亚洲国家投资的需求。

第三，亚洲地区金融市场的形成，在监管、体制和结构上有太多的障碍。例如在亚洲，对卢森堡注册的共同基金进行交易要比香港的某个基金在另一个亚洲中心出售容易得多。同样，在都柏林上市的债券到亚洲进行交易要比在任何一个亚洲中心发行债券容易得多。换句话说，全球金融机构和在亚洲以外注册的基金（甚至亚洲创始的基金，例如泛亚基金）到亚洲来进行交易的成本比较低，而亚洲金融机构在亚洲范围内彼此进行基金交易的成本反而高。

这些异常的实际状况是由陈旧的规则和条例造成的，必须加以改革，才能形成亚洲金融市场。目前没有任何组织机构来安排审议和讨论这些障碍。证券监管机构不能主动处理这件事，因为法律和规章的改革需要政府其他机构的支持。但是无论中央银行还是财政部都无法靠自己的力量处理这样一个复杂的任务。个别机构不能对付需要政治意志、管理技巧和“巨大推动力”的跨领域问题。随着各种区域性倡议的提出，这一问题变得更加复杂，因为实施那些倡议将会涉及外交、国际贸易和私营部门。

尽管存在着这些障碍，目前促进“亚洲债券市场倡议”(ABMI)是方向正确的步骤，但是加强亚洲资本市场需要坚强有力的领导进行推动，并且需要假以时日才能结出硕果。

最后，货币一体化可以通过由一篮子亚洲货币组成的“亚洲货币单位”(ACU)或沿着欧元思路建立的单一货币来实现。货币一体化还处于起步阶段，虽然根据神原英姿的说法，他“如果在未来40年到50年看到亚洲货币的兴起，决不会感到吃惊”。事实上，他“已经给货币起了一个名字，叫作‘亚细纳(ASEANA)’”。[①]

我个人认为，有一种向心力推动着区域货币的兴起，但是它的形成将不得不等待中国人民币可以自由兑换。不管怎样，自从人民币汇率改革以及2005年7月马来西亚林吉特取消与美元挂钩以来，东亚许多货币一般都重新升值，包括日元在内。有证据表明，东亚货币开始彼此环绕广泛的平价波动，就像在危机前他们通常采用广泛的平价一样。

政治协议将决定是否能建立起区域性货币集团。如果亚洲全球供应链在各个成员国间结合更紧密，那么形成区域性货币的经济基础也会变得更结实。亚洲货币集团在很大程度上取决于篮子里的主要货币——特别是人民币和日元——是否坚挺。这意味着那些货币会提供与美元和欧元类似的产权保护、长期价值创造和低交易成本。这还意味着那些较大成员国的宏观经济和金融政策必须稳定，并且相互保持一致。从欧洲货币机制的经验可以看出，建立区域性货币集团的道路是十分坎坷的，因为财政和货币政策的差别与误解，如同政治方式一样，将反映到货币市场的动荡不定上。

事实上，金融一体化和货币一体化不是相互排斥而是相互补充的。其中一个不能比另一个走得太快。当金融一体化得到加深时，对货币一体化的认识和意愿才会水到渠成。这不是说货币一体化要求金融一体化先行。欧洲的经验表明，货币一体化可以走在金融服务业完全实现共同市场的前面。目

---

① Sakakibara(2007)。

前，欧洲的管理协调工作仍在进行中。

亚洲金融一体化的前景

亚洲危机后，该地区的不安全感引起人们关于亚洲金融或货币一体化的各种议论。由于各种亚洲货币对全球金融市场的强烈波动都动辄受到影响，所以大家感到具有共同的脆弱性。目前的全球性危机是否会推动区域一体化水平的提高，这个问题尚需拭目以待。

韩国教授朴英哲最近分析了未来东亚区域主义的四种情景①。首先是中国和日本合作，可能对东亚一体化达成政治共识，就像法国和德国在欧洲一体化进程中所发挥的作用那样。这是合作伙伴关系，可以开拓更密切的工作关系，进一步加快一体化过程。有了中日合作发挥作用的环境，韩国和东盟将在这一过程中发挥中间人的作用。

第二种情景是中国在亚洲一体化的进程中发挥更积极的领导作用。如果中国长期成为该地区发展的火车头的话，它就一定能够在货币和贸易一体化进程中充当先锋，尤其一旦人民币完全可以自由兑换，中国的资本市场可能在亚洲资本市场中居主导地位。然而有人认为，如果没有日本参与，亚洲区域性集团的凝聚力可能不够强，因为东盟更喜欢集团中没有任何主宰者，这个想法是切合实际的。

第三种情景是把亚洲集团扩大到东盟+6国，其中包括澳大利亚、新西兰和印度。东亚峰会的领导人已经开始探讨建立这个集团的可行性了。在这个集团中，谁将成为领导者很难分晓，因为印度和澳大利亚对这个问题都有自己坚定的想法。

第四种情景也许也是最现实的。日本前首相福田康夫(Yasuo Fukuda)②，其父是前首相福田赳夫(Takeo Fukuda)③，曾阐述过关于“亚洲人的亚洲”的福田主义，而他自己又广泛促进了该地区的政治对话，特别是改善了中日关系。他在2008年9月辞职，再一次使日本的领导层，而且使该地区的对话成为公开讨论的话题。然而需要解决的棘手问题仍然很多，例如朝鲜、缅甸、能

---

① Park(2007)。

② 福田康夫(1936～)：毕业于日本早稻田大学。2007年9月至2008年9月担任日本第91任首相。——译注

③ 福田赳夫(1905～1995)：1976年12月至1978年12月担任日本第67任首相。——译注

源和水资源保护、环境恶化、潜在的恐怖主义和社会不平等。所有这些问题都可能破坏一体化的努力，或者如果再发生一场危机，会进一步推动一体化。

实事求是地讲，对亚洲金融和货币一体化持支持观点的仍局限于一小批知识分子和政策思想家。而且，即使从长远来说，更多的亚洲人会认可这个大胆的设想，具体实现一体化的必要步骤仍需要主要成员国之间巨大的谅解、合作和耐心。

我认为，亚洲一体化在不久的将来是一股只会加速的力量，原因是全球金融危机将改变全球的均势。这也是我们将在本书的余下部分探究的问题。

第十三章

金融工程的新世界

金融衍生品是大规模杀伤性武器，虽然其危险现在还未显露，但其潜力却是致命的。

我们将它们视为定时炸弹，对交易各方及经济系统而言都是如此。

——沃伦·巴菲特

虽然金融衍生品的利弊一直是人们热烈讨论的话题，但最近几年经济和金融系统的表现表明，金融衍生品的利远大于弊。

——艾伦·格林斯潘

我们在前面几章中讨论了亚洲危机的演化及个别国家的经历。现在，我们可以看一下亚洲危机是如何预演当前的全球金融危机的。

历史是一条由众多支流汇聚而成的记忆之河，有时平静，有时却会带来灾难。历史事件犹如一幅决策树图，从各个转折点向外伸展，并为下一次的事件作铺垫。导致亚洲危机的因素也是当下危机的主因：全球化、技术、金融创新和去监管化，但最后两个因素在目前的危机中尤其关键。金融体制和金融衍生品的创新改变了金融界的面貌，但也正是这种创新导致了高杠杆率以及贸易和金融服务的全球化。金融业的去监管化使这一切成为可能。

事后看起来，我们是可以从亚洲危机中看出目前危机的端倪的。大量资本流动的致命性积累、市场的剧烈波动、杠杆化和投资银行都在亚洲危机中显露了身影。眼下的银行业危机是不是很像互联网泡沫破裂和安然破产的放大版呢？复杂的衍生品交易、拙劣的公司治理、糟糕的会计、结构性投资工具和欺诈行为——这些都和亚洲危机时并无二致。

我们现在要探讨金融服务业结构的变化和金融衍生品意义深远的演化。在下一章里，我们将要仔细审视金融监管的哲学、结构和过程，它已导致了当前的信贷危机。

汇聚的网络

从网络的角度看，亚洲危机属于地区性的网络事件，是传统的银行业和货币危机。但2007年爆发的危机从规模和复杂程度来看属于不同的级别。原因在于，通过金融工程，西方的金融系统已经发展成更为复杂、内部联系更为紧密的网络，这种网络本来是应该分散风险的，但结果却将风险返还给了商业银行，并使商业银行一败涂地。

1933年，美国国会得出结论：商业、银行业和证券业的混营是不好的。格拉斯-斯蒂格尔法案首次将商业银行业同证券业分离开来，并且不准银行管理层向他们控制的企业贷款。举例来说，摩根担保银行(Morgan Guaranty Bank)被分拆成JP摩根和摩根士丹利。法案还催生了联邦储蓄保险公司(Federal Deposit Insurance Corporation)，为个人储蓄提供担保，这样就可以避免中小银行发生挤兑。用网络术语来说，格拉斯-斯蒂格尔法案在网络之间设立了防火墙以避免风险传播。1999年国会撤销了格拉斯-斯蒂格尔法案，从而为全面的网络整合及随后发生的大规模风险传播揭开了序幕。

但是若干年之后，规模经济的网络效应使金融业越来越趋于集中，同时，阶段性的金融危机淘汰了规模较小、实力不济的机构。当然，整合的主要驱动因素是服务交付的高技术成本、专业人员的技能以及对资本效率的追求。比如说，联邦储蓄保险公司的数据显示，从1984年到2003年，美国银行和储蓄机构的数量从15 084家减少到7 842家，几乎减少了一半，其中淘汰出局的全是中小型银行。大银行的市场份额在增加。到1999年底，美国最大的50家银行占到全部商业银行资产的68%，而在1960年，这一比例是55%。在其他国家和地区同样出现了这一趋势。亚洲危机让很多弱小的金融机构消失了，剩下来的银行则被并入到少数更大的机构。

金融业的整合不仅是横向的(同类机构的合并)，也是纵向的，即银行、证券、保险和基金管理企业的合并。通过和其他网络的合并、联结，以及在相同的标准和平台上提供不同的产品和服务，集中的规模经济形成了。于是，银行、保险公司、证券公司、基金公司开始在彼此的业务领域竞争。不管是在国内还是在国外，它们的手越伸越长，大家都想成为全球性的金融沃尔玛。

卡尔·马克思曾预测说，传统市场利润的下降将促使资本主义国家通过创新转战新的市场。某种程度上说，马克思是对的。由于激烈的竞争，银行的息差和边际利润大幅下降。例如，从1990年到2007年，美国银行的净利差从4%下降到3.4%；同期，共同基金的发行和分销费用从183个基点降低到107个基点①。从20世纪80年代到2007年，华尔街的佣金下降了约三分之一。同期，承销利润从12%下降到了5%。更多的流动性以及"对收益的追求"降低了风险利差，使垃圾债券的利差从2002年10月的23%下降到2007年6月的4%。同一时期，新兴市场债券的风险溢价从10%下降到了不足2%，显然，这没有反映出市场的真实风险。

在残酷竞争的威胁下，西方的大型银行开始向新兴主权国家放贷以寻求更好的收益。据说，在20世纪80年代早期，时任花旗银行董事长的沃尔特·瑞芝生(Walt Wriston)说过："政府是不会倒闭的。"由于大量向拉美主权国家放贷，这些银行在20世纪80年代后期几乎倒闭。接下来，花旗银行在新掌门人约翰·里德(John Reed)的带领下做起了消费信贷并获得巨大成功，尤其是在新兴市场。

这些因素使金融整合成为趋势。荷兰人在保险公司同银行的合并领域走在了前列。1991年，荷兰国民人寿保险公司(Nationale-Nederlanden)同NMB邮政银行集团(NMB Postbank Group)合并，成为荷兰国际集团(ING)。2000年，德国的安联保险集团入股太平洋资产管理公司和德累斯顿银行(Dresdner Bank)。2001年，花旗银行和保险公司旅行者集团(Travellers Group)合并成为花旗集团。大型商业银行不断收购投资银行或基金管理公司。德意志银行收购了摩根格伦费尔(Morgan Grenfell)和银行家信托公司(Banker's Trust)。瑞士联合银行(Union Bank of Switzerland)和瑞士银行(Swiss Banking Corporation)合并成为瑞银集团(UBS)。较早时候，瑞银集团收购了投资银行华宝集团(SG Warburg)、迪伦里德(Dillon Read)和佩因韦伯(Paine Webber)。1987年，美国国际集团(AIG)也走了多元化路线，开始提供创新型金融产品。

1999年，在采纳全能银行模式的压力下，美国出台了格雷姆-里奇-比利

① 麦肯锡公司数据。

雷法案(Gramm-Leach-Bliley Act),撤销了格拉斯-斯蒂格尔法案。之后出现了四种不同的全球金融服务整合模式:银行业务从保险、证券和资产管理业务(这些业务在许多新兴市场仍然十分普遍)中脱离出来的单纯的格拉斯-斯蒂格尔模式;四种业务都能做的欧洲全能银行模式;拥有保险及其他业务领域内法人实体分支的英国(控股)银行模式;拥有独立的银行、保险、资产管理和证券业务分支机构的金融控股公司模式。

金融服务整合的利弊是十分清楚的。从有利的一面来说,整合会带来规模经济、资本效率和为顾客提供全套服务的金融超市概念。从不利的一面来说,整合会带来全能银行和客户之间的利益冲突、关联借贷的风险及不同企业之间的风险传播。

简而言之,随着金融服务规模的逐渐扩大,从国家到地区到全球,整合不仅仅是网络整合,还是产品整合和平台整合。

金融工程的出现

组合投资和风险管理的需求催生了金融工程,并促进了大型金融集团的形成。在 20 世纪 70 年代,一大批科学家和物理学家转行成了金融工程师,将技术和统计技能应用于金融市场。他们设计了用于市场交易的强大的组合管理理论模型,包括哈里·马科维兹(Harry Markowitz)模型、夏普(Sharpe)资产定价模型以及布莱克-斯科尔斯(Black-Scholes)和罗伯特·默顿(Robert Merton)期权定价模型等。不久,金融期货和期权首次在芝加哥商品交易所和芝加哥期货交易所进行交易。

依靠超速计算机和全球网络,量化交易员(quantitative traders)能够开发出动态的交易策略,交易速度要比传统的购买然后持有的散户投资者和保守的养老基金经理更快捷。电脑化交易使自动交易成为可能,而且,由于电脑对市场趋势的处理快过人工交易,因此可以设计止损交易和动量交易。1987 年的股市崩盘(10 月 19 日道琼斯指数下跌了 22.6%)部分是由于电脑化交易。量化交易员还能对风险进行对冲,这样,他们不仅能够使用复杂的多空策略,还能使用替代性避险和结构性产品以分散风险。

20 世纪 90 年代初期,新一代的金融工程师和资产管理人催生了对冲基金业。他们大量使用量化技术,主要经纪机构是投资银行和大型商业银行。今天,对冲基金的数量据估计有 9 000 家,管理着约 2 万亿美元的资产,而在 1999 年,它们管理的资产还不到 2 000 亿美元。对冲基金在多个市场从事套利交易，产品包括股票、债券、外汇、商品、不动产投资信托等，当然还有金融衍生品。

动态交易和数量技术的使用有一个基本条件，就是低廉的交易成本。20世纪90年代，经纪费用的去监管化以及金融中心和交易所为吸引流动性而降低费用与税收带来了交易成本的降低。然而，最大的成本依然是融资成本。因此，真正推动对冲基金和量化交易的是利差交易，尤其在20世纪90年代日元借贷成本几乎为零的时候。几乎没有利息的融资诱发了金融工程。通过杠杆化和金融衍生品（新型投资银行和对冲基金阶层的标志），利差交易的成功被复制和放大了。

在第二章中，我们估计亚洲危机期间日元利差交易大致在2 000亿到3 500亿美元之间。到2007年，据估计全球利差交易达到了2万亿美元，其中一半可能是日元利差交易。这一估计的根据是提供融资国家的境外银行资产净值和接受融资国家的境外银行负债净值①。最明显的日元利差交易是日元-澳元利差交易；在这一交易中，投资者的年息差收益可达6%。如今，投资者可以通过监控利差交易的增减来确定全球金融交易的起伏。

但是量化交易不仅局限于对冲基金或投资银行。传统的资产管理公司、养老基金和公司也开始越来越多地使用量化工具和衍生品来避险。当然，避险要依靠高质量的信息、衍生品工具的使用和良好的风险管理技能。随着量化交易的发展，它对市场交易量和波动性的影响也显著加大。据估计，到2007年时，量化交易占纽约和伦敦市场交易量的70%，占东京和其他远东市场的40%～50%。

瞬息万变的市场的网络效应意味着只有那些拥有专家技能和计算机技术的大型金融机构才有胜算。在2001年到2007年间，15家世界最大的银行和投资银行（称为大型复杂金融机构）②占金融衍生品交易的三分之二强。从2001年到2007年，这15家大型复杂金融机构的资产负债表金额增长了两倍，并且显著提高了杠杆率。如果考虑到许多对冲基金吸收了这些机构的老员工并充当了大券商，这些大型复杂机构的交易规模就更可观了。

总之，对收益的追求使美国和欧洲的银行系统从传统的零售银行模式

---

① Tim Lee (2008)。

② 根据英格兰银行的说法，这15家包括：3家美国银行，4家美国投资银行，3家英国银行，2家瑞士银行，1家德国银行，1家法国银行，以及1家比利时银行。

（接受存款然后放贷）转变为新的"发起-分散"这一批发银行模式。通过资产证券化的发行和分销，银行摆脱了有限的国内储蓄的限制，可以利用全世界的储蓄。它们发现了一桶新的金子。

1997～1998年的亚洲危机主要是传统的零售银行危机和货币危机。与亚洲危机不同，当前的危机是批发银行危机，有巨大的衍生性放大效应。亚洲危机是边缘性危机，因此网络效应有限。但是当前的危机是全球金融中心的危机，因此其放大效应更大更可怕。

为了理解微观环境和宏观环境是如何叠加以产生这一危机的，我们需要理解金融工程师都拿金融衍生品做了什么，还要理解金融行业作为一个整体是如何发展的。为满足投资者的个性化需求，新的证券化产品被不断设计出来。这些都使银行系统的杠杆率越来越高。

过度杠杆化——金融系统的阿喀琉斯之踵

不断上升的杠杆率是20世纪的一个现象。在自由化和金融/通信革新的双重趋势下，从1980年到2007年，全球金融资产从占全球GDP的109%增长到了占全球GDP的421%，增长了几乎4倍[①]。根据国际货币基金组织的估算，2007年全球金融资产（包括银行资产、股票市值和债券市值）总值达230万亿美元，是2007年全球GDP（55万亿美元）的4倍（表13.1）。相比之下，全球金融衍生品的名义价值达596万亿美元，大致相当于全球GDP的11倍，是全球金融资产总值的2.6倍[②]。虽然估算的金融衍生品总市值[③]只有14.5万亿美元，占全球GDP的27%，但毫无疑问的是，金融衍生品蕴含的杠杆化增加了全球市场上的流动性。

从大卫·洛希（David Roche）制作的图13.1中，我们可以看出传统的金融资产（如债券、股票和银行资产）同金融衍生品的区别。洛希认为，全世界的流动性好比一个以几何级数增长的倒金字塔，其中80%为金融衍生品。洛希将传统的流动性称为高级货币和广义货币，并说自1990年到2006年，传统流动性占证券化债务和金融衍生品的比例从13.6%下降到了7.1%，几乎下降了一半。

---

① 对1980年的估计，引自 Farrell, Key and Shavers (2005)，第70页。

② 计算的依据是 IMF (2008)，表3和表4，第181、182页。

③ 合约总市值的正值加上合约总市值的负值。

表 13.1　2007 年全球金融资产　（万亿美元）

地　区	国民生产总值	总储备（不包括黄金）	股票市值	债券市值	银行资产	金融资产总值	金融资产总值（占 GDP %）	金融资产总值（占全球金融资产总值 %）
全球	54.5	6.4	65.1	79.8	84.8	229.7	421.1	100.0
欧盟	15.7	0.3	14.7	28.2	43.2	86.1	548.8	37.5
美国	13.8	0.1	19.9	29.9	11.2	61.0	441.8	26.6
日本	4.4	1.0	4.7	9.2	7.8	21.7	495.7	9.5
亚洲（包括中东）	9.0	3.3	15.1	4.6	10.6	30.3	336.7	13.2
世界其他地区	11.6	1.7	10.7	7.9	12.0	30.6	263.8	13.3
参照项：								
亚洲（包括日本）	13.4	4.0	19.8	13.8	18.4	52.0	388.0	22.6

资料来源：国际货币基金组织（2008）

如此高的杠杆化有多危险？

1999 年 1 月，美联储主席格林斯潘、证券交易委员会主席阿瑟·利维特和美国财政部长罗伯特·鲁宾批准成立了私有的交易对手风险防范小组（Counterparty Risk Management Policy Group），成员包括 12 家活跃于全球市场的商业和投资银行。集团主席包括高盛的董事总经理杰里·科里根，他是前纽约联邦储备银行行长和在市场风险领域声名卓著的思想家。集团的第一份报告就改进透明度、信贷实践、标准的统一和风险管理的全面改进等问题提出了非常有价值的建议。建议主要集中于大型商业银行和投资银行应该如何改进自身的风险管理。

即使是在第一份报告中，定义和衡量杠杆化的复杂性也是显而易见的，原因在于很难确定市场和流动性风险的衡量标准。考虑到衡量、估算这些风险所需的判断力和经验，金融业希望由各银行采用自己的模型，而不是采用行业或监管部门制定的模型。这是组合谬误问题的核心，因为每一个市场参与者都有自己看待风险的视角，而监管者只能相信他们知道自己在做什么。金融监管机构没有标准来判断系统杠杆率或单个机构的杠杆率是否过高。监管机构做不到深入了解，因此对金融稳定只能采取信任的态度而无法具体核实。

2005年，交易对手风险防范小组召开了第二次会议，研究了1999年以来的市场演化，并警告新开发的金融产品太复杂了，各参与方的总体杠杆水平很难监控：

> 市场已经从偏重质量和基本面的投资方式转变为偏重数量、技术和模型的投资方式，这大大增加了总的交易量，缩短了反应周期，并使新型产品[包括信用违约掉期(CDS)和不计其数的复杂金融产品]的数量激增。这些产品的设计使风险以新的方式分散到了各参与方，但通常都蕴含着杠杆化。因为风险更加分散了，因此很难识别风险分布在何处以及在各参与方之间是如何分布的。相关的对冲行为，尤其在结构完善的CDS市场，放大了流动性指标。①

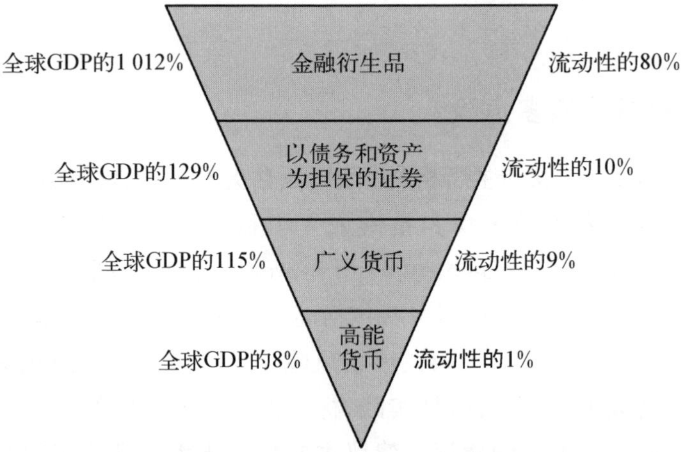

图13.1 全球杠杆和流动性——不稳定的金字塔

资料来源：Roche(2007)

问题是，虽然金融衍生品的名义价值并不意味着价值已全部杠杆化，但许多金融衍生品的确蕴含着相当程度的杠杆化，而这种杠杆化可以迅速影响持有者的流动性。金融衍生品的交易基础是发行者或一级经纪商提供给购买者或投资人的授信额度。此外，传统上没有使用杠杆的共同基金和养老基

① CRMPG II (2005)，第44页。

金也开始购买对冲工具以管理证券组合的风险，这一事实意味着这些机构也变得杠杆化了，尽管它们杠杆化的程度比不上风险交易机构。比如说，如果一家养老基金或共同基金采用 130/30 头寸中立策略（130％做多和 30％做空），其资产负债表的两侧都会增加 30％的杠杆率。

更高的杠杆化（部分是为了避险的目的）积累到一定程度的后果是，一旦风险承担者决定卖出金融衍生品或避险产品以降低风险（通过合法的止损交易），去杠杆化就会很快发生，从而大幅降低流动性。

在金融业内，这被称作“拥挤交易”（crowded trade），因为每个人都向门口冲去。

因此，在金融衍生品的世界里，一个根本的问题就是监管者和市场参与者都不清楚系统内真实的杠杆率水平以及多少资本是必需的。许多金融衍生品蕴含的杠杆化加大了对市场波动的影响。

当前金融危机的根源在于有毒产品，而有毒产品的出现源于金融创新和去监管化的五个因素以及一个监管黑洞：

- 第一个因素是房利美和房地美这样的政府按揭机构将普通住宅按揭证券化为资产抵押债券（ABS）。证券化意味着资产可以从资产负债表中移出，进入不受监管也无需资本的结构性投资工具一栏。
- 第二个因素是将住房按揭按不同的信贷质量分成几大块，以不同的资产为它们作抵押，形成“结构性的”债务抵押凭证（CDOs）。最高等级的 CDO 的信用评级是 AAA。
- 第三个因素是会计和监管标准允许将这些潜在负债从资产负债表中移出，这样银行就可以从“资本效率”中获益，而这意味着在资本数量不变的情况下杠杆率更高了。
- 第四个因素是通过保险公司和新开发的信用违约掉期（CDS）提高债券的信用质量。如果资产看上去不够好，那么由美国国际集团这样的 AAA 保险公司出售的 CDS 可以提高这些资产的信用度。
- 第五个因素是评级公司愿意为这些结构性产品做出 AAA 评级，当然是收费的。

ABS 市场对银行部门从“借/贷和持有”模式转变为“发起-分散”模式至关重要。通过这一新型业务模式，银行获得了资本效率，将资产从表中移出，收取高额发行费，还能从专营交易中获取收入。通过预先收取发行费，投资银行、评级机构和按揭机构大发其财，同时没有一个人对发行过程进行监管。

这里的理论是，信用风险转移到了 ABS 持有者，包括养老基金、保险公司、共同基金和对冲基金，甚至还有散户投资者。这些投资者没有意识到的是，这些产品中都蕴含着在一定条件下将会暴露出来的杠杆化。

为了销售CDO并保证它们的流动性，发放CDO的银行提供“回购渠道”或“流动性出售权”，即允许投资者在CDO没有市场的情况下将CDO卖回给银行。

CDO看起来很诱人，因为它们不仅有AAA评级，而且你还可以通过购买单一产品保险公司的保险或CDS（也由投资银行或保险公司销售）对凭证进行风险对冲。这些CDS对信用质量作了完全担保。不管出于何种原因，如果CDO失败了，购买CDS的人可以向卖家要钱。

不幸的是，当人们开始怀疑CDO的质量时，投资者开始撤出，银行不得不回购这些毒资产，同时价值评估失效，在整个银行系统内造成巨大的流动性危机。评级机构一夜之间将这些凭证从AAA调低到垃圾级，但这已经于事无补了。

如果有人要完整地了解这一系统是如何运作的，那他应该读一读迈克尔·路易斯（Michael Lewis）的《说谎者的扑克牌》（*Liar's Poker*）。路易斯对市场参与者进行了采访并了解了他们的看法：“我的经历教给我的是，华尔街的人才不管他们卖的是什么东西呢。”①作为一名金融监管者，我很后悔没有阅读另一部记录20世纪90年代中期投资银行如何包装金融衍生品并把它们卖给投资者的书②。这本书是1998年出版的，当时我的注意力都放在了亚洲危机上面。对于商学院的毕业生来说，这些书都应该是必读书目。

看起来太好的事情往往是不真实的，对监管者而言也是如此，但当市场持续走牛的时候，他们感觉很放心。格林斯潘等人一次次地对潜在的风险发表评论，但同时又说风险是分布于银行系统之外的。

事实上，监管中的“黑洞”源自银行和客户双边的场外交易市场。最大、最成功的场外交易市场是外汇市场。场外交易市场的优势在于，它对包括监管者在内的外部人来说是不透明的，但如果人们对产品十分熟悉，那么场外交易市场可以有很高的流动性。

中央银行是支持外汇衍生品和利率衍生品的，因为据说这两类产品的演化能够强化中央银行的货币政策工具，还能够让银行及其客户对市场风险进行对冲。这种保护是非常强大的，以致当中国香港、南非、马来西亚等地在亚

---

① Lewis (2008)。

② Partnoy (1998)。

洲金融危机期间就新兴市场国家缺乏流动性的外汇市场经常被操纵提出抗议时，它们的指控竟然被驳回了。这里面牵涉到太多的既得利益了。新兴市场国家的监管者无力改变缺少监管的状况，因为先进的金融创新的赢家是西方银行。

这种“发起-分散”的银行模式加上场外交易市场形成了太平洋资产管理公司基金经理比尔·格罗斯①所谓的“影子银行系统”(图 13.2)。纽约联邦储备银行行长蒂姆·盖特纳②估计这种动态的影子银行系统规模可以达到 10.5 万亿美元，包括 4 万亿美元的大型投资银行资产，2.5 万亿美元的隔夜再回购协议，2.2 万亿美元的结构性投资工具，以及 1.8 万亿美元的对冲基金资产。要知道，传统美国银行系统的资产也不过是 10 万亿美元。

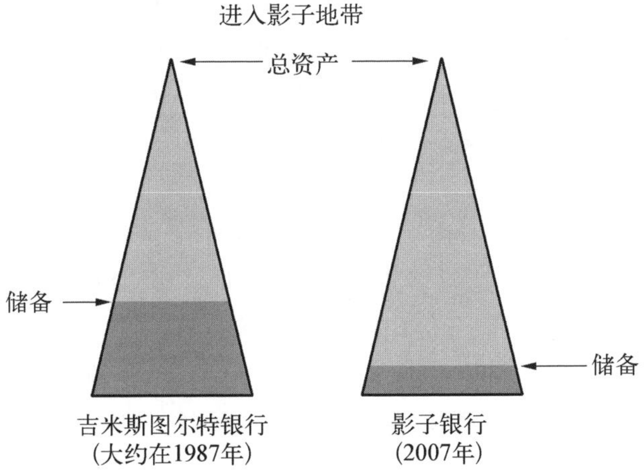

图 13.2 影子银行系统：证券化和表外负债移动(1987 年与 2007 年)

资料来源：Gross(2008)

有两个原因使影子银行系统很危险。首先，如果系统内一半的资产是在金融监管者的视野之外，他对发生的事情一无所知，那么他很难板着面孔声称要维护金融稳定。其次，激励机制决定了市场参与者喜欢将交易从监管地带转移至影子地带，因为影子地带可以提供欺诈和其他灰色交易的机会。

为什么监管者允许这种交易呢？因为这一行太赚钱了，监管者不敢去捅

---

① Gross (2008)。在影片中，吉米·斯图尔特将银行从挤兑危机中拯救了出来，因为当时银行的资本结构比今天要好。

② 事实上，Geithner (2008) 将此称作非银行或平行系统。

这个被游说者和立法者保护起来的马蜂窝。说起来，很多监管者离职之后也要在这一行谋个肥差。

在过去的十年中，中央银行的官员们肯定对金融衍生品市场的快速发展惊叹不已。截至 2007 年 12 月，国际清算银行的数据显示，金融衍生品市场的名义价值已经达到了 596 万亿美元，其中约三分之二是相对简单的利率衍生品，但近 58 万亿美元是快速增长的 CDS 市场。外汇交易衍生品的规模是 95 万亿美元。这些衍生品加起来的规模是全球 GDP 的 14 倍，而包括债券、股票和银行资产在内的传统金融资产只是全球 GDP 的 4 倍。市场交易者安慰大家说，金融衍生品的总市值事实上要小得多，其中场外交易的衍生品只有 14.5 万亿美元①。

这些交易者没有告诉你的是，尽管在市场参与者之间有一些双边净额交易，但大部分交易是以总值而非净值为基础的，因为没有一个像股权清算行那样的以净值为基础进行监控和清算的中央清算机构。以总值为基础的衍生品清算（除了双边净额交易）只有在市场整体流动性很高的情况下才能运转。

因为这些市场主要是双边交易的，因此场外交易市场的运行基础是复杂的保证金或抵押协议。在每一笔衍生品交易中，一级交易商要求交易对手提供保证金、抵押和按金以避开信用或市场风险。在一个风险溢价和波动性都在收窄的上升市场中，对抵押的要求也越来越少，于是流动性也周期性地增加。换言之，流动性产生了流动性；这是经典的网络效应。

不幸的是，事情也可以倒转过来。如果波动性增加，人们就会要求增加保证金和卖出资产以兑现流动性，于是流动性会迅速恶化。这是因为对方不得不卖出资产以满足保证金的要求。很有可能的是，他的最好的资产已经抵押给一级交易商了。这样，将次要和缺少流动性的资产卖出会扩大风险溢价，从而招致进一步的保证金要求。随着卖出越来越频繁，根据市场价格对这些抵押凭证所作的结算会让凭证持有人不断产生新的损失。

CDS 溢价和风险溢价是可能发生的违约行为的指标，对此进行监督的是评级机构，因此利差的扩大也会导致信用评级的下降，而信用评级的下降又会使利差进一步扩大，从而导致更多的卖出行为或止损交易。接下来要提供更多的抵押。1998 年，美国长期资本管理公司就有过这样的经历，当时它没

---

① Bank of England (2008), Box 2: Counterparty credit risks in OTC-derivative markets（衍生品场外交易市场的交易对手风险）.

有足够的流动性资产来满足保证金要求。如果交易对手在波动最剧烈的时候以止损交易的方式卖出抵押品，长期资本管理公司就会立马陷入资不抵债的境地。不过，其他的市场参与者并不是立即知晓这一情况的，因为在一个场外交易市场，没有哪个参与者对市场头寸完全了解。没有监管者或清算行对交易对手的头寸进行监控。缺少透明度既是场外交易市场的优势，也是它的阿喀琉斯之踵。

现实的情况是，衍生品的风险非但没有在银行系统之外得以分散，反而集中于银行系统之内。根据国际清算银行的统计，只有19%的场外市场交易是和非金融行业的客户发生的。在CDS市场，英国银行家协会2006年的数据表明，购买CDS"保护"的买家中银行占了16%，而卖家中11%是保险公司，3%是对冲基金，2%是养老基金。对冲基金从来都不是风险爱好者，因此一有风吹草动，他们总是立马将风险卖回给一级交易商。

现在我们知道了，影子银行严重掩盖了真实的杠杆水平，严重低估了市场所需的流动性，严重误判了全球市场的内部联系，并促使一些大机构在资本严重不足的情况下过度交易。比如说，在2007年底，美国最大的五家投资银行总资产达到4.3万亿美元，但其股本只有2 003亿美元，换句话说，它们的杠杆率达到了21.3倍。然而，这五家银行的名义表外负债合计达到17.8万亿美元，这意味着它们的杠杆率进一步达到了88.8倍。

然而在2004年，证券交易委员会修改了规则，解除了资本总额不能超过自有资本15倍的规定，这样，金融机构就可以按照自己复杂的风险管理模型对金融衍生品进行估值了，于是杠杆限制被打开了。事实上，恐怕只有管理层自己才完全清楚他们真实的杠杆率，因为尽管证券交易委员会主席声言贝尔斯登一直符合资本充足率的要求，这家公司还是需要援助才能活下来。

流动性幻觉

当前的危机到底是流动性危机还是偿付危机？当世界充满流动性的时候，许多人忘记了凯恩斯的真知灼见，即市场整体的流动性可能只是昙花一现：

> 正统金融的格言中，没有哪一条比**流动性崇拜**更反社会的了。这一说法的意思是，投资机构应该将资源集中于持有"流动性好"的证券。**这一说法忘记了对于整体社会而言是没有什么投资流动性这种东西的。**娴熟投资的社会目标应该是击败时间和无知的黑暗力量，它们笼罩着我们的未

来。今天，正如美国人所言，最娴熟的投资私下里的实际目标是“提前行动”，战胜别人，将坏的、不断贬值的半克朗传给其他人。①

凯恩斯清楚，在复杂的市场中，流动性和估值取决于迅速变化的预期。“一些对未来收益没有实质影响的因素会导致观点的急速变化，而这会让建立在大量无知个体的群体心理学之上的传统估值发生变化，因为这种估值没有坚定的信念作支撑。”②对于个体而言，投资的“流动性”取决于对近期稳定性的信心，但预期的变化可以让市场流动性迅速消失。

2003～2006年的流动性过剩是源于市场信心呢，还是源于人们错误地相信卖给央行的选择权和最终贷款人确实存在并能将投资者从错误中拯救出来？换言之，只要市场认为（不管正确与否）中央银行会在音乐停止之时付账，那么流动性和杠杆化的抢椅子游戏就会继续下去。正如查尔斯·古德哈特③教授所指出的，在20世纪50年代，英国银行的流动性资产占银行总资产的30%，如今已经降为1%了。古德哈特教授犀利地问道：“当中央银行能够为银行提供流动性管理时，银行为什么要自己揽这差事呢？银行一直在让中央银行接受它们有流动性‘选择权’；它们事实上是将流动性的负面风险丢给了中央银行。”

流动性的含糊定义也是目前混乱的部分原因。不管在概念层面还是操作层面上，定义流动性都是困难的。事实上有两类流动性——资产流动性（即在没有损失的前提下顺利卖出某项资产的能力）和融资流动性（即无需支付额外利息而能顺利借到资金的能力）。这两类流动性都有赖市场的情绪，因为当市场剧烈波动时，买家或借款人可能不愿意付款或贷款。更糟的是，在货币经济学中，“流动性”指的是高能货币。

不管怎样定义，流动性都是同资产评估、杠杆化和风险不可分离的一个属性。瑞银集团前风险管理经理、参加过交易对手风险防范小组第一次会议的罗伯特·迦莫尔洛克（Robert Gumerlock）在其2000年出版的专著中深刻地指出，价格、评估、资本和杠杆都是相对且互相联系的，都要视环境和时机而定。在危机中，当市场价格剧烈波动时，公允价值是多少？通常的定义是，公允价值是买卖双方在正常情况下愿意成交的价格。在一般情况下，资产流

---

① 文中黑体字为作者标注的。

② Keynes (1942) [1936年初版]，第154页。

③ Goodhart (2007)。

动性或价格是由愿意成交的一方和中立的一方共同达成的。另一方面，在危机事件中，价格和流动性是由绝望的一方同不情愿的一方达成的。这样，将公允价值定义为“市场中间价”或“愿意成交的双方达成的价格”通常会高估真实的价值。

而且，从融资的角度来看，“金融工具流动性的一个衡量标准是，如果以这一工具作抵押，债权人愿意放贷的程度是多少。但是金融工具作为抵押品的价值同其当前的估值是密切相关的。当抵押品的估值同市场价格的联系越来越密切时，‘抵押’融资的稳定性就成了问题，尤其在危机发生的时候，因为一旦危机发生，市场价格要么无法获得，要么剧烈波动。”①结果，正如北岩银行事件所展示的，“在一个掠夺性的市场，强制性清盘事实上就意味着破产”。

那么，什么是公允价值呢？财务会计准则委员会（the Financial Accounting Standards Board）对公允价值的定义是“特定市场内的市场参与者在当下交易中为获得某项资产或偿付某项债务而接受或付出的估算价格”。然而在危机中，所有类型的估值都有问题。如果我们必须使用模型估值，且市场价格偏离了模型估值，那么哪一种估值更能代表公允价值呢？是根据市场价格的估值还是根据模型的估值？如果是后者，那么该使用哪种模型呢？

换言之，公允价值或模型价值能够和借款人的风险预测分开吗？因为即使我们使用最低的市场价格，借款人也有可能破产。迦莫尔洛克指出，如同价格取决于交易对手的不确定的行为一样，在危机发生时，流动性取决于市场参与者的行为，且非常容易消失，因为风险会变得不可测量。这话说得很对。

北岩银行事件之后，英国金融服务监管局发表了一份咨询报告，将流动性定义为“一种风险，即资产负债表上显示有偿付能力的公司在债务到期时没有足够的现金资源来偿付债务或在非常不利的条件下才能偿付债务”②。在操作层面，这一定义的问题在于，这家公司将维持两套流动性，一套是为了应付正常情况，一套则是为了应付“长尾事件”。在公司试图最大化资本效率的环境下，这两套流动性并不一定彼此协调。

问题的复杂性在于，商业银行应该是一线的流动性提供者，但商业银行过分依赖作为最终贷款人的中央银行，因此已经将其风险收益推至极限。为了维持流动性提供者的身份，商业银行需要更多的资本。在一个储蓄充沛的世界，银行却缺少流动性，因为它们不信任彼此的偿付能力。这真是一个奇

---

① Gumerlock (2000)。

② UK Financial Services Authority (2007)。

怪的情境。

迦莫尔洛克和其他经验丰富的风险管理者观察到两类市场条件。在正常的市场条件下，任何市场属性（如价格、波动性、风险或流动性）的一阶近似值是稳定的，因此相对容易识别并可以测量。然而，在极端的市场条件下，风险、流动性和杠杆率彼此有非常高的关联度，因此既不稳定也无法测量（至少不能用当前的模型来测量）。换句话说，在正常的市场条件下，我们可以区分信用风险、市场风险和流动性风险，并使用统计工具对这些风险进行测量和对冲。然而，在极端的市场条件下，这些风险变得不可区分、不可测量，因此唯一的选项就是不计代价地撤出，让落后者遭殃。

简而言之，金融工程建造的市场犹如沙滩城堡或庞氏骗局。只有在价格不断上涨或有新的投资者将流动性带到市场时，一切才得以维系。一旦情绪转变，系统就会崩溃。为了解此点，我们需要回到凯恩斯的另一名弟子海曼·明斯基（Hyman Minsky）那里。

明斯基金融不稳定性假设："稳定带来不稳定"

明斯基的金融不稳定性假设认为，在经济繁荣时期，金融结构将从强健变得脆弱。这一假设是建立在债务融资的盈利性上的，给定的条件是强健的金融结构中利率的期限和风险等级结构，以及当投机性和庞氏融资单位被迫"卖出头寸以获得头寸"①时资产价值崩溃的方式。

换言之，风险价值、流动性和价格的长期稳定会引诱市场参与者使用越来越高的杠杆率，直到系统变得毫无稳定性可言。

对于以经济物理学家的最新作品和金融市场模型为准绳的经济学家而言②，金融市场不是稳定的、回复均衡的系统，而是一个动态的、变化的、不断调整的生态系统，有着周期性的不稳定。道恩·法莫尔（J. Doyne Farmer）就金融市场的动原基础模型所做的开拓性研究表明，明斯基的名言"稳定带来不稳定"可能是正确的。法莫尔的市场模型考察了四种类型的动原，即价值投资者、技术型交易者、流动性交易者和做市商，并使用了传统经济假设（如随机漫步行为）③。法莫尔在相当长的时间内重复了以动原为基础的行为，发

① Minsky (1992)。

② Beinhocker (2006)。

③ Farmer (2001)。

现最初的市场行为正如传统经济学所预测的那样：价格趋同，询价和报价的差距缩小。

在某个时间点上，当市场变得非常稳定时，交易者开始不断加大交易量和赌注，“市场看上去好像在迅速接近完美效率。但是接下来，波动性突然爆炸，价格开始变得混乱。事情是这样的：随着技术型交易者变得更有钱，他们的交易变得更大，而交易量的变动开始对价格产生影响。这些变动为其他的技术型交易者提供了机会，他们试图从同行创造的模式中套利——当技术型交易员结束从季节性交易者那里获取午餐后，他们就开始彼此争食了！”①

法莫尔的结论似乎可以说明 2004～2005 年后全球市场的经历：全球信用风险和债券/股票利差缩小，波动性下降。世界各国的中央银行官员和监管者将此归因于利差风险领域的金融创新，但他们忘了随着量化交易员开始利用杠杆加大赌注，风险事实上是在不断累积的。

康达尼(Khandani)和罗(Lo)最近研究了集合量化交易行为的影响②。他们研究了 2007 年 8 月 6 日那一周发生的事情。那时大量的量化多/空股权对冲基金出现了前所未有的损失。他们认为损失是由一个或多个大型组合投资产品的快速平仓造成的，而这造成了越来越大的市场变动。这表明对冲基金行业的系统性风险可能在近些年增大了。这表明量化交易在互相强化并

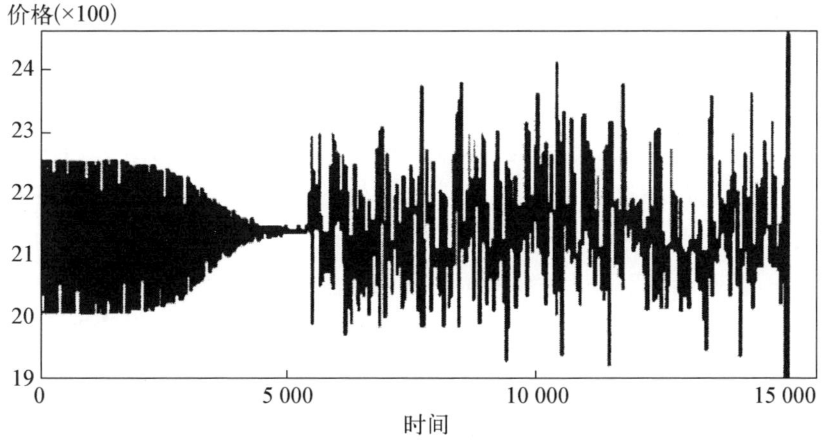

图 13.3 金融市场模型：以代理为基础的行为

资料来源：Farmer(2001)

---

① Beinhocker (2006)，第 397 页。

② Khandani & Lo (2007)。

不断加大交易量之后，可能产生了容易波动的交易并造成了系统性影响。这符合法莫尔和明斯基假设预测的市场模式，即（长时期的）稳定会带来不稳定。

市场是如何躲过这些风险的？

然而，在 1999 年到 2007 年间，金融衍生品市场继续以几何级数增长，尤其是信用风险转移工具（主要是 CDS）的出现。在 CDS 市场上，投资者在丝毫不了解真实信用风险的情况下，可以对债务违约的几率进行赌博，或者说保护自己免遭违约风险。CDS 买家向卖家支付年费，得到在违约时将获得补偿的保证。已发行的 CDS 合约的名义价值可能远远大于对应的债务合约的价值。

CDS 市场的支持者[如此类产品合约的发行者国际掉期和衍生品协会（International Swaps and Derivatives Association，ISDA）]认为，CDS 市场能够为信用风险定价并转移给长期持有者。对这一金融衍生品持批评意见的人认为，CDS 市场鼓励贷款人放松信用规则和审慎核实原则，因为 CDS 让他们觉得受到了保护。批评者还认为 CDS 市场不规范，掩盖了真实的信用风险水平。

2003 年，国际清算银行支付和清算系统委员会资助了一项有关信用风险转移的研究，并指出了一些问题，如透明度、集合信息的缺乏、评级机构的角色、多元化和集中化、合约设计、风险管理、会计及监管方式等。

报告出台以后，金融稳定论坛要求银行、证券和保险监管者的联合论坛研究信用风险转移问题。2005 年 3 月，联合论坛发表了一份有关信用风险转移的报告，认为虽然这对市场效率是有好处的，但公司和监管机构在风险管理领域需要处理一些紧迫的问题。报告告诫市场参与者要理解风险的复杂属性，“不能仅仅依靠风险评级机构的评级。”①

作为对市场需求反应的一部分，2005 年 7 月，交易对手风险防范小组第二次会议发表了一份题为“通往更高的金融稳定性：私有部门的视角”的报告，目的是审视私有部门为促进全球金融稳定能够采取的额外步骤②。报告认为，1999 年以后，金融衍生品市场富有弹性地吸收了几项压力，如互联网泡沫、温和衰退、9·11 事件、两次战争和公司丑闻的集中爆发。报告富有预见

① Joint Forum(2005)。
② CRMPG II (2005)。

性地认为，罕见的金融风暴会对金融系统和实体经济造成巨大破坏，且风暴的速度和复杂性让人忧虑。报告对“完美风暴”表示了担心，并列举了脆弱性的十个基本和潜在领域。如能对此有深入了解，人们将可以更好地预测金融风暴，并减少金融风暴的严重性。这些领域是：

- “第一，信用风险，尤其是交易对手信用风险，在确定金融**波动**是否会及将以怎样的速度演化为具有潜在系统特征的金融**震荡**方面是最重要的变量”；
- “第二，市场流动性的消失在确定金融波动是否会及将以怎样的速度演化为具有潜在系统特征的金融震荡方面是第二重要的变量”；
- 第三，复杂金融工具，尤其是蕴含杠杆的工具，可以在“几个小时或几天的时间里”快速变化。“在投资者行为受‘追求收益’现象影响的环境里，快速变动的价格的风险对高度复杂工具来说有着特殊意义”；
- 第四，在对多种类型的金融工具进行估值时过分依靠复杂的专用模型。这些工具的价值即使在正常情况下也很难确定。因此，“许多金融机构广泛使用类似的分析工具来模拟外部事件可能导致的价格变化，这一事实凸显了在拥挤交易发生时价格快速变动的风险。因此，估值的最终权威必须是完全独立于产生收入的业务之外的部门”；
- 第五，“大多数以统计数字为基础的模型和风险衡量标准（如风险价值VaR）都没有考虑所谓的‘长尾事件’”。“因此，它们的用途必须有大量补充性的风险管理技巧（如压力测试和考虑到市场流动性的混合风险价值）作为补充”；
- 第六，“金融‘基础设施’所有元素（如支付、清算、净值交易和清仓销售系统）的完整性和可靠性以及后台系统的顺利运行（尤其在困难时期）是关键的风险减缓因素，必须得到相应的管理和资金”；
- 第七，“很多金融机构，如银行、投资银行和对冲基金，有大量的即使在正常市场条件下也缺少流动性的资产投资”；
- 第八，金融机构全面风险和同控制相关功能的成本效益分析的健全，其重要性在于“如果有效的端到端风险管理的运营成本高到无法承受，合理的结论可能是风险太高了——这一结论只能由最高管理层作出”；
- 第九，今后，陷入困境但仍在正常运转的公司和国家的调整过程可能更艰难，因为主要债权人越来越多地使用信用违约掉期市场来处理他们的信用风险，而且他们对重组结果在财务方面的兴趣没有过去那样大；

- 第十，金融波动甚至金融震荡在未来肯定会发生，因为风险管理或官方监管方式都不可能是万无一失的。因此，有必要维持和强化制度性安排，因为在危机爆发时，凭借制度性安排，行业集团和行业领袖以及监管者可以并肩合作，致力于金融稳定的共同目标。

最后，报告总结道："官方的监督不能代替金融机构的有效管理；后者是且应该是私有部门的职能。但是这里也存在一个难题，即在一个高度竞争的市场里，机构很难坚守最佳实践，更不要说在市场繁荣时当旁观者。"

不幸的是，几乎所有被识别出来的脆弱性在 2007～2008 年都成为现实了。警告来得太晚了，无法阻止当前的全球金融危机。2008 年 12 月，艾伦·格林斯潘毫不讳言地说："全球金融调节已经崩溃。"①

我们现在需要探讨的问题是，尽管风险管理在理论和实践上都取得了进步，但传统的风险管理为何不管用了。

风险管理危机

我们在前面已经讲过，整个金融工程世界的基础是风险管理作为科学横空出世。当今最敏锐的风险管理观察家阿维纳什·博沙德（Avinash Persaud）教授②一针见血地指出，不少用于衡量和控制风险的马科维兹模型（如风险价值模型）都有个简单的假设，当一个人在市场中卖出或买入时，他是唯一一个这么做的人。事实上，当大家都有同样的信息或同样的模型时，一个人的买卖都是和群体一道进行的。换言之，**"这些模型远未分散风险，而是集中了风险"。**

此外，市场认为风险可以转移到长期持有者手中，如持有证券化债务的养老基金和保险基金。不幸的是，对冲基金和短期交易者都不是风险吸收者，而是风险交易者，它们持有大量的 ABS 债券。养老基金和保险基金也是与时俱进的，也开始使用带有对冲工具的量化投资模型，其交易眼光同样越来越短浅。这样，价格波动一旦出现加剧的趋势，所有人都开始出售"糟糕的半克朗 ABS"以止损，而这种一致的行为导致拥挤交易、更剧烈的波动和恶化

---

① Greenspan (2008b)。

② Persaud (2007)。阿维纳什·博沙德现任美国智力资本公司（Intelligence Capital Ltd.）董事长。2008 年 12 月起任联合国国际金融改革专家委员会委员。2007 年起任美国格雷沙姆学院终身教授。1999～2003 年间曾任世界上最大机构投资者"国家街银行"（State Street Bank）全球研究中心主任和总经理。著有《国际金融》《中央银行和金融监管》等。——译注

的市场流动性。

博沙德还指出："风险性**不仅是投资工具的特征，也是投资者的特征。**"如今的风险管理模型更多地预测投资工具的风险，但却忽略了投资者的风险。

在国际金融学会对当下危机所作的报告中，指出了时下风险管理的上述缺点以及改进建议①。报告坚定地认为，每家公司都应该清楚，高层管理者尤其是首席执行官，要对风险管理负责；董事会在风险管理中有着极为重要的监督作用；应发展涵盖公司各类行为的风险文化。针对风险模型和工具，报告建议，在一个价格波动可能空前剧烈的市场环境中，公司应该：

- 确保风险管理不仅仅依靠单一的风险管理方法，并在集合基础上分析群体风险；
- 确保风险喜好程度有合适的衡量标准；
- 将风险衡量标准、模型和技术（如风险价值）等因素考虑进去；
- 确保公司采用合适的治理结构，并能够管理日常的行为。

一位匿名的风险管理者在2008年8月号的《经济学家》(*Economist*)上发表了一份自白书，这可能是对风险管理之所以失败的最好的分析②。他承认"风险没有凭空发生的；如果你观察正确，总能看到风险的线索和预警信号"。在风险被分类的CDO领域，人们错误地以为只有那些非投资级的CDO才有风险，然而当CDO市场崩盘时，即使AAA评级的债券同样轰然倒塌。他们"做了两个让自己损失惨重的假设。首先，我们认为所有按最新行情交易的头寸都会在损失发生时立即得到关注，因为这些头寸的利润是每天公布的。其次，我们认为如果市场遇到了麻烦，我们可以很容易地调整并清理头寸，尤其是那些获得AAA和AA评级的证券"③。这两个假设都被证明是错误的。他们还错误地相信了评级机构。

按理说，银行家出于对自身利益的考虑，应该对风险进行管理。正如上面这位匿名的风险管理者所承认的，风险管理者在批准交易进行时，面临着巨大的压力，因为在巨额奖金的驱使下，企业倾向于鼓励那些冒风险的人。在利润的驱使下，银行建立的投资组合从资产栏看起来是安全的，但其负债结构在流动性消失时就不能维持了。美国国际集团副董事长雅各·弗兰克尔(Jacob Frankel)曾风趣地说道："在资产负债表右侧的栏目里，没有什么看

---

① IIF (2008b)。

② *Economist* (2008b)，第72～73页。

③ 同上，第73页。

起来是对的，在资产负债表左侧的栏目里，什么都没有剩下。”①

曾在高盛和摩根士丹利任职的乔纳森·倪（Jonathan Knee）曾以内部人的身份对投资银行家的行为进行曝光。在阅读过他的文章之后，我才对贪婪的深度有了充分的理解。他问了一个深刻的问题：“是贪婪的客户让银行家变得贪婪，还是贪婪的银行家让客户变得贪婪？”②银行家应该是品格高尚、值得信任并承担起信托责任的巨人，应该坚决维护自己的专业水准，有独立的见解和决断能力。在垃圾债券和冷酷无情的公司蓄意收购者充斥的 20 世纪 80 年代之后，华尔街银行家在众人眼中已经堕落成了好莱坞电影《华尔街》中油嘴滑舌、肆无忌惮的银行家戈顿·盖科（Gordon Gecko）这一形象——此人为了赚钱可谓不择手段。即使严格的萨班斯法案（Sarbanes-Oxley Act）也难以阻止银行业的价值观变质。

一位极为客观的资深瑞士银行家私下里为我提供了答案。他说，金融工程的现实情况是，投资者希望投资银行家每个季度都能有更好的业绩，因此投资银行家只能不断设计新的产品以提前实现利润。如果市场坚持让金融机构不断提高资本回报率，且巨额奖金也有赖于此，那么投资银行家为满足市场需求而走捷径、使出规则允许范围内的全部伎俩、提高杠杆率、对风险管理者的警告置若罔闻，也就不足为奇了。投资银行家的营利性立场难道不是在利用巨大的利益冲突吗？最终，他们甚至在过山车前面捡小钱。

在名利的篝火里，投资银行家挖空心思地追逐利润，最终却烧掉了自己的名誉。

在接下来的一章里，我们将讨论当前的监管结构是如何导致危机的。

---

① 这段话的原文是：“on the right hand side of the balance sheet, nothing looked right, and on the left hand side of the balance sheet, nothing was left.”英语“right”既有“右侧”的意思，也有“正确”的意思；同样，“left”既有“左侧”的意思，也可以表示“剩下”。这两个词都是一语双关，但译文无法完全传达出这一意思。——译注

② Knee (2006)。

第十四章

金融监管出了什么问题?

"简单说来,尽管有天才的参与者,尽管回报丰厚,但是熠熠生辉的新金融系统还是没能经受住市场的考验。"

——保罗·沃尔克(Paul Volcker)①

"金融业一直抱怨监管者对他们的责任了解不充分。监管者也一直抱怨金融机构的高层管理者对他们的责任可能了解不充分。"

——马蒂恩·霍珀(Martyn Hopper)

在这场危机中,金融监管扮演了什么角色?

我先说说我认为显而易见的事:在今天的民主环境里,人们期待政府保护他们的储蓄,因此零监管是不可能的。《金融时报》专栏作家马丁·沃尔夫的观察十分敏锐:"政府觉得,必须保护公众不受来自银行的危险,也必须保护银行不受来自自身的危险。金融太重要了,绝不能交给市场。"②

但是金融监管还不是一门科学,尽管号称科学的经济学已经对金融监管进行了大量的解释。20世纪80年代中期,我在最初处理马来西亚储蓄合作社问题时,唯一能找到的对处理银行挤兑有实用价值的书是沃尔特·白芝浩的《伦巴第街》。即使在今天,有关金融监管的书也是寥寥

---

① 保罗·沃尔克(1927～),美国经济学家。曾在卡特政府和里根政府时期担任美国联邦储备银行主席,在美国和世界经济领域有广泛影响力。——译注

② Wolf (2008)。

无几[①]，而且大学里也没有这门课。金融监管主要是从工作实践中学到的。尽管现在有越来越多的关于泡沫和危机的书，但这些书中常见的主题就是“引发”危机的金融监管的缺乏。

然而，如果金融监管者希望对市场进行监管，那么他们至少要了解市场这头野兽的性质，同时也必须了解他们自己。正如中国的兵法大师孙子所言：“知己知彼，百战不殆。”[②]

监管的传统定义[③]是政府为使私有机构的行为符合“公众利益”而采取的行为。由于笔者是一位试图解释危机的亚洲金融监管者，因此读者可能更容易接受我对这一概念的理解：

> 市场是一个由个人和社会行为塑造的社会机制。群体的疯狂会不时主导市场。金融监管是必需的，因为规则的执行会改变对整体社会有害的行为。正如社会变革是一个过程一样，金融监管行为也是一个过程。为使监管有效，你必须理解市场，同时也要了解你不知道的，尤其是你自己。监管者/政策制定者和市场的行为都是内省的。

上面的说法同普遍看法有什么不同吗？在中国工作并了解了中国人对于治理和监管的思想后，我意识到了一个在方法上的根本性差异。西方的思想是理论上的，试图在复杂中寻求简单。这是最有用的，但如果理论错了，就会造成巨大的政策性失误。亚洲的思想视复杂为理所当然，且意识到有很多东西是未知或者说不可知的，因此，亚洲的思想是一个不断向前的搜寻和试验的过程。但这种内在的谨慎不足以应对环境的改变。本章试图总结出监管过程的实用性指导原则。但是首先，我们要简单谈谈传统智慧。

金融稳定的三根支柱

国际清算银行前经济顾问威廉·怀特（William White）曾深刻地指出：“目前为止，对危机的预防都是采用自下而上的方式，即试图找到构成国际金融系统的三根主要支柱的弱点：金融机构、市场和支持性基础设施。”[④]1933

---

① 读者如欲对监管有清楚了解，可参阅 Davies & Green (2008)和 Barth, Caprio & Levine (2006)。

② Ames (2000)。

③ 张夏准 (2003)。

④ White (2008)。

年实施的格拉斯-斯蒂格尔法案使商业银行业从证券业中分离出来，其后形成了以机构为基础的监管方式。上述方法就是这种监管方式的产物。问题是尽管金融业发生了深刻的变化，全球范围内的监管结构依然是以机构为基础的。这一监管结构的思维方式是医生式的，而不是公共卫生专家式的——只要个人的健康良好，公共卫生就没有问题，而没有考虑到病毒攻击可以让整个人类消失的可能性。我们必须从彼此相关的网络视角审视危机的传播。

亚洲危机的灰烬让国际货币基金组织和世界银行认识到金融稳定是有多重维度的，于是这两个组织从1999年开始为其成员国实施金融部门评估计划。金融部门评估计划[①]是布雷顿森林组织、国际清算银行、国际标准制定机构和各国政府紧密合作的产物。在大约十年之后，国际货币基金组织和世界银行近三分之二的成员国已经完成或申请了金融部门评估计划。值得注意的是，处于危机中心的美国没有实施金融部门评估计划。

金融部门评估计划实施的前提是，“20世纪90年代的金融危机凸显了宏观经济发展和金融系统健康之间联系的重要性。事实上，孱弱的金融机构、不充分的银行监管和缺少透明度是危机的核心问题。”金融部门评估计划手册将金融稳定定义为：

> (a) 能够防止大量金融机构资不抵债和破产的环境；以及
> (b) 能够避免主要金融服务发生混乱的条件。这些金融服务包括储户的存款、投资者的贷款和证券、储户和投资者的流动性和支付服务、风险多元化和保险服务、对资金使用者的监督以及对非金融公司治理结构的塑造。

在上述基础上，布雷顿森林组织总结出金融稳定性包括三大支柱：

支柱一 ——政府的宏观审慎监督和金融稳定性分析，监控宏观经济和制度性因素（国内和国外）对金融系统健康性（风险和脆弱性）和稳定性的潜在影响。

支柱二 ——金融系统的监管帮助管理风险和脆弱性、保护市场完整性、激励有力的风险管理和良好的金融机构治理。

支柱三 ——金融系统基础设施：

- 金融的法律基础设施，包括偿付机制、债权人权利及金

---

① www.imf.org/external/np/fsap/fsap.asp。

融安全网；

- 系统的流动性基础设施，包括货币和外汇操作；支付和证券结算系统；货币、外汇和证券市场的微观结构；
- 透明度、治理和信息基础设施，包括货币和金融政策透明度、公司治理、会计和审计框架、信息披露机制、金融和非金融公司的市场监督机制及信用报告系统。

这三个支柱都在机构、国家和全球层面上支撑着金融稳定性。金融部门评估计划将考察这三个支柱的弱点，并对成员国如何克服弱点提出建议。这里暗含的假设就是，布雷顿森林组织对各国金融系统的有效监督，加上金融政策的协调和全球范围内的趋同，可以最大程度地减少风险，包括金融系统波动外溢到邻国的风险，从而促进金融系统的有序发展①。

在上述对金融稳定的普遍看法背后，设计概念看起来是很完整的，但实际的操作却十分混乱。金融部门评估计划这一模式隐含的信念是，只要市场和基础设施是完整的，政策就是理性、合适的，每个人都会遵守国际标准和规则，金融稳定性就会维持下去。生活要是如此简单就好了。

事实上，世界上没有完美的政策、完美的制度结构和完美的监管执行。然而，在这些不完美之外，我们也不得不注意到，这三大支柱中任何一个的弱点都能够而且肯定会导致金融动荡。

如果想了解当前的监管结构和过程为何不能防止当前的全球危机，我们需要回到基本事实，从了解金融监管的目的开始。金融监管的目的源自社会政策的基本目的——公平、公正地保护产权，最大程度地减少交易成本（包括监管成本），保持高水平的透明度，以使社会成员能够照顾自身的利益。

G30 最近发表了关于金融监管结构的一份研究报告②，列出了金融监管的目标："(1) 金融机构的安全和健康；(2) 系统性风险的减缓；(3) 市场的公平和效率；(4) 对消费者和投资者的保护。"实现这一切的前提是"通过提升效率和成本效益比，最大程度地减轻监管负担"。报告列举了金融监管的四种基本模式：(1) 机构模式；(2) 功能模式；(3) 整合模式；(4) 双峰模式。第一种模式通过法定单位对机构进行监管。第二种模式对个体机构的功能进行监管。第三种模式由超级监管者执行，监管的范围既包括法律单位也包括功能。第四种模式将审慎监管者和行为监管者区分开来，而后者主要依靠信息披露和市场行为。

---

① IMF FSAP 手册(2005)。

② G30(2008)，第 22 页。

正如报告所承认的，对各个国家来说，没有一个“普遍适用”的最佳模式。大部分市场（包括美国）采用的都是机构监管模式，少部分市场则正在向其他三种模式靠拢。机构模式仍然是最主要的模式，原因在于目前的法律没有随着市场变化而变化，仍然对机构和监管起着限定作用。整合模式指的是英国的超级监管者——金融监管局，而将监管分为审慎功能和引导或披露功能的双峰模式，以澳大利亚和荷兰的监管系统最有代表性。在双峰模式下，审慎监管者（主要是银行监管机构）依照法律负责金融机构的偿付能力、流动性和治理，而行为或披露监管者（通常是证券监管机构）负责市场参与者的信息披露和市场行为，重点是投资者保护和对市场中不法行为的处理。在很多国家，这些模式已经趋于融合了，而且它们之间的区别并不是绝对的，只有程度上的差异。

现实的情况是，目前的机构模式已经不能适应金融行业业务模式的变化了。此外，对于大多数新兴市场而言，其他三种模式是否适用也很难讲，因为上一章中描述的发达市场目前采用的“发起-分散”式批发银行模式也有着重大缺陷。

我们需要对金融监管进行一次彻底的总结，因为尽管在亚洲危机和互联网危机之后金融监管有了重大变革，但还是发生了当前的金融危机。在过去的十年中，金融监管结构、程序和会计标准，甚至在全球范围内协调金融稳定问题的机制——金融稳定论坛——都作了全面大修。各国央行和国际货币基金组织定期发布金融稳定性报告以警示风险。亚洲危机和互联网危机中暴露出来的弱点似乎都得到了解决，比如透明度和信息披露的缺乏，模糊的监管标准，糟糕的公司治理，审计员和评级机构缺乏独立性，等等。

此外，没有人能够把监管不足当作借口。在安然和帕玛拉特（Parmalat）① 于 2001～2002 年间倒闭后，全球范围内的监管资源都得到了强化。在美国，乔治梅森大学（George Mason University）所作的研究估计，在 2002 年到 2005 年间用于监管的开支实际增长了 31.6%，在 1998 年到 2001 年间增长了 21.1%。1999 年之后，欧洲成立了证券监管者联合会（Council of Securities Regulators），强化了协调金融监管的内部结构。很多国家都成立了独立的金融监管机构。各国都对会计和审计行业以及全球会计标准进行了改革，采用了公允价值，并对国际会计准则和美国会计标准进行了折中。巴塞尔资本协议作了第二次修订。

---

① 帕玛拉特事件：帕玛拉特是意大利一家跨国食品集团，由于长期伪造会计记录，以虚增资产的手法弥补巨额债务，2003 年 12 月 27 日被迫宣布破产，成为欧洲一大金融丑闻。——译注

也许重要的不是找出谁是罪魁祸首，而是哪里出了问题。没有人比美国财政部长汉克·保尔森[①]更懂得事情的紧迫性了。2008 年 9 月，他敦促国会通过 7 000 亿美元的救援计划："我们可以花大量的时间讨论危机是如何发生的，我们是如何走到今天这步田地的。但是我们必须首先度过黑夜。"

2008 年 5 月，在努里埃尔·鲁比尼[②]发表了一份分析报告后，马丁·沃尔夫呼吁实行监管七项原则[③]，即覆盖面、缓冲、承诺、周期性、清晰性、复杂性和补偿。他还增加了一条，即约翰·梅纳德·凯恩斯的评论：如果市场的行为像赌场那样，那么资本是得不到有效利用的。然而在 2007～2008 年，市场的确像一个赌场。

问题出在哪里？

虽然我们将在下一章详细讨论当前这场危机是如何发生的，但是针对问题出在哪里，监管界和学术界已经有了共识：

- 第一，全球流动性过剩导致了风险的价格误设和"对收益的追求"；
- 第二，由低利率、宽松信贷和信贷审核不严格导致的房地产泡沫；
- 第三，住宅按揭的证券化，即带有保险和 AAA 评级并有 CDS 作对冲的复杂的 CDO 产品；
- 第四，明显超出银行管理层、投资者和金融监管机构理解能力的金融衍生品的复杂性和彼此相关性；
- 第五，会计和监管标准允许此类金融衍生品从资产负债表中移出，从而掩盖了机构真实的杠杆率；
- 第六，金融机构过度依赖批发融资及最终的央行支持，因此流动性不足；
- 第七，支离的监管结构导致监管漏洞、惰性和套利活动，而这些都弱化了金融业的监管；
- 第八，监管受到制约和中央银行选择权内在的道德风险弱化了系统内的监管和市场规则；
- 第九，鼓励短期风险投机的薪酬机制；
- 第十，过分依赖信用评级机构（它们为结构性风险产品打上 AAA 标

① Paulson (2008)。
② Roubini (2008)。
③ Wolf (2008)。

签，事后看起来，这是没有根据的）；

- 第十一，需要采取反周期行动，如预防性监管和动态预防措施，目的是防止金融机构采取高风险的顺周期行为。

我同意这些观点，尤其是反周期行动和动态预防措施的必要性。当金融监管机构高调采取强硬措施并对不审慎的行为提出警告时，市场参与者是会注意的。如果没有警察积极主动地巡逻，骗子们就会大行其道，这是毫不奇怪的。

化复杂为简单

在我们开始讨论上述这些问题之前，需要先解决复杂性和透明度的问题。2008 年 4 月，交易对手风险防范小组①再度召集会议以解决当前的危机。8 月，该小组在其第三份报告中就现代衍生品市场的复杂性进行了评论：

> 不用说，复杂性因素是一个问题，因为它关系到各国监管机构履行其职责的能力。这里关键的问题不是复杂性本身，而是复杂性自我强化的程度，因为复杂性的自我强化可能产生或强化带有系统性影响的风险传播的“热点”。因此，我们必须找到管理和减缓同复杂性相关的风险的更好办法；这个问题将一直对我们中间最优秀、最聪明的人构成挑战。

我们应该承认，不断增长的复杂性是所有知识社会在发展中都会遇到的。人类一直在苦苦寻求对外部世界的了解，社会因此在发展。两千多年以前，中国秦朝的法家商鞅已经建议法律必须明确、易懂且定义准确，这样，即使普通人也能理解法律，而官员才能执行法律。商鞅还认为法律及其执行必须随时代的改变而改变。

在今天的环境下，金融监管机构一直试图将复杂的、以规则为基础的监管简化为以原则为基础的监管。鉴于资源的缺乏和对成本效益的关注，金融监管机构已经从以目标为基础的监管转化为以风险为基础的监管，但问题还是越来越复杂。

比如说，英国在 2000 年颁布的只有 321 页的《金融服务和市场法案》简洁、优雅地表述了这些目标和原则。相比之下，香港 2003 年颁布的《证券和期

---

① CRMPG III (2008)导论，第 4 页。

货法案》更倾向于以规则为基础，而且页数比英国《金融服务和市场法案》多三倍。然而，因为金融业希望法案更清楚、更详细以避免受到制裁，金融监管局在网上发布了一份《手册》[①]作为《金融服务和市场法案》的补充。这份手册包括 1 张词汇表，7 条高级标准，11 条审慎标准，9 条业务标准，5 个监管程序，9 部专家原始资料，8 篇《手册》导读和 6 篇监管指南。这和证券交易委员会的规章制度很类似。即使像我这样有经验的监管者在阅读和理解这些详细的规则时也感到有困难。

对于不断增长的复杂性没有简单的答案，因为我们面对的是一个不断演化的多层面的金融衍生品世界，在这个世界里，即使最优秀的实践者都有着理解上的困难，更不要说掌握了。

本诺瓦·曼德博罗(Benoit Mandelbrot)[②]的学生知道，世界本来就是复杂的，但理论太简单了，因此解释力不够。正如曼德博罗所说："一切事物隐含的假设是：如果你知道了原因，你就可以预测到事件并管理风险。"[③]换句话说，只要我们改进我们的知识，用速度更快的电脑来更精确地管理更多的信息并使用更先进的统计技术和模型，我们就能够管理风险。但事实果真如此吗?

透明度是必要条件但非充分条件

1997～1998 年亚洲危机带来的好处之一是对公司、金融机构和政府透明度以及国际会计和披露标准改革的呼吁。对透明度的需要来自金融市场的一个主要缺陷——信息不对称。如果没有可靠的信息，很难对风险和回报作出合理的评估，也很难作出高明的投资决策或制定健全的政策。受不完善信息误导而制定的投资决策和政策可能导致前所未见的系统性金融震荡，并对金融稳定构成严重威胁。

信息不对称有三个层面：首先，能否得到合理判断的基础——信息；其次，出于风险管理目的对该信息进行分析的能力或技术；最后，在不确定的情况下作出艰难决定的意愿。传统的风险管理集中于前两个层面，人们也做了

---

① www.fsa.gov.uk。

② 本诺瓦·曼德博罗(1924～)，法国数学家，生于波兰。因提出分形几何的概念而闻名于世，现居美国，为耶鲁大学斯特林终身教授。——译注

③ Mandelbrot & Hudson，2008。

大量的工作以改进会计和信息披露标准，并学习现代风险管理技巧。但第三个层面是需要经验和智慧的，因为如何在复杂、不明朗和不确定的情况下做决策与其说是一门科学，不如说是一门艺术。

不管是过去还是现在，我都赞成提高透明度[①]，而且我现在意识到我们在十年前改革的是信息的提供，其意义在于市场参与者的信息披露大大改进了。然而，我们都低估了对透明度的需求，即投资者（散户或专业人士）或监管机构对复杂产品和交易的理解程度。我们都患有选择性记忆症或选择性失忆症。我们只看到我们愿意看或听的。

人们曾天真地以为，如果所有的参与者都充分披露风险，那么市场就会很稳定。当前的危机否定了这一天真的假设。市场参与者错误地认为，他们凭借不完整的信息信以为真的东西，整个市场也会信以为真；这种谬误在亚洲危机和当前的危机中都颇为盛行。市场参与者行动的基础是不完整的信息，其集体行为类似羊群，结果就是市场的表现要么过头，要么不够。

因此，如果大部分市场参与者出于贪婪、无知或自负而不了解风险或故意漠视风险，那么对于市场稳定和确定性而言，充分的信息披露只是必要条件，而非充分条件。

举两个例子就能说明这一点。在亚洲危机中，日本前财务省次官神原英姿[②]等人指出，相关的信息，包括有效的汇率、私有部门的短期外债、经常账户余额以及银行部门的资产负债表，在 1997 年之前大部分都是可以获得的。就当前的危机而言，威廉·怀特指出，在危机爆发前，国际清算银行在多个报告中列举了同信用风险转移工具相关的危险。“不幸的是，私有部门对列举出的风险不以为然，因此其行为也没有什么改变。”[③]

在理论的层面上，人们常常对市场行为做出可能大错特错的判断。在亚洲危机之前，亚洲的政策制定者及其布雷顿森林组织的顾问们认为，只要公共部门不出现巨额赤字和外债，对自身利益的考虑会约束私有部门举债。事实证明这一想法是错误的。在判断自身利益能够约束银行行为时，他们又犯了同样的错误。

第二个错误是认为对于统计上可以度量的事物，风险管理是有效的，但不确定性总是来自那些在统计学上可能并不重要的事件和新的因素。换言

---

① G22(1999)，“透明度与责任问题工作小组报告”，默文·金和沈联涛共同主持。

② Sakakibara (1999)。

③ White (2008)。

之，稀有事件可能产生严重的后果，而我们目前的系统无法应付此类“长尾效应”。曼德博罗和纳西姆·泰勒博（Nassim Taleb）①等人已经证明如今的风险管理模型是不管用的。

第三，最相关、最重要的信息，如房地产泡沫的规模和系统杠杆化的规模，理解的人不多，也很少有人去度量。至少，那些负责系统稳定性的人严重低估了泡沫破灭和杠杆反转对系统的冲击。

总之，亚洲金融系统从设计上就无法应对全球金融系统的网络效应。亚洲金融系统是在20世纪60年代设计的，目的是动员国内的储蓄以实现经济的高增长。人们没有意识到高增长的获得是伴随着高风险的。当然，亚洲的政策制定者们做梦也没有想到他们的金融系统要承受汇率或资本流动的巨大冲击。

诚如美国前国务卿唐纳德·拉姆斯菲尔德所言：“还有未知的未知。有一些事情我们不知道我们不知道。”②

亚洲的政策制定者并不认为未知的未知的风险是很严重的。因此，十年前，新兴的亚洲没有认真考虑如何在一国的基础上及各国彼此依赖的背景下，管理经济增长带来的风险。尤其重要的是，为了同相对强大的出口制造部门相匹配，亚洲各国需要一个强健的能够在经济内部有效分散风险的金融系统，但这一问题没有得到足够的重视。

也许目前以国为基础的金融系统是无法吸收全球金融市场的波动性的。用一个简单的工程学类比，同美国长期资本管理公司的模型一样，金融系统的设计考虑了4个标准差的冲击。然而，实际发生的冲击有15个标准差。那么，整个系统的崩溃就不足为奇了。

金融监管的机构模式

我们已经讨论了信息不对称的问题。但市场还有一个缺陷——委托-代理问题。既然金融监管机构是社会的代理人，那么为什么监管机构的结构、工具和程序不能防止金融危机呢？这是金融监管的核心问题。

首先，我们必须承认对于金融监管、改革、危机预防或危机解决来说，没有放之四海而皆准的方法，原因在于市场的发展程度不同，历史不同，市场参

---

① Taleb (2007)。
② Rumsfeld (2002)。

与者（包括监管机构和政策制定者）的经验和成熟程度也不同。

在对市场情况进行判断和预测后，我们至多能够给出一些笼统的原则和解决方案，毕竟全球市场如今越来越彼此相关。在本书序言中，我们已经说过，金融市场作为保护和促进知识产权交易的社会机构，有四个基本功能——资源配置、价格发现、风险管理和公司治理。因此，市场所有的问题都可以从功能失灵的地方开始查起。

但即使将市场简单地视作一个机构，我们也得承认政府在制定、执行规则以及维护知识产权基础设施（如立法和执法）方面扮演着关键角色。经常发生的情况是，市场失灵是由于政府未能执行规则或干预不当（包括糟糕或过时的规章制度）而扭曲了激励机制。因此，危机是多项市场失灵和监管失败互动的结果。这两者就好像连体婴儿一样，是分不开的。

因此，作为社会工具的监管是有其目的的。社会赋予监管机构保护社会权利的权力，但这种权力或权威既是好事，也是坏事。正如金融机构对其投资者和客户有信托责任一样，监管机构也可以说是委托人即社会整体的代理。监管机构面临的委托-代理问题同公司管理层是一样的。监管机构和公众的利益时常是不一致的。如何使二者的利益一致是监管政策的核心问题。

比如说，最近有人呼吁政府出台照顾市场的规则，并着重强调了金融业要达到规章制度的要求需要付出高昂的成本。照顾市场是指照顾金融业还是照顾投资者？如果监管机构照顾金融业，那么投资者的利益就要受到损害。当前的危机清楚表明，金融监管的额外成本同市场崩溃造成的损失相比较简直微乎其微。因此，我们对如何平衡利益应该有一个客观的看法。

危机和制度八元素

变化是一个过程。公元前 3 世纪的中国古书《礼记》认为学习和行动是一个循环往复的过程："博学之，审问之，慎思之，明辨之，笃行之。"这是完全正确的。在战国时期，儒家学者试图对战争、腐败和社会衰败的混乱形势进行解释。按照他们的理解，在这个越来越复杂、变化越来越快的世界，要达成一致的原则是不可能的。但我们至少可以针对社会变革有一个共同的探索、学习、行动和总结的过程。

为帮助读者更好地理解亚洲危机和当前危机中监管的角色，我将利用

MBA课程中首字母组合的工具，将政策和制度变化的过程总结为八个因素，并用SPISSPER这八个字母来表示。在本书导论的图A中，我们已经描述了八项制度因素。如果金融监管机构希望调整市场制度和他们自己以适应环境变化，他们要经历的过程就是：制定战略（Strategize），确定优先次序（Prioritize），激励（Incentivize），结构化（Structurize），标准化（Standardize），进程设计（Process design），执行（Execution）和总结（Review）。

我要指出的是，这八个因素并不是彼此排斥，而是互相依赖的。我们可以从这八个因素中的任何一个开始谈起，但我一般将战略作为第一个关键因素，因为在可靠信息的基础上对环境进行战略分析通常是诊断过程的第一步（表14.1）。马丁·沃尔夫则是从覆盖面开始谈起，意思是我们必须考察整个系统，监管网络必须覆盖金融活动的全部范围。

接下来，我将使用SPISSPER流程考察我认为目前监管体系中存在的问题。作为国际证监会组织技术委员会前主席和几乎将一生全部献给金融监管事业的人，我自己也不能说就没有这些缺点。我提出自己的见解是希望整个系统可以变得更好。

表14.1　金融监管的八步SPISSPER流程

SPISSPER流程	制度因素
制定战略	信　　息
确定优先次序	价 值 观
激　　励	激励手段
标 准 化	标　　准
结 构 化	结　　构
流程设计	流　　程
执　　行	产　　权
总　　结	多 维 度

资料来源：见“导论”

前两个因素，即**制定战略**和**确定优先次序**，指的是清楚了解价值、选项、限制因素和选择能够实现的现实目标。很多政策没能产生效果是因为政策没有**激励手段**、**结构**和**标准**。如果战略和选项能够派上用场的话，还必须有组织结构的支持，以及对成败至关重要的**流程**、**执行**和定期进行的**总结**。因此，在政策制定之前，必须先有战略分析。

战略分析——认清背景，明确目标

然而，我们在制定战略之前，必须先有可靠、及时和可以得到的信息，这样我们就可以将需要处理的问题置入背景之中。政策制定者不能认为制度环境是理所当然的，也不能低估现实世界中所有改革者和监管者都要面对的实际情况、既得利益、瓶颈和限制因素。

这就是我为什么喜欢将金融监管比作战争的原因。如果我们只想着正常情况，我们就没有为危机作好准备。在和平年代为战争作准备，在战争年代为不可预见的情况作准备①。军事战略家认为，地面情况是不断变化的，因此战略资源不能太分散。为了取得最佳效果，战略资源必须集中于既定目标。他们清楚记得，当西线静悄悄时，局势是最为危险的。同样，金融监管者必须要懂得，在快速上涨的市场中，低风险溢价和轻微的波动往往是危机的先兆。

这一类比还有另外一个用处。为取得胜利，军事指挥家必须让他的各个部队共同作战，而这恰恰是监管体制同样面临的问题，即银行、金融监管机构和财政部(也不排除其他政府部门)等部门需要同心协力防止和应对可能发生的金融危机。在香港的痛苦经历让我懂得了这样的道理：没有任何一个监管部门可以独自解决市场的问题。监管机构领导最重要的工作就是在组织内部平息争论，并和其他监管机构和政府部门密切合作以达到共同目的。很多时候，大家是为了争地盘和掩饰自己的过错而不是为了取得实际效果，从而浪费大量的感情和精力。很清楚，监管结构的支离是当前危机的核心问题。

然而，即使个体组织领导有方，我自己的经验是，在很多时候，危机在很大程度上仍源自组织结构的缺陷，而组织结构的缺陷同每个经济体内权力的政治经济、既得利益和价值观是密不可分的。让事情更为复杂的是风险的全球化以及国内参与者与世界其他地区参与者之间行为的互动和互相强化。世界已经变成了网络，一个角落的混乱可以传播到另外一个角落。

SPISSPER 流程的循环性和互相依赖性要求我们在制定战略以前对问题的规模或各个维度有一个准确的评估。如果站在 3 万英尺的高度对全局进行观察，对我们理解如何运用现有的资源应对问题将大有助益。很多时候，金

① 沈联涛(2008b)。

融监管机构每天应付的都是紧急但不重要的问题。如果我们要制定战略，客观地看待目前的监管系统和眼前问题的规模，那么有两个重要的事实会让我们感到意外。

第一，考虑到现代金融错综复杂的性质，支离的金融监管系统已经完全过时了。目前，150多个国家的监管机构在资源不足的情况下，很难弄清楚全球金融财团的所作所为。监管机构的结构不说是悲剧性的，起码也有些滑稽。全球最大的15家金融机构控制的资源超过大多数国家的GDP。所有的监管机构都有些像《格列佛游记》中试图捆住巨人的小矮人。当那些有高价律师和政治说客支持的大投资银行在复杂金融衍生品交易中试图绕开监管规定时，监管人很难有勇气问一些显而易见的问题，因为大家都担心这样做会显得自己很无知。

第二，尽管房地产泡沫在亚洲危机中扮演了关键角色，但是美国和欧洲的金融监管机构对于住房按揭引发的金融机构资产负债表杠杆化问题没有给予足够的重视。不动产通常是私人财产最大的组成部分，也是银行贷款的主要抵押品，因此欧美监管机构对此不够重视让人很惊讶。相对而言，没有几个国家的统计部门出于研究资产负债表的目的发布不动产价值的数据。最糟的是，尽管做了压力测试来研究当不动产价值下降时银行资产负债表会发生怎样的变化，但这些压力测试是不充分的。

亚洲危机和当前危机有一个主要的相似之处，就是二者都是资产负债表危机，即由于房地产泡沫的破裂，金融机构的净值受到了严重影响。泡沫破灭对资产负债表的影响是显而易见的。2007年，美国私有部门持有的不动产占美国GDP的225%。在日本，不动产价值占整个国民财富的一半左右。日本在泡沫经济破灭后，不动产价格下降了约60%，导致的财富损失据估计达500万亿日元，再考虑到日本银行面向私有部门的贷款是773万亿日元，占GDP的180%①，即使不是天才的人也能看出，房地产价格的下降将使银行损失惨重。

要想战略取得效果，一定要有清楚的战略目标。很多时候，金融监管机构的目标是彼此冲突的。一旦处理社会不公平（按道理这是其他政府部门的任务）也成为金融监管机构的责任，那么对金融稳定性的关注就会受到影响。因此，鉴于有限的资源和既定的目标，确定目标的优先次序以及挑选工具就是第二步应该做的。

---

① Ozeki (2008)。

在有限的资源条件下确定优先次序

在信息不对称和资源有限的情况下，所有的金融监管机构都只能在理性的限制下做出艰难的政策选择。显然，制度中蕴藏的价值观会对这些选择产生影响。比如说，奉行自由主义、相信“市场最懂”的监管者很容易忽略对执行监管规则至关重要的“相信但要核实”的审慎步骤。经历过当前危机的监管者则在监管方面更为严格，因为他们懂得监管不足的代价。

确定优先次序就是监管专家、哈佛教授马尔科姆·斯派罗(Malcolm Sparrow)所说的“选出重要的问题，解决这些问题，然后告诉大家”①。斯派罗认为，金融监管机构必须以结果为导向，重视结果而不是目标。目前流行的以风险为基础的监管使用复杂的工具来识别个体机构存在的风险，对风险进行评级，然后使用合适的监管资源。这种方法不能说不对，但监管者需要明白：(1) 他使用的信息可能是错的；(2) 被监管的公司可能不知道自己的风险；(3) 目前的风险模型都是有缺陷的；(4) 由于缺少培训或经验，监管机构也有盲点。因此，所有的监管机构都应该一直对市场中正在发生的事情、自己的所作所为以及可能的疏忽之处采取战略性的、完整的、高度客观的态度。

考虑到市场情况瞬息万变，以及市场总是贪婪地利用监管漏洞进行套利行为，所有的监管机构都应该将持续的战略制定和优先次序确定作为常备工具的一部分。监管是复杂的，涉及不同领域的知识，而且背景一直变化，因此对于监管者来说，没有什么理论是足够的。金融监管者必须不断地通过对话、检查和执行同市场保持接触，以了解和体验真实发生的事情。事实上，只要金融监管者愿意寻找，他可能成为唯一对市场信息全面了解的人。所以说，优先次序的确定是由价值观、承担意识和激励所决定的。

错误的激励

大多数金融监管者都低估了合适的市场激励的重要性。目前有关激励的辩论主要围绕两点——银行家的薪酬和道德风险。但还有第三点：如何协调让监管者履行职责的激励。

在当前的危机中，大家几乎达成了一致意见，认为银行家的薪酬设计有

① Sparrow (2000)。

问题，因为在当前的薪酬体制下，银行家倾向于以牺牲股东长期价值为代价冒短期风险。作为大型国际银行的代表，国际金融学会在应对最近的信贷危机时，承诺对这一难题进行检讨①。现在，很多大型银行已经被国有化了，银行家的报酬也下降了，有很多人建议延期发放薪酬和加强团队合作，从而将业绩挂钩于长期价值的创造。

这里的道理在于，那些同系统的稳定性利益攸关的人不会砸自己的饭碗。显然，如果售出的证券化按揭产品与银行家的利益无关，银行家是不会保证这些产品的质量的。在亚洲危机发生后，所有的借款人都明白了一个道理：如果你欠银行100万美元，你有麻烦了。但是如果你欠银行10亿美元，银行就有麻烦了。因此，致力于信用文化的建设同所有权和杠杆化是相关的。杠杆率越高，道德风险越大。

道德风险是杠杆的内在属性。保险业对道德风险下的一般定义是：契约的存在将对一方或多方行为造成影响的风险。但就显性或隐性的社会契约（如存款保险）来说，如果政府不能时常提醒公众，道德风险行为不会受到奖励，那么道德风险行为就可能发生，途径只有两种：针对糟糕的金融机构行为的监管行动，或者中央银行拒绝执行卖给央行的选择权（换句话说，就是援救那些认为央行总是会降低利率以维持股票或债券市场活跃的投资者）。

在亚洲危机中，大多数评论家都集中于银行存款隐性担保的道德风险问题上。人们认为，亚洲的借款人承担了巨大的损失并得到了银行家的宽容，因为银行系统是有政府做靠山的。当前的危机使我们明白了，政府最终不得不对所有金融工程师们的错误承担责任。

在保险契约中，隐藏行为（被保险人故意不披露风险或从保险中获益的行为）的存在导致了道德风险。如果保单持有人故意从隐藏行为中获益，保险公司可以宣布保单无效。然而，当社会的一部分决定将其损失社会化时，中央银行也好，社会也好，是无法避免道德风险的后果的。换句话说，当借款人资不抵债时，他会将损失传递给贷款人；当贷款人破产时，社会将承担余留的损失。因此，社会必须控制任何个人或组织的过度杠杆化。因为社会非常清楚，不管愿意与否，这些损失最终都要由国家承担。这就是金融监管的基本原理。不幸的是，目前的监管框架完全不得要领。因为高度复杂的衍生品交易缺乏透明度，市场参与者和监管机构都对杠杆率和道德风险不甚了了。

---

① IIF (2008)。

值得注意的是，导致市场参与者道德风险行为的风险是片面的，因为只要中央银行和监管机构没有**明确**表示不赞同何等行为，没有明确说不存在"卖给央行的选择权"，市场就会高兴地认为，任何事情都是允许的，提高杠杆率是没有问题的。换句话说，如果市场认为卖给央行的选择权是存在的（即使在中央银行和监管者脑中它是不存在的），道德风险就是真实存在的。因此，对道德风险的预防不是一次性的行为。

监管机构或中央银行必须通过监管行为不断地提醒市场，不负责任的金融机构或投资者将被制裁。我完全同意查尔斯·古德哈特的说法："当市场一派繁荣时是需要担心道德风险的。头等重要的事是走出当前的困境。在当前的形势下，担心道德风险有些像在伦敦大火后由于担心对未来行为产生负面影响而拒绝提供火灾保险"①。

我们接下来讨论监管机构自身激励的协调问题。金融监管机构的激励问题适用于所有的公务部门。如果公务员的薪水很低，承担风险得不到奖励，那么，人们总是抱怨公务员官僚、低效、关注过程和规则的遵守而不是结果就不足为奇了。在亚洲危机之后进行的改革中，人们指责亚洲的监管者"监管过度，执行不够"，意思是说监管的目的是靠批准捞取好处，但没有人愿意做执行规则这种费力且不讨好的事。

相比之下，西方自由市场的方式是相信银行家对其所作所为心知肚明。美联储前主席格林斯潘在辩称"包括我自己在内的很多人在为了保护股东权益而研究贷款机构的自身利益时，感到难以置信"②时，其实承认了这一点。相信是没错的，但监管者必须去核实。

现实的情况是，公众认为监管应该照顾市场。在这样的环境下，如果哪个监管机构试图杜绝异常的行为，会使自己非常不受欢迎。而且，针对强硬的监管行为和改革，金融业可以出钱发动媒体战役和组织游说。在开放民主的环境中，公众只有在感觉强硬的监管行为能够保护他们的利益时才会支持这种监管。然而，如果金融监管机构的激励是不对称的，即如果采取强硬的措施就会受到责备，如果轻描淡写或睁一只眼闭一只眼（安全港或不采取行动）就会获得掌声，那么法律得不到执行就不足为奇了。

在当前形势下，将监管激励同社会后果挂钩的问题非常重要。我们将在下一章讨论这一问题。

---

① Goodhart (2008c)。

② Greenspan (2008)。

标准、原则和规则——简单的必要性

如果我们想对业绩和行为进行评估，我们必须有标准和公认的规则或准则。亚洲危机发生时，各国的会计准则是不统一的，也没有公认的公司治理标准。金融稳定论坛和全球标准的制定者促使各国在进行金融部门评估计划的同时，对标准和规则进行全面评估，在会计标准方面趋于一致，监管和信息披露标准也更明确了。

之后，亚洲经济体开始大规模采用这些标准，并从开发银行和援助机构那里获得了技术协助。总体而言，各国在改进标准方面是有进步的，但同最佳实践的差距还是很大的。近期的一项对东亚执行国际标准情况的研究总结道：

> 在东亚，过去对审慎监管不够重视，这是很危险的，威胁到了国家发展战略的可行性。然而，如果认为设立独立的监管机构并使用和执行西方的标准就一定能够达到目标，那就太幼稚了。有时候，在实践中，这会让政客和既得利益者仅仅追求遵守规则的形式而非实质。①

这一结论是公正的，而这话也适用于当前的危机。

关于标准，我们可以有三点看法。第一，有一些标准已经被奉为圭臬，但我们不应忘记所有的标准都是相对的，不是绝对的。比如说，几乎所有人都同意会计中公允价值的概念，尤其是根据盯市价（marking to market）制定的标准，因为市场价格是由很多买家和卖家共同决定的。然而，当市场泡沫充斥的时候，以市场的最新行情为依据还有实际意义吗？这个问题没有简单的答案，但让人欣慰的是，最近，当以最新行情为依据不适用的时候，国际会计准则委员会（the International Accounting Standards Board）充分考虑了部分外部因素。最近，博沙德等人②呼吁大家考虑“盯融资”（marking to funding）③这一概念，以避免盯市价导致顺周期行为。我更倾向于标准的前后一致，即使在标准有些不合时宜时也不作改动。估值的基础应该完全公开，这样，如

---

① Walter (2008)，第3页。

② Brunnermeir, Crockett, Goodhart, Persaud & Shin (2009)。

③ “盯融资”是一个新名词，是指按融资期限确定价值，如果融资期限较长，则不必按照当前市场价格确定价值。——译注

果有谁使用“盯融资”这一概念，那么他应该公开“盯融资”同“盯市价”之间的差异。

第二，标准的趋同化趋势，即所有人都开始采用一种标准，这是不健康的。博沙德犀利地指出，如果整个市场都使用同样的风险管理标准，那么市场就只能像羊群一样朝一个方向运行①。如果针对市场方向有不同的意见，市场可能会更稳定。不同标准之间的竞争是健康的。市场会在彼此竞争的标准（例如HDVD和蓝光，以及能够阅读多种标准的设备）中做出选择。如果使用不同的标准，那么应该充分披露结果和处理方法之间的差异。我们应该让市场来决定，而不是让大家使用一个统一的标准。

第三，标准应该简单、清楚、易懂。复杂的标准、规则和规定会让市场付出额外的成本，会导致大量的监管套利行为或巨大的监管疏漏和黑洞。

结构和范围

管理大师彼得·德鲁克（Peter Drucker）认为，（组织）结构要视战略而定。在国家层面，战略寓于宏观政策之中，由整个政府和官僚机构执行。如果官僚机构无能、腐败、不感兴趣或者被挟制了，那么最好的政策是得不到执行的。是否有好的结果要看系统内的激励机制或进行必要改革的政治意愿。

亚洲经济体面临的主要结构性问题是，在一个开放、复杂且不断变化的全球市场内，亚洲各国的治理结构相对而言还是直筒式的自上而下的封闭结构。用网络建筑学的术语来说，这是一个所有链接都由一个中心控制的单一星形网络同平展、开放的互联网之间的竞争。单一控制中心是有效率的，但一旦控制中心发生故障，就失去弹性了。另一方面，互联网有多个控制中心，因此对于变化更有弹性和适应力。

这些结构性冲突之所以发生，部分原因是亚洲经济体的发展方式，部分原因是政策制定、法律和市场实践仍然以国家为中心，而全球化催生了一个没有边界的市场。另一方面，金融市场已经适应了管理矩阵，因此组织的各个组成部分各有各的职能和责任，能够更有效地彼此制衡。

因此，全球经济的网络效应就风险管理而言有两个主要的影响。第一，我们应该作为一个世界对风险进行管理，但同时我们要在个体、公司或机构以及部门层面考虑风险管理，最终还要在国家、地区和全球层面考虑风险管

---

① Persaud (2000)。

理。第二,风险管理不再是静态的,也不能以国家为中心;它应该是动态的、全球的和互动的。从本质上说,这意味着我们不能再将一个经济体看作是一座孤岛,它应该是全球网络的一部分,在这个网络中,冲击会四处传播。我们不能再各自为政,而必须停止争吵,让每个人都能为金融稳定的共同目标而工作。

从这个角度来看,一个国家的国内经济必须在设计上能够抵御来自内部和外部的冲击,而最危险的冲击应该是我们没有见过、没有经历过也无法预知的。然而,在实践中,没有一个经济体是这样设计的——每一个经济体都有自己的经历和社会历史环境。如果哪个经济体没有经历过危机,那么这个经济体就不会有应对此类危机的政策和制度。从这个意义上说,危机是成长必不可少的代价。

流程、执行和总结

还是用军事来类比吧。一旦将军把战略、优先次序、激励、标准和结构都想好了,接下来的就是工具或流程、执行和总结了。正如拿破仑说过的,一切都包括在**执行**中了。监管者都有过这样的教训:如果没有严格的执行,最好的监管也没有用。执行绝非易事,但是只有通过仔细的检查、常规的程序或辩论,才能收集到有关市场问题的证据。银行检查员就像是一名犯罪现场调查员,需要不断地从各种来源筛选信息,全面了解发生的事情及原因。因为新的范式强调互相关联,所以我们不能只盯着一家机构去发现问题,而是要看一个表面看来“普通”的产品是否通过金融工程发展成了能够摧垮整个人类的病毒。

为什么最负盛名的金融监管机构没有发现当前危机中的弱点呢?2007 年 9 月,一名资深欧洲监管员向我承认,直到仲夏的时候,结构性投资工具和管道(conduits)这两类金融衍生品才进入他的监管视野。

目前各国都加强了非现场监管和现场检查,但我认为由同一个团队对同一家机构进行监管和检查不会带来什么新信息。不管是被监管的公司还是监管机构,官僚作风的第一条原则就是坚持已知的已知。

从银行管理层的角度考察风险(使用银行的数据库和压力测试)没有多少价值,因为被监管的公司对自身的问题常常是视而不见的。更有效的办法是从系统观察的角度,以严谨的态度对一项产品进行端到端的跨机构检查。检查应从产品的最初设计阶段开始,一直检查到分销、交易和终端投资者。

这种跨机构的检查不是为了挑错，而是要检查在产品的不同阶段，金融机构、交易商、托管单位和投资者是否进行了审慎核实且了解自己面临的风险。这种"跨部门"的检查在审计中普遍应用，目的是"跟着钱走"。不幸的是，因为传统的金融监管是以机构为中心的，没有几家监管机构采用这种方式去核实金融创新的实际风险。

换句话说，因为复杂的程序和产品已经使金融市场彼此相关了，所以监管者有必要了解不同机构在不同层次上的控制和尽职调查的水平，以找到薄弱环节。只有从端到端地对程序进行检查，你才能了解风险的传播。

同样，如果细致的检查到银行那里就停下来，不再检查银行的产品是如何设计出来的，如何由交易对手分销的，那么对整个系统而言是不会获得什么新信息的，也找不到"互相关联"的风险在哪里。如果对次贷按揭进行端到端的检查就会很快发现，在设计阶段就缺少审慎核实的步骤。当然，当一级交易商将这些按揭产品打包成 CDO 和其他类型的结构性产品时，他们也没有做什么审慎核实。如果对投资者进行严格的审查就会发现，他们自己的尽职调查和风险控制也是不充分的。因为养老基金和保险公司不必经受这类随机检查，因此它们针对欺诈和风险的防线简直不堪一击。

最后，监管周期的两个关键因素是执行和总结。执行和不断总结是不可分割的。检查的结果不能交给经验不足和缺乏培训的检查员，因为监管结构和程序必须允许在监管组织不同的专业和层级之间有持续的反馈和对话。非现场监管、现场检查、市场对话、内部告密者、媒体和分析师报告以及直觉都可以提供信息，而在对这些不同信息进行审核后，经验丰富的监管员能够嗅出哪儿出问题了。我记得联邦检察官比尔·泰勒（Bill Taylor，后任美国联邦储蓄保险公司主席）曾提醒过我，说不论哪家银行，如果在三年时间里贷款数量翻了一番，都应该查查是否有问题。要是运用这条经验法则，当初北岩银行的问题肯定能被发现。

经常审核市场指标也会引致反周期的监管行动。可能是自由市场哲学使然，在相当长的时期内，发达国家的金融监管机构不喜欢采取反周期行动。事实上，当西班牙银行在房地产价格上涨时决定让西班牙的银行采取动态贷款预防措施时，银行只能披露会计处理方式，因为负责信息披露的监管机构认为，不符合公允价值会计处理方式的预防措施对投资者而言可能是不公平的。只有在经历了危机的痛苦之后，许多金融监管机构才承认，动态预防措施可能不是什么馊主意。在执行层面，还是那句话：没有执行的监管是没有效果的，而执行必须要迅速，要以结果为导向。没有迅速的执行，市场会认为监管者要么对不法行为视而不见，要么以“不作为”的态度默许此类行为。

这就是为什么在监管周期中，一定要将结果同目标对照不断地总结。这些总结必须检查战略、优先次序、激励、标准化、结构化、流程设计与激励是如何在合适的背景下进行的。如果不做这些总结，如果这些总结不是由对监管机构负责的委员会或独立机构做的，那么监管机构很可能陷入合规模式，看不到全局的情况。只是例行公事般地执行程序而不对结果进行审查，会导致为完成程序而完成程序。最终，在危机中暴露的只能是官僚作风。奉行本本主义的监管者终将被这些[过时的]本本弄得声名狼藉。

在讨论过金融业和监管框架后，我们将开始考察最近的危机。

第十五章

全球金融崩溃

国际金融危机，甚至还有国内金融危机，都已成为人类生活的基因。我们在了解整个局势时，会发现存在着称之为贪婪、恐惧和狂妄之类的东西。正是它们导致了将来的国际金融危机。

——保罗·沃尔克

事物总是周而复始，循环不已。为什么多次发生金融危机？它们具有相同的根源吗？解决方法是不是相同？在亚洲危机结束后十年，2008年圣诞节前发生的美国次贷危机使全世界陷入目前仍在持续的深刻衰退之中。未来的历史学家肯定会把2008年的危机与20世纪30年代的大萧条相提并论，30年代的大萧条触发了第二次世界大战，改变了接下来80年的金融版图。同样，现在这场危机之后，可能也会出现经济理论和哲学观的重大转变以及制度结构的重大调整。

著名的"日元先生"神原英姿博士于1999年从负责国际事务的财务省次官职位上退下来后说过，亚洲危机不是"亚洲的"，而是"全球资本主义的危机"①。当时他已明白，宽松的资本市场的内在不稳定性会突然逆转市场的信心，造成程度不等和时间长短不一的周期性恐慌。美国财政部前部长拉里·萨默斯早在1998年2月已经认识到，"承认目前的局势确实是一种危机很重要。它几乎与一切金融危机具有共同的因素：过度的

① Sakakibara(1999b)。

借款和使用不当。但是它也有自己截然与众不同的地方，因为它的根源不在于不顾将来的挥霍——过度的预算赤字、过高的通货膨胀率或者储蓄率不足。”①

这次危机与亚洲危机有何不同呢？亚洲危机是当前危机的前奏吗？

从长远的历史观点来看，两者无疑具有类似之处。从一些明显的原因来说，大多数分析家会列出他们通常观察到的几点：资产泡沫、过度的流动性和杠杆作用、大量资本流动、对复杂的金融产品监管不够、拙劣的货币政策和银行呆账坏账，所有这一切造成了次贷危机，正如亚洲危机时期的情况一样。

前面曾经指出过，亚洲危机是地区性危机，而当前危机的重要性则完全不同，因为它是从全球权力中心产生和表现出来的。这场危机由于全球相互关联度加强而放大了，金融工程师通过新机构、新工具和增加杠杆作用使得世界各国之间的相互关系紧紧交织在一起。

在雷曼兄弟公司于 2008 年 9 月 15 日倒闭后的一个月里，全世界的银行系统几乎像多米诺骨牌那样一个个倒了下来，证券市场几乎统统崩溃。美国和欧洲的银行部分地国有化了，美国的投资银行作为自成一体的单位消失了。2008 年，全球股票市场估计亏损掉 27 万亿美元，即亏损 50％以上。10 月 10 日，道琼斯股指创纪录地下跌 7.7％，当日创出 7 773 的低点，还不及一年前最高点时的一半。英格兰银行估计，该地区按市值计价的债券和信用保证的亏损额为 2.8 万亿美元，相当于全球银行一级资本额 3.4 万亿美元的 85％②。如果把房地产价格下降的估计计算在内，那么全球财富的下降可能相当于全球 GDP 的 100％。

而且，在 2008 年 4 月至 10 月间，各国中央银行和政府为避免全面瘫痪，暗里或明里地为批发市场提供了 8 万亿美元资金，相当于全球 GDP 的 15％。利率全面降低。为了对抗通货紧缩，美联储在 2007 年把美联储基金利率下降 100 个基点，在 2008 年 12 月 16 日又下降 425 个基点，回到年利率 0～0.25％的水平。

在推行零利率政策方面，美国目前的举措同日本银行对付 1990 年日本泡沫危机的做法简直如出一辙，不同的是美国在一年内实现了这个目标，而日本却花了十年。

---

① Summers(1998b)。

② Bank of England(2008)。

过度的流动性

正如20世纪30年代大萧条之前，出现了20年代的经济大繁荣一样，21世纪头几年也是长时期繁荣，并导致2007～2008年的过剩。以美联储主席本·伯南克①为首的西方经济学家指责东亚储蓄超量导致了利率过低和流动性过剩，为资产泡沫和尔后信用质量的恶化提供了条件。我认为这种论点是言不由衷的，因为那有点像银行家把流动性过剩怪罪于储户的节俭一样文过饰非。银行家如何处理其资产负债表是他的职责，储户没有话语权。

图15.1显示了包括美国、欧洲和日本在内的主要经济体中广义货币和对非金融部门信贷的增长。1997～1999年以及2002年底～2006年底，分别是两个强劲增长的周期。第一个时期是要克服亚洲危机带来的负面影响，第二个时期是要克服美国网络泡沫破灭之后引起的通货紧缩。在这个时期，日本有意放松货币政策，以克服本国的通货紧缩，而欧洲基本上采取中性的货币政策。因此，美国的货币政策在促进本国的流动性和全球的流动性方面都起了重大的作用。具体地说，在2000年12月到2003年6月间，通过一系列

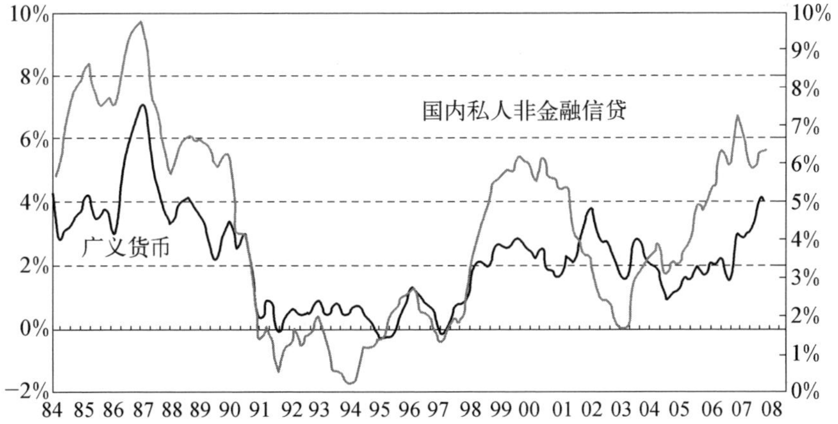

图15.1 全球[1] 实际货币和信贷增长(1984～2008)

注：1. 这里的全球范围指美国、欧元区、英国和日本

资料来源：亚洲DSG咨询公司(2008)

① Bernanke(2005)。

措施，联邦基金年利率降到1%，这是40多年来的最低点，并且使实际利率从2002年至2005年进入负息时代。在这样一个增长和低通胀的时期，全球的流动性绰绰有余。

新兴市场的储蓄率高基本上是由至少四个因素共同造成的。第一个因素是美国的高消费促进了新兴市场出口商品的增加，从而也促进了那里的出口商收入的增加。第二个因素是新兴市场得天独厚的人口结构变化因素。由于新兴市场的人口年龄仍旧相对年轻，他们的储蓄率将经历激增的阶段，然后人口年龄的老化自然会把储蓄降下来。第三，净储蓄额之所以增长，是因为外国直接投资的流入、治理和技术的改进以及财政开支的进一步节约。在中国和印度，公司部门利润的提高占了净储蓄额增长的很大比例。第四，储蓄超量也反映出“投资差距”，因为东亚危机的直接后果就是东亚各经济体断然减少了对社会的投资。

到了2006年，全球收入不平衡成为政策争论的主要问题，因为美国的巨额经常项目赤字已经增加到7 200亿美元，占GDP 5.2%。据2007年所做的估计，美国每年必须输入大约1万亿美元外国资本为其赤字融资，每个工作日大约输入4亿美元。美国的净国际头寸不断恶化，从1970年占GDP 5.8%的盈余，到2006年变为占GDP 20.4%的赤字①。2007年，美国总储蓄额下降到占GDP 14%，净储蓄额下降到占GDP 1.7%，相比之下，亚洲各经济体的储蓄额都占GDP 30%以上。

同样，欧元区的净国际头寸也是赤字，占GDP 13.5%。净国际头寸（不包括黄金）有盈余的另一方主要是日本（占GDP 42%）、中国（占20.3%）和沙特阿拉伯（占100%）。

显而易见，局势已经扭转。新兴市场国家在现代史上破天荒第一次从净债务国转变为发达市场国家的大债权国。

这种赤字显然不能持续存在。国际货币基金组织工作人员估计，如不采取任何措施，到2012年，美国的净国际赤字可能占GDP 45%。请注意，当东亚国家净国际赤字在1997年占GDP 50%时，他们进入了危机。预测表明，如果能满足四大条件，到2012年美国的净国际赤字可以稳定在占GDP 30%～35%左右。这四大条件是：(1) 东亚新兴市场汇率灵活性的提高和消费增长；(2) 美国进行财政调整，特别是逐渐减少联邦预算赤字，每年在GDP中所占的比重大约减少0.5个百分点；(3) 日本和欧元区进行结构改革；以及

① IMF(2007b)。

(4) 石油输出国增加开支。到 2008 年底，中国人民币较 2005 年 7 月的汇率大约升值了 18%，美元按实际有效汇率来说，大约贬值了 20%。2007 年，美国经常项目赤字开始减少。但此时资产泡沫已经形成，危机正在揭开经济失衡的面纱。

充溢的泡沫

上述过度的流动性在亚洲危机和当前的危机中都有共同的表现：在股票市场和房地产市场出现资产泡沫。卡明斯基(Kaminsky)和莱因哈特在他们对金融危机做出的一份影响深远的研究报告中认为，股票和房地产价格的升高是面临大规模资本流入的国家发生危机的最佳先行指标①。这些泡沫产生的根源有好几个，但是过度的流动性、大规模资本流入、银行和非银行信贷的迅速扩张，加上在资本市场上的过度投资及不成熟的资本账户自由化，这一切造成了弱不禁风、不堪危机冲击的条件。日本经济泡沫时创造了一句三个过度的短语——生产能力过度、借债过度和繁荣过度。亚洲危机时期确实如此，当前危机肯定也是如此。

这些资产泡沫是货币政策和汇率政策发生矛盾的结果。与日本泡沫相同的是，墨西哥危机和亚洲金融危机也是放松银根政策导致的，这种政策部分地发端于面临大规模资本流入时限制汇率升值的尝试②。在 20 世纪 80 年代后期，中国台湾碰到类似的资产泡沫的折磨③，导致后来台湾当局采取支持股价的行动。2006～2007 年，中国股价泡沫大大膨胀，尔后同样由于几种力量的集聚，股价暴跌了 70%以上。

最近，莱因哈特和罗戈夫(Rogoff)④发现，无论从定性分析还是定量分析上看，这次次贷危机和第二次世界大战后工业国家的 18 次银行危机，特别是五大国危机——西班牙(1977)、挪威(1987)、芬兰(1991)、瑞典(1991)和日本(1992)——之间有着惊人的相似之处。美国房地产价格在这次危机前的四年中上涨了 30%多，比发达经济体中发生银行危机的国家的房价平均涨幅高一倍，比五大国危机中房价涨幅大约高一半。“从全美房价指数(又译 S&P/

---

① Kaminsky & Reinhart(1999)。

② 我很感谢一位匿名的审稿人指出了这些关系。

③ Chen(2001)。

④ Reinhart & Rogoff(2008)。

凯斯-席勒全国房价指数)来看,美国房价在1996～2006这十年中上涨134%之后,在2006年达到顶峰”。问题就在于“1995～2006年全球房地产业空前繁荣的景象现在逐渐消退失色了。”①

资产泡沫将破坏实体经济,因为它们迟早会破灭,侵害家庭和公司的实际财富,从而减少消费、就业和收入。在2006年底,美国房地产(总价值20.5万亿美元)在家庭净财富中的比例是29.5%②。住房抵押达9.8万亿美元,占住宅房地产的47.9%,但占家庭债务的73.2%。美国家庭拥有的股票价值6.3万亿美元,占家庭净财富9.1%。如果把共同基金(4.6万亿美元)、养老基金和人寿保险基金也算进去,该比例上升到34.7%。由于养老基金、人寿保险基金和共同基金都拥有大量股票,股价的下跌就会对家庭净财富产生影响,只不过这种影响不如房价下跌更直接。

房地产业的繁荣是怎样出现的呢?毫无疑问,这是由于宽松的贷款条件,也由于拥有住房是民主的基本条件这种观念。前美国财政部负责国际事务的次长约翰·泰勒(John Taylor)将此归咎于联邦储备系统执行过低的利率政策③。在2001年,美联储11次下调联邦基金利率,从年利率6.5%下降到1.75%,其部分原因是想应对2000年网络泡沫破灭后的衰退以及9·11恐怖主义分子袭击造成的恐慌。到2003年6月,联邦基金利率下降到1%,创历史新低。由于利率降低使借贷者更加买得起房产,无意之中造成了房价上涨的后果。

2004年,美国私人住房拥有率史无前例地高达69.2%。在2001～2005年房地产业兴旺时期,银行开始随意、宽松地贷款,包括把钱贷给不符合通常审慎的信贷标准的购房者。提供只需付息的抵押贷款,即完全放松的贷款标准使得能够买房的人越来越多。有些贷款者被称作无收入无职业的资产拥有者(NINJAs),他们买下房屋,希望房价在中期内继续上涨。

房价上涨不仅创造了财富增长的幻象,而且鼓励了消费和杠杆作用。它刺激了建房,增加了建筑业的就业。美联储估计,在2005年,美国家庭从房产中获得了7 500亿美元,其中三分之二花在个人消费上。在我看来,允许房产泡沫产生是一个重大的政策失误,因为美联储严重低估了泡沫通过看不见的高杠杆可能对金融体系产生的作用。亚洲和日本的经验表明,房产泡沫因为

---

① Renaud & Kim(2007)。

② Board of Governors of the Federal Reserve System(2007),表B.100。

③ Taylor(2007)。

银行信贷过度而膨胀，如要对其加以限制，部分可以通过更紧缩的货币政策，部分可以通过审慎工具，如降低贷款价值比率、提高资本要求等。而这些审慎工具，没有一样被联储或其他银行监管者采用。

但是谁都没有料到，从 2004 年 6 月至 2006 年 6 月这两年里，美联储把联邦基金利率从 1%的低点提高到 5.25%的峰值，上升了 425 个基点，这期间总共 17 次提高利率带来的不仅是房价下降，而且几乎迫使美国和欧洲银行系统垮台。2007 年 2 月，次贷抵押违约率从 10%左右上升到 15%左右，当时人人以为，既然未清偿总额只有 7 570 亿美元，估计亏损额为 1 500 亿美元，即大约占美国 GDP 1%①，那么事情是可以应付得了的。谁也没有认识到这仅仅是冰山一角。

2007 年 4 月，美国最大的次贷机构新世纪金融公司(New Century Financial)宣布破产，形势急转直下。2007 年 6 月，由美国第五大投资银行贝尔斯登管理的两个投资于次贷资产的对冲基金倒闭。2007 年 8 月，当美联储和欧洲中央银行不得不注入 3 000 亿美元流动性，防止由于资产抵押证券(ABS)市场的崩溃引起银行同业拆借市场的瘫痪时，全世界人们大惊失色。

风险已经通过向美国以外(特别是欧洲)的投资者提供的抵押贷款和其他信用资产的证券化扩散开来了。在流动性充溢的世界上，投资者发狂似地"追求收益"。正如我们在第十三章里阐述过的，对新的结构性产品的包装促使金融工程师把各种不同信用质量的资产纳入到债务抵押凭证(CDOs)中。2007 年 7 月，德国几家投资于 CDO 的地方银行开始要求给予大量流动性支持，因为他们自己的流动性随着 CDO 价格下跌而枯竭。到了 8 月中旬，问题变得日益严重，英国最大的专业抵押贷款机构北岩银行要求给予流动性支持；9 月份，它遭到银行挤兑风潮，这是英国近 100 年来第一次。这迫使英国政府向北岩银行的存款作出全面担保，才把挤兑风潮平息下去。

从此之后，次贷危机继续蔓延，越来越多的商业银行和投资银行宣布对他们持有的有毒金融产品提取更高的坏账准备。这也意味着他们需要更多资本的注入。市场开始注重持有资产的质量，并把资产分成三个等级。一级资产按市场价格定值。二级资产部分按市场价格、部分按模型定值。三级资产或者按模型定值，或者按管理层的判断定值，或者用一些批评家的话来说，按虚构的故事定值。

资产抵押证券市场萎缩的程度可以从以下事实看出：从 2007 年 8 月到

---

① Bank of England(2007)，Box 1，第 20 页。

年底，这一市场的规模萎缩了4 470亿美元，即几乎萎缩了三分之一[①]。2008年1月，世界上最大的银行花旗集团报告说它的季度亏损额为100亿美元，这主要是由于账户上减记了181亿美元与次贷抵押投资有关的款项。花旗银行不得不从主要的战略投资者那里接受125亿美元注资。金融股的股价在2008年持续下跌。

2008年3月14日，全球市场阵脚大乱，因为当时纽约联邦储备银行帮助JP摩根谈判按每股2美元收购美国第五大投资银行贝尔斯登，而2007年时最高每股收购价为169美元。贝尔斯登承认它拥有480亿美元次贷债券，其中170亿美元难以估值。纽约联邦储备银行决定提供300亿美元给JP摩根，用以收购贝尔斯登的资产。

2008年3月17日，美联储史无前例地把利率降低75个基点，使得联邦基金利率降到2.25%，即2004年12月的水平。尽管据估计，价值在7 000万～1万亿美元之间的200万笔抵押贷款将重新按市场水平调整利率，但联邦基金降低利率的结果是避免了更多的次贷违约。美联储还宣布它将提供2 000亿美元新的紧急贷款援助。

2008年夏天将作为中央银行精神分裂症时期载入历史。一方面，通货膨胀显然在上升，石油和商品价格都在不停地猛涨，7月3日布伦特原油价格达到了每桶147美元的高峰。但是另一方面，银行间流动性枯竭，各银行拼命设法从全世界增加注资，特别是从主权财富基金引入资本。

崩溃

7月11日，美国财政部宣布了拯救房利美和房地美这两家向抵押市场贷款的最大机构的计划。多年来，公开上市的政府支持型企业（Government-Sponsored Enterprises，GSEs）是不正常的，那些企业完全属于私人所有，可是却暗中获得政府的担保。他们拥有5万多亿美元抵押担保证券，其中几乎一半由外国人持有。他们不大受到监管，而且拥有政治势力，多年来抵制对治理不善和做假账进行改革的要求。美国国会一直支持家庭拥有住房的理念，而这些政府支持型企业也为购房者融资提供了最大的份额。9月7日，房利美和房地美这两家政府支持的上市企业的股价随着CDS的利差扩大而大大下跌，以致美国财政部不得不把这两家企业置于监护之下，承诺收购足够

① Hale(2008)。

的股份,使这两家企业拥有正向的净财富。

回过头来看,国会在思想上并不喜欢政府干预的理念,所以在对两家政府支持的上市企业实施拯救之后,在政治上已不可能再对下一个破产机构施以援手,道理如同国会在1994年拒绝帮助墨西哥之后,1997年美国也不能帮助亚洲一样①。9月15日,政府作出了影响极大的决定,允许第四大投资银行雷曼兄弟公司破产。美国政府宣称,在法律上没有拯救公司的义务,但他们后来为防止其他银行倒闭,向银行注入了资本。

雷曼兄弟公司的破产将作为在全世界引发系统性危机的催化剂而载入史册。尽管该公司只有6 200亿美元资产,但监管者严重低估了其影响,雷曼兄弟公司拥有总值1.6万亿美元的交易对手头寸,在倒闭时也被冻结。由于雷曼兄弟公司在伦敦证券交易所股票交易中约占14%,在纽约证交所的固定收益证券交易中占12%,还管理着对冲基金和投资客户的客户资产,它的交易对手的流动性因雷曼拖欠债务而立即受到削弱。

雷曼兄弟公司的违约还引起CDS大幅溢价,这意味着出售CDS的机构必须立即提供更大程度的担保。具有4 410亿美元CDS头寸的美国国际集团在几天内必须提供145亿美元,使总担保金达到310亿美元。如果美联储不通过850亿美元贷款换取该公司79.9%的股权,从而把美国国际集团国有化,那么它的破产可能产生难以想象的巨大的传染效应。

雷曼兄弟公司债券的违约还造成货币市场基金跌破1美元的面值,以致在3.4万亿美元的货币市场基金部门立即发生撤资的现象。如果基金部门垮台了,美国流动性可能面临灾难性的后果。

雷曼兄弟公司的破产是具有讽刺意味的,自由市场原教旨主义的积极倡导者努力以此向大家证明他们反对道德风险,并且证明没有一家投资银行会因太大而不垮。但这么做产生了相反的效果——引起人们惊慌失措,几乎使市场崩溃。在证明可以允许行为不轨的企业破产时,等于告诉市场也可允许其他经营不端的企业破产,因此人们保护自己的最好策略是割肉离场。也许危机中期并非是证明某种哲学观点的恰当时机。正确的反道德风险的行动应当在平时,当金融风险逐步升级时大规模地进行。随着雷曼的破产,大规模去杠杆化行动开始了,无拘无束的金融开始突然崩溃。

雷曼兄弟公司破产事件的冲击好像一场海啸在全球掀起了不断扩大的一圈又一圈漪澜。对于欧洲的影响可以用一句话形容——仿佛纽约的部分

---

① 参见第一章。

灯火管制使欧洲电网一半停电，因为欧洲银行分担了将近一半的亏损。银行同业拆借活动的紧缩迅速变成全球现象，从发达市场一直蔓延到新兴市场。墨西哥比索和巴西里尔不得不采取防御措施，以免急剧贬值；印度尼西亚则下令关闭股市三天。中国香港和新加坡面临投资者对雷曼迷你债券违约提出抗议。不少国家不得不充分保护他们的银行储户。石油价格在2008年7月每桶高达146美元，如今跌回到每桶60多美元。当日元利差交易放开进行时，澳大利亚元和新西兰元迅速贬值。商品价格开始崩溃。

对于六个月前几乎没有碰到新贷款要求的机构来说，国际货币基金组织突然发觉自己又一次要贷款给冰岛（21亿美元）、匈牙利（125亿欧元）、乌克兰（165亿美元），同时与白俄罗斯和巴基斯坦进行贷款谈判。由于各新兴市场遭到了支付困难，国际货币基金组织开设了短期资金融通服务，金额总共为1 000亿美元。

在雷曼事件之后，各国金融救市计划都是历史上最庞大的，总额约为3.4万亿美元，其中救市金额最高的是美国（7 000亿美元）、英国（4 000亿英镑）和德国（5 150亿欧元）。10月3日，美国国会通过了不良资产救助计划（Troubled Assets Relief Programme，TARP），准许财政部收购“有毒资产”，并把它们从银行的簿记上注销。而财政部的做法是动用2 500亿美元向大银行注资。11月，中国政府宣布了4万亿元人民币（约等于5 860亿美元）的一揽子财政刺激计划，防止经济可能减速。日本和欧洲经过两个季度的负增长之后陷入衰退，美国统计机构宣布，美国经济自2007年12月以来一直处于衰退之中。

新兴市场可以与发达市场隔绝的想法已被证明是荒唐的。由于整个东亚的出口骤降到负增长的水平，世界上这个经济增长最快的地区正在为衰退的到来作准备。世界银行宣布，世界贸易在2009年可能下降2%，这是1982年以来第一次缩水。

出了什么问题？

2007～2008年的危机如此复杂，我们必须至少从历史、宏观经济和微观经济三个方面来研究当前的信贷危机。

我们把从较长历史角度进行的分析推迟到最后一章去阐述，但是对当前危机的近期根源，我们可以追溯到以下四股潮流。

第一股潮流是，在冷战结束之后，30亿劳动力进入市场化经济体，故而接下来的近 20 年里全球范围内出现了大量廉价商品和低通货膨胀。

第二股潮流是，1990 年以来，日本为应对经济泡沫和通货紧缩采取的货币政策，使全球近 20 年来几乎可以免息地取得日元贷款，也由此催生了著名的日元利差交易。最新一项对全球利差交易的估算显示，这种对不同国家的利率和汇率差异进行的套利，金额可达 2 万亿美元，其中一半是日元利差交易①。这为金融工程提供了大量资金，在亚洲危机时期产生过很大影响。利差交易的成功又被杠杆操作和衍生产品放大，成为新的投资银行业务和对冲基金的标志性特征。利用低利率货币进行利差交易的增加和减少都会进一步加剧市场动荡，增加全球金融交易量和资本流动量。

第三股潮流就是第十三章阐述过的金融工程师的出现。在他们复杂的风险管理模型中，有着一个致命的缺陷，即认为风险世界竟是一条忽视了长尾的黑天鹅风险的钟形统计曲线！事实证明，正是他们低估了 400 年一遇风险的可能性，才导致了他们的失败。

第四股潮流是上一章阐述过的全球进入对市场放松管制的阶段。

本质上，这些造成越来越集聚的全球化的大趋势其实就是四种套利——工资套利、金融套利、知识套利和监管套利。

在政策层面，国家计划经济的失败也使凯恩斯主义经济学逐渐没落。不幸的是，占据上风的弗里德曼自由市场资本主义学说过分强调了货币政策工具的使用和中央银行的重要性。财政政策的惟一功用是最大限度地减少财政赤字，基于消费品价格的精妙货币目标理论层出不穷，但都忽视了资产价格的重要作用。更糟的是，监管者和中央银行家都没有选择反周期的行动，而是听凭泡沫膨胀。

廉价劳动力涌入世界经济带来的天赋效应，使许多西方银行家误以为货币政策创造了全球低通货膨胀的奇迹，这是个严重的思想盲点。

回过头来看，与忽视房价泡沫的宏观经济政策失误相比，这种思想盲点就算不了什么。无视支付能力和供给限制，以为居者有其屋有利于社会的长期稳定，这种天真的想法无意之间造成社会对房价永远只涨不跌的预期。人们通常觉得在家庭资产负债表上住房占据最重要的地位是理所当然的。不管怎样，房地产构成家庭资产的主体，当然也成为银行系统最重要的抵押资产。在许多国家里，对房产所有权的强烈渴望没有得到住房供应方的足够支持，以致为买房进行的借贷越来越大，越来越多，推高了房价，然后房价上涨

---

① Lee(2008)。

的预期就自我实现了。在 2003 年到 2007 年期间，美国家庭房产价值增加 6 万亿美元，家庭债务增加 4.5 万亿美元，这说明，美国家庭消费了房价上涨中的大部分。

之所以会出现这种情况，是因为金融系统竭力向消费者提供贷款。对某些购房者来说，抵押房产的贷款价值比（LTV）高达 100%，对次级借款人贷款破坏了信用评估体系。与世界上其他抵押市场不同，美国的这种抵押是没有追索权的，这就是说，贷款者可以违约不还，而把房价损失推给供贷者承担。后来这些次级抵押贷款就被金融工程师分拆为一系列金融衍生产品，未经监管者的监督，在 2003～2007 年低利率的环境下出售给渴望获利的金融市场。

上述宏观经济问题对于我们了解当前世界金融危机至关重要，因为正是为外部赤字融资的能力构成了美国银行系统当前“发起-分散”结构产生的基础。换句话说，美国和欧洲的银行系统从传统的零售银行模式（接受存款和提供贷款）发展到新的批发银行模式，因为银行不再受到国内储蓄额有限的制约，而可以通过证券化渠道动用全球的储蓄。于是微观经济的缺点扩大为全球的经济失衡。所以出事是难免的了。

接着，人们必然会问：咎由谁负？

咎由谁负？

关于金融危机的著作和文章我读得越多，越是觉得中国格言的正确：“屁股决定脑袋”，即“你的观点取决于你的立场”。西方人对这个问题的看法分成两派——一派认为“全都是亚洲人的错”，另一派认为“是国际机制的问题”。亚洲人的看法不少，从否认自己有错到“责怪外国人，包括国际货币基金组织在内”，五花八门都有。政治学家往往责怪国内政治，经济学家往往责怪有缺陷的政策，投资者则通常责怪公司治理不善和缺乏透明度。我们自己的教育制度看来有问题，因为我们所有人似乎都想像变魔术似地一下子轻易地找出一个最重要的原因来，并且谋求一种放之四海皆准的解决方案。然而，全球化的世界已经变得错综复杂，难以做到这一点。

令人惊讶的是，这次危机突破了金融稳定的四道防线。第一道防线是董事会，涉及公司治理、内部审计和监控，与自律有关。第二道防线涉及外部审计者和顾问，例如投资银行、公司律师和咨询师。第三道防线是信用等级评估机构、市场分析师和传媒，他们提供了透明的市场行为准则。第四道防线是多个金融监管机构和执法机构制定的监管条例。可是没有一道防线能挡住这次危机。

霍华德·戴维斯爵士在其名著《监管的未来》(*The Future of Regulation*)[①]一书中提出的问题颇具典型性:"政治家和其他人等已经严肃地提出了市场监管是否完备的问题。难道危机不能预防吗?难道监管者完全心不在焉吗?"这不是一个微不足道的问题。经历过亚洲危机的亚洲人至少可以给自己找个理由,说他们不够老练、了解不深、治理不善、监管不力以及透明度不高。但为什么次贷危机发生在最有经验、市场监管最先进的市场中呢?

在上一章,我已间接论及在货币政策和采用的监管技术层面上所犯的技术性错误,但是我个人认为思想观念上的错误更重大,更有危害性。

不幸的是,市场可以实现自我均衡的思想观念导致那些近乎不负责任的负责人自以为是。可以说,在亚洲危机中,政府对市场的干预太多了。而在这次危机中,政府却干预得太少太迟了。更糟的是,他们以为还有别人在看家护院。

前美联储主席格林斯潘[②]已开始在他的自传和一系列文章中为自己的业绩和观点辩护。2002 年,他讲述了中央银行没有处理不断出现的泡沫的原因:

> 我们美联储研究了有关资产泡沫的许多问题——即资产价格猛涨到了难以持续的水平。随着事态的发展,我们认识到,尽管怀疑有泡沫,可是要确切地把泡沫找出来非常困难,直到泡沫破灭证明了它的存在时,我们才会弄清事实。而且,即使很早就发现了泡沫,除非中央银行采取措施使经济活动大规模收缩——这个结果是我们努力设法避免的——否则根本不清楚泡沫是否能被抑制。[③]

对此,我难以苟同。在现实世界中,从不存在什么完全的信息。领导者就是要做决断的,无论有多困难。作为领导者,最难的是去做最不受欢迎的事,如在盛宴正酣时拿走宾治盆。在为官生涯中,最容易做的就是无所作为,坐观其变,但结果会是灾难性的。与此迥异的是加强监管,防止金融部门的过热,这种行为可能不受金融行业的欢迎,但对社会整体而言,是审慎的。

---

① Davies(2008)。

② Fleckenstein & Sheehan(2008),Blake(2008)。

③ Greenspan(2002)。

为放松银根的政策说句公道话，谁都无法否认，从 2003 年 8 月到 2007 年 12 月，美国创造了 825 万个就业岗位，造就了全世界的繁荣①。

但是房地产市场情况怎么样呢？格林斯潘在自传中阐述了他对房地产泡沫的判断：

> 我知道，为次贷者放宽抵押信贷的条件会增加金融风险，为购房者提供补贴的计划会扭曲市场。但是当时我相信，现在也仍相信，增加拥有住房的人数有很多好处，值得我们冒一下风险。保护房地产权对于市场经济至关重要，我们需要大批房屋所有者支持现在的政权。②

在 2008 年 3 月 17 日宣布接管贝尔斯登公司的这一天，格林斯潘在《金融时报》上发表文章，批评目前的风险模式和计量经济模式"已经变得很复杂，可是仍然太简单，不能采集推动全球经济实际形势发展的全部主导性变量"③。作为传统的中央银行家，我个人认为，仅仅因为很难发现泡沫的存在，中央银行就不采取预防性措施，这个理由是不能令人信服的。如果中央银行不挺身而出，保护金融系统免受金融危机的冲击，并且对金融稳定面临的威胁作出判断，那么还要中央银行干什么？

正如克莱夫·克鲁克（Clive Crook）对格林斯潘的观点洞若观火地评论的那样，根本问题在于：

> 道德风险（在多个层次上发生）；对抵押贷款监管的完全失败（对此格林斯潘应负重要责任：请记住他是次贷业务的摇旗呐喊者）；对随心所欲地牺牲别人利益的贪婪和鲁莽行为给予奖赏的金融业激励机制（这本身就是监管的失败）；最后但同样重要的问题是，美国实行的是世界上对信贷最宽松的税收体制。④

次贷对监管的影响

到 2008 年中期，监管机构和金融业协会就次贷危机对监管的影响问题发

① Giles(2008)。

② Greenspan(2007)，第 233 页。

③ Greenspan(2008a)，第 9 页。

④ Crook(2008)。

表了大量文章。2007 年 12 月，英国金融服务监管局[①]在北岩银行破产之后迅速得出结论(别的且不说)：需要改进“压力测试”；国际上应当对流动性有一种更加一致的监管办法；应当更加仔细地研究证券化、信用评级机构的作用，并且提高可能带来风险的业务(特别是表外业务敞口)的透明度。

2008 年 3 月，由发达国家金融市场八位监管者组成的高级监管小组[②]已经找出主要市场参与者的风险管理方法的优点和缺点。几天后，美国总统的金融市场工作小组就次贷危机写了一份报告[③]，指出次贷危机的主要原因有：次级抵押贷款承销标准的降低；从发行者、评级机构到投资者在证券化过程中对市场规则的严重违背；信用评级机构对次贷证券的评估有缺陷；金融机构和监管政策的风险管理薄弱，包括对资本和信息披露的要求均未能减轻风险管理的弱点。

为了解决已发现的问题，该小组提出了如下的建议：

- 改革抵押贷款发行过程的主要做法，包括提高对抵押贷款经纪人的审批标准、监管发行者的失察以及加强保护消费者的规定；
- 加强信息披露和市场实践，强化市场规则，例如，加强对机构投资者的监管，要求发行者提供更多关于结构性金融产品的潜在风险的信息；
- 改革信用评级机构的评级流程；
- 改进全球金融机构的风险管理活动；
- 确保审慎的监管政策将能加强风险管理。

2008 年 4 月，国际金融学会——实际上代表全球各金融机构的一个协会——已经发表了“关于金融市场最佳实践的中期报告”[④]，他们也找出了导致次贷危机的风险管理缺点。国际金融学会委员会指出，要使全球市场，特别是“发起-分散”模式有效地运作，必须改善各个层次——从发行者、经纪人、评级机构到投资者——的管理水平。

值得注意的是，国际金融学会委员会要求对“公允价值”会计准则和新巴塞尔协议标准，从顺经济周期效果的角度进行评估。

在评级机构评估 CDO 业绩不佳之后，我们不知他们还能如何逃避严格

---

① FSA(2008)。

② Senior Supervisors Group(2008)。

③ US President’s Working Group on Financial Markets(2008)。

④ IIF(2008)。

的监管。在发生安然①、帕玛拉特和网络泡沫等事件后，除了推行行为自律准则之外，国际证监会组织努力对评级机构实施更多的监管，但是这些机构可以借口他们是传媒成员，因此得到宪法第一修正案关于保障媒体自由条款的保护②。

监管受到制约的问题

这个严重的问题必须追问。既然西方监管者拥有更多的资源，行动的独立性和技术性工具均已到位，金融危机怎么仍然会发生呢？正如夏洛克・福尔摩斯（Sherlock Holmes）③常常说的，当你把绝不可能的因素都排除出去以后，剩下来的——不管是多么难以置信——必有实情在其中。

我只能推测，那是因为整个监管界（不是个别人）都被金融业的游说势力俘虏过去了。在辩论这个问题时，会场上鸦雀无声，令人透不过气来，因为在亚洲危机期间，企业及其监管者之间的亲密关系已被称为“裙带资本主义”。但是事实上，许多第一流的金融机构都雇用前监管者为他们的利益充当说客。监管界和受监管的机构之间这种密切的相互联系是一件值得公众更加认真讨论的事。

任何金融监管者都无法独立于他所努力监管的市场之外。斯蒂格勒（Stigler）和波斯纳（Posner）④等人发现了监管规则受到制约的问题，既得利益集团游说或影响监管者按有利于既得利益集团的方式办事。

艾伦・格林斯潘在受到来势汹汹的银行委员会的质询时说，他在“漫长的任期中常常听从‘国会的意志’，做‘我该做的事，而不是做我想做的事’”。⑤这些话反映了中央银行和金融监管者的沮丧情绪，他们面对来势汹汹的政治家，后者只要他们实施政治上的权宜之计，而从长远来说，在道德上和战略上都是错误的。

2008 年 12 月，关于纽约社会的典范、前纳斯达克主席伯纳德・麦道夫

---

① 安然事件：2001 年 12 月，美国 500 强企业中位居第七的能源巨头安然公司宣布破产，“安然”成为公司欺诈和堕落的象征。

② Grais & Katsiris(2007)。

③ 夏洛克・福尔摩斯是英国作家柯南・道尔(Conan Doyle，1859～1930)在小说中塑造的足智多谋的侦探。本文引用的柯南・道尔的小说《四签名》(1890)第二章。——译注

④ Stigler(1971)和 Posner(1974)。

⑤ Scannell & Reddy(2008)。

(Bernard Madoff)[1]的丑闻传开了，居然是他在庞氏骗局中诈骗了高达500亿美元。尽管早在1999年已有几个人向证券委员会举报证券市场情况不正常，这种丑闻还是发生了[2]。麦道夫先生的侄女是一位对他百依百顺的官员，后来嫁给证券委员会一个前律师。麦道夫家族的成员在各种监管咨询机构里供职。他最终获刑，被判150年的最高监禁。

监管者和受监管者之间的矛盾是利益合作和冲突之间的矛盾。为了有效地监管，监管者应当公平公正和独立地执法。然而，要想有效地监管，监管者必须得到市场和立法机构的支持与合作，而且因为他们由相互掣肘的不同利益集团的代表构成，监管者要么按监管准则办事，要么通过互动设法改变公众舆论或独自担此重任，以求实现监管目的。鉴于监管者和受监管者之间进行着一场动态的、往复的和渐进的博弈，结果既不理想，也没有什么可乐观的地方，这是毫不令人惊讶的。

专业金融监管者面临的问题几乎与中央银行的一模一样。现在人们普遍承认，中央银行要有效地执行货币政策，必须摆脱政府，最好还能摆脱政治势力，独立地运作，这样中央银行才能在执行货币政策时客观且最大限度地符合社会利益[3]。如果独立的监管者和中央银行直接向立法机构报告工作，他们会受制于政治纷争。如果他们对市场太友好，他们则会受制于行业利益。

然而，业务独立和政策独立是有区别的[4]。中央银行在政府内有着独立的地位，但不具有政府的广泛职能。同样，监管者在业务上必须具有独立性，但其行动最终不能独立于政府其他部门之外。

监管者独立和中央银行独立这些棘手的问题随着当前危机的发生而再次冒了出来。没有免费午餐，也没有绝对独立这样的事。一旦中央银行家在法律上独立了，他们就会不由自主地受到来自传媒、说客、立法机构要他们承担责任的评论或压力的影响，还会感受到公共审计师或财政部在预算方面施加的影响。由于流行的做法是允许市场繁荣继续，并在市场滑坡时通过降低利率进行干预，中央银行常常受到指责，因为它通过所谓的“中央银行选择权”引发了道德风险。要么注入流动性，要么降低利率，这是中央银行为摆脱

---

① 伯纳德·麦道夫(1938～　)：美国金融界著名经纪商，前纳斯达克主席。1960年创立伯纳德·麦道夫投资咨询公司。2008年12月11日因涉嫌庞氏骗局而被逮捕和起诉。——译注

② Zukerman & Scannell(2008)。

③ 参见Cuikerman(2008)和Sargent(1993)。

④ Goodhart(2004)。

蹩脚的市场投资决策导致的困境时可以作出的选择。

与中央银行家能够行使选择权相比，金融监管者必须听从立法机构的要求。公众可以选择把每次市场失灵归咎于监管者，要求监管者答复公众质询，最后还可以解除监管者职务，至少可以开除董事长或总裁。美国共和党总统候选人麦凯恩(McCain)公开说过，他会开除证券交易委员会主席克里斯托弗·科克斯(Christopher Cox)。监管者的职务不是受人欢迎的，也许极可能是退休前干的一份工作，因为监管者要想克尽厥责，就很难受人喜爱。我亲眼目睹美国商品期货交易委员会主席布鲁克斯莉·博恩(Brooksley Born)如何在1998年根据金融衍生产品在亚洲危机和奥兰治县遭到亏损的经验，勇敢地要求对场外交易的金融衍生产品加以监管①。由于她的观点得不到金融业和其他监管者的赏识，1999年6月她只得下台。我认为事实已经证明她的立场是正确的。

其次，要做好本职工作，金融监管者还必须充当体制结构的改革者，不断地改革规则、产品、程序和机构，从而使市场能有效地和富有活力地运作。这些改革必然遭到既得利益集团的反对，因为他们可能成为或相信自己会成为改革的牺牲品。可惜金融监管者几乎没有什么补偿能力，例如，没有像中央银行那样充当最后贷款者的能力。事实上，动用任何补偿权，例如放松审批，都会给监管者造成恶劣影响。

事实上，有时候金融监管者最困难的任务之一是抵制关于放松和克制监管的要求。例如，2004年放松了按《证券交易法》(1934年)制订的证券经纪/交易商净资本条款15c3-1②。旧的资本条款基本上按净资本的15倍限定最高可借出的资金额。查阅总共232页的条款③，并且仔细研究了基本最高限额的豁免规定和附录E之后，我终于发现，股本在50亿美元以上的大投资银行享有豁免权，实际上他们可以利用自己的风险管理模式来计算净资本。这实质上意味着对他们的杠杆作用不再有更多限制。这也是投资银行强烈反对实行净资本债务最高限额的原因。

但取消净资本限制的结果是，过度的杠杆作用和几乎完全依赖银行同业之间的大规模融资，使投资银行业在2008年乐极生悲，由盛而衰。说起来颇具讽刺意味的是，在人们要求对净资本条款作出变革时，汉克·保尔森正是

---

① Born(1998)。

② Labaton(2008)。

③ www.finra.org。

高盛公司的负责人，而2008年不得不处理监管改革的后果时，他恰好担任财政部长。

这件事的寓意在于，现代金融监管者必须循循善诱，提升从业者的道德水准，并且呼吁公众支持。监管者必须直言不讳地阐释自己的行为、责任和业绩。没有公众的支持，金融监管者在任何一次市场失灵中都会首当其冲地成为替罪羊。解雇金融监管者常常是金融业不进行根本性改革的藉口，而通过改革原本可以预防将来引起市场失灵的各种因素卷土重来。因此金融监管者必须对有效的监管可能带来的后果保持警觉。即使最优秀的监管者常常可能对市场活动失去控制。而且，监管者绝不可忽视无意造成的后果，因为看上去是很小的放宽监管的步骤，很可能捅出失去监管的大漏洞来。

一旦我们认识到金融监管与政策选择中的政治经济因素息息相关，我们就会清楚地懂得为什么市场失灵与政策和监管的失败相伴。市场可以从监管作为或不作为中交叉地套取利益，这种情况也是市场说客和既得利益集团促成的。这一切都使监管时机的选择、政策的连续、改革的设计和步骤等等变得更为复杂。凯恩斯也许是第一个讥讽者，他说，决策者博取人们欢心的心理使他们轻易地作出违背市场共识的大胆决定，因为“世俗的智慧使他们懂得，按传统方法办事导致的失败，比按非常规方法办事取得的成功，名声更好。”①

我们回到金融监管的目的上来说，其目的是要通过监管金融市场参与者的活动来维护整个社会的利益。在某种意义上，金融调控和监管可以看作一份保险单。如果我们知道在每个经济周期中都可能发生使社会蒙受一定损失的金融危机的话，金融调控、监管和执行的年度成本相当于社会为预防或减少金融危机损失所支付的年度保险费。也许我们绝对无法排除危机带来的损失，但是如果年度监管成本的贴现值低于危机时期通过监管挽回或减少的损失值，那么年度监管成本是值得付出的。显然，如果反之亦然，就表明我们监管过度了。

约翰·肯尼斯·加尔布雷思——《1929年大崩盘》一书的作者——简明地阐述了这个问题：

> 如今与以往一样，金融能力和政治洞察力呈负相关关系。经营者采取的长效避险方法，如果意味着对目前的有序生活和利益进行干扰，就不会

① Keynes(1942)[1936年初版]，第158页。

受到高度重视。所以现在人们鼓吹无所作为，即使这意味着将来会碰到很大的麻烦。这方面，资本主义面临的威胁就是，明知事态非常不妙，并将继续恶化，但说是基本健康。

如果亚洲和世界想要经受得住这次危机和下一次金融危机的考验，我们需要有识之士、中央银行家或金融监管者，不仅勇于说出局势行将发生差池，而且敢于采取一些相应的措施。

第十六章

治理危机

昨天的世界秩序正在迅速消亡，而明日的世界还没有出现。事实上我们不是在面临今天政治家不断提及的“世界新秩序”，而是正面临**世界新无序**——谁都不知道这会持续多久。

——彼得·德鲁克

现在，该是我们从亚洲危机和当前危机中吸取重要经验教训的时候了。

进入新阶段的重要标志

亚洲危机好像一出戏剧，我们可以指责演员（亚洲人与外国人）水平不高，舞台搭建得不好（国内结构薄弱与国际结构有缺陷），或者剧本太差（蹩脚的国内政策与错误的国际解决方案）。使亚洲危机更加令人着迷的事情是，它不是失败的或有弱点的国家崩溃的案例，而是先前卓有建树的国家遭受到危机的案例。

我越是认真思考亚洲危机，越是相信这场危机是关于国内经济的政治经济学思考和全球化的兴起这两种思想之间的冲突。这种思想的冲突是在所难免的，因为世界各国越来越相互联系和相互影响了。在亚洲奇迹时期曾获得巨大成功的亚洲公共部门和私营部门的治理体系，事实证明在全球资本流动的冲击下是弱不禁风的。

同样，在十多年后，全球性危机突然爆发，因为现今没有一个经济体是

"孤岛"。国内一系列事件看起来每一件都显然是无害或温和的,可是当世界各国联结在一起的时候,那些事件就可以引发一场灾难。这次危机是一场谁都没有从全局考察的网络危机。简而言之,它是网络世界中本国的和全球的治理危机。

美国银行家理查德·奥布赖恩(Richard O'Brien)于 1995 年著文论述"谁统治着世界金融市场"时,具有先见之明地提出了这个问题,"在这日新月异的环境中,人们不仅委托监管者要维护好他们其实不再能完全掌控的体系,而且要求他们控制好无论他们还是参与者都完全没弄懂的一种体系"。[①] 事实上,世界变化得这么迅速,现有的经济理论和分析都无法帮助人们恰当地理解这种形势了。21 世纪的四大趋势——全球化、金融创新、经济自由化和技术进步——测试了公司、国家和全球的经济与金融治理结构的质量。结果,它们的分数都很差。

换句话说,亚洲危机是亚洲各经济体在成长中的痛苦,他们要转变成世界上具有中等收入的经济体,可是在心理上、组织上或技术上对全球化的风险还没有做好准备。那次危机是亚洲为了进入新阶段而付出的代价。具有讽刺意味的是,当前的这场危机可能也是世界为进入全球化的新阶段而要付出的代价。

从这个角度来看,2007～2008 年显然标志着全球市场经济中的一个重要转折点。我们必须提出三个重要的问题。第一,这是不是全球资本主义盛极而衰的标志?

至少有一件事是肯定的,目前这场危机给"美国梦"画上了问号。每个人通过自己的劳动和创造力拥有想拥有的一切,这种梦想对美国人来说有可能实现,因为他们的总人口不足世界人口总数的 5%,GDP 却占全球总量的 25%,并且每年可以消费相当于 GDP 6%的净外部资源。不幸的是,全球的资源环境却无法支持占世界总人口 37%的中国人和印度人也实现这种美国梦。资源和环境的问题在大萧条年代还不是新兴市场发展的制约因素,但今天,像中国和印度这样快速发展的国家必须应对全球气候变暖和环境的可持续问题,这不仅是为了保护他们自己的健康,而且也是为了全人类的利益。

人们很容易忘记,在全球变暖时期,好天气带来好收成,所以会出现太平盛世。但是正如人类的母亲地球已经提醒我们的,澳大利亚的干旱,中国的

---

① O'Brien(1995)。

地震，以及其他地方禽流感和水资源匮乏都表明，全球气候和自然灾害会改变整个发展的格局。环境的可持续发展也许是最重要的全球问题，现有的理论和治理模式还不足以应对。在地球受到沉重的压力时，人类社会也因恐怖主义、犯罪和原教旨主义造成社会隔阂和贫富两极分化而焦虑不安。

但是这个问题是深刻的。我本人的推测是，亚洲人必须找出自己的发展模式，把“GDP 热”（疯狂追求快速增长）弃之如敝屣，寻求更加可持续的发展速度，既提供就业机会，又不破坏环境。

第二个历史性的问题是，如果印度和中国每年都以 8%以上的速度增长，而 G3（美国、欧洲和日本）每年增长率不足 2%，那么发达经济体和新兴市场经济体之间的相对实力将会显著改变。安格斯·麦迪逊（Angus Maddison）曾预言①，到 2018 年，中国将取代美国成为世界上最大的经济体，印度则名列第三。到 2030 年，亚洲（包括日本在内）GDP 将占世界总量的 53%，而美国和欧洲只占 33%。如若其然，全球金融体系必将与今日大相径庭。

2007 年，亚洲已经拥有世界官方外汇储备的 66.8%，世界人口的 55%，世界 GDP 的 24.5%，但是只占国际货币基金组织配额的 16%，这个比例与它在布雷顿森林体系中的投票权相当。根据我本人粗略的估算，亚洲在未来十年内会拥有世界上最大的金融市场。这只需要亚洲继续实现金融深化，亚洲货币对美元和欧元相对升值。这意味着亚洲某一种货币或几种货币的组合很可能到那时扮演全球储备货币的角色。

第三，亚洲是否准备好扮演这种角色了呢？到目前为止还没有。过去，新兴市场一直依赖发达国家的市场和资金。亚洲国家的顺差角色是新近发生的事，亚洲人还没有适应。

亚洲之所以不得不把它多余的储蓄投资到西方去，正是因为它自己的金融系统还不足以承担对这些储蓄的配置使命。亚洲的监管结构尚待发展。要在国际货币秩序中有所作为，亚洲的政府官员们既缺乏国际意识，在心理上也准备不足。近十年来，亚洲国家的政府官员在布雷顿森林体系中工作的人数越来越少，这不只是因为国内可能找到更好的机会，还因为他们不看好在这些机构中发展的前景。亚洲几乎找不到一个智库是专门研究国际金融秩序的。

第三个历史性问题是对上述褊狭思维的一种反应。至今，对于危机的应对在国家层面远比在区域或全球层面更为迅速。现今国际金融体系的一大

---

① Maddison(2007)。

缺陷就在于，即便在欧洲，对危机的第一反应也只是国家层面而非国际层面。每个国家都只担心本国的银行。美欧之间在适当应对和营救努力方面的协调也不足。这说明，要开始考虑全球政策之前，我们还须先加强国内危机的管理和应对之策。

当前的经验教训

美国和欧洲整个金融系统开始崩溃的速度表明，由于20年的放松管制，金融系统的网络化已经到了何种程度。

艾伦·霍奇森·布朗(Ellen Hodgson Brown)一针见血地指出，债务网络[①]极可能崩溃。全球去杠杆化的过程将持续，直到流动性过剩消失。世界上重要的银行都将因资本不足而不得不实际减少贷款。国有银行也将比私营银行更加谨慎行事。但是实体经济部门调整才刚刚开始。调整的核心是体现在美国经常项目赤字上的储蓄缺口。如果国民储蓄能调整到占GDP的3%，就可把对美国的出口减少到每年大约3 200亿美元的水平，即进口大约下降13.5%。这种做法已经开始对亚洲产生多方面的消极影响。

虽然亚洲经济体持有的与次贷相关的票据数量有限，但是官方储备、银行和主权财富基金持有的以美元和欧元计值的金融票据仍然相当庞大。因此，全球金融危机对亚洲的打击将不仅表现在贸易渠道，还表现为货币贬值或资产价格下降造成的财富损失。此外，像韩国等严重依赖全球银行同业拆借的国家将会受到流动性收紧和借贷成本提高的影响。

可以吸取的经验教训很多，但是我认为从重要性来说，有六条经验教训特别值得强调。

返璞归真

第一条经验教训是，危机是人类恣意妄为的自然结果。基本上，它是人类集体过分行为逐渐演变而成的——它创造性地毁灭了人类非理性的繁荣，使人人回到世界上没有免费午餐的现实中来。熊彼得(Schumpeter)说得好，危机过后可以重新焕发青春。实际上，危机发挥了有效监管在正常时期应起的作用，加速了那些竞争力差、不讲诚信的机构出局。所以我们不能忘记，危

① Hodgson Brown(2007)。

机只是一时，而改革、重组和监管是一直要持续不断进行的。

危机仅仅把我们的思想集中到为了弥补社会经济的纰漏而需要做什么，以及我们出于既得利益没有做过什么或不能做什么上。事实上，在我们淡忘危机和既得利益再次需要我们进行改革之前，只有一线改革的机会。如果我们不趁风和日丽之时进行改革，危机会像下一次海啸再现，这是必然的结果。

第二个经验教训是金融衍生产品提供了杠杆作用，从而也带来了风险。风险可以转移，但是不会消失。事实上，不懂得金融衍生产品的性质，这本身就是一个很大的风险。

基本金融理论会告诉你，金融衍生产品通过杠杆代表了某一种基础资产。金融衍生产品的优点在于，本不可分割的基础资产（例如一大块不能移动的土地）可以被轻易划分，然后以较低的交易成本转移产权。真实产品需要劳动力和真实资产才能制造出来。金融衍生产品只需要想像力。同样的基础资产可以有多种金融衍生产品。我们从经验中已经知道，如果基础资产遇到了麻烦，那么金融衍生产品的金字塔就会很快倒塌。

金融金字塔的不稳定正是金融应当严加控制或监管的原因。如果任凭市场力量调节，不加任何约束的话，进行金融衍生产品交易就有很大的道德风险——提高杠杆率，降低私人营利的透明度最终可能使社会付出代价。因此纯粹从理念上来说，国家计划下的金融和无拘无束的金融之间没有什么重要的区别——它们都要消耗或浪费巨大的社会资源。解决问题的关键在于采取中庸之道——既要利用市场力量的效率，又要监管金融，防止过度和动荡。因此政府和市场之间的关系不易处理。政府干预太多不好，放纵市场过分也不好。

第三个基本经验是，如果金融是实体经济衍生出来的，除非实体经济强大有力，否则不可能有稳健的金融结构。我们不能让货币理论弄得晕头转向，看不清常识性的事实——金融必须为实体经济服务，而不是拉着它跑。如果确应如此，那么付给华尔街金融高管的薪水比中产阶级的多是毫无道理的。我们必须保证激励机制是公平的——金融界精英的才能若不考评其业绩就不能给予奖励。公司治理结构必须得到改造，不要再出现“金降落伞”（即公司在收购兼并后，高管得到一大笔遣散费；或公司绩效不好，高管照样拿高薪），而且工资必须与长期业绩挂钩。

注重实体经济部门意味着，社会稳定的主要支柱之一——房地产市场必将得到更多的关心，通过恰当的政府政策保证有充足的住房供应，并且持续、公平地让大多数人买得起住房。巴塞尔协议的错误在于，通过放松监管来执行社会政策，给予房产信贷的资本权重低于合理水平。我们必须有一种动态的信贷配置机制，并且更好地利用贷款价值比率来防止信贷过度，吹大房地产泡沫。

对新兴市场而言，我从当前危机得出两条值得重视的结论。第一，混业经营的银行模式由于两个重要原因存在着严重的问题。一个问题是你无法兼容并蓄投资银行的文化（在那里冒风险是关键）和商业银行的文化（在那里谨慎最要紧）。格拉斯-斯蒂格尔法从根本上说没有错。另一个问题是，并不是每家银行都能完全转变为针对同业及大客户的批发银行模式，极大部分银行必须仍以零售业务为主，集中精力做好服务——保护储户的利益和为公司部门的主体，特别是为在实体经济中提供了大量就业机会的中小企业服务。银行不应再是快速营利的地方，而应在安全稳定的基础上追求长期的回报。

第四个重要经验教训是，即使对金融创新缺少监管是目前危机产生的症结所在，我们也不能简单地据此断言所有的金融创新一无是处。普通类型的抵押贷款和住房抵押贷款证券在美国以及诸如中国香港和马来西亚等市场表现得都相当好。事实上，在德国，潘德布雷夫抵押债券①市场仍然生机勃勃，因为发行银行仍对资产质量负责。资产证券化可以成为亚洲富有活力的公司债券市场的支柱，以及在为房产商融资时减少银行系统期限错配的手段。正如由全国性的药品监管局来审查和批准新药一样，金融监管者毫无理由不对新的金融产品进行审查、批准和应有的适当管理。只要新的金融产品不会产生系统性的影响，它们就可以在场外进行交易。但是一旦这些产品达到某种规模时，应把它们列入净额结算安排，监管交易对手风险和杠杆水平。私人账户适度不透明是对的，但是对于保障公共金融健康而言，透明和监管是必要的。

第五，金融监管的整个理念及其在金融稳定政策方面的作用，需要重新审视。建立金融超级监管机构的新趋势是金融业本身的集中和联合导致的。现在的金融监管体制结构产生了多种监管者，弄得协调和执行监管的工作很复杂，成本很高而效率较低。反对超级监管的论点之一是金融业现行的监管工作成本太高。现在答案已显而易见。即使对大型复杂金融机构的监管成本再高，仍比公众遭受金融危机而要付出的代价低。因此，优先考虑的不应是金融业的监管成本，而是全部社会成本（包括防止金融过度创新

① 即 Pfandbrief covered bond，是一种全球化的债务融资工具。——译注

和危机)。

请注意,即使在具有超级监管机构的国家里,仍难免需要超级监管机构、中央银行和财政部三方协调。所以,实现金融稳定的根本问题在于,恰当的维护金融稳定的政策必须得到协调和贯彻。单靠金融监管机构发挥作用是不行的。如果在一个国家的范围内,金融监管尚且如此复杂,在全球进行金融监管那就更棘手了。

金融监管机构需要从战略上考虑如何有效地监管整个经济周期。现行的巴塞尔协议的那种办法假设的是平时正常的情况,而金融监管机构需要准备对付泡沫出现时的危机状况。在工作过程中需要树立反周期的思维,包括准备必要的预算资源。正如丘吉尔曾经说过的那样,和平时期要为战争做准备;战争时期要为和平做准备。

最后,我们不能让理论和一厢情愿推动实践和现状的发展。以前欧洲人没料到美国次贷危机会对他们造成这么厉害的冲击,直到后来他们才认识到,购买了大量有毒的金融产品正是他们银行系统的不精明之处,而且有的银行已经过分依赖从外部大额融资。例如,在欧洲较弱的德国各银行和英国建房互助会①需要得到援救,帮他们摆脱愚蠢的行为。显然,即使欧洲金融的失察和监管进行大规模矫正和重组,当地没有受到明确监管的金融部门仍是最易受到外部冲击的软肋。

在许多新兴市场里,实际状况是,商业银行仍基本上努力为零售客户服务,同时向企业提供信贷,还谈不上向批发银行发展。新兴金融市场的监管机构、中央银行和财政部仍然注重日常在国内争夺势力范围,而不去了解全球金融博弈正在发生变化。各国相互之间的联系是现实存在的,可是人们的思维、社会和金融机构却仍然是本地化的。

因此实际情况是,要改变思维定势和体制结构,使之适应金融相互依存的新世界,尚需假以时日。

长远的观点

由于金融危机阶段过去了,全世界进入到危机管理和解决的阶段。美国

---

① 英国建房互助会(British building society):相当于正式银行机构,接受存款,并贷款给打算建房或买房的人士,近年来这种机构同银行竞争激烈,向投资者提供支票、信用卡等服务项目。——译注

和欧洲将采取措施恢复秩序。他们将调整银行资本，运用财政政策刺激经济，停止取消抵押回赎权，进行监管改革，然后开始讨论全球金融结构。布什总统于 2008 年 11 月 14～15 日在华盛顿召开 G20 领导人会议。在 2009 年 4 月的伦敦 G20 峰会上，领导人们承诺将投入三倍于国际货币基金组织可用资源的 7 500 亿美元，实行协调一致的财政扩张达到 5 万亿美元的规模，并改革国际金融架构。引人注目的是，金融稳定论坛将由金融稳定委员会继任，成员包括 G20 的所有成员、西班牙和欧盟委员会。

我们到底是在设法解决应该处置的问题，还是仅仅在对已破损的国际秩序修修补补，希望它继续发挥作用呢？

我们回到如何会落到今天这种处境的结构问题上来——金融上相互依存的世界没有全球性货币管理当局和金融监管机构，就不能管住全球收入不平衡的风险。

这里用比较容易理解的文字来解释卢梭[1]说过的话：市场是天生自由的，但是各国各地的市场都有自己的一套框架。全球化使全世界各市场形成一张比较完整的网，然而货币和财政政策、市场不同部门的管理和监督却因国家和司法机构管辖权不同而相互割裂，这些不同的框架已经过时、低效和阻碍生产率的提高了。出于国内政治的考虑，每个国家的政府都只关注本国的利益，而不一定关心本国事件的外溢效应，即对世界其余国家的影响。国家越强大，其外溢效应也越大。由于谁都不关注整个世界的市场，也不追溯各国市场、制度和产品之间的相互影响和相互关联，所以流动性、杠杆作用、贪婪和恐慌汇合在一起，形成了惊世骇俗的金融风暴。

当我们回头去看制度的八元素时，我们需要彻底考虑一下，战略、价值观、激励手段和结构是否正确。在拒绝接受弗里德曼学派提议的政策后，我们已经彻底回到凯恩斯主义由政府注资刺激经济的做法上，奥巴马政府已承诺拨出高达 7 750 亿美元资金来恢复美国经济。

本书已经阐述过，日本是战后时期第一个经历了资产负债泡沫和通货紧缩的重要经济体。在政府大规模注资刺激经济、17 年以上的通货紧缩和低增长之后，日本用占 GDP 195％的公共债务泡沫替代了股市和房市泡沫，但是仍然没有解决许多结构性问题。由于提高利率会造成债务市场突然崩溃以

---

① 让·雅克·卢梭(Jean Jacques Rousseau，1712～1778)是法国思想家、教育家与文学家，18 世纪思想启蒙运动代表人物之一。重要著作有《论人类不平等的起源和基础》《社会契约论》《爱弥儿》《忏悔录》《新爱洛绮丝》《一个孤独者的沉思》《论经济政策》等。——译注

及使日元进一步受到压力，所以要把财政状况合理地维持下去，只有执行零利率政策。具有讽刺意味的是，零利率竟迫使储蓄率很高的老龄化国家消费止步不前。我们已经阐明了金融工程师以及日元利差交易是如何使得全球市场更加杠杆化、更加反复无常和险象环生的。

而今日本的零利率政策在美国如法炮制，也许其他国家也会迅速跟进。日本从其艰辛的经历中懂得了，当你把货币价格定为零时，则经济中所有其他的调整都需要通过其他价格（例如汇率）来量化。现在没有一个国家能够执行独立的货币政策而不用实施某种汇率管制，因为大量的利差交易将从任何把提高利率作为货币政策内容之一的尝试中获取利差。

零利率政策对汇率政策的影响很大。我们正在走进一个未知的海域，因为如果人人都想利用灵活的汇率把经济调整的成本转嫁给邻国的话，那么全世界将会落入完全像 20 世纪 30 年代时候那样的通货紧缩陷阱。

美国和其他国家的政府会不会重蹈日本的覆辙——同样利用零利率和政府财政注资等手段，使经济再通胀到旧模式去？我们能否整治这样那样的扭曲现象，或者我们是否应当重新审视旧模式是否已经打破，以及采取什么措施推行新模式？

纵然凯恩斯的思想对我有很大的影响，但如果我不指出凯恩斯思想的背景与今天存在的问题大相径庭的话，那么我是不诚实的。凯恩斯经济学是在没有自然资源制约或环境制约的情况下逐渐发展而成的。我推测，2008 年的商品泡沫是目前“为增长而增长”模式受到环境制约的第一个需要重视的迹象。这种泡沫的威力与澳大利亚旱灾对全球粮价的影响一样严重。如果发生持久的旱灾，就像公元 9 世纪致使玛雅文明走向衰弱的长期旱灾一样，那么全球粮价又将如何？全球变暖带来的好年景已经忽悠了我们，以为良好的气候条件会永远存在，就像人们以为股价和房价将一直上涨那样。

从激励的角度来看，印制货币维持现在的资产泡沫，预防通货紧缩，实际上这是在鼓励贪婪、过度消费和杠杆作用，后三者首先造成了泡沫，尔后又怂恿了不可持续的发展。具有讽刺意味的是，穷人没有从资产泡沫中得到很多好处，凭亚洲的经验来看，他们将为危机付出相当大的代价。

大量的结构调整摆在面前。在西方，创造就业的机会意味着保护主义将会增强，因为保护主义者会要求把转移出去的制造业岗位收回来提供给本国人工作，并且会促进新的服务业和知识型产业的发展。对亚洲人来说，建立全球供应链花费了 30 多年，如果对亚洲产品的需求迅速式微，就会出现大规模失业现象。亚洲的全球供应链基本上旨在把产品供应给发达市场，现在则面临认真的调整，把生产转向满足国内或地区消费的需要。但是要求亚洲人像西方市场一样消费同样质量和数量的产品以再度吹胀现有的泡沫，也不切实际。因此全球供应链必须进行巨大的结构调整，这也许对亚洲和世界其他地区有进一步的乘数效应。

第二批结构性问题涉及现有的金融系统是否强劲得足以承受金融风暴的冲击。在现代市场急剧波动的条件下，银行资本充足率要维持在什么水平上才恰当？根据格林斯潘引用的联邦储蓄保险公司(FDIC)数据①，1840 年美国银行资本充足率接近资产的 60%，到 1900 年下降到 20%，在 20 世纪末低于 10%。如果市场继续像近年来这样的高度动荡，银行资本充足率就无法维持在 8%的水平上，由于风险增加，也许不得不大大上调。

国内治理面临的第三大挑战——这在亚洲尤为严重——是传统的由上而下的官僚体制和现代组织之间固有的冲突，前者刻板僵化，后者则必须对市场和社会需求的多方面变化迅速和灵活地作出反应。

关于制度在本国和全球发展中的重要作用的争论，关键在于政府的作用和市场的作用之间复杂的影响上。

如果市场不成熟，制度仍在完善中，而且社会封闭的话，政府在社会中充当主宰力量，掌握各种专长和权力来分配稀缺资源，以最大限度地提高效率，这是可以理解的。不幸的是，没有监督和制衡，任何政府——不管它多么乐善好施——最终都会犯下大错，导致危机和损失。权力和知识的集中造成社会不平等，弱化了社会的稳定(或健康)，因此国家治理需要更加多元化和"扁平化"(直截了当)。用网络术语来说，市场像网络一样具有"赢家通吃"效应，即财富和知识集中到越来越少数人的手中。这会增加社会的紧张局势，并且会有一支抗衡的势力谋求公正和平等，而这只有有效率的政府才能做到。

用政治学家曼瑟·奥尔森(Mancur Olsen)②的话来讲，这种情况需要政府在治理中变成**市场强化型政府**(market-augmenting government)。这种治理模式和思维定势的变革(精英分子不再能在全球经济中握有全部控制权)，若没有经历危机的痛苦，是最难以实现的。

---

① Greenspan(2008b)。

② 奥尔森(Olsen, 2000)。曼瑟·奥尔森(1932～1998)生于美国北达科他州。1963 年获得哈佛大学博士学位。1990 年在马里兰大学创立了"体制改革与非正规部门研究中心"(IRIS)，专门研究发展中国家和转型经济国家改革问题。主要著作有《集体行为的逻辑》《国家兴衰探源》和《权力与繁荣》。——译注

正如最近经合组织（OECD）对现代化政府的研究所表明的那样[①]，我们都希望有一个公开、透明、易于接近和可以咨询的政府，敢于承担责任并能对民意作出积极反应。当前危机的一个结果是，在银行国有化和对行业进行援助之后，亚洲各国政府和西方国家政府之间的差距已经大大缩小。现在所有的政府都变成主权财富基金，掌握着本国经济重要部门的所有权。

剩下的分歧是人们需要**市场强化型政府**呢，还是**政府强化型**的市场？

例如，亚洲总是采用后一种模式。尽管亚洲各国政府成为要对政策错误和执行不到位负责的众矢之的，但是显而易见，亚洲的公司部门是导致最终失败的大多数风险的制造者。正是亚洲公司追求发展和市场份额的动力，驱使它们提高杠杆率和依赖向外国借款。亚洲各国政府支持公司的这种动力，从而为此付出了代价。人们可以理解，西方国家政府不愿限制银行系统追求市场发展的动力，这同样使本国经济遭到过度的杠杆作用和风险。正如本书前一章阐述的，决策者和风险承担者之间的密切关系是两次危机的共同因素。

仁者见仁，智者见智

1999年，世界银行对其著名的1993年关于“亚洲奇迹”的研究报告进行反思。该行得出的结论之一是，“尽管这场危机很严重，可是人们的思维定势和企业文化几乎没有什么改变……许多人等待着或多或少地像往常一样做生意。”[②]用昨天的思想来对付明天的问题，这确实是很危险的。

例如，假设美国打算再用美日关系中用过的同样手段，对中国施加压力，要中国迅速调整汇率的话，中国也许要冒泡沫破裂之后实行通货紧缩的风险，与日本经受过的折腾完全一样。这对全球稳定产生的后果是无法想象的。

亚洲走向全球化的经历提出了一个进退两难的怪问题：起初，越对外开放，越能获益；反过来，越对外封闭，越遭受损失。中国和印度就是从开放战略中受益的国家中生动的榜样。缅甸和朝鲜就是未能向邻国学习的封闭型国家的典型例子。然而，最近的危机则证明了与上述相反的一种困境：你越开放，受到危机传染的风险越大。显然，受到全球化损害的各种既得利益势力将在民族主义、文化认同感和经济原教旨主义的大旗下团结起来。这些势力很强大，不可低估。

---

① OECD(2005)。

② de Silva & Yusuf(1999)。

曼瑟·奥尔森说发展是不同既得利益集团之间协商的结果，绝对正确。早期资本密集型开放战略使亚洲精英分子获益匪浅，并且促进了发展，创造了就业。与此同时，大部分发展是以牺牲环境以及退休和社会保障资金不足为代价才得到的。随着亚洲各经济体的成熟以及社会的繁荣和前景更加以中产阶级为本，对开放、透明度、环境保护的可持续性、服务质量和社会选择的需求变得更加多样和复杂。亚洲的制度必须变革，以适应全球化时代、技术和知识社会的发展。

因此，亚洲需要进行一系列第二代的改革，管理好该地区从中等收入经济体向较高收入经济体的过渡，在全球事务中与欧洲和美洲一起发挥应有的作用。第二代改革涉及制度的根本性变革，而不会受控于哪一类市场参与者。

为了做到这一点，我们必须首先重温政治经济学基本原理，承认为了向前迈进，我们必须着手在亚洲建立有效的官僚体制，官员们懂得如何平衡政府在市场经济中的作用，同时能够宣传、监管、领导和推进改革。一旦人们认识到需要建立有效的亚洲官僚体制，下一步就要加强和激励官僚机构有效地执行只有政府才能提供的核心职能。在今天的全球化经济中，这种核心职能就是为有效市场的建立提供辅助和方便，包括设法处置市场失灵所带来的问题，例如社会不平等、恐怖主义、自然灾害和环境恶化，还有文明社会的发展。

但是，制度困境依然尖锐地存在着。事实上，在新兴市场中，许多政府官员薪俸低，动力不足，受到的监管很少。当改革的一切措施看来有益于私营部门时，为什么他们就应该帮助为改革提供方便呢？如果现存的官僚体制不愿意或不能够结束资源不足、惰性、忽视、腐败或缺乏激励的现象，有效地进行社会、制度和政策方面的必要改革，那么上述市场失灵带来的问题不可能得到处理。如果官僚体制得不到改革，市场也不可能改革和有效地运作。

更重要的是，我们要问应当把哪套价值观念灌输到新的公正的、环境上可持续的社会及相关的金融系统中去？贪婪地急功近利的短期行为是上一个十年经济泡沫的特征，毫无疑问，这种行为既不公平，在环境或财务方面也不可持续。在富裕充足的时期，我们曾经目睹明火执仗的假公济私。这种情况没有任何地方比金融市场表现得更明显。大部分金融系统的国有化就是结局。激励机制需要重建，以便改变社会价值观念，使之包含更强烈的社会责任感，更长远地考虑问题。

所有这一切都意味着，我们思考问题的方式和我们衡量生活质量的方式的变革将有很大的不同。目前对收入和财富的量化方法，对于改善生活质量来说，即使不说它失真，也是极其不充分的。许多新兴市场的 GDP 热已经导致了资产泡沫、巨大浪费和效率低下，而且造成环境遭到大规模破坏。甚至盯市价的记账方法将不得不从一切均即时计价改变为按合适的时间估价。阿维纳什·博沙德所提倡的"盯融资"就是这种改变的一次尝试。遗憾的是，我们迄今为止还没有一种价值观体系能迅速取代现行市场体系。由于社会科学变得太复杂了，我们缺乏当代的亚当·斯密或凯恩斯，为我们提供理解新世界的哲学基础。

彼得·德鲁克认为后资本主义社会是知识社会，在这种社会里，我们对知识的重视远远超过对我们目前消费的物质产品的重视。他已得出了与古代亚洲人相同的结论，后者在内心平和、自我利益和社会责任之间找到了平衡。通过对文化和自然遗产的寻根，我们继续前行。

结论

本书的研究使我得出了危机归根到底是政治性的这个结论。即使它以金融危机的形式突然爆发，其解决方法必然也是政治性的，因为损失的分担多是人为的决定，而且往往颇有争议。说到底，每一次金融危机都是治理危机。金融危机证明了，金融工程创造不出永久的繁荣。长期可持续的稳定要靠在公司、金融和社会层面上的良好治理。所有的危机必须由政府来解决，如果本届政府解决得不能令人满意，那么下一届政府继续努力。

概括地说，亚洲危机揭示了东京共识——日本人认为产业政策能带来增长和繁荣——未能长久站住脚。此外，华盛顿共识经受了严峻的考验，人们发现它也不够好。到目前为止，会不会产生北京共识还不清楚。

现在亚洲已经作为第三种力量在世界上崛起，但是亚洲如何全球化以及亚洲如何影响世界将肯定会引起竞争与合作的力量之间的相互作用，并决定世界走向和平还是战争。这些力量的互动在很大程度上也需要依靠政治、企业、社会，甚至宗教等各个界别杰出的领导层，他们可以在结构和思想上引发必要的变革，使世界成为更安全、更健康、更繁荣和更公正的居住地。在此期间，我们一定会看到各种文明、文化和信仰之间的冲突，需要能够纵横捭阖、高瞻远瞩、不负使命、足智多谋和坚韧不拔的政治家来进行管理。

在亚洲，谁有进行改革的远见、使命感和意志，这是不属本书讨论范围的一个问题。

也许从亚洲危机中获得的真正教训是，谁都无法预言亚洲如何才能进入比较稳定和可持续发展的阶段，而不出现较大动荡或另一次危机。不管怎样，有一点是清楚的——当亚洲各经济体靠自己力量成为经济强国时，如果下一次再发生危机，那就不能归咎于别人，唯有责怪自己了。

附录一

从亚洲到全球的金融危机：大事记

20世纪70年代末	日本开始建立亚洲的全球供应链。
1983年10月	港元与美元挂钩，汇率是7.80港元兑1美元。
1985年	美国同日本往来账户赤字约460亿美元，破历史纪录。
1985年9月	日元与美元的汇率徘徊在240日元兑1美元左右。
1985年9月22日	广场协议签署。日元对美元升值。
1986年1月～1987年2月	日本银行五次降息，利率从5%下降到2.5%。
1986年	日本资产价格泡沫初现。
1987年2月	日元与美元的汇率在153日元兑1美元上下徘徊。
1987年10月19日	美国股票市场崩溃。道琼斯工业股平均指数下跌23%。
1988年12月	日元与美元汇率达到123日元兑1美元的峰值，然后开始贬值。
1989年5月～1990年8月	日本银行五次加息，利率从2.5%提高到6%。
1989～1990年	日本资产价格泡沫开始破灭。
1989年12月29日	日本日经225股票指数达到38957历史最高点。
1990年1月1日	在马来西亚的股份有限公司从新加坡证券交易所摘牌以及新加坡的股份有限公司从吉隆坡证券交易所摘牌以后，吉隆坡证券交易所作为独立交易所运营。
1990年1月2日	新加坡为马来西亚股票和其他六国股票设立场外交易市场，启动“自动撮合国际股市”(CLOB)。
1990年4月	日元与美元汇率跌入160日元兑1美元低谷，开始升值。
1990年	印度尼西亚的杜塔银行获得救援，渡过难关。
1991年	日本进入衰退，GDP增长率从1990年5.2%下跌到3.4%。
1992年12月	印度尼西亚的苏马银行倒闭。
1991年7月～1993年9月	日本银行七次降息，利率从6%减低到1.75%。
1993年	美国同日本的经常账户赤字从1992年380亿美元骤增至510亿美元。日元急剧升值。日本进一步加强与亚洲其他国家的经济联系。 泰国建立“曼谷国际银行计划”。 世界银行发表报告：《东亚奇迹：经济增长和公共政策》。
1994年1月1日	加拿大、墨西哥和美国订立的北美自由贸易协定生效。 中国的汇率双轨制并轨。
1994年4月	墨西哥加入经合组织。
1994年12月9日	日本东京协合(Tokyo Kyowa)及安全信用组合(Anzen)两家信用合作组织破产。
1994年12月20日	墨西哥比索贬值。

1994 年	国际货币基金组织提议泰国放松外汇政策。
1995 年 1 月中旬	在墨西哥发生比索危机之后，投机者对泰铢和亚洲其他国家货币发起攻击。
1995 年 1 月 17 日	日本神户发生地震。
1995 年 2 月 1 日	国际货币基金组织宣布，由该组织、美国、国际清算银行和其他商业银行提供总额约达 500 亿美元的一揽子救援。
1995 年 3 月中旬	自从 1994 年 12 月以来，墨西哥比索贬值大约 50%。
1995 年 4 月 14 日	日本银行把利率从 1.75%降为 1%。
1995 年 4 月 19 日	日元兑美元汇率达到 80∶1 最高峰，然后开始贬值。
1995 年 7 月	日本环宇(Cosmo)信用合作社暂停营业。
1995 年 8 月	日本木津(Kizu)信用社和兵库银行(Hyogo Bank)倒闭。
1995 年 9 月 8 日	日本银行把利率从 1%降到 0.5%。
1995 年 9 月	日本大和银行宣布，由于其纽约分行的欺诈行为，亏损 11 亿美元。
1995 年 12 月	日元继续贬值，在 101 日元兑 1 美元上下徘徊。
1996 年 3 月	日本太平洋银行(Taiheiyou Bank)破产。
1996 年 4 月 28 日	印度尼西亚总统苏哈托总统夫人哈蒂娜去世。
1996 年 5 月	泰国的曼谷商业银行由于不良贷款被收归国有。
1996 年 7 月中旬	美国金融监管部门下令泰国曼谷大都会银行停止在美国市场上营业。
1996 年 7 月 27 日	印度尼西亚民主党总部着火之后，雅加达发生暴乱。印尼卢比受到压力。
1996 年 7 月末	墨西哥比索危机后，投机者对泰铢的第一次重大攻击。
1996 年 9 月 3 日	穆迪公司调低泰国的短期债务信用等级。
1996 年 10 月	道琼斯工业股平均指数突破 6000 点，艾伦·格林斯潘作了“非理性繁荣的演讲”。
1996 年 11 月	日本阪和银行(Hanwa Bank)奉命中止营业。
1996 年 12 月 12 日	韩国加入经合组织。
1996 年 12 月	日元贬值，日元兑美元汇率是 113 日元兑换 1 美元。
	印度尼西亚中央银行——印度尼西亚银行提议关闭七家小型商业银行。苏哈托总统拒绝接受这个建议。
	中国实施经常项目下人民币可自由兑换。
1996 年	日本呈现复苏迹象。GDP 年增长率从 1995 年 1.9%上升到 2.6%。
1997 年 1 月 23 日	韩国排名第 14 位的财团韩宝钢铁倒闭。
1997 年 1～2 月	在墨西哥比索危机后，投机者对泰铢进行第二次重大攻击。
1997 年 2 月 5 日	泰国 Samprasong 房地产公司成为第一家无力支付外债的泰国大公司。
1997 年 3 月	韩国排名第 26 位的财团三美特殊钢株式会社倒闭。国际货币基金组织敦促泰国立即采取更灵活的汇率。
	泰国中央银行——泰国银行下令设在泰国的 10 家金融公司

增资。

1997年4月1日	日本信贷银行遇到资金困难,宣布重组计划。
1997年4月	日本把增值税率从3%提高到5%。已经脆弱的日本经济进入萧条期。日元贬值,日元兑美元汇率为127日元兑1美元。
	韩国排名第6位的财团双龙汽车集团遇到财务困难。
	韩国排名第19位的财团——酿造啤酒和烈性酒的真露集团遇到财务困难。
	印度尼西亚总统苏哈托批准但是推迟执行印度尼西亚银行关于关闭七家印度尼西亚银行的计划。
1997年5月初	日本暗示,为了保卫日元,可能提高利率。
	日元开始坚挺。
	泰国最大的金融公司第一金融公司倒闭。
1997年5月8～15日	在墨西哥比索危机后,投机者对泰铢发起第三次重大攻击。
1997年5月中旬	投机者在1997年对马来西亚林吉特发起第一次重大攻击。
1997年5月20日	国际货币基金组织建议泰铢贬值10%～15%,并实行浮动汇率。
1997年5月24日	亚洲中央银行副行长会议讨论泰铢危机。
1997年5月末	韩国的零售连锁企业——大农集团遇到财务困难。
1997年6月19日	由于泰国总理声称"泰铢决不贬值",泰国财政部长林日光辞职。
1997年6月27日	泰国银行中止16家无力偿债和流动性紧张的金融公司营业。
	香港恒生指数在香港回归中国之前达到15196点的峰值。
1997年7月初	韩国排名第8位的财团——起亚汽车集团陷入财务困境。
1997年7月1日	香港在经历156年英国殖民统治之后回归中国。
1997年7月2日	泰国银行宣布泰铢汇率浮动。
	菲律宾比索遭到猛烈攻击。
1997年7月8日	马来西亚林吉特在1997年中遭到投机者第二次重大攻击。马来西亚中央银行——马来西亚国家银行出面干预,保卫林吉特。
1997年7月11日	菲律宾允许比索汇率浮动,并请求国际货币基金组织救援。
	印度尼西亚把卢比交易的波幅从8%扩大到12%。
1997年7月14日	马来西亚国家银行允许林吉特自由贬值。
1997年7月18日	国际货币基金组织向菲律宾提供大约10亿美元财政援助。
1997年7月24日	马来西亚总理马哈蒂尔·穆哈默德抨击"暴戾的投机者"。泰铢、卢比、林吉特和比索受到外汇炒家的压力。
1997年7月25日	第二届东亚太平洋地区中央银行主管会议在中国上海举行。
	马来西亚和泰国谋求日本帮助建立地区性救援基金。
1997年7月26日	马哈蒂尔谴责对冲基金经理乔治·索罗斯领导外汇炒家对东南亚国家货币的攻击。
1997年7月28日	泰国向国际货币基金组织求助。
1997年8月5日	泰国银行根据国际货币基金组织指导的救援计划,另外再中止

	42家金融公司营业。
1997年8月7日	香港恒生指数在香港回归中国之后达到16673点最高峰。
1997年8月11日	国际货币基金组织在东京开会讨论泰国的经济困难问题。
1997年8月13日	印度尼西亚卢比创2 682卢比兑1美元的历史新低。
1997年8月14日	印度尼西亚放弃卢比交易价幅度,允许卢比自由浮动。 新台币受到投机者攻击。
1997年8月15日	港元受到投机者攻击。香港金管局大幅度提高利率。
1997年8月19日	恒生指数下跌620点,报收15477点。
1997年8月20日	国际货币基金组织宣布救援泰国的一揽子方案,由国际货币基金组织、亚洲各国和其他多边机构提供总额约为170亿美元的援助。
1997年8月28日	吉隆坡证交所指定吉隆坡综合指数的100个构成股票,并且中止规定的卖空交易。
1997年9月17～25日	第52届世界银行和国际货币基金组织联合年会在香港举行。 日本在G7和国际货币基金组织会议上提出创立亚洲货币基金。
1997年10月	韩国发现本国银行未报告600多亿美元境外短期借款。
1997年10月8日	印度尼西亚向国际货币基金组织求助。
1997年10月13日	泰国金融机构兼并收购监管委员会主席Amaret Sila-on辞职。
1997年10月17日	台湾允许新台币汇率浮动。
1997年10月19日	泰国财政部长披塔亚辞职。
1997年10月20日	港元受到投机者攻击。恒生指数连续四天遭挫。
1997年10月23日	香港的"黑色星期四"。日拆利率急升至280%。恒生指数下跌1211点,即10.4%,报收10426点。 韩元开始走软。
1997年10月24日	泰国建立金融部门重整局,审查58家已经中止营业的金融公司的整顿计划。 标准普尔调低韩国外币长期主权债务评级,从AA－下降到A＋。
1997年10月27日	道琼斯工业股平均指数下跌554点,即7%以上,报收7161点。
1997年10月31日	印度尼西亚与国际货币基金组织签订第一份合作意向书。苏哈托总统和国际货币基金组织之间关系的僵局开始公开化。
1997年11月	泰国建立资产管理公司,为泰国金融部门重整局拍卖的金融公司的亏损资产充当最后买家。
1997年11月1日	印度尼西亚政府关闭16家银行,其中三家与总统家族有牵连——安德洛墨达银行、印尼工业银行和雅加达银行。 穆迪公司调低韩国四家大银行的信用等级。
1997年11月3日	泰国总理差瓦立辞职。 日本一家中型券商三洋证券公司中止营业。
1997年11月5日	国际货币基金组织宣布援救印度尼西亚的一揽子计划,由国际货币基金组织、亚洲各国、其他多边机构和印度尼西亚自己的

外部资产提供总额大约230亿美元的援助。

1997年11月5~8日	韩国股价综合指数大约下跌10%。
1997年11月10日	韩元几乎跌破1 000韩元兑1美元的大关。韩国政府保证守住1 000韩元兑1美元的汇率。
1997年11月中旬	马来西亚两家公开上市的集团企业——马友乃德有限公司和玲珑集团之间作出了救援的安排。
1997年11月16日	国际货币基金组织总裁米歇尔·康德苏秘密访问首尔,与韩国财务和经济部长官以及韩国银行行长进行讨论。
1997年11月17日	日本北海道拓殖银行由于呆账坏账而破产。这是日本第一家倒闭的大银行。
	韩国银行放弃保卫韩元不跌破1 000韩元兑1美元大关的努力。
1997年11月18日	韩国国会未能通过一批金融改革法案。
1997年11月19日	韩国金融和经济部长官康库熙和总统首席经济秘书金英霍辞职。
1997年11月20日	韩国谋求从美国和日本政府获得金融援助。
	韩国银行把韩元每日汇率波动幅度从2.25%扩大到10%。
1997年11月21日	韩国向国际货币基金组织求助。
1997年11月22日	标准普尔把韩国的外币长期主权债务等级从A+调低到A-。
1997年11月23日	印度尼西亚总统苏哈托的儿子收购了小银行——安德洛墨达银行并在其旧址重新开张。
1997年11月24日	韩国的“黑色星期一”。韩元汇率滑坡,韩国股价综合指数报收于451点,为十年来最低谷。
	日本第三大券商山一证券公司破产。
1997年11月25日	日元汇率下跌到127.45日元兑1美元。日经225指数暴跌5.1%,报收于15868点。
	香港经历了“抢购糕点风潮”,恐慌蔓延到娱乐圈。
1997年11月26日	日本德阳城市银行宣告破产。大藏大臣三冢博和日本银行行长松下康雄联合呼吁保持镇定。
1997年12月2日	韩国中止9家无清偿能力的商业银行营业。
1997年12月4日	国际货币基金组织宣布救援韩国的计划,由国际货币基金组织、其他多边机构和双边安排提供总额大约为550亿美元的援助。
1997年12月5日	印度尼西亚总统苏哈托开始史无前例的十天休假。谣传他已患重病。
1997年12月8日	韩国排名第12位的财团、从事重工业的Halla集团倒闭。
	韩国报纸报道引用已泄露的国际货币基金组织报告说,韩国外汇储备在上周已减少到只有50亿美元了。
	泰国宣布在奉命暂停营业的58家金融机构中已有56家倒闭。
1997年12月9日	韩国再中止5家无清偿能力的商业银行营业,使中止营业的银行总数达到14家,并掌握了韩国第一银行和首尔银行的多数

	股份。
1997年12月11日	穆迪公司把韩国的主权债务等级从A3调低到Baa2，还调低了韩国31家证券发行商的信用等级。 标准普尔把韩国的外币长期主权债务等级从A－调低到BBB－。 当时韩国总统的主要候选人金大中暗示，他可能会与国际货币基金组织重新谈判协议。
1997年12月12日	印度尼西亚总统苏哈托取消出席在吉隆坡举行的东盟峰会的计划。
1997年12月11～12日	韩元兑美元汇率按每日限定的10%跌停。
1997年12月13日	韩国综合股价指数报收于360点，比上周12月6日收盘时436点降低了17%。
1997年12月16日	韩国允许韩元浮动。
1997年12月17日	日本首相桥本龙太郎宣布特别削减个人所得税2万亿日元(约合157亿美元)，以支持摇摇欲坠的经济。
1997年12月18日	金大中当选为韩国总统。
1997年12月19日	日本食品商东照营倒闭，成为战后日本最大的破产案之一。 金大中总统重申韩国将恪守与国际货币基金组织签订的协议。
1997年12月22日	穆迪公司把印度尼西亚、韩国和泰国的长期主权债务评级调低到投资级以下。 标准普尔把韩国外币长期主权债务评级调低到投资级以下。
1997年12月23日	韩元兑美元汇率突破2 000韩元兑1美元的心理大关，韩国股价综合指数报收于366点，较前日收盘下跌7%以上，市场利率狂飙，高达40%。
1997年12月24日	国际货币基金组织、世界银行和亚洲开发银行同意在1998年1月初提前支付给韩国100亿美元贷款。
1997年12月29～30日	G10的银行同意韩国银行延期偿还短期贷款。
1998年1月1日	马来西亚加强审慎监管。泰国呼吁国际货币基金组织放宽财政约束。
1998年1月6日	印度尼西亚总统苏哈托宣布实行扩张性预算，这个措施是与国际货币基金组织要求实现预算盈余背道而驰的。
1998年1月7日	马来西亚林吉特跌到4.88林吉特兑1美元的最低点，这是从危机开始以来最低的。全国经济行动委员会正式成立。
1998年1月8日	卢比突破10 000卢比兑1美元的心理大关。雅加达综合指数暴跌。雅加达发生骚乱。
1998年1月12日	香港投资银行百富勤投资集团由于在印度尼西亚收不回放债款而倒闭。
1998年1月15日	印度尼西亚总统苏哈托亲自向国际货币基金组织签署第二份意向书。一张米歇尔·康德苏像校长一样居高临下地站在苏哈托总统面前的照片公布后，引起公众一片哗然。
1998年1月19日	苏哈托总统强调，没有国家的资金或援助，全国汽车开发项目

和发展印度尼西亚喷气式飞机的计划将继续执行。
香港的一家中型券商正达证券公司自动中止营业。

1998年1月20日	马来西亚宣布为银行存款提供全国担保。
1998年1月26日	印度尼西亚银行重组局成立,对在印度尼西亚注册的银行的全部债务和资产实行全面担保。
1998年1月29日	韩国关闭10家无清偿能力的商业银行。
1998年1月31日	韩国政府调整韩国第一银行和首尔银行资本,实施有效的控制。
1998年1～2月	印度尼西亚总统苏哈托考虑成立货币委员会。
1998年2月13日	由于物价扶摇直上,印度尼西亚爆发骚乱。
1998年2月14日	54家印度尼西亚银行处于印度尼西亚银行重组局监管之下。
1998年2月17日	印度尼西亚总统苏哈托通知中央银行行长,1998年2月11日总统令解除了他的职务。
1998年2月19日	印度尼西亚大学学生举行第一次示威游行。
1998年2月23日	骚乱在印度尼西亚继续发生。
1998年3月2日	印度尼西亚总统苏哈托声称,根据国际货币基金组织计划进行结构改革不符合印度尼西亚宪法。
1998年3月10日	苏哈托再次当选为印度尼西亚总统。
1998年3月14日	苏哈托的新内阁宣誓就职。
1998年3月19日	中国总理朱镕基说,北京将不惜一切代价,保卫港元与美元的联系汇率。
1998年3月25日	马来西亚宣布巩固金融公司和改组银行的计划。
1998年3月31日	菲律宾同意与国际货币基金组织签订为期三年的备用协定。
1998年4月	日本公布16万亿日元(约合1 200亿美元)的政府注资计划,以振兴本国经济。 印度尼西亚关闭7家小银行,印度尼西亚银行重组局接管了7家银行。
1998年4月4日	韩国自危机发生以来,成功地发行第一个国际债券。
1998年5月初	印度尼西亚总统苏哈托宣布燃料价格上涨。
1998年5月12日	帝利沙地大学四名学生在与印度尼西亚保安部队冲突中遭枪杀。
1998年5月13～16日	骚乱在印度尼西亚广泛蔓延,卢比贬值。
1998年5月21日	印度尼西亚总统苏哈托在执政32年后辞职。
1998年5月27～28日	韩国加入工会的工人举行了两天全国性罢工,抗议失业现象日益严重。
1998年5月27日	俄罗斯金融系统越来越多显示出面临实际困难的迹象。
1998年6月12日	日本宣布本国经济在23年里中第一次出现萎缩。
1998年6月	新台币下跌到11年中的低点。 印度尼西亚卢比跌到自危机发生以来的最低点。 港元受到投机者的攻击。
1998年6月17日	日元贬值,下跌到将近144日元兑1美元的水平。美国和日本

	进行干预,支持日元。
1998年6月24日	印度尼西亚和国际货币基金组织签订第四个协议,拯救本国经济。
1998年6～7月	拉丁美洲国家迫于无奈纷纷进行货币贬值。
1998年7月12日	日本首相桥本龙太郎下台。
1998年7月13日	马来西亚宣布了70亿林吉特财政刺激计划,推动经济增长。
1998年7月23日	马来西亚发表国家经济复兴计划。
1998年7月28日	国际货币基金组织宣布它将放宽对韩国提供550亿美元援助计划的条件。
1998年8月初	日元进一步贬值,汇率大约达到150日元兑1美元的水平。
	港元再次遭到投机者攻击。
1998年8月3日	道琼斯工业股平均指数狂泻约300点。
	马来西亚正式建立银行资本调整的机构——国家资本基金有限公司。
1998年8月5日	马来西亚议会通过建立国家资产管理公司的议案。
1998年8月14日	香港政府出手干预香港股票交易。
1998年8月17日	俄罗斯卢布贬值。
	马来西亚建立公司债务重组委员会。
1998年8月19日	俄罗斯正式不偿付它发行的国库券。
1998年8月21日	俄罗斯经济危机震惊世界市场。
1998年8月26日	马来西亚中央银行行长拿督阿默德和副行长方温朴辞职。
1998年8月31日	道琼斯工业股平均指数狂泻500多点。
1998年9月1日	马来西亚实行资本管制。吉隆坡股票综合指数暴跌到262.7点,这是7月2日以来的最低点。
1998年9月2日	马来西亚林吉特按3.80∶1的比价同美元挂钩。
	马来西亚副总理和财政部长安华·依布拉欣遭到罢黜。
	美国长期资本管理公司宣布巨额亏损,世界市场大为震惊。
1998年9月4日	美联储主席艾伦·格林斯潘说美国准备降低利率。
1998年9月18日	安华·依布拉欣被捕,随后受到指控并因腐败和鸡奸判刑。2004年,马来西亚联邦法院裁决他鸡奸罪不成立。
1998年9月23日	纽约联邦储备银行为长期资本管理公司提供37.5亿美元救援方案。
	印度尼西亚双边外债获得再融资。
1998年9月	巴西陷入危机。
	印度尼西亚把四家国有大银行合并为曼地利银行(Bank Mandiri)。
1998年10月3日	日本宣布实施300亿美元金融一揽子计划"宫泽新倡议"第一阶段,帮助地区摆脱衰退。
	G7部长会议订出援救巴西计划。
1998年10月	外汇基金投资有限公司成立,为香港政府有序处置它于1998年8月买入的大量港股提供咨询。

1998年末	日本开始有计划有步骤地处理其银行业危机。 亚洲危机出现减弱的迹象。
1999年1月15日	巴西政府允许里尔汇率自由浮动。
1999年2月	日本经济在零利率政策环境中运作。 马来西亚开始逐步放松自1998年9月开始实行的资本管制。
1999年3月13日	印度尼西亚关闭38家银行;印度尼西亚银行重组局接管了另外7家银行。
1999年3月29日	道琼斯工业股平均指数在历史上第一次报收于10000点以上。
1999年4月6日	马来西亚政府发表关于马来西亚危机的白皮书。
1999年5月	日本实行宫泽新倡议第二阶段。
1999年7月18日	韩国第四大财团大宇集团破产。
1999年11月	香港盈富基金成立,这是一种股票交易基金,是香港政府计划处置其于1998年8月购买的股票的第一步。
1999年	遭受危机的国家GDP增长率呈正向。
2000年3月10日	纳斯达克综合指数创5132点历史新高,标志着网络股票市场泡沫膨胀到极点。
2001年8月23日	韩国向国际货币基金组织偿还全部贷款。
2003年6月25日	美国联邦基金年利率下降1%。
2003年7月28日	国际货币基金组织独立评估办公室发表关于国际货币基金组织处理印度尼西亚、韩国和巴西金融危机的评估报告。
2003年7月31日	泰国向国际货币基金组织偿还全部贷款。
2005年7月21日	中国宣布将允许人民币汇率有管理的浮动。 马来西亚宣布将允许林吉特汇率有管理的浮动。
2005年夏	在1997～2006年间,美国房价大约上涨120%。房价在2005年夏末上涨到顶峰,因为美联储在2004年5次提高美国联邦基金利率0.25%,在2005年8次提高美国联邦基金利率0.25%,使美国联邦基金利率在2005年底达到4.25%。
2006年6月29日	美国联邦基金利率提高到5.25%顶峰。
2006年10月12日	印度尼西亚全部还清国际货币基金组织贷款。
2006年12月	马哈蒂尔博士和索罗斯公开言归于好。
2007年2月	汇丰银行报告在次贷债上亏损18亿美元。
2007年第一季度	S&P/凯斯-席勒房价指数表明美国房价自1991年以来第一次回落。
2007年3月～4月2日	美国有25家以上次贷机构申请破产,包括最大的次贷机构——新世纪金融公司在内。
2007年6月14～22日	两家贝尔斯登管理的对冲基金宣布在次贷中亏损14亿美元。
2007年7月10～12日	信用评级机构调低次贷按揭债券和CDO等级。
2007年7月30日～8月1日	德国工业银行(IKB)宣布亏损,它的主要股东德国复兴信贷银行(KFW)加上其他银行投入35亿欧元救援资金。
2007年7月31日～8月9日	美国住房抵押贷款投资公司宣布申请清盘破产保护。 法国巴黎银行下属3家投资基金因无法估值而暂停赎回。

2007年8月9～10日	欧洲中央银行注资950亿欧元为欧洲银行隔夜流动性提供资金。 美联储向美国的银行注资380亿美元。
2007年9月13～17日	英国抵押贷款机构北岩银行的流动性出现问题，于是发生挤兑事件(这是英国140年来第一次)，需要英国财政部为存款储户作出担保。 美联储把利率降低50个基点。
2007年10月9日	道琼斯工业股平均指数攀高达14164点。
2007年10月11～19日	评级机构调低次贷债券的信用等级。
2007年10月16日	上海A股综合指数报收于6092点峰位。
2007年9～12月	银行纷纷披露大量信贷亏损。美林宣布信贷亏损额达84亿美元。美林首席执行官和花旗集团首席执行官下台。
2007年12月12日	五大货币区的中央银行宣布采取措施，向金融机构提供年终的流动性。
2008年1月2日	原油价格每桶上涨大约100美元。
2008年1月15日	花旗集团宣布，由于注销181亿美元次贷坏账，第四季度亏损98亿美元，故发行可转换优先股筹资125亿美元。
2008年1月21～31日	美联储在10天内连续降息75和50个基点，凸显市场的疲弱。
2008年1月25日	法国最大的银行之一法国兴业银行宣布，由于交易员胡作非为，该行亏损49亿欧元(约合72亿美元)，需要安排资本55亿欧元(约合80亿美元)。
2008年2月17日	英国财政部宣布北岩银行国有化。
2008年3月16日	贝尔斯登发生流动性问题，出售给JP摩根，纽约联邦储备银行贷给后者290亿美元。
2008年3月17日	金价每盎司高达1 011.25美元。
2008年4月1日	瑞银集团主席在该公司注销呆账坏账190亿美元后下台，这一金额打破了2007年12月100亿美元注销额的记录。
2008年4月8日	国际货币基金组织《全球金融稳定报告》估计全世界信贷损失总额达9 450亿美元。
2008年4月30日	美国联邦基金利率下降到2%。
2008年7月3日	布伦特原油价格上升到每桶146美元。
2008年7月11日	美国财政部宣布救援房地美和房利美，在全美12万亿美元的抵押市场中，这两大巨头拥有或担保了其中的45%。
2008年7月末	国际金融学会估计，到2008年6月止的一年内，全球金融系统遭到4 760亿美元信贷亏损，筹措了3 540亿美元新资本。
2008年9月7日	美国政府接管房地美和房利美，美国财政部承诺持有这两家公司股份，确保这两家政府支持的公司资本净值为正值。
2008年9月8日	全球股市把救援房地美新闻看作利好消息，但是计算机故障导致9月8日星期一伦敦股票交易所闭市，造成资金无法退出。
2008年9月10日	韩国开发银行取消向雷曼兄弟公司投资的谈判，引起雷曼股票

暴跌30%。

2008年9月12日 美国参议院透露,几家大投资银行和券商,其中包括摩根士丹利、雷曼兄弟、花旗集团和美林在内,涉嫌从事违规交易,帮助外国对冲基金投资者逃税几十亿美元。雷曼股票自星期一以来已下跌50%以上。

2008年9月13日 巴克莱银行不再收购雷曼。

中国人民银行六年来第一次降低利率。

2008年9月14日(星期日) 全球银团宣布提供700亿美元资金池帮助陷入困境的金融机构。

美国银行按每股29美元价格收购美林,较9月12日星期五收盘时每股溢价17.05美元,但收购价不到2007年初每股100美元的三分之一。

2008年9月15日 具有158年历史的投资银行雷曼兄弟(美国第五大投资银行)申请清盘破产保护,部分是因为持有300亿美元的有毒房地产证券。债务总额达6 130亿美元。

美联储向美国最大的保险公司AIG提供850亿美元的支持,获得79.9%的股权。AIG的首席执行官Willumstad下台。其股价较年中最高点70.13美元重挫95%至1.25美元。AIG向市场提供了4 460亿美元的信贷违约掉期交易。

美国股价创下了自2001年9·11事件以来的日最大跌幅。

2008年9月17日 高盛收益在第三季度下降70%。

俄罗斯股价在一天中下跌20%,石油价格每桶降至90美元。

由于投资者把资金撤向安全地方,市场一片恐慌。

美国基金公司Putnam宣布因巨量赎回而关闭一个大型货币市场基金。美国货币市场基金交易额为3.4万亿美元。

2008年9月18日 在全球股票市场行情一路下滑的时候,各国中央银行向市场注资提供流动性支持。美联储与外国央行一起刺激美元互换交易,当金融股下跌时,注资1 800亿美元。

美国证券交易委员会和英国金融服务监管局停止卖空金融股,直至2009年1月。

英国最大的抵押贷款公司英国苏格兰哈利法克斯银行(HBOS)因英国大银行劳埃德TSB集团的收购得到救援。

2008年9月19日 因为A股指数自年初以来下跌70%,中国削减印花税,汇金公司宣布将回购大银行的股份。

俄罗斯政府保证拿出200亿美元,支持股市。

美国财政部向联储注资,因为在美联储8 880亿美元的资产中,已有约3 800亿美元用于抵押市场救援行动。联储持有的国库券价值从一年前的8 000亿美元缩水至4 800亿美元。美国政府保证拿出500亿美元,担保货币市场基金。

2008年9月20~21日 美国财政部长提出7 000亿美元救援计划,从银行购买有毒的住宅和商业抵押资产。不良资产救助计划提交国会讨论通过。

美联储批准高盛和摩根士丹利转型为银行控股公司，结束了投资银行时代。

2008 年 9 月 22 日 日本三菱日联金融集团购买摩根士丹利股权 10%～20%，计 83.9 亿美元。

野村证券为雷曼兄弟亚洲业务埋单 2.25 亿美元。

新生银行在提取雷曼兄弟和欧洲 ABS 的坏账准备金后，宣布上半财年预亏。

2008 年 9 月 25 日 香港发生东亚银行挤兑事件，反映出信贷危机的余波引起亚洲紧张不安。香港和新加坡的投资者蚀了本，因为他们通过银行购买了雷曼兄弟的迷你债券。在东亚银行于 9 月 18 日宣布对股票衍生品交易亏损 9 300 万港元进行调查以后，穆迪公司把东亚银行的等级从稳定调低到消极。东亚银行还分别面临雷曼兄弟和美国国际集团坏账 4.23 亿港元和 5 000 万港元的风险。

布什总统向全国发表关于金融危机的演说。

2008 年 9 月 26 日 美国最大的储蓄和贷款机构、拥有 3 070 亿美元资产的华盛顿互惠银行出售给 JP 摩根大通，售价为 19 亿美元。储户仍将获得保险，但股东将亏本。

沃伦·巴菲特向高盛投资 50 亿美元。

比利时、荷兰和卢森堡政府出手救援比-荷银行和保险集团富通。2007 年底，它拥有 8 710 亿欧元资产，在收购荷兰银行零售业务时支付了 240 亿欧元。

2008 年 9 月 29 日 花旗集团接管美联银行(Wachovia)。

英国贷款机构 B&B(Bradford & Bingley)被国有化。

德国为地产融资公司 HRE(Hypo Real Estate)提供担保。

冰岛政府接管全国第三大银行 Glitner。

道琼斯指数下挫 777 点，为史上最大跌幅之一。

2008 年 9 月 30 日 援助比利时银行 Dexia。

爱尔兰在其他政府之后，宣布为六家最大的银行提供存款担保。

2008 年 10 月 3 日 美国国会批准 7 000 亿美元救援计划，该计划最初于 9 月 29 日被否决。

荷兰政府将富通收归国有。

2008 年 10 月 6 日 德国政府出手救援 HRE。

法国巴黎银行接管富通在比利时和卢森堡的业务。

2008 年 10 月 7 日 冰岛政府接管 Glitner 和 Landsbanki。

2008 年 10 月 8 日 英国政府宣布为银行提供备用金。

美联储、欧洲央行和英格兰银行联手降息 50 个基点。

2008 年 10 月 13 日 欧洲各国政府宣布向欧洲银行注资方案，总额达 1 万亿欧元。

美国宣布向九大银行注资 2 500 亿美元，使道琼斯工业平均指数暴涨 11%，创历史之最。

2008年10月19日	荷兰政府向ING注资100亿欧元。
2008年10月21日	美联储创设MMIFF(Money Market Investor Funding Facility)。
2008年10月24日	美国众议院监管委员会质询格林斯潘,后者承认了部分错误。
2008年11月4日	巴拉克·奥巴马当选美国总统。
2008年11月11日	中国宣布4万亿元(合5 860亿美元)经济刺激计划。
2008年11月12日	美国政府增加对AIG的援助至1 500亿美元,包括400亿美元的股权。
2008年11月15日	G20领导人华盛顿峰会。
2008年11月18日	花旗集团宣布裁员52 000人。
2008年12月4日	英格兰银行降息1%~2%,欧洲央行降息75个基点至2.5%,为有史以来最大降幅,此前瑞典央行降息175个基点。
2008年12月9日	标准普尔将俄罗斯的评级从BBB+调低至BBB。
2008年12月11日	伯纳德·麦道夫被控操纵庞氏骗局,损失可能高达500亿美元。投资者包括银行、慈善机构、对冲基金和基金中的基金(FOF)。
2008年12月16日	美联储将利率降至历史低点0~0.25%。日元兑美元创出13年来的新高87.26,欧元兑美元则升至1.472 0。
2008年12月19日	原油创出4年以来的新低,跌至每桶35美元,尽管欧佩克日产量减少220万桶。

附录二

缩略词英汉对照表

ABF-1 Asian Bond Fund 1 亚洲债券基金 1 号
ABF-2 Asian Bond Fund 2 亚洲债券基金 2 号
ABMI Asian Bond Market Initiative 亚洲债券市场倡议
ABS Asset-backed securities 资产担保证券
ADB Asian Development Bank 亚洲开发银行
AEC ASEAN Economic Community 东盟经济共同体
AMF Asian Monetary Fund 亚洲货币基金
APEC Asia-Pacific Economic Cooperation 亚太经济合作
ASA ASEAN Swap Arrangements 东盟互惠信贷协议
ASEAN Association of Southeast Asian Nations 东南亚国家联盟
BCCI Bank of Credit and Commerce International 国际信贷和商业银行
BIBF Bangkok International Banking Facility 曼谷国际银行
BIS Bank for International Settlements 国际清算银行
BNM Bank Negara Malaysia 马来西亚国家银行
BoJ Bank of Japan 日本银行
BoT Bank of Thailand 泰国银行
BSA Bilateral Swap Arrangement and Repurchase Agreement 双边货币互换安排与回购协定
BSP *Bangko Sentral ng Pilipinas* 菲律宾中央银行
CDOs Collateralized Debt Obligations 债务抵押凭证
CEO Chief Executive Office 首席执行官;总裁
CFTC Commodity Futures Trading Commission 商品期货交易委员会
CLOB Central Limit Order Book 自动撮合国际股市
CMI Chiang Mai Initiative 清迈倡议
COSMAFI Committee to Supervise Mergers and Acquisitions of Financial Institutions 金融机构兼并收购监管委员会
CPSS Committee on Payment and Settlement Systems 支付和清算系统委员会
CRMPG Counterpart Risk Management Policy Group 交易对手风险防范小组
DJIA Dow Jones Industrial Average 道琼斯工业股票价格平均指数
EAEC East Asian Economic Caucus 东亚经济核心小组
EFIL Exchange Fund Investment Limited 外汇基金投资有限公司
EMEAP Executives' Meeting of East Asia-Pacific Central Banks 东亚太平洋地区中央银行主管会议
EMS European Monetary System 欧洲货币体系
EPF Employees Provident Fund 雇员公积金

ERM Exchange Rate Mechanism 汇率机制
ERPD Economic Review and Policy Dialogue 经济评论和政策对话
EU European Union 欧洲联盟
FASB Financial Accounting Standards Board 财务会计准则委员会
FCC Forward Commitment Capacity of the IMF 国际货币基金组织远期贷款协议执行能力
FDI Foreign Direct Investment 对外直接投资
FDIC Federal Deposit Insurance Corporation 联邦储蓄保险公司
FPI Foreign Portfolio Investment 对外证券投资
FSRA Financial Sector Restructing Authority 金融部门重整局,或金融重建局
FSA Financial Services Authority 金融服务监管局
FSAP Financial Sector Assesment Program 金融部门评估计划
FSF Financial Stability Forum 金融稳定论坛
FTA Free Trade Agreement 自由贸易协定
G7 Group of Seven 七国(经济体)集团
G8 Group of Eight 八国(经济体)集团
G10 Group of 10 十国(经济体)集团
G22 Group of 22 二十二国(经济体)集团
G30 Group of 30 三十国(经济体)集团
GDP Gross Domestic Product GDP
GITIC Guangdong Investment and Trust Company 广东投资信托公司
GNP Gross National Product 国民生产总值
GNI Gross National Income 国民总收入
HIBOR Hong Kong Interbank Offered Rate 香港银行同业拆借利率
HKCEC Hong Kong Convention and Exhibition Centre 香港会展中心
HKMA Hong Kong Monetary Authority 香港金管局
HKSAR Hong Kong Special Administrative Region 香港特别行政区
HLIs Highly Leveraged Institutions 高杠杆机构
HSBC Hong Kong and Shanghai Bank Corporation 香港汇丰银行
HSI Hang Seng Index 恒生指数
IAAS International Accounting and Auditing Standards 国际会计和审计标准
IBRA Indonesian Bank Restructuring Agency 印度尼西亚银行重组局
IEO Independent Evaluation Office of the IMF 国际货币基金组织独立评估办公室
IFC International Finance Corporation 国际金融公司
IFIs International Financial Institutions 国际金融机构
IFRS International Financial Reporting Standards 国际金融报告规则
IIF Institute of International Finance 国际金融学会
IMF International Monetary Fund 国际货币基金组织
IOSCO International Organization of Securities Commissions 国际证监会组织
IPO Initial Public Offering 首次公开发行

IT Information Technology 信息技术
JCI Jakarta Composite Index 雅加达股票综合指数
JETRO Japan External Trade Organization 日本贸易振兴会
KAMCO Korean Asset Management Corporation 韩国资产管理公司
KLCI Kuala Lumpur Composite Index 吉隆坡股票综合指数
KLSE Kuala Lumpur Stock Exchange 吉隆坡证券交易所
KOSPI Korea Composite Stock Price Index 韩国综合证券价格指数
LOI Letter of Intent 意向书
LOLR Lender of Last Resore 最后贷款者
LTCM Long-Term Capital Management 长期资本管理公司
MIT Massachusetts Institute of Technology 麻省理工学院
MITI Ministry of International Trade and Industry （日本）通商产业省
MoF Ministry of Finance 财政部
MSCI Morgan Stanley Capital International 摩根士丹利资本国际
NAB New Arrangements to Borrow 新的借贷协定
NAFTA North American Free Trade Agreement 北美自由贸易协定
NEAC National Economic Action Council 国家经济行动委员会
NERP National Economic Recovery Plan 国家经济复兴计划
NIEs Newly Industrializing Economies 新兴工业化国家
NIIP Net International Investment Position 国际投资净头寸
NPLs Non-Performing Loans 不良贷款；违约拖欠不还贷款
NYSE New York Stock Exchange 纽约证券交易所
OECD Organization for Economic and Cooperation in Development 经合组织；经济合作与发展组织
OTC Over-the-Counter 场外交易
PAIF Pan-Asian Bond Index Fund 泛亚债券指数基金
PBoC People's Bank of China 中国人民银行
PDI Indonesian Democratic Party 印度尼西亚民主党
PE Price-to-Earnings Ratio 市盈率
PSI Private Sector Involvement 私有部门干预
RMB Renminbi 人民币
ROSC Review of Standards and Codes 标准和规则评估
RTGS Real Time Gross Settlement 实时支付结算系统
SAFE State Administration of Foreign Exchange, People's Bank of China 中国人民银行下属国家外汇管理局
SEACEN Southeast Asian Central Banks 东南亚中央银行
SEC Securities and Exchange Commission 证券交易委员会
SEHK Stock Exchange of Hong Kong 香港证券交易所
SES Stock Exchange of Singapore 新加坡证券交易所
SFCHK Hong Kong Securities and Futures Commission 香港证券及期货事务监察委员会

SIVs Special Investment Vehicles 特殊投资渠道
SOEs State-Owned Enterprises 国有企业
TARP Troubled Assets Relief Programme 不良资产救助计划
TTRS Two-Tier Regulatory System 双层管理体制
UBS Union Bank of Switzerland 瑞银集团
US United States 美国
WTO World Trade Organization 世贸组织;世界贸易组织
VaR Value at Risk 风险价值

参 考 文 献

Abdelal, Rawi, and **Laura Alfaro.** 2003. Capital and Control: Lessons from Malaysia. *Challenge*, July/August, 26 - 53.

Abdulgani-Knapp, Retnowati. 2007. *Soeharto: The Life and Legacy of Indonesia's Second President*. Singapore: Marshall Cavendish Editions.

Adelman, Irma, and **Song Byung Nak.** 1999. The Korean Financial Crisis. CUDARE Working Paper Series, University California at Berkeley.

Aglioby, John, et al. 2006. Most Analysts Doubt Rest of Region Will Copy Bangkok. *Financial Times*, 20 December, 5.

Akaba, Yuji, Florian Budde and **Jungkiu Choi.** 1998. Restructuring South Korea's Chaebol. *McKinsey Quarterly*, no. 4. 68 - 79.

Akamatsu, Kaname. 1961. A Theory of Unbalanced Growth in the World Economy. *Weltwirtschaftliches Archiv*, Hamburg, **86**, 196 - 217.

Akyuz, Yilmaz. 2006. Reforming the IMF: Back to the Drawing Board. Third World Network, Global Economy Series no. 7, Penang.

Allen, Roy E., ed. 2004. *The Political Economy of Financial Crises*. Volume I. Cheltenham: Edward Elgar.

Amyx, Jennifer A. 2000. Political Impediments to Far-Reaching Banking Reforms in Japan: Implications for Asia. In Gregory W. Noble and John Ravenhill, eds., *The Asian Financial Crisis and the Architecture of Global Finance*, 132 - 151. Cambridge: Cambridge University Press.

Arrow, Kenneth, J. 1974. On the Agenda of Organization. In R. Marris, ed., *The Corporate Society*. London: Macmillan. 214 - 234.

Asia-Pacific Economic Cooperation Study, University of Hong Kong and China Centre for Economic Research. 2000. *Asian Financial Crisis: Causes and Development*. Hong Kong: Hong Kong Institute of Economics and Business Strategy, University of Hong Kong.

Asian Development Bank(亚洲开发银行). 1998. *Asian Development Outlook*. Manila.

——. 2000. *Asia Economic Monitor*. March.

——. 2007. *Asian Development Outlook: Change amid Growth*. Manila.

Asian Policy Forum. 2000. *Policy Recommendations for Preventing Another Capital Account Crisis*. Asian Development Bank Institute, July. Tokyo.

Asiaweek. 1998. The Evolution of a Crisis. *Asiaweek*, 17 July. Available at http://cgi.cnn.com/ASIANOW/asiaweek/98/0717/cs_3_evolution.html.

——. 1999. Passage. *Asiaweek*, 3 September. Available at http://www-cgi.cnn.com/ASIANOW/asiaweek/magazine/99/0903/passage.html.

Aslanbeigui, Nahid, and **Gale Summerfield.** 2000. The Asian Crisis, Gender and the International Financial Architecture. *Feminist Economics*, **6**(3), 81 - 103.

Asra, Abuzar. 2000. Poverty and Inequity in Indonesia: Estimates, Decomposition and Key Issues. *Journal of Asia Pacific Economy*, **5**(1/2), 91 - 111.

Athukorala, Prema-Chandra. 2000. Capital Account Regimes, Crisis and Adjustment in Malaysia. *Asian Development Review*, **18**(1), 17 - 48.

——. 2003. Foreign Direct Investment in Crisis and Recovery: Lessons from the 1997 - 1998 Asian Crisis. *Australian Economic History Review*, **43**(2), 197 - 213.

——. 2007. The Malaysian Capital Controls: A Success Story? Australian National University Working Papers in Trade and Development, 2007/07, July.

Auster, Amy, Jasmine Robinson and **Katie Dean.** 2006. The Fallout from Thailand's Capital Controls. *Economics@ANZ*, 20 December. Available at http: //www. anz. com/documents/economics/FalloutfromThailandscapitalcontrols - 20Dec06. pdf.

Bacani, Cesar. 1998. Expensive City. *Asiaweek*, 7 August. 50 - 53.

Backman, Michael. 2001. *Asian Eclipse: Exposing the Dark Side of Business in Asia.* Revised edition. Singapore: John Wiley & Sons (Asia).

Bagehot, Walter. 1991 [1873]. *Lombard Street: A Description of the Money Market.* Philadelphia: Orion Editions.

Baker-Said, Stephanie, and **Logutenkova, Elena.** 2008. The Mess at UBS. *Bloomberg Markets*, July, 36 - 50.

Bank for International Settlement. 1999. The Yen Carry Trade and Recent Foreign Exchange Market Volatility. *BIS Quarterly Review*, March, 33 - 37.

——. 2008. *78th Annual Report.* Basel, 30 June.

——. 2008. Financial System and Macroeconomic Resilience. *BIS Papers* no. 41, July. Available at http: //www. bis. org.

Bank Negara Malaysia. 1998. *Annual Report 1997.* March. Kuala Lumpur.

——. 1999. *The Central Bank and the Financial System in Malaysia: A Decade of Change (1989 - 1999).* Kuala Lumpur: Bank Negara Malaysia.

——. 2005. Malaysia Adopts a Managed Float for the Ringgit Exchange Rate. Press release, Kuala Lumpur, 21 July.

Bank of England. 2007. *Financial Stability Report.* London, October.

——. 2008. *Financial Stability Report.* London, October, issue no. 24.

Bank of Japan. 1997. Statement by Governor. Tokyo, 17 November.

Bank of Korea. 1998. Bank Restructuring in Korea, Bank Analysis Office. Banking Department, Bank of Korea, December.

Bank of Thailand. 2000. *Supervision Report.* Bangkok: Bank of Thailand.

Banker, The. 1996. Jakarta Upheavals Highlight Riots, Risks and Returns. *The Banker*, September, 85.

Barth James R., and **Zhang Xin.** 1999. Foreign Equity Flows and the Asian Crisis. In Alison Howard, Robert Litan and Michael Pomerleano, eds., *Financial Markets & Development: The Crisis in Emerging Markets*, 179 - 218. Washington, DC: Brookings Institution Press.

Barth, James R., Gerard Caprio, Jr. and **Ross Levine.** 2006. *Rethinking Bank Regulation: Till Angels Govern.* Cambridge: Cambridge University Press.

Barton, Dominic. 2007. The Asian Financial System: Recovered and Ready to Play a Significant Global Role. Speech to the Federal Reserve Bank of San Francisco, 6 September.

Barton, Dominic, Roberto Newell and **Gregory Wilson.** 2003. *Dangerous Markets: Managing in Financial Crises.* Hoboken, NJ: John Wiley & Sons.

Basel Committee on Banking Supervision. 2008. Principles for Sound Liquidity Risk Management and Supervision. Bank for International Settlements, Basel, 17 June.

Beck, Thorsten, Asli Demirgüç-Kunt and **Ross Levine.** 2000. A New Database on Financial Development and Structure. *World Bank Economic Review*, **14**, 597 - 605.

Beinhocker, Eric. 2006. *The Origin of Wealth: Evolution, Complexity and the Radical Remaking of Economics.* London: Random House Business Books.

Beja, Edsel, Jr. 2007. Unchained Melody: Economic Performance after the Asian Crisis Working Paper Series, no. 139, Political Economy Research Institute, University of Massachusetts, Amherst, June.

Bergsten, Fred. 1998. Japan and the United States in the World Economy. Speech given at the Conference on Wisconsin-US-Japan Economic Development, Sponsored by Kikkoman Foods, Lake Geneva, WI, 19 June.

Bergsten, Fred, and **Park Yung Chul.** 2002. Toward Creating a Regional Monetary Arrangement. ADBI Research Paper Series, no. 50, December. Asian Development Bank Institute, Tokyo.

Bergsten, Fred, 2005, Embedding Pacific Asia in the Asia Pacific: The Global Impact of an East Asian Community, Institute for International Economics, Speech at the Japan National Press Club, Tokyo, 2, September Available at: www. piie. com/publications/papers/bergsten0905. pdf- 2002 - 10 - 01.

Bernanke, Ben. 2005. The Global Savings Glut and the US Current Account Deficit. Remarks by the Governor of the Federal Reserve Board at the Sandridge Lecture, Virginia Association of Economics, Richmond, VA, 10 March.

——. 2006. The Chinese Economy: Progress and Challenges. Remarks by the Chairman of the U. S. Federal Reserve Board at the Chinese Academy of Social Sciences, Beijing, China, 15 December.

——. 2008. Reducing Systemic Risks. Speech by the Chairman of the U. S. Federal Reserve Board at the Federal Reserve Bank of Kansas City's Annual Economic Symposium, Jackson Hole, WY, 22 August.

Bhattacharya, Anindya K. 2001. The Asian Financial Crisis and Malaysia Capital Controls. *Asia Pacific Business Review*, **7**(3), 181 - 193.

Bidaya, Thanong. 2007. No Choice, but No Regrets Either. *Bangkok Post 2007 Mid Year Economic Review*. Available at http: //www. bangkokpost. com/economicmidyear2007/Thanong. html.

Bisignano, Joseph R., **William C. Hunter** and **George G. Kaufman**, eds. 2001. *Global Financial Crises: Lessons from Recent Events*. Boston: Kluwer Academic.

Blake, David. 2008. Greenspan's Sins Return to Haunt Us. *Financial Times*, 19 September, 13.

Bloom, David, and **Jeffrey Williamson.** 1998. Demographic Transitions and Economic Miracles in Emerging Asia. *World Bank Economic Review*, **12**(3), 419 - 455.

Board of Governors of the Federal Reserve System. 2007. Flow of Funds Accounts of the United States. *Federal Reserve Statistical Release*, Washington, DC, 6 December.

Boediono. 2005. Managing the Indonesian Economy: Some Lessons from the Past. *Bulletin of Indonesian Economic Studies*, **41**(3), 309 - 324.

Booz, Allen and **Hamilton.** 1997. Revitalizing the Korean Economy toward the 21st Century. Sponsored by Vision Korea Execution Committee, Maeil Business Newspaper, Maeil Economic Research Institute and Korea Development Institute, Seoul, South Korea, October.

Born, Brooksley. 1998. Testimony Concerning the Over-the-Counter Derivatives Market. 24 July, U. S. House of Representatives Committee on Banking and Financial Services.

Bowers, Tab, Greg Gibb and **Jeffrey Wong.** 2003. *Banking in Asia: Acquiring a Profit Mindset*. 2nd ed. Singapore: John Wiley & Sons (Asia).

Breedon, Francis. 2001. Market Liquidity under Stress: Observations from the FX Market. *BIS Papers*, no. 2, April, 149 - 151.

Bruell, Steven. 1994. Japan Rescues Thrifts with Public Funds. *International Herald Tribune*, 10 December.

Brunnemeier, Markus, Andrew Crockett, Charles Goodhart, Avinash Persaud and **Hyun Shin.** 2009. The Fundamental Principles of Financial Regulation. Geneva Reports on the World Economy no. 11, International Center for Monetary and Banking Studies,

Centre for Economic Policy Research, January.

Buffet, Warren. 2003. Chairman's Letter to Shareholders. *Berkshire Hathaway Inc. 2003 Annual Report*, 8 March.

——. 2006. Chairman's Letter to Shareholders. *Berkshire Hathaway Inc. 2006 Annual Report*, 3 - 24.

Burdekin, Richard. 2008. *China's Monetary Challenges: Past Experiences and Future Prospects*. New York: Cambridge University Press.

Cabellero, Ricardo J. 2006. On the Macroeconomics of Asset Shortages. NBER Working Paper, no. 12753, December.

Callen, Tim, and **Jonathan D. Ostry**, eds. 2003. *Japan's Lost Decade: Policies for Economic Revival*. Washington, DC: International Monetary Fund.

Camdessus, Michel. 1995. Drawing Lessons from the Mexican Crises: Preventing and Resolving Financial Crises - The Role of IMF. Address at the 25th Washington Conference of the Council of the Americas on Staying the Course: Forging a Free Trade Area in the Americas, Washington, DC, 22 May.

——. 1997. Global Capital Flows: Raising the Returns and Reducing Risk. Address at the World Affairs Council of Los Angeles, California, 17 June.

——. 1998. The IMF and Its Programs in Asia. Remarks at the Council on Foreign Relations, New York, 6 February.

Caprio, Gerard, Jr. 1998. Banking on Crisis: Expensive Lessons from Recent Financial Crisis. World Bank Working Paper, no. 1978, Washington, DC.

Caprio, Gerard, Jr., and **Daniela Klingebiel.** 2003. *Episodes of Systemic and Borderline Financial Crises*. World Bank dataset. Available at http: //go. worldbank. org/5DYGICS7B0.

Carr, Caleb, ed. 2000. *The Book of War: Sun-tzu The Art of Warfare & Karl von Clauswitz on War*. New York: Modern Library.

Casserley, Dominic and Greg Gibb. 1999. *Banking in Asia: The End of Entitlement*. Singapore: John Wiley & Sons (Asia).

Castells, Manuel. 2000. *The Rise of the Network Society: Economy, Society and Culture*. Oxford: Blackwell Publishing.

Chakkaphak, Pin. 2007. Not Again, Please. *Bangkok Post 2007 Mid Year Economic Review*. Available at http: //www. bangkokpost. com/economicmidyear2007/Pin. html.

Chalmers, Johnson. 1998. Economic Crisis in East Asia: The Clash of Capitalisms. *Cambridge Journal of Economics*, **22**(6), 653 - 661.

Chancellor, Edward. 2007. Ponzi Nation. *Institutional Investor*, International Edition, **32**(1), 71 - 78.

——. 1999. *Devil Take the Hindmost: A History of Speculation*. New York: Farrar, Straus and Giroux.

Chang, Ha-Joon(张夏准). 1998. The Hazard of Moral Hazard. *Financial Times*, 7 October, 11.

——. 2003. *Globalization, Economic Development and the Role of the State*. New York and Penang, Malaysia: Zed Books and Third World Network.

——. 2006. *The East Asian Development Experience: The Miracle, the Crisis and the Future*. New York and Penang, Malaysia: Zed Books and Third World Network.

Chemko, Victoria. 2002. The Japanese Yakuza: Influence on Japan's International Relations and Regional Politics (East Asia and Latin America). Available at http: //conflicts. rem33. com/images/yett_secu/yakuza_chemko. htm.

Chen Nan-Kuang. 2001. Asset Price Fluctuations in Taiwan: Evidence from Stock and Real Estate Prices 1973 to 1992. *Journal of Asian Economics*, **12**(2), 215 - 232.

Chen, Shaohua, and **Martin Ravallion.** 2007. *Absolute Poverty Measures for the Developing World, 1981 - 2004*. Washington, DC: Development Research Group, World Bank.

China Daily. 1998. Zhu Charts Development Course. *China Daily*, 20 March. 1 - 3.

Ching, Frank. 1999. Social Impact of the Regional Financial Crisis. In the Asian Economic Crisis: Policy Choices, Social Consequences and the Philippines Case. New York: Asia Society, February. Available at: http://www. asiasociety. org/publications/update-crisis-ching. html.

Chun Chang (张春). 2000. The Informational Requirement on Financial Systems at Different Stages of Economic Development: The Case of South Korea. Working Paper, University of Minnesota.

City of London. 2007. *The Global Financial Centres Index: Executive Summary*. September. London: City of London.

Claessens, Stijn, Simeon Djankov and **Larry Lang.** 1998. East Asian Corporates: Growth, Financing and Risks over the Last Decade. World Bank Policy Research Working Paper, November. Available at: http: //www'wds. worldbank. org/servlet/WDSContentServer/WDSP/IB/1999/08/17/000094946_99031911105940/Rendered/PDF/multi_page. pdf.

Claessens, Stijn, Ayhan Kose and **Marco Terrones.** 2008. What Happens during Recessions, Crunches and Busts? IMF Working Paper, August.

Collyns, Charles, and **Abdelhak Senhadji.** 2003. Lending Booms, Real Estate Bubbles, and the Asian Crisis. IMF Working Paper, WP/02/20, January.

Commission Tasked with Making Recommendations to Improve the Efficiency and Management of Thailand's Financial System. 1998. *The Nukul Commission Report: Analysis and Evaluation of the Facts behind Thailand's Economics Crisis*. English translation. Bangkok: Nation Multimedia Group.

Corrigan, E. Gerald. 2008. "The Credit Crisis: The Quest for Stability and Reform". William Taylor Memorial Lecture, Washington, DC, October 12.

Counterparty Risk Management Policy Group. 1999. Improving Counterparty Risk Management Practices. June. New York.

——. 2005. Toward Greater Financial Stability: A Private Sector Perspective. 27 July. Available at http: //www. crmpolicygroup. org.

——. 2008. Containing Systemic Risk: The Road to Reform. Report of the CRMPG III. 6 August. Available at http: //www. crmpolicygroup. org.

Cowen, David, Ranil Salgado, Hemant Shah, Leslie Teo and **Alessandro Zanello.** 2006. Financial Integration in Asia: Recent Developments and New Steps. IMF Working Paper, WP/06/06, August.

Cox, Christopher. 2008. Testimony Concerning Turmoil in US Credit Markets. Senate Committee on Banking, Housing and Urban Affairs, 23 September. Available at www. sec. gov.

Crook, Clive. 2008. The View from Mount Greenspan. *The Atlantic*, 17 March. Available at: http: //clivecrook. theatlantic. com/archives/2008/03/the_view_from_mount_greenspan. php? ref=patrick. net.

Cukierman, Alex. 2007. Central Bank Independence and Monetary Policy Making Institutions - Past Present and Future. CEPR Discussion Paper DP6441, Centre for Economic Policy Research, London. Available at http: //ideas. repec. org/p/cpr/ceprdp/6441. html.

Cull, Robert, and **Maria Soledad Martínez Pería.** 2007. Foreign Bank Participation and Crises in Developing Countries. World Bank Policy Research Working Paper, no. 4128, February, Washington, DC.

Damuri, Yose Rizal, Raymond Atje and **Arya B. Gaduh.** 2006. Integration and Trade Specialization in East Asia. Centre for Strategic and International Studies (CSIS) Working Paper Series, WPE 094, March.

D'Arista, Jane. 2008. Broken Systems: Agendas for Financial and Monetary Reform. Levy Economics Institute, Bard College, New York, 17 April.

Davies, Howard. 1999. The Changing Face of International Financial Regulation. Speech by Chairman of the Financial Services Authority, UK, to the Japan Banker Federation, Tokyo, Japan, 11 November.

——. 2008. The Future of Financial Regulation. Oxonia Lecture, Economics Department, Oxford University, 15 January.

Davies, Howard, and **David Green.** 2008. *Global Financial Regulation: The Essential Guide*. Cambridge: Polity Press.

Davies, Simon. 1997. HSBC in the Firing Line as It Backs Support of Currency. *Financial Times*, 24 October, 20.

Davies, Simon, and **Edward Luce.** 1997. Asian Ratings Downgraded to Junk Bond Status. *Financial Times*, 23 December, 17.

De Jonquieres, Guy. 2006. Talk of an East Asian Renaissance Is Premature. *Financial Times*, 12 October, 13.

De Juan, Aristobulo. 2003. From Good Bankers to Bad Bankers: Ineffective Supervision and Management Deterioration as Major Elements in Banking Crisis. *Journal of Banking Regulation*, **4**, 237 - 246.

de Meyer, Arnoud, Pamela Mar, Frank-Jurgen Richter and **Peter Williamson.** 2005. *Global Future: The Next Challenge for Asian Business*. Singapore: John Wiley & Sons (Asia).

De Nicolò, Gianni, and **Elena Loukoianova.** 2007. Bank Ownership, Market Structure and Risk. IMF Working Paper, WP/07/215, September.

de Rato, Rodrigo 2007. Ten Years after the Asian Currency Crisis: Future Challenges for the Asian Economies and Financial Markets, Speech by the Managing Director of the International Monetary Fund at the Bank of Japan Symposium. Tokyo, Japan, 22 January.

de Silva, Migara and **Shahid Yusuf.** 1999. Summary Proceedings of the World Bank Workshop on Rethinking the East Asian Miracle. San Francisco, CA, 16 - 17 February.

de Brouwer, Gordon. 1999. Capital Flows to East Asia: The Facts. Conference Held at the H. C. Coombs Centre for Financial Studies, Kirribilli, Australia, 9 - 10 August.

——. 2001, Hedge Funds in Emerging Markets, Cambridge University Press, Cambridge

Delhaise, Philippe F. 1998. *Asia in Crisis: The Implosion of the Banking and Finance Systems*. Singapore: John Wiley & Sons (Asia).

Desai, Padma. 2003. *Financial Crisis, Contagion, and Containment: From Asia to Argentina*. Princeton, NJ: Princeton University Press.

Desvaux, Georges, Michael Wang and **David Xu.** 2004. Spurring Performance in China's State-Owned Enterprises. *McKinsey Quarterly*, Special Edition. 96 - 105.

Deutsche Bank Research. 1998. Can the Gathering Financial Crisis Be Stopped in Japan? *Emerging Markets*, August.

——. 2006. China's Banking Sector: Ripe for the Next Stage? *Current Issues*, China Special, December. Available at http: //www. dbresearch. com/PROD/DBR_INTERNET_EN'PROD/PROD0000000000204417. pdf.

Diaz-Alejandro, Carlos. 1985. Goodbye Financial Repression, Hello Financial Crash. *Journal of Development Economics*, **19**, 1 - 24.

Dick, Kathryn. 2008. Testimony before Senate Subcommittee on Securities, Insurance and

Investment, Comptroller of the Currency, Washington, DC, 9 July.
Djiwandono, Soedrajdad J. 2000. Bank Indonesia and the Recent Crisis. *Bulletin of Indonesian Economic Studies*, **36**(1), 47 – 72.
——. 2004. Liquidity Support to Banks during Indonesia's Financial Crisis. *Bulletin of Indonesian Economic Studies*, **40**(1), 59 – 75.
——. 2005. *Bank Indonesia and the Crisis: An Insider's View*. Singapore: Institute of Southeast Asian Studies (INSEAS).
Dobson, Wendy, and **Anil K. Kashyap.** 2006. The Contradiction in China's Gradualist Banking Reforms. Paper prepared for the Brookings Panel on Economic Activity, Washington, DC, October version.
Dollar, David, and **Mary Hallward-Driemeier.** 2000. Crisis, Adjustment, and Reform in Thailand's Industrial Firms. *World Bank Research Observer*, **15**(1), 1 – 22.
Dombey, Daniel. 2006. The Billion Dollar Memory Lapse: George Soros Has Moved on to Higher Things since Black Wednesday 1992, When He Broke the Bank of England and Made a Fortune-or Was It a Thursday? *Financial Times*, 5 August, 14.
Dominguez, Kathryn M. 1999. The Role of the Yen. In Martin Feldstein, ed., *International Capital Flows*. Chicago: University of Chicago Press. 133 – 168.
Dooley, Michael, Peter Garber and **David Folkerts-Landau.** 2004. An Essay on the Revived Bretton Woods System. *International Journal of Finance & Economics*, October, **9**, 307 – 313.
Drucker, Peter. 1993. *Post-Capitalist Society*. New York: Harper Business.
Drucker, Peter, and **Isao Nakauchi.** 1997. *On Asia*. London: Butterworth/Heinemann.
DSG Asia. 2008. *Asia's Economic and Financial Market Landscape – 2008*. 7 January.
Dyer, Geoff. 2007. Fuelling the Chinese Boom in Equities. *Financial Times*, 6 November, 26.
Eatwell, John, and **Avinash Persaud.** 2008. Fannie Mae and Freddie Mac: Damned by a Faustian Bargain. *Financial Times*, 17 July. Available at: http: //www. ft. com/cms/s/0/642d7dd2 – 5409 – 11dd'aa78 – 000077b07658. html? nclick_check=1.
Eatwell, John, and **Lance Taylor.** 2000. Capital Flows and the International Financial Architecture. A Paper from the Project on Development, Trade and International Finance, Council on Financial Relations. July 1998 Available at: http: //www. cfr. org/publication/8717/capital_flows_and_the_international_financial_architecture_a_cfr_paper. html.
Economist. 1993. Japanese in Asia: Branching Out. *Economist*, 7 August, 69.
——. 1995. Jittery Japan. *The Economist*, 22 April, 15 – 16.
——. 1997a. Horrible Truth Revealed. *The Economist*, 25 January, 65 – 68.
——. 1997b. Run, Run, Run. *The Economist*, 29 November, 80.
——. 1998. The Hong Kong Dollar: Off the Peg? *The Economist*, 14 February, 77.
——. 2007. Stir Fry Capitalism. *The Economist*, 1 September, 77.
——. 2008a. Paradise Lost, A Special Report on International Banking. *The Economist*, 17 May. Supplement 1 – 26.
——. 2008b. Confessions of a Risk Manager. *The Economist*, 9 August. 72 – 73.
Edwards, Sebastian. 1998a. The Mexican Peso Crisis: How Much Did We Know? When Did We Know It? *World Economy*, **21**(1), 1 – 30.
——. 1998b. Barking Up the Wrong Tree. *Financial Times*, 7 October, 10.
——. 1999. On Crisis Prevention: Lessons from Mexico and East Asia. NBER Working Paper Series, no. 7233, July.
Eichengreen, Barry. 2007. *Global Imbalances and the Lessons of Bretton Woods*. Cambridge, MA: MIT Press.
Eichengreen, Barry, and **Tamim Bayoumi.** 1996. Is Asia an Optimum Currency Area? Can

It Become One? Regional, Global and Historical Perspective on Asian Monetary Relations. Centre for International and Development Economics Research (CIDER) Working Paper, no. C96 - 081, December.

Eichengreen, Barry, and **Donald Mathieson**. 1999. Hedge Funds: What Do We Really Know? IMF Economic Issues, no. 19, September.

Einzig, Paul. 1935. *World Finance 1914 - 1935*. London: K. Paul, Trench, Trubner & Co.

El-Erian, Mohamed. 2008. *When Markets Collide: Investment Strategies for the Age of Global Economic Change*. New York: McGraw-Hill.

EMEAP. 1997. Closer Cooperation and Coordination among EMEAP Members. Press Release of the Second EMEAP Governors Meeting, Shanghai, China, 27 July.

Emerging Markets Monitor. 2006. The Growing Need for Capital Market Reform. *Emerging Markets Monitor*, **12**(2), 26 June, 3 - 4.

——. 2007a. Scenario Test: Hard Landing in China. *Emerging Markets Monitor* **12**(39), 22 January, 1 - 2.

——. 2007b. China: Political Implications of Hard Landing. *Emerging Markets Monitor* **12**(40), 29 January, 1 - 2.

——. 2007c. Asia: Beyond the Correction, Solid Fundamentals Will Prevail. *Emerging Markets Monitor*, 5 March, 8. Vol. 12 Issue 45, 8.

Enoch, Charles, Olivier Frécaut and Arto Kovanen 2003 Indonesia's Banking Crisis: What Happened and What Did We Learn? *Bulletin of Indonesian Economic Studies*, Vol. 39, No. 1, 75 - 92.

Ernst, Dieter. 2004. Global Production Networks in East Asia's Electronic Industry and Upgrading Perspectives in Malaysia. In Shahid Yusuf, Anjum Altaf and Kaoru Nabeshima, eds., *Global Production Networks and Technological Innovation in East Asia*, 89 - 158. Washington, DC: World Bank.

Faber, Marc. 2002. *Tomorrow's Gold: Asia's Age of Discovery*. Hong Kong: CLSA Books.

Fallon, Peter, and **Robert Lucas**. 2002. The Impact of Financial Crises on Labor Markets, Household Incomes, and Poverty: A Review of Evidence. *World Bank Research Observer*, **17**(1), 21 - 25.

Fallows, James. 1995. *Looking at the Sun: The Rise of the New East Asian Economic and Political System*. Reprint edition. New York: Vintage Books.

Fan, Joseph P. H., and **Yupana Wiwatanakantang**. 2006. Bank Ownership and Governance Quality in Four Post-Crisis Asian Economies. In Sang-Woo Nam and Chee Soon Lum, eds., *Corporate Governance of Banks in Asia*, 75 - 106. Tokyo: Asian Development Bank Institute.

Farmer, J. Doyne. 2001. Toward Agent-Based Models for Investment. *Benchmarks and Attribution Analysis*, The Association for Investment Management and Research, 61 - 70.

Farrell, Diana, Aneta Key and **Tim Shavers**. 2005. Mapping the Global Capital Markets. *McKinsey Quarterly*, Special Edition. 38 - 47.

Federal Reserve Bank of Kansas City. 2008. Economic Policy Symposium., Jackson Hole, WI, 21 - 23 August, Available at www.kc.frb.org/publicat/sympos/symmain.htm.

Ferguson, Niall. 2008. *The Ascent of Money: A Financial History of the World*. London: Allen Lane.

Feridhanusetyawan, Tubagus, and **Mari Pangestu**. 2003. Managing Indonesia's Debt. *Asian Economic Papers*, **2**(3), 128 - 154.

Financial Services Authority. 2008. *FSA's Supervisory Enhancement Programme in Response to the Internal Audit Report on Supervision of Northern Rock*. FSA,

London, 26 March.
Financial Services Bureau(金融服务局). 1998. *Report on Financial Market Review*. April. Hong Kong: Government of Hong Kong Special Administrative Region.
Financial Times. 2006. Yeah Baht, No Baht. *Financial Times*, **20** December, 16.
——. 2007. Lessons from Asia: China's Rise Means ASEAN Never Full Recovered from 1997. *Financial Times*, **14** May, 14.
Fisher, Peter. 1997. Global Currency Market Risks and Rewards. Remarks by Executive Vice President of the Federal Reserve Bank of New York at the 19th Asia Pacific Financial Markets Assembly, Hong Kong, 28 November.
Fischer, Stanley. 1998a. The Asian Crisis: A View from the IMF. Address by First Deputy Managing Director of the International Monetary Fund at the Midwinter Conference of the Bankers' Association for Foreign Trade, Washington, DC, 22 January.
——. 1998b. The Asian Crisis and the Changing Role of the IMF. *Finance & Development*, **35**(2), 2 - 6.
——. 2002. The Asian Crisis: Lessons for the Future. Fifth Hong Kong Monetary Authority Distinguished Lecture, Hong Kong, 21 May.
Fleckenstein, William, and **Fred Sheehan**. 2008. *Greenspan's Bubble: The Age of Ignorance at the Federal Reserve*. New York: McGraw-Hill.
Flemming, Marcus. 1962. Domestic Financial Policies under Fixed and under Floating Exchange Rates. *IMF Staff Papers*, **9**(3), 369 - 379.
Fligsten, Neil. 2001. *The Architecture of Markets: An Economic Sociology of Twenty-first-Century Capitalist Societies*. Princeton, NJ: Princeton University Press.
Folkerts-Landau, David, and **Alfred Steinherr**. 1994. The Wild Beast of Derivatives: To Be Chained Up, Fenced in or Tamed? In *Amex Bank Review Prize Essays: Finance and International Economy*. Vol. 8. New York: Oxford University Press for American Express Bank. 8 - 27.
Frécaut, Olivier. 2004. Indonesia's Banking Crisis: A New Perspective on $50 Billion of Losses. *Bulletin of Indonesian Economic Studies*, **40**(1), 37 - 57.
Freedman, Craig, ed. 1999. *Why Did Japan Stumble?* Causes and Cures. Cheltenham: Edward Elgar.
Friedman, Alan. 1997. Soros Calls Mahathir a "Menace" to Malaysia. *International Herald Tribune*, 22 September.
Friedman, Milton. 1998. The Hong Kong Experiment. *Hoover Digest*, no. 3. Available at http: //www. hooverdigest. org/983/friedman. html.
Fukuyama, Francis. 1998. Asian Values and Civilisation. *ICAS Fall Symposium*, Institute for Corean-American Studies Inc. , Available at http: //www. icasinc. or/1998/frff1998. html.
G-20 Secretariat. 2003. *Economic Reform in this Era of Globalization: 16 Country Cases*. New Delhi: G-20.
——. 2005. *Institution Building in the Financial Sector*. New Delhi: G-20.
Galbraith, John Kenneth. 1954. *The Great Crash 1929*. 1975 edition. London: Penguin Group.
——. 1983. *The Anatomy of Power*. London: Corgi Books.
Gan Wee Beng, and **Ying Soon Lee**. 2003. Current Account Reversal during a Currency Crisis: The Malaysian Experience. *ASEAN Economic Bulletin*, **20**(2), 128 - 143.
Gapper, John. 2008. The Cost of a Wrong Turn, Part 2, Future of Banking. *Financial Times*, 5 August. 5 . Available at: http: //us. ft. com/ftgateway/superpage. ft?news_id=fto080420081458393864.
Geithner, Timothy. 2008. Reducing Systemic Risk in a Dynamic Financial System. Speech

at the Economic Club of New York, 9 June.

Gieve, John. 2008. Remarks on "Coping with Financial Distress in a More Markets Oriented Environment". BIS Papers no. 41. Basel.

Giles, Chris. 2008. Into the Storm. *Financial Times*, 14 November, 10.

Gill, Indermit, Yukon Huang and **Homi Kharas**, eds. 2007. *East Asia Visions: Perspectives on Economic Development*. Washington, DC, and Singapore: World Bank and Institute of Policy Studies, Singapore.

Girishankar, Navin. 2001. *Evaluating Public Sector Reform: Guidelines for Assessing County-Level Impact of Structural Reform and Capacity Building in the Public Sector*. Washington, DC: World Bank.

Godement, François. 1999. *The Downsizing of Asia*. London: Routledge.

Goh, Chok Tong. 1999. The Asian Crisis: Lessons and Responses. Speech by the Prime Minister of Singapore at the Argentine Institute of International Relations, Buenos Aires, Argentina, 2 June.

Goldstein, Morris. 1998. The Asian Financial Crisis: Causes, Cures, and Systemic Implications. IMF Policy Analyses in International Economics, no. 55, Washington, DC.

Gomez, Terence, ed. 2002. *Political Business in East Asia*. London: Routledge.

Goodhart, Charles. 2000. The Organisational Structure of Banking Supervision. FSI Occasional Papers no. 1, November, Financial Stability Institute Bank for International Settlements, Basel.

——. 2004. New Directions for Financial Stability? Per Jacobsson Lecture, Zurich, Available at http: //www. perjacobsson. org/lectures. htm.

——. 2007. Liquidity Risk Management. LSE Financial Markets Group's Special Paper, no. 175, October.

——. 2008a. The Regulatory Response to the Financial Crisis. Financial Markets Group, London School of Economics.

——. 2008b. Lessons from the Crisis for Financial Regulation: What We Need and What We Do Not Need. Background Paper to the Financial Markets Reform Task Force Meeting 2008, University of Manchester, 1 - 2 July.

——. 2008c. Now Is Not the Time to Agonize over Moral Hazard. *Financial Times* Comment, 19 September. 13. Available at: http: //www. ft. com/cms/s/0/62db6730 - 85e3 - 11dd'a1ac - 0000779fd18c. html.

Goodhart, Charles, and **Philipp Hartmann.** 1998. *Financial Regulation: Why, How and Where Now?* New York: Routledge.

Goodhart, Charles, and **Dai Lu.** 2003. *Intervention to Save Hong Kong: The Authorities' Counter-Speculation in Financial Markets*. Oxford: Oxford University Press.

Goodhart, Charles, and **Avinash Persaud.** 2008. How to Avoid the Next Crash. *Financial Times*, 30 January. 9.

Goodstadt, Leo. 2007. *Profits, Politics and Panic: Hong Kong's Banks and the Making of a Miracle Economy, 1935 - 1985*. Hong Kong: Hong Kong University Press.

Gourinchas, Pierre-Olivier., and **Rey, Héléne.** 2005. From World Banker to World Venture Capitalist: U. S. External Adjustment and the Exorbitant Privilege. *NBER Working Paper* no. 11563. August.

Government of Malaysia(马来西亚政府). 1999. *White Paper: Status of the Malaysian Economy*. 6 April. Available at http: //www. epu. jpm. my.

Grais, David J., and **Kostas D. Katsiris.** 2007. Why the First Amendment Does Not Shield the Rating Agencies from Liability for Over-rating CDOs. *Bloomberg Law Reports*, November. Available at http: //www. graisellsworth. com/Rating_Agencies. pdf.

Greenspan, Alan. 1996. Remarks by Chairman of the US Federal Reserve Board at the

Annual Dinner and Francis Boyer Lecture of the American Enterprise Institute for Public Policy Research, Washington, DC, 5 December.

——. 1997. Turbulence in World Financial Markets. Testimony of the Chairman of the US Federal Reserve Board before the Joint Economic Committee, U. S. Congress, 29 October.

——. 1998a. Risk Management in the Global Financial System. Remarks before the Annual Financial Markets Conference in the Federal Reserve Bank of Atlanta, Miami Beach, FL, 27 February.

——. 1998b. The Current Asia Crisis and the Dynamics of International Finance. Testimony of the Chairman of the US Federal Reserve Board before the Committee on Agriculture, U. S. House of Representatives, 21 May.

——. 1998c. International Economic and Financial Systems. Testimony of the Chairman of the U. S. Federal Reserve Board before the Committee on Banking and Financial Services, U. S. House of Representatives, 16 September.

——. 1998d. The Crisis in Emerging Market Economies. Testimony of the Chairman of the U. S. Federal Reserve Board before the Committee on Budget, U. S. Senate, 23 September.

——. 1998e. Private-Sector Refinancing of the Large Hedge Fund, Long-Term Capital Management. Testimony of the Chairman of the U. S. Federal Reserve Board before the Committee on Banking and Financial Services, U. S. House of Representatives, 1 October.

——. 1999a. Lessons from the Global Crisis. Address before the World Bank Group and IMF Program of Seminars, Washington, DC, 27 September.

——. 1999b. Do Efficient Financial Markets Mitigate Financial Crises? 1999 Financial Markets Conference of the Federal Reserve Bank of Atlanta, Sea Island, Georgia, 19 October.

——. 2002. Economic Volatility. Remarks by Chairman of the U. S. Federal Reserve Board at a Symposium sponsored by the Federal Reserve Bank of Kansas City, Jackson Hole, WY, 30 August.

——. 2003. Speech to Conference on Bank Structure and Competition, Federal Reserve Bank of Chicago, 8 May.

——. 2007. *The Age of Turbulence*. New York: Penguin Press.

——. 2008a. We Will Never Have a Perfect Model of Risk. *Financial Times*, 17 March. 9.

——. 2008b. Banks Need More Capital. *Economist*, Economic Focus, 20 December, 122.

Grenville, Stephen. 1998. The Asian Economic Crisis. Talk to the Australian Business Economists and the Economic Society of Australia (NSW Branch), Sydney, Australia, 12 March.

——. 2004a. The IMF and the Indonesian Crisis. *Bulletin of Indonesian Economic Studies*, **40**(1), 77 – 94.

——. 2004b. What Sort of Financial Sector Should Indonesia Have? *Bulletin of Indonesian Economic Studies*, **40**(3), 307 – 327.

Griffith-Jones, Stephany. 2008. Criteria for Financial Regulation after the Current Crisis. Background Paper to the Financial Markets Reform Task Force Meeting 2008, University of Manchester, 1 – 2 July.

Gross, Bill. 2008. Pyramids Crumbling. *PIMCO Investment Outlook*, January. Available at www. pimco. com.

Group of Thirty. 2008. The Structure of Financial Supervision: Approaches and Challenges in a Global Marketplace. Washington DC. Available at www. group30. org.

Gumerlock, Robert. 2000. Valuation, Liquidity and Risk. IFRI Risk Management

Roundtable, mimeo, 6 April.

Gunther, Marc and Nina Easton, 2008, Paulson to the Rescue, *Fortune*, 29 September, 53.

Gyohten, Toyoo. 1999. Two Lessons of the East Asian Financial Crisis. Remarks to the Trilateral Commission, Institute for International Monetary Affairs. Available at http://www. trilateral. org.

Hale, David. 1997a. The East Asian Financial Crisis and the World Economy. Testimony before the House Banking Committee, U. S. Congress, 13 November.

——. 1997b. How Did Thailand become the Creditanstalt of 1997? *The Zurich Group's Global Economic Observer*, 23 December. Vol. 11.

——. 1998a. The IMF after the Asia Crisis. Presentation before the Bretton Woods Committee, Washington, DC, 13 February.

——. 1998b. Indonesia's Currency Board. *The Zurich Group's Global Economic Observer*, 3 March.

——. 1998c. Will Asia Force the U. S. to Create a Bubble Economy? *The Zurich Group's Global Economic Observer*, 13 April.

——. 1998d. Developing Country Financial Crises during the 1990's: Will Mexico's Recovery from the 1995 Peso Crisis Be a Role Model for Asia? *The Zurich Group's Global Economic Observer*, June.

——. 1998e. Can the G-7 Restrain Global Deflation without a Recovery in Japan? *The Zurich Group's Global Economic Observer*, 17 July.

——. 1998f. Will Russia's Default Produce a Global Recession? *The Zurich Group's Global Economic Observer*, 8 October. Vol. 16, 1 - 12.

——. 2008. *2008 Economic Forecast*. Chicago: Hale Advisers, January.

Hale, Gillian. 2007. Prospects for China's Corporate Bond Market. Federal Reserve Bank of San Francisco Economic Letter, 16 March.

Hamilton, David P. 1998. Global Cry Urges Japan to Fix Economy: Country's Leaders Take a Restrained Approach as the Problems Spread. *Asian Wall Street Journal*, 17 June.

Hanke, Steve H. 1996. Anything in Asia but Japan. *Forbes*, 16 December, 394.

——. 2002. On Dollarization and Currency Boards: Error and Deception. *Policy Reform*, **5**(4), 203 - 222.

Hanke, Steve H., and **Alan A. Walters**. 1993. Yen Bashing. *Forbes*, 12 April, 64.

Hansakul, Syetam. 2006. China's Banking Sector: Ripe for the Next Stage? *Deutsche Bank Research*, **7** December.

Hartcher, Peter. 1998a. *The Ministry: How Japan's Most Powerful Institution Endangers World Markets*. Boston: Harvard Business School Press.

——. 1998b. Can Japan Come Back? *The National Interest*, no. 54, Winter, 32 - 39.

Harvie, Charles, and **Hyun-Hoon Lee**. 2003. Export-Led Industrialisation and Growth: Korea's Economic Miracle, 1962 - 1989. *Australian Economic History Review*, **43**(3), 256 - 286.

He Huang, Richard, and **Gordon Orr**. 2007. China's State-Owned Enterprises: Board Governance and the Communist Party. *McKinsey Quarterly*, Issue 1. 108 - 111.

Healy, Tim, and **Julian Gearing.** 1996. Didn't You See It Coming? Laying the Blame for the Bangkok Bank of Commerce Troubles. *Asiaweek*, 7 June. Available at: http://www-cgi. cnn. com/ASIANOW/asiaweek/96/0607/biz3. html.

Hodgson Brown, Ellen. 2007. Web of Debt. Third Millennium Press, 27 July, 2007, Chippenham.

Holzhausen, Arne, ed. 2001. *Can Japan Globalize?: Studies on Japan's Changing Political Economy and the Process of Globalization in Honour of Sung-Jo Park*.

Heidelberg: Physica-Verlag.
Hong Kong Monetary Authority(HKMA). 1997. Annual Report. Hong Kong: Hong Kong Monetary Authority. Available at: www. hkma. gov. hk.
——. 1998. Annual Report. Hong Kong: Hong Kong Monetary Authority.
——. 2005. *Hong Kong's Linked Exchange Rate System*. November. Hong Kong: Hong Kong Monetary Authority.
Hong Kong SAR Government. 1998. *Hong Kong Yearbook*. Hong Kong: Hong Kong SAR Government.
Hookway, James. 2007. Politics and Economies: Thai Plan Worries Foreign Investors. *Wall Street Journal*, Eastern Edition, 9 January.
Horsley, Nicholas. 1997. Asia Needs a New Model. *Asian Wall Street Journal*, 9 December.
Huang, Ray. 1982. *1587, A Year of No Significance: The Ming Dynasty in Decline*. Reprint edition. New Haven, CT: Yale University Press.
——. 1998. *China: A Macro History*. New York: M. E. Sharpe.
——. 1999. *Broadening the Horizon of Chinese History: Discourses, Syntheses and Comparisons*. New edition. Armonk, NY: M. E. Sharpe.
Hufbauer, Gary Clyde. 1998. Reshaping the Global Financial Architecture. Peterson Institute for International Economics, 5 - 6 November.
IMF Staff. 1998. The Asian Crisis: Causes and Cures. *Finance & Development*, **35**(2), 18 - 21.
Independent Evaluation Office. 2003. The IMF and the Recent Capital Account Crises: Indonesia, Korea, Brazil. *Evaluation Report*, Washington, DC: International Monetary Fund July.
Institute for International Monetary Affairs. 2003. Preventing Future Financial Crises: Lessons from Asian and Latin American Countries and the Role of IMF. *Occasional Paper*, no. 13, Tokyo, September.
Institute of International Finance. 2008a. Interim Report of the IIF Committee on Market Best Practices. Washington, DC, 9 April.
——. 2008b. Final Report of the IIF Committee on Market Best Practices: Principles of Conduct and Best Practice Recommendations - Financial Services Industry Response to the Market Turmoil of 2007 - 2008. Washington, DC, 25 July.
International Monetary Fund. 1997a. IMF Approves Extension and Augmentation of EFF for the Philippines. Press Release, 97/33, Washington, DC, 18 July.
——. 1997b. IMF Approves Stand-by Credit for Thailand. Press Release, 97/38, Washington, DC, 20 August.
——. 1997c. IMF Approves Stand-by Credit for Indonesia. Press Release, 97/50, Washington, DC, 5 November.
——. 1997d. International Capital Markets: Developments, Prospects and Key Policy Issues. Washington, DC, November.
——. 1997d. World Economic Outlook - Interim Assessment. Washington, DC, December.
——. 1998a. World Economic Outlook. Washington, DC, May.
——. 1998b. International Capital Markets: Developments, Prospects and Key Policy Issues. Washington, DC, September.
——. 1998c. World Economic Outlook. Washington, DC, October.
——. 1998d. Thailand: Statistical Appendix. IMF Staff Country Report, no. 98/119, Washington, DC, October.
——. 1998e. World Economic Outlook and International Capital Markets - Interim Assessment. Washington, DC, December.

——. 1999a. World Economic Outlook. Washington, DC, May.
——. 1999b. IMF Supported Programs in Indonesia, Korea, and Thailand: A Preliminary Assessment. *IMF Occasional Paper Series*, no. 178, Washington, DC.
——. 1999c. Malaysia: Selected Issues. *IMF Staff Country Report*, no. 99/86, Washington, DC, August.
——. 2000. Recovery from the Asian Crisis and the Role of the IMF. *IMF Issues Brief*, no. 00/05, Washington, DC, June.
——. 2001. People's Republic of China - Hong Kong Special Administrative Region: Selective Issues and Statistical Appendix. *IMF Country Report*, no. 1/146, Washington, DC, August.
——. 2003. Global Financial Stability Report, Washington, DC, March.
——. 2006a. People's Republic of China: 2006 Article IV Consultation - Staff Report; Staff Statement; and Public Information Notice on the Executive Board Discussion. *IMF Country Report*, no. 06/394, Washington, DC, October.
——. 2006b. Global Financial Stability Report. Washington, DC, September.
——. 2007a. Global Financial Stability Report. Washington, DC, April.
——. 2007b. Staff Report on the Multilateral Consultation on Global Imbalances with China, the Euro Area, Japan, Saudi Arabia, and the United States. Washington, DC, June 29.
——. 2007c. Global Financial Stability Report. Washington, DC, October.
——. 2008. Global Financial Stability Report. Washington, DC, April.
Ishigaki, Kenichi, and **Hiroyuki Hino**, eds. 1998. *Towards the Restoration of Sound Banking Systems in Japan - The Global Implications*. Kobe: Kobe University Press and International Monetary Fund.
Islam, Iyanatul, 2002 Poverty, Employment and Wages: An Indonesian Perspective, International Labour Organization, Jakarta, 29 April-1 May.
Ito, Takatoshi. 1996. Japan and the Asian Economies: A "Miracle" in Transition. *Brookings Papers on Economic Activities*, no. **2**, 205 - 260.
——. 2007. Asian Currency Crisis and the International Monetary Fund, 10 Years Later: An Overview. *Asian Economic Policy Review*, **2**, 16 - 49.
Iwai, Koichi. 1998. Capital Flows, Capital Market Trends: A Monthly Guide to Investment in Japan. *Nomura Research Institute*, August.
Jackson, Karl D., ed. 1999. *Asian Contagion: The Causes and Consequences of a Financial Crisis*. Boulder, CO: Westview Press.
Jaimovich, Dany, and **Ugo Panizza**. 2006. Public Debt around the World: A New Dataset of Central Government Debt. Inter-American Development Bank Working Paper, no. 561, March.
Jao, Y. C.(饶余庆) 1998. The Real Lessons of "Black Thursday". *HKMA Quarterly Bulletin*, August, 43 - 45.
——. 2001. *The Asian Financial Crisis and the Order of Hong Kong*. Westport, CT: Quorum.
Joint Forum. 2005. Credit Risk Transfer, Basel Committee on Banking Supervision. March. Available at: www. bis. org.
Joint Ministerial Statement of the 10th ASEAN + 3 Finance Minister's Meeting, 2007, Kyoto, Japan, 5 May. Available at: http: //www. mof. go. jp/english/if/as3_070505. htm.
Jomo, K. S. 2005. Malaysia's September 1998 Controls: Background, Context, Impacts, Comparisons, Implications and Lessons. *UNCTAD G - 24 Discussion Paper Series*, no. 36, March.
Jomo, K. S., et al. 1997. *Southeast Asia's Misunderstood Miracle: Industrial Policy and*

Economic Development in Thailand, Malaysia and Indonesia. Denver, CO: Westview Press.

Jopson, Barney. 2003. Funding Gap in Japanese Pensions. *Financial Times*, **9** September, 28.

Kaminsky, Graciela, and **Carmen M. Reinhart**. 1999. The Twin Crises: The Causes of Banking and Balance of Payments Problems. *American Economic Review*, **89**, 473 - 500.

Kaminsky, Graciela, and **Sergio Schmukler**. 1999. What Triggers Market Jitters: A Chronicle of the Asian Crisis. *U. S. Federal Reserve International Finance Discussion Papers*, no. 634, April.

Kanaya, Akihiro, and **David Woo**. 2000. The Japanese Banking Crisis of the 1990s: Sources and Lessons. IMF Working Paper, WP/00/7.

Kane, Edward J. 2000. The Dialectical Role of Information and Disinformation in Regulation-Induced Crises. *Pacific Basin Financial Journal*, **8**, 285 - 308.

Kang, Tae Soo, and **Guonan Ma**. 2007. Recent Episodes of Credit Card Distress in Asia. *BIS Quarterly Review*, June, 55 - 68.

Kassenaar, Lisa, 2008, Citi's Wake-up Call, *Bloomberg Markets*, *September*, Available at http://www.bloomberg.com/news/marketsmag/mm_0908_story1.html.

Kattoulas, Velisarios. 2002. Japan: The Yakuza Recession. *Far Eastern Economic Review*, 17 January, 12 - 19. Vol. 165, Iss. 2.

Kaufman, Henry. 1998. A Lack of Leadership. *Financial Times*, 7 October, 11.

Kaufmann, Daniel, **Aart Kraay** and **Massimo Mastruzzi**. 2006. Governance Matters V: Aggregate and Individual Governance Indicators 1996 - 2005. World Bank Policy Research Working Paper, no. 4012, September.

Kawai, Masahiro. 2002. Bank and Corporate Restructuring in Crisis-Affected East Asia: From Systemic Collapse to Reconstruction. In Gordon de Brouwer, ed., *Financial Markets and Policies in East Asia*, 82 - 121. London: Routledge.

——. 2003. *Japan's Banking System: From the Bubble and Crisis to Reconstruction*. Tokyo: Institute of Social Science, University of Tokyo.

Kawai, Masahiro, **Richard Newfarmer** and **Sergio Schmukler**. 2005. Financial Crises: Nine Lessons from East Asia. *Eastern Economic Journal*, **31**(2), 185 - 207.

Kay, John. 2004. *The Truth about Markets: Why Some Nations Are Rich but Most Remain Poor*. London: Penguin Books.

Keown, Deidre. 2007. China: Land of Opportunities. *Money Management*, 16 - 18.

Keynes, John Maynard. 1942 [1936]. *The General Theory of Employment, Interest and Money*. 1942 reprint. London: Macmillan.

Khandani, Amir E., and **Andrew W. Lo**. 2007. What Happened to the Quants in August 2007? Massachusetts Institute of Technology, Cambridge, MA, September.

Kim, Dong Hwan. 2005. Cognitive Maps of Policy Makers on Financial Crises of South Korea and Malaysia: A Comparative Study. *International Review of Public Administration*, **9**(2), January, 31 - 39.

Kim, Kihwan. 2000. The Korean Financial Crisis: Causes, Response and Lessons. In Joseph R. Bisignano, William C. Hunter and George G. Kaufman, eds., *Global Financial Crises: Lessons from Recent Events*. Boston: Kluwer Academic. 201 - 208.

——. 2006. The 1997 - 98 Korean Financial Crisis: Causes, Policy Response and Lessons. Presentation at the High-Level Seminar on Crisis Prevention in Emerging Markets Organised by the International Monetary Fund and the Government of Singapore, Singapore, 10 - 11 July.

Kindleberger, Charles. (1996) [1978]. *Manias, Panics and Crashes: A History of Financial Crises*. 3rd ed. London: Macmillan.

King, Mervyn. 2006. Reform of the International Monetary Fund, Speech by the Governor of the Bank of England at the Indian Council for Research on International Economic Relations (ICRIER), New Delhi, India, 20 February. Available at: http: //www. bis. org/review/r060222a. pdf.

——. 2007. Monetary Policy Developments. Speech at the Northern Ireland Chamber of Commerce and Industry, Belfast, Ireland, 9 October.

Kirk, Don. 1998. Vague Charges Accuses Korean Officials of Letting Economy Fall: From Finance Ministry to Cell No. 3. *International Herald Tribune*, 21 July.

——. 1999. In South Korea, Big Investment Firms Are Banking on Bad Loans. *International Herald Tribune*, 29 June.

Kissinger, Henry. 1998. The Asian Collapse: One Fix Does Not Fit All Economies. *Washington Post*, 9 February.

Kittiprapas, Sauwalak. 2002. Social Impacts of Financial and Economic Crisis in Thailand. *EADN Regional Project on the Social Impact of the Asian Financial Crisis*, January.

Knee, Jonathan A. 2006. *The Accidental Investment Banker*. New York: Random House Trade Paperbacks.

Knowles, James C., **Ernesto M. Pernia** and **Mary Racelis.** 1999. Social Consequences of the Financial Crisis in Asia: The Deeper Crisis. *Asian Development Bank Economics and Development Resource Centre (ADB EDRC) Briefing Notes*, no. 16.

Kobayashi, Masaki. 1997a. Recent Trends of the Japanese Direct Investment Abroad – Increasing Focus on Manufacturing Sector and Asia. *Nomura Asia Focus Quarterly*, Nomura Research Institute, Summer 1997, 2 – 5.

——. 1997b. Expansion of Japanese Businesses into Asia – Contributing Factors and Future Outlook, *Nomura Asia Focus Quarterly*, Nomura Research Institute, Summer 1997, 6 – 14.

Koh, Winston T. H., et al. 2004. Bank Lending and Real Estate in Asia: Market Optimism and Asset Bubbles. Wharton-SMU Research Centre, 10 January.

Kohn, Donald L. 2007. Financial Stability – Preventing and Managing Crises. Remarks by Vice Chairman of the Board of Governors of the US Federal Reserve System at the Exchequer Club Luncheon. Washington, DC, 21 February.

Kondo, M. James, **William W. Lewis**, **Vincent Palmade** and **Yoshinori Yokohama.** 2000. Reviving Japan's Economy. *McKinsey Quarterly*, Special Edition, Issue 4, 19 – 37.

Koo, Richard. 1998. Overview, *Capital Market Trends: A Monthly Guide to Investment in Japan*. Nomura Research Institute, August.

——. 2003. *Balance Sheet Recession: Japan's Struggle with Uncharted Economics and Its Global Implications*. Singapore: John Wiley & Sons (Asia).

Kristof, Nicholas, and **Sheryl WuDunn.** 2001. *Thunder from the East: Portrait of a Rising Asia*. New York: Vintage Books.

Krueger, Anne O. 2004. Lessons from the Asian Crisis. Keynote Address by the First Deputy Managing Director of the International Monetary Fund at the SEACEN Meeting, Colombo, Sri Lanka, 12 February.

Krueger, Anne O., and **Aaron Tornell.** 1999. The Role of Bank Restructuring in Recovering from Crises: Mexico 1995 – 1998. NBER Working Paper, no. 7042, March.

Krugman, Paul. 1994. The Myth of Asia's Miracle. *Foreign Affairs*, **73**(6), 62 – 79.

——. 1998a. *What Happened to Asia*. Unpublished Manuscript, Massachusetts Institute of Technology, Cambridge, MA, January. Available at: http: //web. mit. edu/ krugman/www/DISINTER. html.

——. 1998b. Will Asia Bounce Back? Speech at Credit Suisse First Boston, Hong Kong,

March.
——. 2000. *The Return of Depression Economics*. Revised edition. London: Penguin Books.
Kuper, Simon. 1997. Korean Won Hits 999 against Dollar. *Financial Times*, London Edition, 11 November, 33.
Kuroda, Haruhiko. 2002. Japan in the Global Economy: A Personal View. Speech before Chatham House, London, 17 June.
——. 2005. Towards a Borderless Asia: A Perspective on Asian Economic Integration. Speech by the President of the Asian Development Bank at the Emerging Markets Forum, Oxford, UK, 10 December.
Kwan, C. H. 1997. Deepening Asia-Japan Economic Interdependence - The Impact of the Yen's Appreciation. Nomura Research Institute, April. Tokyo.
——. 1998. Asian Currency Crisis: From the Viewpoint of Japanese Yen and Chinese Yuan. Nomura Research Institute, Tokyo.
Labaton, Stephen. 2008. How US Regulators Laid the Groundwork for Disaster. *International Herald Tribune*, 3 October. Available at: http://www.nytimes.com/2008/10/03/business/worldbusiness/03iht-03sec.16660424.html?_r=1.
Laevan, Luc, and **Fabian Valencia.** 2008. *Systemic Banking Crises: A New Database*. IMF Working Paper, WP/08/24, November.
Lamfalussy, Alexandre. 1998. Asian Debt: The Signs Were There for All to See. *Financial Times*, 13 February, 24.
Lane, Philip R., and **Gian Maria Milesi'Ferretti.** 2001, The External Wealth of Nations: Measures of Foreign Assets and Liabilities for Industrial and Developing Countries. *Journal of International Economics*, **55**, 264 - 294.
——. 2006. The External Wealth of Nations Mark Ⅱ: Revised and Extended Estimates of Foreign Assets and Liabilities, 1970 - 2004. IMF Working Paper, WP/06/99, March.
Langley, Monica, Deborah Solomon and **Mathew Karnitschnig.** 2008. A Wave Engulfing Wall Street Swamps the World's Largest Insurer. *Wall Street Journal*, 19 - 21 September.
Lardy, Nicholas. 1998. *China's Unfinished Economic Revolution*. Washington, DC: Brookings Institution Press.
Lee, Kuan Yew. 1998. Melt Down in East Asia. East Lecture Series: The James A. Baker Ⅲ Institute for Public Policy, Rice University, Houston, Texas, 23 October.
——. 2000. *From Third World to First - The Singapore Story: 1965 - 2000*. Singapore: Times Media.
Lee, Phil-Sang. 2000. Economic Crisis and Chaebol Reform in Korea. APEC Study Centre Discussion Paper, no. 14, Columbia University, October.
Lee, Tim. 2008. The Currency Carry Trade and Emerging Markets - The Next Phase of the Global Crisis. July-August. Available at www.pieconomics.com.
Leekpai, Chuan. 1998. Lessons from East Asian Financial Crisis. Speech by the Prime Minister of Thailand at the Council of Foreign Relations and Asia Society, New York, 11 March.
Lewis, Michael. 2008. The End, December. Vanity Fair, Available at: http://www.portfolio.com/news'markets/national'news/portfolio/2008/11/11/The-End-of-Wall-Streets-Boom.
Liker, Jeffrey. 2004. *The Toyota Way: 14 Management Principles from the World's Greatest Manufacturer*. New York: McGraw-Hill.
Linden, Eugene. 1997. How to Kill a Tiger. *Time*, Australia/New Zealand Edition, 3 November.

Lindsey, Richard R. 1998. Hedge Funds Activities in the US Financial Markets. Testimony of the Director, Division of Market Regulation, U. S. Securities and Exchange Commission before the Committee on Banking and Financial Services, US House of Representatives, 1 October.

Lipsey, Phillip Y. 2003. Japan's Asian Monetary Fund Proposal. *Stanford Journal of East Asian Affairs*, **3**(1), 93 - 104.

Lipsky, John. 1998. Asia's Crisis: A Market Perspective. *Finance & Development*, **35** (2), 10 - 13.

Liu, Olin. 2001. Overview. In Kanitta Meesok et al, *Malaysia: From Crisis to Recovery. IMF Occasional Papers*, no. 207, August. Available at: http: //www. imf. org/external/pubs/nft/op/207/index. htm.

Liu, Shiyu, Wu Yi and **Liu Zhengming.** 2006. The Lessons Learnt from the Development and Reform of China's Banking Sector. BIS Papers, no. 28, August, 181 - 187.

Lou, Ji Wei(楼继伟). 2006. 在爱丁堡大学的演讲. 以"改革是资源配置的整体跃迁：关于中俄改革与发展的比较"为题刊登在《比较》(吴敬琏主编，北京：中信出版社，2006)第二十三辑上。

Lukauskas, Arvid John, and **Francisco L. Rivera-Batiz,** eds. 2001. *The Political Economy of the East Asian Crisis and Its Aftermath: Tigers in Distress*. Cheltenham: Edward Elgar.

Maddison, Angus. 2007. *Contours of the World Economy 1 - 2030 AD: Essays in Macro-Economic History*. New York: Oxford University Press.

Mahbubani, Kishore. 1998. *Can Asians Think? Understanding the Divide between East and West*. Singapore: Times Media.

——. 2008. *The New Asian Hemisphere: The Irresistible Shift of Global Power to the East*. New York: PublicAffairs, Perseus Books.

Makin, John H. 2006. Does China Save and Investment Too Much? *Cato Journal*, **22**(2), 307 - 315.

Mandelbrot, Benoît B., and **Richard L. Hudson.** 2008. *The Misbehaviour of Markets*. London: Profile Books.

Margolis, Richard, and **Xu Xiaonian.** 1998. The Myth of China's "Devaluation". *Asian Wall Street Journal*, 19 January.

Martinez, Guillermo Ortiz. 1998. What Lessons Does the Mexican Crisis Hold for Recovery in Asia? *Finance & Development*, **35**(2), 6 - 9.

Martinez-Diaz, Leonardo. 2006. Pathways through Financial Crisis: Indonesia. *Global Governance*, **12**, 395 - 312.

Mayhew, David, and **Martyn Hopper.** 2008. *The Future of Financial Regulation, with Howard Davies and Martin Wolf*. Herbert Smith, London, November. Available at: www. herbertsmith. com/NR/rdonlyres/A2F4842F-F537-4C99-A8C6-80F36FF5560E/9520/120.

McCauley, Robert. 2001. Financial Instability and Policy. APEC Economic Committee, Proceedings, Hong Kong.

McKibbin, W., and **Tim Callen.** 2003. The Impact of Japanese Economic Policies on the Asia Region. In T. Callen and J. Ostry, eds., *Japan's Lost Decade: Policies for Economics Revival*, 251 - 271. Washington, DC: International Monetary Fund.

McKinnon, Ronald I. 2005. *Exchange Rates under the East Asian Dollar Standard: Living with Conflicted Virtues*. Cambridge, MA: MIT Press.

McKinnon, Ronald I. and **Kenichi Ohno.** 2005. Japan's Deflation and the Syndrome of the Ever-Higher Yen, 1971 - 1995. In Ronald I. McKinnon, *Exchange Rates under the East Asian Dollar Standards: Living with Conflicted Virtues*. Cambridge, MA: MIT Press, 77 - 102.

McKinnon, Ronald I., and **Günther Schnabl.** 2005. Synchronized Business Cycles in East Asia and Fluctuations in Yen/Dollar Exchange Rate. In Ronald I. McKinnon, *Exchange Rates under the East Asian Dollar Standard: Living with Conflicted Virtues*, 53 – 76. Cambridge, MA: MIT Press.

McKinsey Global Institute. 2006. *Putting China's Capital to Work: The Value of Financial System Reform.* San Francisco: McKinsey & Company.

——. 2007. *Banking in Changing World.* San Francisco: McKinsey & Company.

Meesok, Kanitta, et al. 2001. Malaysia: From Crisis to Recovery. IMF Occasional Paper, no. 27, August.

Meigs, James A. 1998. Lessons for Asia From Mexico. *Cato Journal*, **17**(3), 315 – 322. Available at http: //www. cato. org/pubs/journal/cj17n3-6. html.

Mera, Koichi, and **Bertrand Renaud**, eds. 2000. *Asia's Financial Crisis and the Role of Real Estate.* Armonk, NY: M. E. Sharpe.

Meyer, Laurence H. 1999. Lessons from the Asian Crisis: A Central Banker's Perspective. Levy Economics Institute Working Paper, no. 276, April.

Mikitani, Riyoichi, and **Adam S. Posen**, eds. 2000. *Japan's Financial Crisis and Its Parallels to US Experience.* Washington, DC: Institute for International Economics.

Min, Byung S. 1999. South Korea's Financial Crisis in 1997: What Have We Learned? *ASEAN Economic Bulletin*, **16**(2), 175 – 189.

Ministry of Finance, Japan. 1999. *Internationalization of the Yen for the 21st Century-Japan's Response to Changes in Global Economic and Financial Environments.* Council on Foreign Exchange and Other Transactions, Ministry of Finance, Tokyo, April.

Minsky, Hyman P. 1982. The Financial-Instability Hypothesis: Capitalist Processes and the Behaviour of the Economy. In Charles P. Kindleberger and Jean'Pierre Laffargue, eds., *Financial Crises: Theory, History and Policy*, 13 – 39. Cambridge: Cambridge University Press.

——. 1992. The Capital Development of the Economy and the Structure of Financial Institutions. Jerome Levy Economics Institute of Bard College Working Paper, no. 72, January.

Mishkin, Frederic S. 1999. Lessons from the Asian Crisis. NBER Working Paper, no. 7102.

Miyazawa, Kiichi. 1999. Beyond the Asian Crisis. Speech on the Occasion of the APEC Finance Ministers Meeting, Langkawi, Malaysia, 15 May.

Mohamad, Mahathir. 1984. Speech by the Prime Minister of Malaysia at a Luncheon Meeting with Italian Industrialists and Businessmen. Rome, Italy, 24 September.

——. 1997a. The Opening of the 30th ASEAN Ministerial Meeting. Speech by the Prime Minister of Malaysia at the 30th ASEAN Ministerial Meeting, Petaling Jaya, Malaysia, 24 July.

——. 1997b. Asian Economies: Challenges and Opportunities. Speech by the Prime Minister of Malaysia at the 1997 IMF-World Bank Program of Seminars, Hong Kong, 20 September.

——. 1999a. Financial Stability through Exchange Controls: Malaysia's Experience. Speech by the Prime Minister of Malaysia at the Asia Society Dinner, New York, 27 September.

——. 1999b. Asia's Road to Recovery: The Challenge of Pragmatism. Speech by the Prime Minister of Malaysia at the World Economic Forum, 10 October, Singapore.

——. 1999c. The 1999 Budget Speech. Speech by the Prime Minister/Minister of Finance before the Dewan Rakyat, 23 October.

Mohamed, Mustapa. 1998. Malaysia: Measures for Economic Recovery. Speech by the

Second Minister of Finance of Malaysia at the 1998 IMF-World Programme of Seminars, Washington, DC, 4 October.

Mohanty, Madhu. 2006. Banks and Financial Intermediation in East Asia: What Has Changed? Presentation at the OECD-ADBI Eighth Roundtable on Capital Market Reforms, Tokyo, Japan, 1 October.

Monetary Authority of Singapore(新加坡货币管理局). 1998. The Impact of the Asian Crisis on China: An Assessment. Monetary Authority of Singapore Occasional Paper, no. 8, October.

Moody's. 2007. Stress-Testing the Modern Financial System. *International Policy Perspectives*, September.

Moreno, Ramon. 2006. The Changing Nature of Risks Facing Banks. *BIS Papers*, no. 28, August, 67 - 98.

Moreno, Ramon, Gloria Pasadilla and **Eli Remolona.** 1998. Asia's Financial Crisis: Lessons and Policy Responses. *Pacific Basin Working Paper Series*, no. PB98 - 02, Pacific Basin Monetary and Economic Studies, Economic Research Department, Federal Reserve Bank of San Francisco.

Moreno, Ramon, and **Agustin Villar.** 2005. The Increased Role of Foreign Bank Entry in Emerging Markets. *BIS Papers*, no. **23**, 9 - 16.

Mundell, Robert. 1961. A Theory of Optimal Currency Areas. *American Economic Review*, **51**(4), 657 - 665.

Mussa, Michael, ed. 2006. C. Fred Bergsten and the World Economy. Peterson Institute for International Economics, Washington, DC.

Myrdal, Gunnar. 1968. *Asian Drama: An Inquiry into the Poverty of Nations.* Volume 1. Middlesex: Penguin Books.

Nakaso, Hiroshi. 2001. The Financial Crisis in Japan during the 1990s: How the Bank of Japan Responded and the Lessons Learnt. *BIS Papers*, no. 6, October.

Namekawa, Masashi. 1998. Thailand's Monetary and Currency Crisis. *National Institute for Research Advancement Review*, Tokyo, Spring. Available at: http: //www. nira. or. jp/past/publ/review/98spring/namekawa. html.

Nasution, Anwar. 2000. The Meltdown of the Indonesian Economy: Causes, Responses and Lessons. *ASEAN Economic Bulletin*, **17**(2), 148 - 161.

The Nation. 1998. Thai Tycoons: Winners & Losers in the Economic Crisis. *Mid-Year Review*, July. 27. Available at: http: //books. google. com/books? id = TLToo6osHS4C&pg = PA63&dq = THAI + TYCOONS + WINNERS +% 26 + LOSERS + IN + THE + ECONOMIC + CRISIS&ei = WLYSSr-CNp-OkASFl4HJAw&hl=zh'CN.

National Economic Action Council (NEAC). 1998. *National Economic Recovery Plan: Agenda for Action-Synopsis.* Kuala Lumpur, Malaysia: August.

Neiss, Hubert. 1999. Lessons from the Asian Crisis. Paper prepared for the Cato Institute's Annual Monetary Conference co'sponsored with *The Economist*, Washington, DC, 22 October.

New York Times. 1996. Bank in Thailand Told to Shut U. S. Operations. *New York Times*, 26 July.

Nier, Erlend, and **Lea Zicchino.** 2008. Bank Losses, Monetary Policy and Financial Stability - Evidence on the Interplay from Panel Data. Working Paper no. 08/232, 1 September.

Nimmanhaeminda, Tarrin. 2007. We Need to Manage Better. *Bangkok Post 2007 Mid Year Economic Review.* Available at http: //www. bangkokpost. com/economicmidyear2007/Tarrin. html.

Noble, Gregory W., and **John Ravenhill**, eds. 2000. *The Asian Financial Crisis and the*

Architecture of Global Finance. Cambridge: Cambridge University Press.
Noland, Marcus. 1996. Restructuring Korea's Financial Sector for Greater Competitiveness. APEC Working Paper, no. 96 - 14, Peterson Institute for International Economics, Washington, DC.
North, Douglass. 2005a. The Chinese Menu (for Development). *Wall Street Journal*, Eastern Edition, 7 April.
——. 2005b. *Understanding the Process of Economic Change*. Princeton, NJ: Princeton University Press.
Noy, Ilan. 2005. Banking Crises in East Asia: The Price Tag of Liberalization. *Analysis from the East-West Centre*, no. 78, November.
O'Brien, Richard. 1995. Who Rules the World's Financial Markets? *Harvard Business Review*, March-April. 144 - 151.
OECD. 2005. *Modernising Government: The Way Forward*. Organisation for Economic Co-operation and Development, Paris.
Ohmae, Kenichi. 1982. *The Mind of the Strategist: The Art of Japanese Business*. New York: McGraw-Hill.
——. 2008. America Must Seek Aid for a Global Credit Line, Comment. *Financial Times*, 1 October. 13.
Ohno, Kenichi. 1995. The Syndrome of the Ever-Higher Yen and the Japan-US Transfer Problem: Endaka Fukyos, Bubbles, and Credit Crunches. Paper prepared for the Fifth Seminar on International Finance, Asian Development Bank, Hong Kong, 27 - 29 September.
Olson, Mancur. 2000. *Power and Prosperity*. New York: Basic Books.
Ozawa, Terutomo. 2006. Asia's Labour-Driven Economic Development, Flying-Geese Style: An Unprecedented Opportunity for the Poor to Rise? UNU-WIDER Research Paper, no. 2006/59, June.
Ozeki, Koyo. 2008. Responding to Financial Crises: Lessons to Learn from Japan's Experience, Japan Credit Perspectives, PIMCO, August. Available at www. pimco. com.
Padoa-Schioppa, Tommaso. 2004. Regional Economic Integration in a Global Framework. In Julie McKay, Maria Oliva Armangol and Georges Pineau, eds. , *Regional Economic Integration in a Global Framework: G-20 Workshop Organised by the People's Bank of China and European Central Bank, Beijing, 22 - 23 September 2004*, 27 - 34. Germany: European Central Bank. Frankfurt.
Pangestu, Mari. 1998. Briefing Notes for the World Economic Forum. 12 October. Available at http: //kolom. pacific. net. id/ind/mari_pangestu.
——. 2003. The Indonesian Bank Crisis and Restructuring: Lessons and Implications for Other Developing Countries. *UNCTAD G-24 Discussion Paper Series*, no. 23, November.
Park, Jae-Joon. 1998. Causes and Solutions to the Economic Crisis. *Business Korea*, October, 54 - 58.
Park, Yung Chul. 1998. The Financial Crisis in Korea and Its Lessons for Reform of the International Financial System. In Jan Joost Teunissen, ed. , *Regulatory and Supervisory Challenges in a New Era of Global Finance*, 25 - 69. The Hague: FONDAD.
——. 2007. Monetary and Financial Cooperation and Integration in East Asia: Recent Developments and Prospects. ISIS-FONDAD Conference on Globalization, Asian Economic Integration and National Development Strategies: Challenges to Asia in a Fast-Changing World, Kuala Lumpur, Malaysia, 14 - 15 August.
Patrick, Hugh. 2007. Comment on "Japan's Lost Decade: What Have We Learned and

Where Are We Heading?" *Asian Economic Policy Review*, **2**, 204 - 205.

Paulson, Henry. 2008. Quoted in "The Captain in the Street". *Newsweek*, 29 September, 17.

Pei, Minxin. 2006. The Dark Side of China's Rise. *Foreign Affairs*, **153**, March/April, 32 - 40.

People's Bank of China(中国人民银行). 2005. Reforming the RMB Exchange Rate Regime. Public announcement, 21 July.

Persaud, Avinash D. 2000. Sending the Herd Off the Cliff Edge: The Disturbing Interaction between Herding and Market'Sensitive Risk Management Practices. *eRisk.com*, December.

——. 2007. Risky Business: Why the Risk-Transfer Model Frequently Championed by Investment Banks, Credit Rating Agencies and Regulators Creates Liquidity Black Holes. London Business School Lecture, London, 29 October.

Phuvanatnaranubala, Thirachai. 2005. Globalisation, Financial Markets and the Operation of Monetary Policy: The Case of Thailand. *BIS Papers*, no. 23, May, 269 - 274.

Pilling, David. 2007. Weak Yen Gives Lift to Dynamic Exports. *Financial Times*, 6 June, 12.

Pitsuwan, Surin. 1998. Thailand's Foreign Policy during the Economic and Social Crises. Keynote Address by the Minister of Foreign Affairs of Thailand at the Seminar in Commemoration of the 49th Anniversary of the Faculty of Political Science, Thammasat University, Bangkok, Thailand, 12 June.

——. 2000. Keynote Address by the Minister of Foreign Affairs of Thailand at the Ceremony in Commemoration of the 100th Anniversary of the German Asia-Pacific Business Association, Hamburg, Germany, 3 March.

Plender, John. 2008. Capitalism in Convulsion: ToxicAssets head towards the public balance sheet. *Financial Times*, 20 September. 12.

Pomerleano, Michael. 2002. Back to Basics: Critical Financial Sector Professions Required in the Aftermath of an Asset Bubble. *Appraisal Journal*, **70**, April, 173 - 181.

——. 2007. Corporate Financial Restructuring in Asia: Implications for Financial Stability. *BIS Quarterly Review*, 3 September. 83 - 93.

Prestowitz, Clyde V. 2005. *Three Billion New Capitalists: The Great Shift of Wealth and Power to the East*. New York: Basic Books.

Prieb, Woody. 2004. *Dharmodynamics*. Bangkok: Asia Books.

Rajan, Raghuram G. 2006. Global Imbalances and Financial Reform with Examples from China. *Cato Journal*, **26**(2), 267 - 273.

Ramaswamy, Ramana, and **Hossein Samiei.** 2003. The Yen-Dollar Rate: Have Interventions Mattered? In Tim Callen and Jonathan D. Ostry, eds., *Japan's Lost Decade: Policies for Economic Revival*, 224 - 248. Washington, DC: International Monetary Fund.

Ramos, Fidel Valdez. 1998. The East Asian Crisis and Its Social Implications. Remarks to the Asia Society, Melbourne, 2 December.

Ramos, Roy. 1998. Banks: A Critical Ingredient to Recovery for Asia. World Bank-Asian Development Bank Senior Policy Seminar, Manila, Philippines, March.

Reading, Brian. 2007. The Bears Zero in on Goldilocks. *Euromoney*, **38**(453), 88 - 97.

Reinhart, Carmen M., and **Kenneth S. Rogoff.** 2008. Is the 2007 US Sub-Prime Financial Crisis So Different? An International Historical Comparison. AEA Session on New Perspectives on Financial Globalization, 6 January. New Orleans. Available at: http://www.aeaweb.org/annual_mtg_papers/2008/2008_578.pdf.

Reisen, Helmut. 1999. After the Great Asian Slump: Toward a Coherent Approach to Global Capital Flows. OECD Development Centre, Policy Brief no. 16.

Renaud, Bertrand. 2003. Speculative Behaviour in Immature Real Estate Markets, Lessons of the 1997 Asia Financial Crisis. *Urban Policy and Research*, **21**(2). 153 – 173.

Renaud, Bertrand, and **Kyung-Hwan Kim.** 2007. The Global Housing Boom and Its Aftermath. *Housing Finance International*, **21**, December. 3 – 15.

Richardson, Michael. 1997. Indonesia Signals It Is Firm on Closing 16 Banks. *International Herald Tribune*, 8 November.

Roach, Stephen. 2007. The Great Unraveling. Morgan Stanley. *Global, Economic Forum* 16 March. Available at: http: //www. morganstanley. com/views/gef/archive/2007/20070316-Fri. html.

Roche, David. 2007. The Global Money Machine. *Wall Street Journal*, 17 December.

Roche, David, and **Bob McKee.** 2007. *The New Monetarism*. Chelsea, London: Independent Strategy.

Rodrik, Dani. 2008. A Washington Consensus I Can Live With. 12 June. Available at http: //rodrik. typepad. com/dani_rodriks_weblog/development_debates.

Rogoff, Kenneth. 2003. The IMF Strikes Back. *Foreign Policy*, **134**, January/February, 38 – 46.

Rohwer, Jim. 2001. *Remade in America: How Asia Will Change because America Boomed*. New York: John Wiley and Sons.

Roubini, Nouriel. 2008. *Ten Fundamental Issues in Reforming Financial Regulation and Supervision in a World of Financial Innovation and Globalization*. Available at www. rgemonitor. com.

Roubini, Nouriel, and **Brad Setser.** 2004. The U. S. as a Net Debtor: The Sustainability of the U. S. External Imbalances. Stern School of Business, New York University.

Rubin, Robert E. 1998. Strengthening the Architecture of the International Financial System. Remarks to the Brookings Institution, Washington, DC, 14 April.

Rubin, Robert E., and **Jacob Weisberg.** 2003. *In an Uncertain World: Tough Choices from Wall Street to Washington*. New York: Random House.

Rumsfeld, Donald. 2002. Press Conference at the NATO Headquarters. Brussels, Belgium, 6 June.

Russell, Bertrand. 1948. *Authority and the Individual*. London: Unwin Books.

Sachs, Jeffrey D. 1997. International Monetary Failure? The IMF's Prescriptions Might Actually Make Asia's Financial Turmoil Worse. *Time*, 8 December.

——. 2005. *The End of Poverty*. New York: Penguin Books.

Sadli, Mohammad. 1998. The Indonesian Crisis. *ASEAN Economic Bulletin*, **15** (3), 272 – 280.

Sakakibara, Eisuke. 1998. Academic Economists Reveal Vacuum of Thinking on Japan's Problems. *Financial Times*, 30 October, 18.

——. 1999a. The Lessons of the Financial Crises of 1994 to 1998. Paper presented at the Round Table on Securities Market Reforms in the Face of the Asian Financial Crisis, 8 April.

——. 1999b. From the Washington Consensus to the New International Financial Architecture. In David Gruen and Luke Gower, eds., *Capital Flows and the International Financial System*, 181 – 188. Sydney: Reserve Bank of Australia.

——. 2000. US-Japanese Economic Policy Conflicts and Coordination during the 1990s. In Riyoichi Mikitani and Adam S. Posen, eds., *Japan's Financial Crisis and Its Parallels to US Experience*, 167 – 183. Washington, DC: Institute for International Economics.

——. 2003. *Structural Reform in Japan: Breaking the Iron Triangle*. Washington, DC: Brookings Institution Press.

——. 2007. Regional Cooperation in Asia after the East Asian Crisis. Speech by Former

Vice Minister of Finance for International Affairs, Japan at the Conference on Trends in Financial Sector Organised by the Federal Reserve Bank of San Francisco, San Francisco, CA, 20 June.

Sakakibara, Eisuke, and **Sharon Yamakawa.** 2003. Regional Integration in East Asia: Challenges and Opportunities, Parts Ⅰ and Ⅱ. World Bank Policy Research Working Papers, no. 3078 and 3079, June.

Saludo, Ricardo, and **Antonio Lopez.** 1997. Eye of the Storm: As Speculators Reign Supreme, How Safe Is Your Country's Money? *Asiaweek*, 25 July.

Sargen, Nicolas. 2006. Reflections on Emerging Market Debt. *Fort Washington Investment Advisors. Inc.*, November.

Sargent, Thomas J. 1993. *Rational Expectations and Inflation.* 2nd ed. New York: Harper & Row.

Scannell, Kara, and **Sudeep Reddy.** 2008. Greenspan Admits Errors to Hostile House Panel. *Wall Street Journal*, 24 October., pp A1 and A15.

Schmidt, Johannes D. 2002. Political Business Alliances: The Role of the State and Foreign and Domestic Capital in Economic Development. In Terence Gomez, ed., *Political Business in East Asia*, 62 - 82. London: Routledge.

Schumpeter, Joseph A. 1954. *History of Economic Analysis.* London: George Allen & Unwin.

Sell, Friedrich L. 2001. *Contagion in Financial Markets.* Cheltenham: Edward Elgar.

Senior Supervisors Group. 2008. Observations on Risk Management Practices during the Recent Market Turbulence. 6 March. New York. Available at: http://www.newyorkfed.org/newsevents/news/banking/2008/SSG_Risk_Mgt_doc_final.pdf.

Sesit, Michael R., and **Laura Jereski.** 1997. Traders Burnt in Thailand's Battle of Baht. *Wall Street Journal*, Eastern Edition, 22 May.

Setser, Brad. 2006. The Chinese Conundrum: External Financial Strength, Domestic Financial Weakness. *CESifo Economic Studies*, **52**, 2/2006, 364 - 395.

Setser, Brad, and **Nouriel Roubini.** 2005. How Scary Is the Deficit? *Foreign Affairs*, July/August. Available at: www.foreignaffairs.org/20050701faresponse84415/brad-setser/how-scary-is-the-deficit.html.

Shanmugam, M. 2005. A RM23 Billion Bill. *The Edge*, 20 November.

Sheng, Andrew(沈联涛). 1996. *Asian Money: Its Dynamics and Prospects.* Unpublished manuscript, Hong Kong and Tokyo, 5 April.

——. 1997a. Asian Currencies in Global Perspective. Speech at the Seminar on Business and Finance, Sandakan, Sabah, Malaysia, 10 August.

——. 1997b. Regulatory and Development Issues in the East Asian Region. Speech at the KPMG Asia Pacific Banking and Finance Conference and Training on Balancing Risk and Reward in the World's Fastest Growing Market, Kuala Lumpur, Malaysia, 26 August.

——. 1997c. Financial Stability in Emerging Market Economies. Speech at the APEC Working Level Symposium on Strengthening Financial Systems in APEC Economies, Federal Reserve Bank of San Francisco, 4 - 5 September.

——. 1997d. Housing Finance and Asian Financial Markets: Cinderella Coming to the Ball. Speech at the 22nd World Congress of the International Union for Housing Finance, Bangkok and Phuket, Thailand, 24 - 30 October.

——. 1997e. Asset Prices, Capital Flows and Risk Management. Speech at the Asian Securities Analysts Federation Conference, Bangkok, Thailand, 16 - 17 November.

——. 1998. The Crisis of Money in the 21st Century. Guest Lecture at the City University of Hong Kong, Hong Kong, 28 April.

——. 1999a. East Asia and the New Economy. Breakfast Briefing at the Council on

Foreign Relations, New York, 19 March.
——. 1999b. The Role of Yen in the Asian Financial Crisis. Unpublished Manuscript, Hong Kong, 15 April.
——. 1999c. Accountability and Transparency in the Age of Global Markets. Speech at the American Chamber of Commerce Financial Services Luncheon Meeting, Hong Kong, 14 May.
——. 1999d. Conclusion: An Asian Perspective on the Asian Crisis. In Alison Harwood, Robert E. Litan and Michael Pomerleano, eds., *Financial Markets and Development: The Crisis in Emerging Markets*, 413 - 420. Washington, DC: Brookings Institution.
——. 1999e. The Framework for Financial Supervision: Macro and Micro Issues. *BIS Policy Papers*, no. 7, October, 154 - 166.
——. 1999f. The Future of Prudential Regulation in Asia & South East Asia. Keynote Address at the Conference on The Future of Commercial and Central Banking, Hong Kong, 9 November.
——. 2000a. Technology. Markets and Governance. Speech at the Asia Pacific Governance 2000: Ethics, Law, Management, Politics, Key Centre for Ethics, Law, Justice and Governance and Griffith Asia Pacific Council, Griffith University, Brisbane, Australia, 27 - 28 April.
——. 2000b. Transparency, Accountability and Standards in Global Markets. Luncheon Address at the Second OECD/World Bank Asian Corporate Governance Roundtable, Hong Kong, 31 May - 2 June.
——. 2000c. The Importance of Risk Management. In Eric S. Rosengreen and John S. Jordan, eds., *Building an Infrastructure for Financial Stability*, 237 - 242. Boston: Federal Reserve Bank of Boston.
——. 2001. Securing the Third Zone of the Global Markets. Speech at the Asian Securities Analysts Federation Conference, Hong Kong, 3 - 4 December.
——. 2002a. The Future of Capital Market Development in East and South East Asia. Paper presented at the 10th SEC Thailand Anniversary Seminar on How Can NBFIs Play a Greater Role in a Bank-Based Economy, Bangkok, Thailand, 6 September.
——. 2003. The Future of Capital Markets in East Asia: Implications for China's Equity Markets. Stanford Centre for International Development Working Paper, no. 192, November.
——. 2006a. The Art of Reform: Applying Lessons from Suntze to Asia's Financial Markets. *Finance and Development*, **43**(2), 20 - 23.
——. 2006b. ASEAN Integration to Meeting Global Challenges. Unpublished manuscript, Kuala Lumpur, August.
——. 2006c. Building National and Regional Financial Markets: The East Asian Experiences. Paper presented at the 2006 Global Meeting organised by the Emerging Markets Forum, Jakarta, Indonesia, 21 September.
——. 2007a. China's Banking Reforms: Towards a Robust Financial Structure. Paper presented at the John Hopkins University School of Advanced International Studies (SAIS) Conference on China's Banking Reform and Governance, Washington, DC, 16 April.
——. 2007b. The Asian Network Economy in the 21st Century. In Indermit Gill, Yukon Huang and Homi Kharas, eds., *East Asia Visions: Perspectives on Economic Development*. Washington, DC: World Bank and Institute of Policy Studies. 258 - 284
——. 2008a. Lessons for Banking and Market Regulation in Asia. In David Mayes, Michael Taylor and Robert Pringle, eds., *New Frontiers in Oversight and Regulation*

of the Financial System. London: Central Banking Publications. 377 - 386.

——. 2008b. Regulatory Action in Financial Crises: A Parallel with Military Command. In David Mayes, Michael Taylor and Robert Pringle, eds., *New Frontiers in Oversight and Regulation of the Financial System*. London: Central Banking Publications. 125 - 138.

——. 2008c. Balancing Growth and Risk, speech to McKinsey Asian Banking Rising Star Conference, Hong Kong, 11 September.

Sheng, Andrew(沈联涛), and **Xiao Geng**(肖耿). 2002. Japan's Economic Deflation: Lessons for China. Unpublished manuscript, Hong Kong.

Sheng, Andrew(沈联涛), and **Tan Gaik Looi**. 2003. Is There a Goodhart's Law in Financial Regulation? In Paul, Mizen, ed., *Monetary History, Exchange Rates and Financial Markets*. Volume Ⅱ. Cheltenham: Edward Elgar. 234 - 249.

Sheng, Andrew(沈联涛), and **Allen Ng**. 2006. The External Wealth of Malaysia: An Analysis Using the International Balance Sheet Perspective. Paper based on the 19 May 2006 Tun Ismail Lecture by Andrew Sheng, Kuala Lumpur, Malaysia, June.

——. 2008. The External Wealth of China: An Investigation from the International Balance Sheet Perspective. HKIMR Working Paper No. 1/2008, Hong Kong.

Sheng, Andrew(沈联涛), and **Kwek Kian Teng**. 2007. East Asian Capital Markets Integration: Steps beyond ABMI. Paper presented at the ANU-MOF Conference on Advancing East Asian Economic Integration, Bangkok, Thailand, 22 - 23 February.

Sheng, Andrew(沈联涛), **Kwek Kian Teng** and **Tan Wai Kuen**. 2007. A Framework for Developing Capital Market: Process, Sequencing and Options. Third APEC Policy Dialogue Workshop on Financial Sector Reform, Melbourne Australia, 9 May.

Sherer, Paul M. 1997. Thailand Shuffles Cabinet, Promises Elections in Early '98 to Defuse Crisis. *Wall Street Journal*, Eastern Edition.

Shirai, Sayuri. 2007. Promoting Tokyo as an International Financial Centre. Groupe d'Economie Mondiale (GEM) Sciences Po Working Paper, Paris, France, November.

Shirk, Susan. 1993. *The Political Logic of Economic Reform in China*. Berkeley: University of California Press.

Siamwalla, Ammar. 2000. *Anatomy of the Thai Economic Crisis*. Bangkok: Thailand Development Research Institute.

Sidel, John. 2006. *Riots, Pogroms Jihad: Religious Violence in Indonesia*. Ithaca, NY: Cornell University Press.

Sila-on, Amaret. 1998. The FRA and the Financial Crisis. *TDRI Quarterly Review*, **13** (3), 3 - 6.

Smith, Adam. 1976 [1776]. An Inquiry into the Nature and Causes of the Wealth of Nations. In A. S. Skinner et al., *The Glasgow Edition of the Works and Correspondence of Adam Smith*. Volume Ⅱ. Oxford: Oxford University Press.

Solomon, Jay. 1998. Salim's Big Indonesian Bank Put under Government Control. *Wall Street Journal*, Eastern Edition, 29 May.

Solomon, Robert. 1981. The Elephant in the Boat. *Foreign Affairs*, America and the World, **60**(3). 573 - 592.

Sonakul, Chatu Mongol. 1999. Thailand: What Happened and Has Anything Really Changed. Speech at the ASEM Conference, Copenhagen, Denmark, 8 - 9 March.

Song, Jung A. 1999. Heart Ache and Hope. *Far Eastern Economic Review*, 21 October, 50.

Soros, George. 1994. The Theory of Reflexivity. MIT Department of Economics, 26 April.

——. 1998a. Capitalism's Last Chance? *Foreign Affairs*, **113**, Winter, 55 - 66.

——. 1998b. *The Crisis of Global Capitalism: Open Society Endangered*. New York:

Public Affairs.
South China Morning Post(《南华早报》). 1998. Intervention Averted Disaster, Claims Tsang. *South China Morning Post*, 8 September.
Sparrow, Malcolm. 2000. *The Regulatory Craft: Controlling Risks, Solving Problems and Managing Compliance*. Washington, DC: Brookings Institution.
Spence, Michael. 2008. The Growth Report: Strategies for Sustained Growth and Inclusive Development. Commission on Growth and Development, June. Washington, DC.
Stern, Gary. 2000. *Thoughts on Designing Credible Policies after Financial Modernization: Addressing Too-Big-to-Fail and Moral Hazard*. Federal Reserve Bank of Minneapolis, September.
Stiglitz, Joseph E. 1998a. More Instruments and Broader Goals: Moving towards the Post-Washington Consensus. 1998 WIDER Annual Lecture, Helsinki, Finland, 7 January.
——. 1998b. Sound Finance and Sustainable Development in Asia. Keynote Address to the Asia Development Forum, Manila, Philippines, 12 March.
——. 2000. The Insider: What I Learned at the World Economic Crisis. *New Republic*, 17 - 24 April, 55 - 60.
——. 2002. *Globalization and Its Discontents*. New York: W. W. Norton.
——. 2003. *The Roaring Nineties: Seeds of Destruction*. London: Penguin.
——. 2008. The Way Out. How the Financial Crisis Happened, and How It Must Be Fixed. *Time*, 17 October. Available at: http: //www. time. com/time/business/article/0,8599,1851739,00. html.
Stiglitz, Joseph E., and **Shahid Yusuf**, eds. 2001. *Rethinking the East Asian Miracle*. New York: Oxford University Press.
Strauss-Kahn, Dominique. 1998. Personal View: Six of the Best. *Financial Times*, 16 April, 16.
Studwell, Joe. 2007. *Asian Godfathers: Money and Power in Hong Kong and Southeast Asia*. Boston: Atlantic Monthly Press.
Summers, Lawrence H. 1998. Riding to the Rescue. *Newsweek*, 2 February, 39.
——. 2007. History Holds Lessons for China and Its Partners. *Financial Times*, 26 February, 17.
Sundararajan, V., and **Tomas J. T. Balino**, eds. 1991. *Banking Crises: Cases and Issues*. Washington, DC: International Monetary Fund.
Suryodiningrat, Meidyatama. 2007. Living Diversity in Indonesia. *Jakarta Post. com*, 13 April.
Suzuki, Kenji. 2001. Effect of Amakudari on Bank Performance in the Post-Bubble Period. Stockholm School of Economics Working Paper, no. 136, November.
Suzuki, Yoshio. 1994. Financial Reform in Japan and Global Economic Stability. *Cato Journal*, **13**(3), 447 - 451.
Taleb, Nassim Nicholas. 2007. *The Black Swan: The Impact of the Highly Improbable*. New York: Random House.
Taville, Suzanne. 2007. Hot Money Could Leave Us Cold. *Money Management*, 22 March, 16 - 17.
Taylor, John. 2007. Housing and Monetary Policy, NBER Working Paper no. 13682, December.
Teranishi, Juro, and **Yutaka Kosai**. 1993. Introduction: Economic Reform and Stabilization in Postwar Japan. In Juro Teranishi and Yutaka Kosai, eds., *The Japanese Experience of Economic Reforms*, 1 - 27. New York: St. Martin's Press.
Tett, Gillian. 2008. A Year That Shook Faith in Finance, Part 1: How It Happened. *Financial Times*, 4 August. 9.
Tourres, Marie-Aimee. 2003. *The Tragedy that Didn't Happen: Malaysia's Crisis*

Management and Capital Controls. Malaysia: Institute of Strategic and International Studies.

Trichet, Jean-Claude. 2007. Reflections on the International Financial Architecture, Keynote address by the President of the European Central Bank at the 2007 Salzburg Seminar on "Challenges to the International Monetary System: Rebalancing currencies, institutions and rules", Salzburg, Austria, 29 September.

Tsang, Donald(曾荫权). 1999. Unfinished Business. *Asiaweek*, 19 November. 180.

Tsang, Shu-ki. 1998. The Hong Kong Economy in the Midst of the Financial Crisis. Hong Kong Journalists Association Regional Conference on the Financial Crisis, Hong Kong, 26 September.

Tuckett, David, and **Richard Taffler.** 2008. Phantastic Objects and the Financial Market's Sense of Reality: A Psychoanalytic Contribution to the Understanding of Stock Market Instability. *International Journal of Psychoanalysis* **89**, 389 – 412.

Tully, Shawn. 2007. Risk Returns with a Vengence. *Fortune*, 3 September, 31 – 36.

Turner, Philip. 2007. Are Banking Systems in East Asia Stronger? *Asian Economic Policy Review*, **2**, 75 – 95.

Ueda, Kazuo. 1998. The East Asian Economic Crisis: A Japanese Perspective. *International Finance*, **1**(2), 327 – 338.

——. 1999. The Japanese Banking Crisis in the 1990s. *BIS Policy Papers*, no. **7**, October, 251 – 262.

UK Financial Services Authority. 2007. Review of Liquidity Requirements for Banks and Building Societies. *FSA Discussion Paper*, 07/7, December.

UK HM Treasury, Financial Services Authority and Bank of England. 2008. Financial Stability and Depositor Protection: Strengthening the Framework. Consultation Document, CM7308, London, January.

UK House of Commons Treasury Committee. 2008. *The Run on the Rock*. Volume I. London, 26 January.

Underhill, Geoffrey. 2007. Global Financial Architecture, Legitimacy and Representation: Voice for Emerging Markets, Garnet Policy Brief, no. 3, January. Available at www.garnet-eu.org.

UNESCAP. 2002. *Protecting Marginalized Groups during Economic Downturns: Lessons from the Asian Experience*. Bangkok: United Nations Economic and Social Commission for Asia and the Pacific.

U. S. Department of the Treasury. 2008. Report on Foreign Portfolio Holdings of US Securities, as of June 30, 2007. Washington, DC, April.

U. S. President's Working Group on Financial Markets. 2008. Policy Statement on Financial Market Developments. Department of the Treasury, Washington, DC, 13 March.

Vijayaledchumy, V. 2003. Fiscal Policy in Malaysia. *BIS Papers*, no. 20, October, 173 – 179.

Visser, Hans, and Ingmar van Herpt. 1996. Financial Liberalisation and Financial Fragility: The Experiences of Chile and Indonesia Compared. In Neils Herman and Robert Lensink, eds., *Financial Development and Economic Growth: Theory and Experiences from Developing Countries*, 287 – 309. 2001 reprint. London: Routledge.

Vittas, Dimitri, and **Bo Wang.** 1991. Credit Policies in Japan and Korea: A Review of the Literature. *World Bank Policy Research Working Paper Series*, no. 747, August.

Vogel, Ezra F. 1986. Pax Nipponica? *Foreign Affairs*, **64**(4), 752 – 767.

Volcker, Paul A. 1998a. Emerging Economies in a Sea of Global Finance. Charles Rostov Lecture, Paul H. Nitze School of Advanced International Studies, John Hopkins University, Washington, DC, 9 April.

——. 1998b. Can We Bounce Back? *Financial Times*, 7 October, 10.

——. 1999. A Perspective on Financial Crisis. In Jane Sneddon Little and Giovanni P. Olivei, eds., *Rethinking the International Monetary System*. Federal Reserve Bank of Boston Conference Series no. 43, June. 264–268.

——. 2008. Speech to Economic Club of New York, 395th meeting, 8 April.

Wade, Robert. 1998. The Asian Debt-and-Development Crisis of 1997-?: Causes and Consequences. *World Development*, **26**(8), 1535–1553.

Wade, Robert, and **Frank Veneroso.** 1998. The Asian Crisis: The High Debt Model vs. the Wall Street-Treasury-IMF Complex. *New Left Review*, **228**, 3–23.

Walter, Andrew 2008 Governing Finance: East Asia's Adoption of International Standards, Cornell University Press, Ithaca and London.

Wessel, David. 1995. Rubin Says U. S. Is "Fully Committed" to Policies Needed for a Strong Dollar. *Wall Street Journal*, Eastern Edition, 10 March.

White, William. 2008. International Governance for the Prevention and Management of Financial Crisis. Bank of France International Monetary Seminar on Liquidity Crisis, Capital Crisis, Paris, 10 June.

Williamson, John. 2002 [1990]. What Washington Means by Policy Reform. Peterson Institute, Washington, DC, November. Originally published in John Williamson, ed., *Latin American Adjustment: How Much Has Happened?* chapter 2. Washington, DC: Institute of International Economics.

——. 2008. Crises and International Policy Coordination. Peterson Institute, Washington, DC, 19 March.

Winters, Jeffrey A. 1997. The Dark Side of the Tigers. *Asian Wall Street Journal*, 12 December.

Wolf, Martin. 1998a. Capital Punishment: The Emerging Washington Consensus on the Lessons from the Asian Crisis Is Not Wrong, but It Is Too Limited. *Financial Times*, 17 March, 22.

——. 1998b. Supporting a House of Cards. *Financial Times*, 16 September, 17.

——. 2007a. The Lessons Asians Learnt from Their Financial Crisis. *Financial Times*, 23 May. 15.

——. 2007b. Unfettered Finance Is Fast Reshaping the Global Economy. *Financial Times*, 18 June. 11.

——. 2008a. Seven Habits That Finance Regulators Must Acquire. *Financial Times*, 7 May. 11.

——. 2008b. America's Housing Solution Is Not a Good One to Follow. *Financial Times*, 10 September. 9.

——. 2008c. The End of Lightly Regulated Finance Has Come Far Closer. *Financial Times*, 17 September. 13.

——. 2008d. Why Paulson's Plan Was Not a True Solution to the Crisis. *Financial Times*, 24 September. 13.

Woo, Wing Thye, Jeffrey D. Sachs and **Klaus Schwab**, eds. 2000. *The Asian Financial Crisis: Lessons for a Resilient Asia*. Cambridge, MA: MIT Press.

World Bank. 1993. *The East Asian Miracle: Economic Growth and Public Policy*. Oxford: Oxford University Press.

______. 2005 *Financial Sector Assessment: A Handbook*, World Bank with International Monetary Fund, Washington DC, 2005.

——. 2006. *Making the New Indonesia Work for the Poor*. Jakarta: World Bank Office of Jakarta.

——. 2007a. *10 Years after the Crisis*. East Asia & the Pacific Update.

——. 2007b. Indonesia's Debt and World Bank Assistance. Note Prepared by World Bank

Office Jakarta, 24 July. Available at http: //go. worldbank. org/OCKV5444A0.
——. 2007c. Will Resilience Overcome Risk? East Asia and Pacific Update, November.
Wright, Chris. 2007. Thailand: An Accidental Pariah. *Euromoney*, March, 1.
Wu, Jinglian (吴敬琏). 2005. *Understanding and Interpreting Chinese Economic Reform*. Mason: Thomson/South-Western. 亦可参考本书中文版《当代中国经济改革》,上海远东出版社 2003 年版。
Xafa, Miranda. 2007. Global Imbalances and Financial Stability. *IMF Working Paper* WP/07/111, May.
Yam, Joseph(任志刚). 1998a. The Hong Kong Dollar Link. Keynote Speech at the Hong Kong Trade Development Council Financial Roadshow, Tokyo, Japan, 3 March.
——. 1998b. Why We Intervened. *Asian Wall Street Journal*, 20 August.
——. 1998c. Defending Hong Kong's Monetary Stability. Address at the Hong Kong Trade Development Council Networking Luncheon, Singapore, 14 October.
——. 1998d. Coping with Financial Turmoil. Inside Asia Lecture organised by *The Australian*, Sydney, Australia, 23 November.
——. 1999a. Causes of and Solutions to the Recent Financial Turmoil in the Asian Region. Speech at the symposium in commemoration of 50 years of central banking in the Philippines organised by the Bangko Sentral ng Pilipinas, Manila, Philippines, 5 January.
——. 1999b. Hong Kong: From Crisis to Recovery. Address at the HKMA Luncheon, London, 28 September.
Yashiro, Masamoto. 2005. Why Japan Failed to deal with the Post'Bubble Problems? Keynote address at the Wharton Global Alumni Forum, Singapore, 27 May. Available at: http: //www. insead. edu/alumni/newsletter/June2005/printedversionfinal. pdf.
Yellen, Janet L. 2007. The Asian Crisis Ten Years Later: Assessing the Past and Looking to the Future. Speech to the Asia Society of Southern California, Los Angeles, 6 February.
Yoshitomi, Masaru. 1999. Capital Flows to East Asia. In Martin Feldstein, ed., *International Capital Flows*, 182 - 186. Chicago: University of Chicago Press.
——. 2005. Applying Key Lessons from the Asian Crisis to China in an Era of Asian Integration and Global Imbalances. Speech at the UNU-WIDER Jubilee Conference: WIDER Thinking Ahead - The Future of Development Economies, Helsinki, Finland, 17 - 18 June.
Yue, Chia Siow, and **Shamira Bhanu.** 1998. The Asian Financial Crisis: Human Security Dimensions. Background Paper for the International Dialogue on Building Asia's Tomorrow organised by the Japan Center for International Exchange, Tokyo, 2 - 3 December.
Yusuf, Shahid, Anjum Altaf and **Kaoru Nabeshima**, eds. 2004. *Global Production Networking and Technological Change in East Asia*. Washington, DC: World Bank.
Zainal Abidin, Mahani. 2000. Implications of the Malaysian Experience on Future International Financial Arrangements. *ASEAN Economic Bulletin*, 135 - 147.
Zoellick, Robert B. 1998a. Statement before the Committee on Banking and Financial Services, U. S. House of Representatives, 14 September.
——. 1998b. The Political and Security Implications of the East Asian Crisis. *NBER Analysis on The East Asian Crisis - Implications for U. S. Policy*, **9**(4), 5 - 29.
Zukerman, Gregory, and **Kara Scannell.** 2008. Madoff Misled SEC in '06. *Wall Street Journal*, 19 - 21 December.

索　引

图书在版编目（CIP）数据

十年轮回：从亚洲到全球的金融危机/（马来）沈联涛著；杨宇光，刘敬国译. —4版. —上海：上海远东出版社，2016
（世纪中国论坛典藏文库）
ISBN 978－7－5476－1159－3

Ⅰ. ①十… Ⅱ. ①沈…②杨…③刘… Ⅲ. ①金融危机－研究－世界 Ⅳ. ①F831.59

中国版本图书馆CIP数据核字(2016)第174837号

责任编辑 匡志宏 李巧媚
封面设计 陈 楠

·世纪中国论坛典藏文库·
十 年 轮 回
——从亚洲到全球的金融危机
［马来］沈联涛 著
杨宇光 刘敬国 译
上海世纪出版股份有限公司
远东出版社出版
（200235 中国上海市钦州南路81号 www.ydbook.com）
上海世纪出版股份有限公司发行中心发行
上海中华印刷有限公司印刷
开本720×1000 1/16 印张28.5 插页4 字数433,000
2016年8月第4版 2016年8月第1次印刷
ISBN 978－7－5476－1159－3/F·587
定价 95.00元